Bestsellers

JOHN GRISHAM

L'APPELLO

Traduzione di Roberta Rambelli

OSCAR MONDADORI

© 1994 John Grisham
Titolo originale dell'opera: *The Chamber*
© 1994 Arnoldo Mondadori Editore S.p.A., Milano

I edizione Omnibus maggio 1994
I edizione Bestsellers Oscar Mondadori settembre 1995

ISBN 88-04-40722-0

Questo volume è stato stampato
presso Mondadori Printing S.p.A.
Stabilimento NSM - Cles (TN)
Stampato in Italia - Printed in Italy

Ristampe:

10   11   12   13   14   15   16   17

2000   2001   2002   2003   2004

Il nostro indirizzo Internet è:
http://www.mondadori.com/libri

L'appello

1

La decisione di mettere una bomba nello studio dell'ebreo radicale fu presa con relativa facilità. Nell'operazione erano coinvolti in tre. Il primo era quello che ci metteva i soldi. Il secondo era uno del posto che conosceva la zona. E il terzo era un giovane patriota fanatico, esperto di esplosivi e abilissimo nell'arte di scomparire senza lasciar tracce. Dopo l'attentato, fuggì dal paese e si nascose per sei anni nell'Irlanda del Nord.

La vittima si chiamava Marvin Kramer, ed era un ebreo del Mississippi di quarta generazione; la sua famiglia aveva fatto fortuna con l'attività mercantile nel Delta. Viveva in una casa di prima della guerra civile a Greenville, una città sul fiume con una comunità ebraica piccola ma forte, una località amena che aveva ben pochi precedenti di dissidi razziali. Esercitava la professione legale perché il commercio lo annoiava. Come moltissimi altri ebrei di origine tedesca, i suoi si erano integrati benissimo nella cultura del Profondo Sud, e si consideravano tipici *Southerners* che per caso professavano una fede diversa. In quella zona l'antisemitismo si manifestava molto di rado. Nella maggior parte dei casi, gli ebrei si amalgamavano al resto della comunità e si occupavano dei loro affari.

Marvin era diverso. Il padre l'aveva mandato al Nord, a Brandeis, verso la fine degli anni Cinquanta. Vi aveva passato quattro anni, e poi per tre anni aveva frequentato la facoltà di legge alla Columbia University; e quando era tornato a Greenville nel 1964, il movimento per i diritti civili aveva puntato i riflettori proprio sul Mississippi. Marvin si gettò subito nella mischia. Meno di un mese dopo aver aperto un piccolo studio legale, fu arrestato con due dei suoi compagni di Brandeis perché aveva tentato di far iscrivere alcuni negri nelle liste elettorali. Suo padre era furioso. La famiglia era molto imbarazzata, ma a Marvin non importava nulla. Aveva venticinque anni quando ricevette la prima minaccia di morte e cominciò ad andare in giro armato. Comprò una pistola per la moglie, una ragazza di Memphis, e consigliò alla cameriera negra di tenerne una nella borsa. I Kramer avevano due gemelli di due anni.

La prima causa per i diritti civili intentata nel 1965 dallo studio legale Marvin B. Kramer & Soci (a quel tempo però i soci non c'erano ancora) metteva sotto accusa una quantità di discriminazioni elettorali da parte delle autorità locali. Il processo finì sulle prime pagine dei giornali dello stato, assieme alla foto di Marvin. E il suo nome fu aggiunto dal Ku Klux Klan all'elenco degli ebrei da perseguitare. Eccolo lì il campione, un avvocato ebreo radicale con la barba e il cuore tenero, che aveva studiato al Nord con insegnanti ebrei, e adesso marciava con i negri e li difendeva nel Delta del Mississippi. Intollerabile.

Più tardi corse voce che l'avvocato Kramer pagava di tasca propria le cauzioni per i Freedom Riders e per gli attivisti dei diritti civili. Intentava cause contro i servizi pubblici e privati riservati ai bianchi. Contribuì alla ricostruzione di una chiesa di negri che era stata distrutta da una bomba del Klan. Era stato visto perfino accogliere i negri in casa sua. Teneva conferenze a organizzazioni ebraiche, su al Nord, e le esortava a partecipare alla lotta. Scriveva lettere di fuoco ai giornali, anche se ne venivano pubblicate pochissime. L'avvocato Kramer stava marciando audacemente incontro alla propria fine.

La presenza di una guardia notturna che faceva la ronda intorno ai giardinetti scongiurò un attacco contro la casa di Kramer. Marvin pagava la guardia da due anni: era un ex poliziotto ben armato, e i Kramer avevano fatto sapere a tutta Greenville che erano protetti da un tiratore scelto. Naturalmente, il Klan sapeva della guardia, e sapeva che era meglio lasciar perdere. Per questo fu deciso di far saltare lo studio di Kramer, non la casa.

Bastò pochissimo tempo per programmare l'operazione, soprattutto perché erano coinvolte così poche persone. L'uomo che aveva i soldi, uno scalmanato profeta locale che si chiamava Jeremiah Dogan, a quel tempo svolgeva le funzioni di Imperial Wizard del Klan nel Mississippi. Il suo predecessore era finito in carcere, e Jerry Dogan si divertiva molto a organizzare gli attentati. Non era uno stupido. Anzi, più tardi l'Fbi dovette ammettere che Dogan era un terrorista davvero efficiente perché delegava il lavoro sporco a piccoli gruppi autonomi di killer che operavano indipendentemente l'uno dall'altro. L'Fbi era diventato esperto nell'infiltrare informatori nel Klan; e Dogan non si fidava di nessuno, eccettuati i familiari e pochissimi complici. Era proprietario della più grande rivendita di auto usate di Meridian, Mississippi, e aveva guadagnato un sacco di soldi con ogni genere di affari discutibili. Qualche volta andava a predicare nelle chiese battiste di campagna.

Il secondo componente del gruppo era un membro del Klan che si chiamava Sam Cayhall ed era di Clanton, Mississippi, nella contea Ford, tre ore a nord di Meridian e un'ora a sud di Memphis. L'Fbi conosceva Cayhall, ma ignorava i suoi legami con Dogan. Lo considerava innocuo perché abitava in un'area dello stato dove l'attività del Klan era quasi inesistente. Negli ultimi tempi qualche croce era stata bruciata nella contea di Ford, ma non c'erano state bombe né omicidi. L'Fbi sapeva che il padre di Cayhall aveva fatto parte del Klan, ma nel complesso la famiglia sembrava piuttosto tranquilla. Il reclutamento di Sam Cayhall da parte di Dogan era stato una mossa geniale.

L'attentato allo studio di Kramer incominciò con una telefonata la notte del 17 aprile 1967. Jeremiah Dogan, il quale aveva buoni motivi per sospettare che i suoi telefoni fossero sotto controllo, aveva atteso fino a mezzanotte e poi era andato in auto alla cabina telefonica di una stazione di servizio a sud di Meridian. Inoltre, sospettava di essere seguito dall'Fbi, e aveva ragione anche in questo. I federali lo sorvegliavano, ma non potevano sapere a chi telefonasse.

Sam Cayhall ascoltò in silenzio, fece un paio di domande, poi riattaccò. Tornò a letto e non disse niente alla moglie. Lei sapeva che non era il caso di fare domande. L'indomani mattina Sam uscì presto e andò in macchina a Clanton. Fece colazione al Coffee Shop, poi telefonò da un apparecchio pubblico del tribunale della contea di Ford.

Tre giorni più tardi, il 20 aprile, Cayhall lasciò Clanton verso l'imbrunire e dopo due ore arrivò a Cleveland, Mississippi, una città universitaria del Delta a un'ora da Greenville. Attese per quaranta minuti nel parcheggio di un affollatissimo centro commerciale, ma non vide neppure l'ombra di una Pontiac verde. Mangiò pollo fritto in un modesto ristorantino, poi proseguì per Greenville per compiere una ricognizione intorno allo studio legale di Marvin B. Kramer & Soci. Cayhall aveva trascorso un giorno intero a Greenville due settimane prima e conosceva piuttosto bene la città. Trovò lo studio di Kramer, quindi passò davanti alla sua bella e ricca casa, e infine andò alla sinagoga. Dogan gli aveva detto che forse la prossima volta sarebbe toccato alla sinagoga, ma prima dovevano sistemare l'avvocato ebreo. Alle undici Cayhall tornò a Cleveland, e vide la Pontiac verde non nel parcheggio del centro commerciale bensì davanti a un locale per camionisti sull'Highway 61, il luogo che gli era stato indicato come secondo. Trovò la chiave sotto il tappetino, mise in moto e andò a fare un giro fra le prospere campagne del Delta. Svoltò in una stradetta poderale e aprì il portabagagli. In una scatola di cartone coperta da giornali trovò quindici candelotti di dinamite, tre detonatori e una miccia. Andò in città e attese in un caffè aperto tutta la notte.

Alle due in punto del mattino il terzo componente del gruppo entrò nel locale affollato di camionisti e sedette di fronte a Sam Cayhall. Si chiamava Rollie Wedge; era giovane, non aveva più di ventidue anni, ma era un affidabile veterano della guerra per i diritti civili. Diceva di essere della Louisiana, e viveva fra le montagne dove nessuno sarebbe riuscito a scovarlo. Sebbene non avesse l'abitudine di vantarsi, aveva ripetuto più volte a Sam Cayhall che si aspettava di finire ucciso nella lotta per la supremazia dei bianchi. Il padre aveva un'impresa di demolizioni, ed era da lui che aveva imparato a usare gli esplosivi. Anche il padre faceva parte del Klan, diceva, e da lui aveva assimilato l'odio.

Sam sapeva ben poco di Rollie e non credeva a tutto ciò che diceva. Non aveva mai chiesto a Dogan dove l'aveva scovato.

Presero il caffè e per mezz'ora parlarono del più e del meno. Ogni tanto la tazza di Cayhall tremava un po' perché era piuttosto nervoso, ma Rollie era calmo e determinato. Non batteva mai le palpebre. Avevano compiuto insieme imprese analoghe già diverse volte, e Cayhall si meravigliava di vedere tanta freddezza in uno così giovane. Aveva riferito a Jeremiah Dogan che il ragazzo non perdeva mai la calma, neppure quando si avvicinavano ai loro obiettivi e doveva maneggiare la dinamite.

Wedge aveva noleggiato la macchina all'aeroporto di Memphis. Prese un sacchettino dal sedile posteriore, chiuse a chiave le portiere e la lasciò davanti al locale per camionisti. La Pontiac verde con Cayhall al volante lasciò Cleveland e si diresse verso sud sulla Highway 61. Erano quasi le tre e non c'era traffico. Qualche chilometro più a sud del paesetto di Shaw, svoltò in una strada sterrata buia e si fermò. Rollie gli disse di restare in macchina mentre ispezionava gli esplosivi, e Sam obbedì. L'altro prese il suo sacchettino, lo portò nel baule e controllò la dinamite, i detonatori e la miccia. Lasciò il sacchetto nel baule, lo chiuse e disse a Sam di dirigersi verso Greenville.

Passarono una prima volta davanti allo studio di Kramer verso le quattro. La via era buia e deserta, e Rollie commentò che sarebbe stato il lavoro più facile che gli fosse mai capitato.

«È un peccato che non possiamo far saltare la casa» disse a voce bassa mentre passavano davanti all'abitazione di Kramer.

«Già, un peccato» commentò nervosamente Sam. «Ha un guardiano, lo sai.»

«Sì, lo so. Però sarebbe facile, anche con il guardiano.»

«Lo immagino. Ma ci sono i suoi figli.»

«Meglio ammazzarli finché sono piccoli» rispose Rollie. «I piccoli bastardi ebrei poi crescono e diventano grossi bastardi ebrei.»

Cayhall fermò la macchina in un vicolo dietro lo studio di Kramer. Spense il motore e tutti e due aprirono con calma il portabagagli, presero la scatola e il sacchetto e scivolarono furtivi lungo la siepe che conduceva all'ingresso posteriore.

Sam scassinò la porta in pochi secondi. Entrarono. Due settimane prima Sam si era presentato all'impiegata con la scusa di chiedere un'indicazione stradale, e aveva chiesto il permesso di andare in bagno. Nel corridoio, fra il bagno e quello che doveva essere lo studio di Kramer, c'era uno stretto ripostiglio pieno di vecchie pratiche e altre scartoffie legali.

«Resta vicino alla porta e tieni d'occhio il vicolo» bisbigliò Wedge, e Sam obbedì senza discutere. Preferiva fare il palo ed evitare di maneggiare esplosivi.

Con gesti rapidi Rollie posò la scatola sul pavimento del ripostiglio e fissò i cavetti alla dinamite. Era un lavoro delicato, e Sam si sentiva battere ogni volta il cuore all'impazzata mentre attendeva. Voltava sempre le spalle agli esplosivi, nell'eventualità che qualcosa andasse storto.

Rimasero nello studio meno di cinque minuti. Poi tornarono nel vicolo e si avviarono con passo disinvolto verso la Pontiac verde. Stavano diventando invincibili. Era tutto così facile. Avevano messo una bomba in un'agenzia immobiliare di Jackson perché il titolare aveva venduto una casa a una coppia di negri. Era un agente immobiliare ebreo. Ne avevano messo un'altra nella redazione di un piccolo giornale perché il direttore aveva assunto una posizione neutrale nei confronti della segregazione. Avevano fatto saltare una sinagoga di Jackson, la più grande dello stato.

Percorsero il vicolo a fari spenti, e li accesero solo quando imboccarono una strada laterale.

In tutti gli attentati precedenti Wedge si era servito di una miccia da quindici minuti che si accendeva semplicemente con un fiammifero, molto simile a un mortaretto. E per chiudere l'impresa come meritava, i due avevano preso l'abitudine di girare con i vetri abbassati alla periferia della città mentre l'esplosione squarciava il bersaglio. Avevano udito ognuna delle deflagrazioni precedenti da una distanza di sicurezza, e la macchina aveva tremato mentre si allontanavano con tutta calma.

Ma quella notte le cose andarono in modo diverso. Sam a un certo punto sbagliò a svoltare, e dovettero fermarsi a un passaggio a livello e restare a guardare le luci lampeggianti di un treno merci che passava sferragliando davanti a loro. Era un merci molto lungo. Sam controllò l'orologio più di una volta, Rollie taceva. Il treno passò, e Sam sbagliò di nuovo a svoltare. Erano vicino al fiume e scorgevano un ponte in lontananza, e la strada era fiancheggiata da case malridotte. Sam controllò ancora l'orologio. Il suolo avrebbe tremato fra meno di cinque minuti, e quando fosse accaduto, lui avrebbe preferito trovarsi nel buio di un'autostrada deserta. Rollie fece un cenno d'impazienza come se fosse irritato con Sam, ma non disse nulla.

Un'altra svolta, un'altra via. Greenville non era una città molto grande, e Sam pensava che se continuava a svoltare avrebbe finito per ritrovarsi in una strada familiare. La successiva svolta sbagliata fu anche l'ultima. Sam frenò bruscamente non appena si accorse di aver imboccato contromano una via a senso unico. E nel momento in cui schiacciò il freno, il motore si spense. Con uno strattone mise in folle e girò la chiave dell'accensione. Il motorino d'avviamento funzionava perfettamente, ma l'auto non si muoveva. E poi sentì puzza di benzina.

«Maledizione!» sibilò Sam a denti stretti. «Maledizione!»

Rollie si acquattò sul sedile e guardò dal finestrino.

«Maledizione! Si è ingolfato!» Sam girò di nuovo la chiave e ottenne lo stesso risultato.

«Non scaricare la batteria» consigliò calmo Rollie.

Sam era sull'orlo del panico. Anche se si era perso, era quasi sicuro di non essere lontano dal centro. Respirò a fondo e osservò la strada. Diede un'occhiata all'orologio. Non c'erano in vista altre auto. Tutto era tranquillo. Era lo scenario ideale per un attentato dinamitardo. Gli sembrava di vedere la miccia bruciare sul pavimento di legno. Sentiva il tremito violento del suolo. Udiva lo schianto di legno e pietra, mattoni e vetro. "Diavolo" pensò mentre tentava di calmarsi, "qualche frammento potrebbe pioverci addosso."

«Dogan poteva almeno mandarci una macchina decente» borbottò fra sé. Rollie non rispose. Teneva lo sguardo fisso su qualcosa al di là del finestrino.

Erano trascorsi almeno quindici minuti da quando erano usciti dallo studio di Kramer, e stava per scoppiare tutto. Sam si asciugò la fronte madida di sudore e provò di nuovo a girare la chiave. Per fortuna, il motore partì. Rivolse un sorriso tirato a Rollie, che sembrava del tutto indifferente. Fece retromarcia per poco più di un metro, quindi sfrecciò via. La prima strada gli sembrò familiare. Dopo due isolati arrivarono in Main Street. «Che razza di miccia hai usato?» chiese finalmente mentre svoltavano sulla Highway 82, a meno di dieci isolati dallo studio di Kramer.

Rollie scrollò le spalle come se la cosa riguardasse soltanto lui e Sam non avesse il diritto di far domande. Rallentarono quando passarono accanto a una macchina della polizia ferma sul bordo della strada, e accelerarono di nuovo appena furono in periferia. Pochi minuti più tardi, Greenville era dietro di loro.

«Che razza di miccia hai usato?» chiese di nuovo con tono aspro.

«Ho provato qualcosa di nuovo» rispose Rollie senza guardarlo.

«Cosa?»

«Tanto, non capiresti» replicò Rollie. Sam rimuginò a lungo fra sé.

«Un congegno a tempo?» chiese dopo qualche chilometro.

«Qualcosa del genere.»

Arrivarono a Cleveland nel silenzio più assoluto. Per qualche chilometro, mentre le luci di Greenville sparivano lentamente sulla pianura, Sam si aspettò di vedere un globo di fuoco o di sentire un rombo lontano. Non successe niente. Wedge riuscì addirittura a fare un sonnellino.

Il locale per camionisti era affollato. Come sempre, Rollie scese e chiuse la portiera con la sicura. «Alla prossima volta» disse sorridendo attraverso il finestrino, e si avviò verso la macchina presa a noleggio. Sam lo seguì con lo sguardo e per l'ennesima volta si meravigliò del suo autocontrollo.

Erano le cinque e mezzo passate da cinque minuti, e un barlume arancione si stava insinuando nel buio a est. Sam raggiunse la Highway 61 e si diresse a sud.

L'orrore dell'attentato a Kramer ebbe inizio all'incirca nel momento in cui Rollie Wedge e Sam Cayhall si separavano a Cleveland. Cominciò con lo squillo della sveglia sul comodino non lontano dal cuscino di Ruth Kramer. Quando squillò alle cinque e mezzo, la solita ora, Ruth si accorse subito di non sentirsi bene. Aveva un po' di febbre, un dolore lancinante alle tempie ed era in preda alla nausea. Marvin l'aiutò ad andare in bagno, e lei vi rimase per mezz'ora. Il virus dell'influenza circolava da un mese a Greenville, e adesso si era infiltrato anche in casa Kramer.

Alle sei e mezzo la cameriera svegliò i gemelli Josh e John, che ora avevano cinque anni, li aiutò a lavarsi, a vestirsi e a fare colazione. Marvin pensò che era meglio portarli all'asilo come al solito per tenerli il più possibile lontani dalla casa e dall'influenza. Chiamò un medico suo amico per farsi dare una ricetta, e lasciò venti dollari alla cameriera perché andasse di lì a un'ora a prendere la medicina in farmacia. Salutò Ruth, che era sdraiata sul pavimento del bagno con un cuscino sotto la testa e una borsa di ghiaccio sulla faccia, e uscì con i figli.

La sua attività di avvocato non si limitava alle cause per i diritti civili: non sarebbe stato sufficiente per sopravvivere nel Mississippi nel 1967. Si occupava anche di qualche caso penale e di cause civili di vario genere: divorzi, fallimenti, piani regolatori, questioni immobiliari. E nonostante il fatto che suo padre quasi non gli rivolgesse la parola e gli altri Kramer evitassero il più possibile di pronunciare il suo nome, un terzo del tempo che trascorreva in ufficio Marvin lo dedicava agli interessi della famiglia. Quella mattina doveva presentarsi in tribunale alle nove per discutere un'istanza in una causa che riguardava le proprietà immobiliari dello zio.

I gemelli adoravano il suo studio. Non dovevano andare all'asilo fino alle otto, quindi Marvin poteva lavorare un po' prima di accompagnarli e presentarsi poi in tribunale. Era una cosa che succedeva in media una volta al mese. Quasi non passava giorno senza che uno dei due gli chiedesse di portarli prima allo studio e poi all'asilo.

Arrivarono verso le sette e mezzo, e appena entrati i gemelli corsero alla scrivania della segretaria e alla voluminosa fila di fogli battuti a macchina, in attesa di essere suddivisi, spillati, piegati nelle buste e archiviati. Lo studio era una costruzione piuttosto grande, ampliata più volte nel corso degli anni. La porta principale immetteva in un piccolo atrio dove la scrivania dell'impiegata era sistemata quasi sotto una scala. Contro il muro c'erano quattro sedie per i clienti, e sotto le sedie erano sparse alcune riviste. A destra e a sinistra dell'atrio c'erano gli uffici per gli avvocati: adesso Marvin aveva tre soci che lavoravano per lui. Dall'atrio partiva un corridoio che attraversava il centro del pianterreno, così che dall'ingresso principale si poteva vedere la parte posteriore dell'edificio, lontana circa venticinque metri. L'ufficio di Marvin era il più grande del pianterreno, ed era l'ultima porta a sinistra, accanto a un piccolo bagno che era a sua volta affiancato dal ripostiglio. Di fronte al ripostiglio c'era l'ufficio della segretaria di Marvin. Si chiamava Helen, ed era una donna giovane e graziosa che Marvin sognava da diciotto mesi.

Al primo piano c'erano gli uffici, più piccoli, degli altri due avvocati e di due segretarie. Il secondo piano non aveva né il riscaldamento né l'aria condizionata, ed era usato come archivio.

Di solito Marvin arrivava in ufficio fra le sette e mezzo e le otto perché gli piaceva stare in pace per un'ora prima che arrivassero gli altri e che il telefono cominciasse a squillare. E come al solito fu il primo ad arrivare quel venerdì 21 aprile.

Aprì la porta, girò l'interruttore della luce e si fermò nell'atrio. Raccomandò ai gemelli di non mettere in disordine la scrivania di Helen, ma quelli si erano precipitati nel corridoio e non lo ascoltarono. Josh aveva già afferrato le forbici e John la spillatrice quando Marvin si affacciò e li ammonì. Sorrise fra sé, poi andò nel suo ufficio e subito si immerse nel lavoro.

Alle otto meno un quarto, come avrebbe ricordato più tardi all'ospedale, salì al secondo piano per prendere una vecchia pratica che riteneva avesse qualche attinenza con la causa di cui si stava occupando. Mormorò qualcosa fra sé mentre saliva in fretta i gradini. Fu quella vecchia pratica a salvargli la vita. I bambini stavano ridendo in fondo al corridoio.

L'esplosione eruppe verso l'alto e orizzontalmente alla velocità di circa trecento metri al secondo. Quindici candelotti di dinamite collocati in una costruzione con strutture di legno la mandano in frantumi in pochi secondi. Le schegge di legno e gli altri frammenti ci misero un minuto intero per ricadere a terra. Il suolo tremò come per un terremoto e, così avrebbero riferito più tardi alcuni testimoni, pezzetti di vetro continuarono a piovere sul centro di Greenville per un tempo interminabile.

Josh e John Kramer si trovavano a meno di cinque metri dall'epicentro dell'eplosione, e per fortuna non si resero conto di morire. Non soffrirono. I loro corpi straziati furono ritrovati dai vigili del fuoco sotto due metri e mezzo di macerie. Marvin fu scagliato dapprima contro il soffitto del secondo piano, poi, privo di sensi, precipitò con quanto restava del tetto nel cratere fumante al centro della costruzione. Lo trovarono dopo venti minuti e lo portarono di corsa all'ospedale. Tre ore più tardi gli amputarono le gambe all'altezza delle ginocchia.

L'esplosione avvenne esattamente alle sette e quarantasei, e in un certo senso fu una circostanza fortunata. Se si fosse verificata dopo mezz'ora, gli uffici ai lati di quello di Kramer sarebbero stati occupati. Helen, la segretaria di Marvin, stava uscendo dalla posta quattro isolati più in là, e sentì lo scoppio. Dieci minuti, e sarebbe stata in ufficio a preparare il caffè. David Lukland, un giovane socio dello studio, abitava a tre isolati di distanza e aveva appena chiuso la porta del suo appartamento quando udì lo scoppio e ne avvertì gli effetti fisici. Ancora ieci minuti, e sarebbe stato nel suo ufficio al primo piano a esaminare la corrispondenza.

Nell'ufficio vicino scoppiò un piccolo incendio e, anche se fu domato prontamente, accrebbe di molto lo sbigottimento e l'emozione. Per qualche minuto il fumo dilagò, densissimo, e la gente scappò.

Due passanti rimasero feriti. Un pezzo di trave lungo un metro piombò su un marciapiede a un centinaio di metri di distanza, rimbalzò e colpì in faccia la signora Mildred Talton mentre si allontanava dalla macchina appena parcheggiata e guardava in direzione dell'esplosione. Subì la frattura del naso e una brutta lacerazione, ma a tempo debito guarì.

Il secondo passante subì ferite molto meno gravi, ma le conseguenze furono assai significative. Un forestiero, certo Sam Cayhall, procedeva lentamente a piedi verso lo studio di Kramer quando il suolo tremò così forte che perse l'equilibrio e inciampò nel bordo del marciapiede. Mentre si rialzava, fu colpito al collo e alla guancia sinistra da schegge di vetro. Si riparò dietro un albero. Le schegge gli piovevano intorno. Guardò a bocca aperta la terribile scena, poi scappò.

Il sangue gli gocciolava dalla guancia e macchiava la camicia. Era in stato di shock, e più tardi non ricordò molto bene quanto era accaduto. Al volante della stessa Pontiac verde, fuggì dal centro e con ogni probabilità sarebbe riuscito ad allontanarsi da Greenville senza problemi per la seconda volta se avesse riflettuto e fosse stato più attento. Due poliziotti di pattuglia stavano correndo verso il quartiere degli affari perché avevano ricevuto la segnalazione dell'attentato quando incontrarono una Pontiac verde che, per qualche ragione inspiegabile, non si spostò di lato per lasciarli passare. L'auto della polizia aveva le sirene in funzione, le luci lampeggianti, il clacson che strombazzava e gli agenti che bestemmiavano: ma la Pontiac verde si era fermata nella sua corsia e non si muoveva. I poliziotti rallentarono, la raggiunsero, spalancarono la portiera e trovarono un uomo coperto di sangue. Lo ammanettarono, lo caricarono senza tanti complimenti sul sedile posteriore della loro macchina e lo portarono alla prigione. La Pontiac fu sequestrata.

La bomba che uccise i gemelli Kramer era del tipo più rudimentale. Quindici candelotti di dinamite legati strettamente insieme con il nastro adesivo nero da elettricisti. Ma non c'era la miccia. Rollie Wedge aveva usato un congegno a orologeria, un timer, anzi una comunissima sveglia a carica manuale. Aveva tolto la lancetta dei minuti e aveva praticato un forellino fra il numero sette e l'otto. Aveva inserito nel foro uno spillo metallico che, non appena fosse stato toccato dalla lancetta delle ore in movimento, avrebbe chiuso il circuito e fatto detonare la bomba. Rollie voleva avere più tempo di quello concesso da una miccia da quindici minuti. E poi si considerava uno specialista e voleva fare esperimenti con congegni nuovi.

Forse la lancetta delle ore era un po' storta. Forse il quadrante della sveglia non era perfettamente piatto. Forse Rollie, nell'entusiasmo dell'esperimento, aveva caricato troppo, o troppo poco, la sveglia. Forse lo spillo metallico non era collocato nel modo giusto. Dopotutto era la prima volta che Rollie usava un congegno a orologeria. O forse il congegno funzionò proprio come lui aveva deciso.

Ma, qualunque fosse la ragione, qualunque fosse la giustificazione, l'attentato di Jeremiah Dogan e del Ku Klux Klan aveva sparso sangue ebraico nel Mississippi E a tutti i fini pratici, l'attentato era riuscito.

Quando i cadaveri furono portati via, la polizia di Greenville isolò la zona e tenne lontana la folla. Poche ore più tardi entrò in azione una squadra dell'Fbi arrivata da Jackson e prima dell'imbrunire un'unità addetta alle demolizioni cominciò a setacciare le macerie. Dozzine di federali incominciarono il noioso lavoro di raccogliere ogni minimo frammento, esaminarlo, mostrarlo a qualche collega, poi metterlo da parte per ricomporlo in seguito con gli altri. Fu preso in affitto un magazzino di cotone in disuso ai margini della città che diventò il deposito delle macerie del caso Kramer.

A suo tempo, l'Fbi confermò l'opinione espressa in un primo momento. Dinamite, un timer e qualche cavetto. Una bomba rudimentale, messa insieme da un pasticcione che era stato così fortunato da non ammazzarsi.

Marvin Kramer fu trasferito quasi subito con un aereo in un ospedale di Memphis molto più attrezzato e lussuoso. Per tre giorni le sue condizioni furono considerate gravi ma stazionarie. Ruth Kramer fu ricoverata per lo shock, dapprima a Greenville, e poi anche lei fu trasportata in ambulanza nell'ospedale dov'era il marito. Li misero nella stessa camera e li imbottirono di sedativi. Innumerevoli dottori e parenti li vegliavano ininterrottamente. Ruth era nata e cresciuta a Memphis, e molti amici accorsero per starle accanto.

Passarono due giorni prima che la sorella di Ruth trovasse il coraggio di affrontare l'argomento del funerale.

Mentre la confusione si calmava attorno allo studio di Marvin i vicini, alcuni dei quali erano negozianti e altri impiegati, spazzavano le schegge di vetro dai marciapiedi e bisbigliavano fra loro mentre guardavano i poliziotti e gli uomini della squadra di soccorso che incominciavano a scavare. Per Greenville circolava con insistenza la voce che fosse già stato arrestato un sospetto. Prima di mezzogiorno i capannelli dei curiosi sapevano che l'uomo si chiamava Sam Cayhall, di Clanton, Mississippi, che faceva parte del Klan ed era rimasto ferito dall'esplosione. Qualcuno riferiva dettagli agghiaccianti di altri attentati organizzati da Cayhall che avevano causato ferite atroci e cadaveri sfigurati, tutti a danno di poveri negri. Altri raccontavano la brillante operazione compiuta dalla polizia di Greenville che aveva arrestato il pazzo pochi secondi dopo l'esplosione. Nel notiziario di mezzogiorno, la stazione televisiva di Greenville confermò ciò che già si sapeva: i due bambini erano morti, il padre era gravemente ferito, e Sam Cayhall era in prigione.

Poco mancò che Sam Cayhall venisse rilasciato dietro una cauzione di trenta dollari. Quando lo portarono alla stazione di polizia, aveva già ritrovato la lucidità e si era profuso in scuse con gli agenti irritati per non aver dato loro la precedenza. Formularono contro di lui un'accusa di poco conto e lo misero in cella, in attesa di sbrigare la sua pratica e lasciarlo andare. I due che l'avevano arrestato ripartirono subito per recarsi sul luogo dell'esplosione.

Un usciere che fungeva anche da infermiere della prigione andò da Sam con la cassetta del pronto soccorso e gli ripulì la faccia dal sangue coagulato. Sam, che non sanguinava più, ripeté che era stato coinvolto in una rissa in un bar. Insomma, aveva passato una notte movimentata. L'infermiere se ne andò, e un'ora dopo un assistente carceriere si presentò alla finestrella scorrevole della cella con altri documenti. L'accusa era di non aver dato la precedenza alla macchina della polizia, la multa massima prevista era di trenta dollari, e se Sam avesse versato tale somma in contanti avrebbe potuto andarsene non appena la pratica fosse stata sbrigata e la macchina dissequestrata. Sam continuava a camminare avanti e indietro, guardava l'orologio e si massaggiava delicatamente la ferita alla guancia.

Sarebbe stato costretto a scomparire. L'arresto era a verbale, e non ci sarebbe voluto molto prima che la polizia collegasse il suo nome all'attentato e quindi, be', doveva filarsela. Avrebbe lasciato il Mississippi, magari si sarebbe messo d'accordo con Rollie Wedge per andarsene insieme in Brasile o in qualche altro posto. Dogan avrebbe fornito il denaro. Doveva telefonargli appena lasciata Greenville. La sua macchina attendeva al motel di Cleveland. L'avrebbe ritirata lasciando la Pontiac verde, poi si sarebbe diretto a Memphis e avrebbe preso un pullman Greyhound.

Sì, avrebbe fatto proprio così. Era stato un idiota a tornare sulla scena dell'attentato ma, pensò, se avesse tenuto la testa a posto quei buffoni lo avrebbero rilasciato.

Passò mezz'ora prima che l'aiuto carceriere arrivasse con un altro modulo. Sam gli consegnò i trenta dollari in contanti e prese la ricevuta. Seguì l'uomo lungo un angusto corridoio, fino al banco dell'entrata, dove gli consegnarono una convocazione per presentarsi al tribunale municipale di Greenville di lì a due settimane. «Dov'è la macchina?» chiese mentre piegava il foglio.

«La stanno portando. Aspetti qui.»

Sam controllò l'orologio e attese un quarto d'ora. Dalla finestrella della porta metallica vedeva le auto andare e venire nel parcheggio di fronte alla prigione. Un robusto poliziotto trascinò al banco due ubriachi. Sam attendeva, sempre più innervosito.

Alle sue spalle, una voce nuova lo chiamò: «Signor Cayhall». Si voltò e si trovò di fronte a un uomo basso dall'abito stinto che gli agitò sotto il naso un distintivo.

«Sono il detective Ivy della polizia di Greenville. Devo farle qualche domanda.» Ivy indicò una successione di porte di legno lungo un corridoio, e Sam lo seguì docilmente.

Dal momento in cui sedette di fronte al detective Ivy, Sam Cayhall non ebbe molto da dire. Ivy aveva passato da poco la quarantina, ma aveva i capelli grigi e parecchie rughe intorno agli occhi. Accese una Camel senza filtro, ne offrì una a Sam, quindi gli chiese come mai aveva quel taglio in faccia. Sam giocherellò con la sigaretta ma non l'accese. Aveva smesso di fumare anni prima, e anche se sentiva la necessità di tirare qualche boccata in quel momento critico, si accontentò di batterla dolcemente sul tavolo. Senza guardare Ivy, disse che era stato coinvolto in una rissa.

Ivy borbottò e fece un breve sorriso come se si aspettasse quella risposta, e Sam comprese di avere di fronte un professionista. Adesso aveva paura, cominciavano a tremargli le mani. Ivy, naturalmente, se ne accorse. Dov'era scoppiata la rissa? Chi erano i partecipanti? Quando era successa? Perché era a Greenville ad azzuffarsi quando abitava a tre ore di distanza? Dove aveva preso la macchina?

Sam non parlò. Ivy continuò a tempestarlo di domande alle quali non poteva rispondere perché le menzogne avrebbero portato ad altre menzogne e Ivy lo avrebbe inchiodato nel giro di pochi secondi.

«Voglio parlare con un avvocato» disse infine Sam.

«Benissimo. Credo che sia proprio la cosa migliore che lei possa fare.» Ivy accese un'altra Camel e lanciò verso il soffitto un ennesimo sbuffo di fumo.

«Questa mattina è esplosa una bomba, Sam. Lo sa?» chiese. La sua voce si era alzata leggermente e aveva assunto una nota di sarcasmo.

«No.»

«Una tragedia. È saltato in aria lo studio di un avvocato di qui, un certo Kramer. È successo più o meno due ore fa. Vede, con ogni probabilità è opera di quelli del Klan. Da queste parti non ce ne sono, ma il signor Kramer è ebreo. Mi lasci indovinare... lei non ne sa niente, vero?»

«Appunto.»

«È un caso molto, molto triste, Sam. Vede, il signor Kramer aveva due bambini, Josh e John, e il caso ha voluto che fossero in ufficio con il loro papà nel momento in cui è esplosa la bomba.»

Sam respirò a fondo e guardò Ivy. Mi dica il resto, chiedevano i suoi occhi.

«E i bambini, due gemelli di cinque anni, graziosi e simpatici, sono stati dilaniati dallo scoppio. Sono morti tutti e due, Sam.»

Sam abbassò la testa lentamente fino a quando il mento gli sfiorò il petto. Era fregato. Un duplice omicidio. Avvocati, processi, giudici, giurie, carcere... tutto gli rovinò addosso all'improvviso. Chiuse gli occhi.

«Forse al padre andrà meglio. In questo momento è all'ospedale, ricoverato in chirurgia. I bambini sono all'impresa di pompe funebri. Una vera tragedia, come dicevo. Immagino che non sappia niente della bomba, vero, Sam?»

«No. Voglio un avvocato.»

«Naturalmente.» Ivy si alzò e uscì.

Un medico estrasse la scheggia di vetro dalla faccia di Sam e la mandò a un laboratorio dell'Fbi. Il rapporto non costituì una sorpresa: era lo stesso vetro delle finestre dell'ufficio distrutto. Non fu difficile risalire dalla Pontiac verde a Jeremiah Dogan di Meridian. Nel portabagagli fu trovata una miccia da quindici minuti. Un fattorino si presentò alla polizia e dichiarò di aver visto la macchina vicino all'ufficio di Kramer verso le quattro del mattino.

L'Fbi si affrettò a riferire alla stampa che Sam Cayhall faceva parte del Klan da molto tempo, e che era il principale sospetto in diversi altri attentati. Ritenevano che il caso fosse ormai prossimo alla soluzione e non risparmiavano elogi alla polizia di Greenville. J. Edgar Hoover in persona diramò un comunicato.

Cinque giorni dopo l'esplosione, i gemelli Kramer furono sepolti in un piccolo cimitero. A quell'epoca vivevano a Greenville centoquarantasei ebrei, e tranne Marvin Kramer e altri sei, tutti parteciparono al funerale. Ma i giornalisti e i fotografi accorsi da tutto il Paese erano due volte più numerosi.

L'indomani mattina, nella sua piccola cella, Sam vide le fotografie e lesse gli articoli. L'assistente carceriere, Larry Jack Polk, era un sempliciotto che lo trattava in modo amichevole perché, come gli aveva confidato sottovoce, aveva certi cugini nel Klan, e aveva sempre desiderato unirsi a loro, ma sua moglie non glielo permetteva. Larry Jack aveva già confessato di ammirare molto l'abilità di attentatore di Sam.

A parte le poche parole necessarie per tenere buono Larry

Jack, Sam non diceva niente o quasi. Il giorno dopo l'attentato era stato incriminato per duplice omicidio di primo grado, e perciò non pensava ad altro che alla camera a gas. Rifiutava di parlare con Ivy e gli altri poliziotti, e anche con i federali. I giornalisti insistevano, naturalmente, ma non potevano superare la barriera rappresentata da Larry Jack. Sam telefonò alla moglie e le raccomandò di restare a Clanton e di chiudere a chiave le porte. Tutto solo nella cella, incominciò a scrivere un diario.

Se Rollie Wedge doveva essere scoperto e collegato all'attentato, allora toccava ai poliziotti scoprirlo. Sam Cayhall aveva prestato giuramento come membro del Klan, e per lui quel giuramento era sacro. Non avrebbe mai, mai tradito un compagno. E si augurava intensamente che anche Jeremiah Dogan la pensasse allo stesso modo.

Due giorni dopo l'esplosione comparve a Greenville un avvocato di dubbia fama che ostentava una pettinatura vistosa e si chiamava T. Louis Brazelton. Faceva segretamente parte del Klan e a Jackson era diventato famoso per avere difeso mascalzoni di ogni specie. Aspirava a candidarsi alla carica di governatore, e dichiarava che il suo programma avrebbe propugnato la salvezza della razza bianca, che l'Fbi era un'organizzazione satanica, che i negri dovevano essere protetti ma non dovevano mescolarsi ai bianchi, e così via. Jeremiah Dogan l'aveva mandato per difendere Sam, ma soprattutto per assicurarsi che Sam tenesse la bocca chiusa. L'Fbi non dava tregua a Dogan per via della Pontiac verde, e lui temeva di venire incriminato come correo.

I correi, spiegò subito T. Louis al suo nuovo cliente, sono colpevoli esattamente come coloro che premono il grilletto. Sam ascoltò ma non disse molto. Aveva sentito parlare di Brazelton, e non si fidava ancora di lui.

«Stia a sentire, Sam» spiegò T. Louis con il tono di chi espone la situazione a un bambino di prima elementare, «io so chi ha messo la bomba. Me l'ha detto Dogan. Se non sbaglio a contare, siamo in quattro a saperlo: io, lei, Dogan e Wedge. A questo punto Dogan è quasi sicuro che Wedge non verrà mai trovato. Non si sono parlati, ma il ragazzo è molto sveglio e probabilmente a quest'ora è già all'estero. Quindi restate lei e

Dogan. Per essere sincero, mi aspetto che Dogan venga incriminato da un momento all'altro. Ma la polizia faticherà molto a inchiodarlo, a meno che riesca a provare che voi due avete cospirato per far saltare in aria l'ufficio dell'ebreo. E la polizia può provarlo in un solo modo: se glielo dice lei.»

«Quindi sarò l'unico ad andarci di mezzo?» chiese Sam.

«No. Lei non parli di Dogan. Neghi tutto. Inventeremo una spiegazione per la macchina. Lasci che me ne occupi io. Faremo in modo che il processo venga celebrato in un'altra contea, magari su in collina o in un posto dove non ci sono ebrei. Faremo in modo di avere una giuria tutta di bianchi, e io le assicuro che non raggiungerà un verdetto, e ci riuscirò così in fretta che ci saluteranno come due eroi. Basta che lasci fare a me.»

«Non crede che mi riconosceranno colpevole?»

«No, che diavolo. Mi ascolti, Sam, può credermi sulla parola. Avremo una giuria di patrioti, gente come lei, Sam. Tutti bianchi. Tutti preoccupati all'idea che i loro figli vengano costretti ad andare a scuola con i bambini negri. Brava gente, Sam. Ne sceglieremo dodici, li metteremo nel banco della giuria e gli spiegheremo che quegli schifosi ebrei hanno incoraggiato tutte queste assurdità sui diritti civili. Si fidi di me, non sarà difficile.» T. Louis si sporse sul tavolo traballante, batté la mano sul braccio di Sam e concluse: «Si fidi di me, l'ho fatto altre volte».

Più tardi, il giorno stesso, Sam fu ammanettato, circondato da poliziotti di Greenville e condotto a un'auto della polizia. Fra la prigione e la macchina, un piccolo esercito di fotografi lo assediò. Un altro gruppo di rappresentanti della stampa era ad attendere davanti al tribunale quando Sam arrivò con tutto il seguito.

Comparve davanti al giudice municipale in compagnia del nuovo avvocato, T. Louis Brazelton, che rinunciò all'udienza preliminare ed eseguì con discrezione un altro paio di manovre legali di ordinaria amministrazione. Venti minuti dopo aver lasciato la prigione, Sam vi tornò. T. Louis promise di andare a trovarlo dopo qualche giorno per cominciare a preparare la strategia, quindi uscì e recitò ammirevolmente la sua parte a beneficio dei giornalisti.

Ci volle un mese perché a Greenville l'assedio frenetico dei media si placasse. Sam Cayhall e Jeremiah Dogan furono incriminati per duplice omicidio premeditato il 5 maggio 1967. Il procuratore distrettuale locale annunciò a gran voce che avrebbe chiesto la pena di morte. Il nome di Rollie Wedge non fu mai pronunciato. La polizia e l'Fbi non immaginavano neppure che esistesse.

T. Louis, che adesso difendeva entrambi gli imputati, chiese e ottenne che il processo venisse trasferito in altra sede, e il 4 settembre 1967 le udienze ebbero inizio nella contea di Nettles, a trecento chilometri da Greenville. E diventò una specie di circo. Il Klan si accampò sul prato davanti al tribunale e cominciò a inscenare comizi chiassosi. Fece arrivare molti suoi uomini da altri stati, e organizzò addirittura una lista di oratori ospiti. Sam Cayhall e Jeremiah Dogan furono presentati come simboli della supremazia bianca, e i loro amati nomi furono invocati mille volte dagli ammiratori incappucciati.

La stampa assisteva e aspettava. L'aula era strapiena di cronisti e giornalisti, e i meno fortunati erano costretti ad attendere sotto gli alberi nel prato davanti al tribunale. Guardavano gli uomini del Klan e ascoltavano i loro discorsi, e più guardavano e fotografavano, più i discorsi si allungavano.

In aula le cose andavano bene per Cayhall e Dogan. Brazelton compì la sua magia e mise insieme dodici giurati che erano tutti patrioti bianchi, come preferiva chiamarli; poi cominciò ad aprire falle non trascurabili nella ricostruzione dell'accusa. C'era soprattutto un fattore importante: era un processo indiziario perché nessuno aveva visto Sam Cayhall mettere la bomba. T. Louis lo affermò a gran voce nella perorazione iniziale, e il colpo andò a segno. Cayhall era un dipendente di Dogan, che l'aveva mandato a Greenville a sbrigare una commissione. Così si era trovato a passare vicino allo studio di Kramer nel momento meno opportuno. A T. Louis veniva quasi da piangere quando pensava a quei due poveri, adorabili bambini.

La miccia trovata nel portabagagli era stata probabilmente dimenticata dal precedente proprietario della macchina, un certo Carson Jenkins, un appaltatore di Meridian che si occupava di lavori di sbancamento. Carson Jenkins testimoniò che nella sua attività maneggiava abitualmente dinamite, e che senza dubbio aveva lasciato la miccia nel baule quando aveva venduto la macchina a Dogan. Carson Jenkins insegnava catechismo alla domenica ed era un ometto tranquillo e sensato, buon lavoratore, del tutto credibile. Anche lui faceva parte del Ku Klux Klan, ma l'Fbi non lo sapeva. T. Louis organizzò la sua testimonianza in modo impeccabile.

La polizia e l'Fbi non avevano mai scoperto che la macchina di Cayhall era stata lasciata davanti al locale per camionisti, a Cleveland. Nella prima telefonata alla moglie dalla prigione, le aveva raccomandato di mandare il figlio Eddie a ritirare immediatamente la macchina. Per la difesa era stata una vera fortuna.

Ma l'argomento decisivo esposto da Brazelton era questo: nessuno poteva provare che i suoi assistiti avessero cospirato per fare qualcosa, e com'è possibile che voi, giurati della contea di Nettles, mandiate a morte questi due uomini?

Dopo quattro giorni di dibattimento, i giurati si ritirarono per decidere. T. Louis garantì ai suoi clienti l'assoluzione. Perfino l'accusa ne era quasi convinta. Quelli del Klan sentivano odore di vittoria e facevano ancora più baccano sul prato del tribunale.

Non ci furono assoluzioni e non ci furono condanne. Due dei giurati puntarono i piedi e insistettero perché gli imputati fossero riconosciuti colpevoli. Dopo un giorno e mezzo di discussioni, la giuria riferì al giudice che era stato impossibile raggiungere l'unanimità. Il giudice dichiarò nullo il processo, e Sam Cayhall tornò a casa per la prima volta dopo cinque mesi.

Il nuovo processo si svolse a distanza di sei mesi nella contea di Wilson, un'altra zona rurale a quattro ore da Greenville e a centosessanta chilometri dalla sede del primo. C'erano state proteste perché all'inizio del primo dibattimento si erano verificate intimidazioni da parte del Klan nei confronti dei possibili giurati; e quindi il giudice, per ragioni che non furono mai chiarite, decise di trasferire il nuovo processo in una zona che brulicava di aderenti al Klan e di loro simpatizzanti. Anche in questo caso la giuria era formata interamente da bianchi e non ebrei. T. Louis sostenne le stesse argomentazioni con le stesse frasi a effetto. Carson Jenkins ripeté le stesse menzogne.

L'accusa mutò leggermente tattica, ma fu inutile. Il procuratore distrettuale lasciò cadere l'imputazione per omicidio doloso premeditato e ripiegò su quella dell'omicidio doloso occasionale per il quale non era prevista la pena di morte. I giurati, se avessero voluto, avrebbero potuto ritenere Cayhall e Dogan colpevoli addirittura di omicidio preterintenzionale, un'imputazione molto meno grave, ma comunque riconoscerli colpevoli.

Nel secondo processo c'era un elemento nuovo. Marvin Kramer era in prima fila sulla sedia a rotelle; e per i tre giorni del dibattimento continuò a fissare i giurati. Ruth si era sforzata di assistere al primo processo, ma poi era tornata a Greenville dove l'avevano ricoverata di nuovo in ospedale per problemi emotivi. Dopo l'attentato, Marvin era stato sottoposto a diverse operazioni e i medici non gli avevano permesso di essere presente alla gazzarra nella contea di Nettles.

Quasi nessun giurato aveva il coraggio di guardarlo. Non guardavano neppure il pubblico e prestavano molta attenzione ai testimoni. Ma una giovane donna, Sharon Culpepper, madre di due gemelli, non riusciva a trattenersi. Spesso lanciava occhiate a Marvin, e i loro sguardi s'incontravano. Marvin le chiedeva giustizia.

Sharon Culpepper fu l'unica dei dodici giurati che, all'inizio, votò per la colpevolezza. Per due giorni gli altri cercarono di convincerla e le fecero pressioni di ogni genere. La insultarono e la fecero piangere, ma lei non cedette.

Il secondo processo si concluse con la giuria che non aveva raggiunto l'unanimità: undici contro uno. Il giudice annullò il processo e rimandò tutti a casa. Marvin Kramer tornò a Greenville e poi a Memphis per sottoporsi a un altro intervento. T. Louis Brazelton calamitò ancora una volta l'interesse della stampa. Il procuratore distrettuale non promise un nuovo processo. Sam Cayhall tornò tranquillo e giurò a se stesso di evitare ogni futuro contatto con Jeremiah Dogan. Quanto all'Imperial Wizard, fece un ritorno trionfale a Meridian, dove si vantò di fronte ai suoi che la battaglia per la supremazia della razza bianca era appena cominciata, il bene aveva sconfitto il male e via di questo passo.

Il nome di Rollie Wedge era stato pronunciato una sola volta. Durante una pausa per il pranzo, nel corso del secondo processo, Dogan bisbigliò a Cayhall che il ragazzo aveva mandato un messaggio. Uno sconosciuto aveva parlato alla moglie di Dogan nel corridoio davanti all'aula del tribunale. Il messaggio era semplice e chiarissimo. Wedge era nelle vicinanze, nella foresta, e seguiva il processo; se Dogan o Cayhall avessero fatto il suo nome, le loro case e i loro familiari sarebbero saltati in aria.

3

Ruth e Marvin Kramer si separarono nel 1970. Più tardi, quello stesso anno, lui fu ricoverato in un ospedale psichiatrico, e nel 1971 si suicidò. Ruth tornò a Memphis e visse con i genitori. Nonostante i loro problemi, avevano insistito perché si arrivasse a un terzo processo. La comunità ebraica di Greenville si agitò parecchio e si fece sentire quando risultò evidente che il procuratore distrettuale si era stancato di perdere e non aveva più voglia di procedere contro Cayhall e Dogan.

Marvin fu sepolto accanto ai figli. Un nuovo giardino pubblico fu dedicato alla memoria di Josh e John Kramer, e furono istituite borse di studio in loro nome. Con il passare del tempo, la tragedia delle loro morti perse parte del suo orrore. Trascorsero gli anni, e a Greenville si parlò sempre meno dell'attentato.

Nonostante le pressioni dell'Fbi, il terzo processo non ci fu. Non c'erano nuovi indizi. Il giudice, senza dubbio, avrebbe cambiato ancora una volta la sede del dibattimento. Sembrava che fosse impossibile rimettere in campo l'accusa. Ma l'Fbi non si era arreso.

Con Cayhall che non voleva più saperne e Wedge irreperibile, la campagna di attentati ideata da Dogan finì nel nulla. Continuava a portare la tunica del Klan e a tenere discorsi, e cominciò a considerarsi un personaggio politico importante. Al Nord, i giornalisti erano incuriositi dai suoi attacchi razzisti, e lui era sempre disposto a mettersi il cappuccio e a concedere interviste oltraggiose. Per un breve periodo raggiunse una certa notorietà e l'apprezzò moltissimo.

Ma verso la fine degli anni Settanta, Jeremiah Dogan era ormai diventato uno dei tanti incappucciati di un'organizzazione in rapido declino. I negri andavano a votare. Nelle scuole pubbliche era stata abolita la segregazione. Le barriere razziali venivano abbattute in tutto il Sud dai giudici federali. I diritti civili erano arrivati anche nel Mississippi, e il Klan si era dimostrato miseramente incapace di tenere i negri al loro posto. Dogan non riusciva più a trovare seguaci quando decideva di bruciare una croce.

Nel 1979 si verificarono due fatti significativi per il caso ancora aperto dell'attentato Kramer. Il primo fu l'elezione di David McAllister a procuratore distrettuale di Greenville. Aveva ventisette anni ed era il più giovane procuratore distrettuale nella storia dello stato. Da ragazzo era tra la folla che guardava l'Fbi frugare fra le macerie dell'ufficio di Marvin Kramer. Poco dopo l'elezione giurò di far giustizia dei terroristi.

Il secondo avvenimento fu l'incriminazione di Jeremiah Dogan per evasione fiscale. Dopo essere riuscito per anni a sfuggire all'Fbi, Dogan si era distratto ed era incappato nella rete del fisco. L'indagine durò otto mesi e portò a un atto d'accusa di ben trenta pagine dal quale risultava che Dogan aveva omesso di denunciare più di centomila dollari fra il 1974 e il 1978. I capi d'imputazione erano ottantasei, e comportavano una pena massima di ventotto anni di reclusione.

Dogan era colpevole e il suo avvocato (che non era T. Louis Brazelton) cominciò subito a esaminare la possibilità di un patteggiamento. Così entrò in scena l'Fbi.

In una serie di incontri burrascosi con Dogan e il suo avvocato, il governo fece una proposta: Dogan avrebbe testimoniato contro Sam Cayhall per il caso Kramer, e in cambio non sarebbe finito in carcere per evasione fiscale. Neppure un giorno dietro le sbarre. Multe pesanti e libertà vigilata, ma niente carcere. Dogan non parlava con Cayhall da più di dieci anni e non aveva più un ruolo attivo nel Klan. Aveva quindi molti motivi per prendere in considerazione la proposta, il più importante dei quali era la scelta fra restare libero o passare almeno un decennio al fresco.

Per pungolarlo, il fisco gli sequestrò tutto ciò che possedeva e predispose una rapida vendita all'asta. E per aiutarlo a decidersi, David McAllister mise in piedi un processo istruttorio a Greenville e convinse la giuria a incriminare ancora una volta Dogan e il suo amico Cayhall per l'attentato Kramer.

Dogan cedette e accettò il patteggiamento.

Dopo esser vissuto tranquillo per dodici anni nella contea di Ford, Sam Cayhall si ritrovò di nuovo incriminato, arrestato e messo di fronte alla certezza di un processo e alla possibilità di finire nella camera a gas. Fu costretto a ipotecare la casa e i campi per pagare un avvocato. T. Louis Brazelton era passato ormai a occuparsi di cose più importanti, e Dogan non era più un alleato.

Dal tempo dei primi due processi, nel Mississippi erano cambiate molte cose. I negri si erano iscritti più o meno in massa nelle liste elettorali e avevano eletto dei negri alle varie cariche pubbliche. Le giurie composte interamente da bianchi erano ormai rare. Lo stato aveva due giudici negri, due scerifi negri, e nei corridoi dei tribunali si vedevano avvocati negri in compagnia dei colleghi bianchi. E molti cittadini bianchi del Mississippi cominciavano a ripensare al passato e a chiedersi perché si era fatto tanto chiasso. Perché c'era stata una resistenza così accanita contro l'estensione a tutti dei diritti fondamentali? Anche se c'era ancora parecchia strada da fare, il Mississippi del 1980 era molto diverso da quello del 1967. E Sam Cayhall se ne rendeva conto.

Si rivolse a un abile penalista di Memphis, Benjamin Keyes. La prima mossa tattica fu presentare un'istanza perché il rinvio a giudizio venisse negato in quanto era ingiusto processarlo di nuovo dopo tanto tempo. Era un argomento convincente, e fu necessaria una decisione della Corte Suprema del Mississippi. Con sei voti a favore e tre contrari, la Corte sentenziò che la pubblica accusa poteva procedere.

E così fu. Il terzo e ultimo processo contro Sam Cayhall incominciò nel febbraio del 1981, in un piccolo, gelido tribunale della contea di Lakehead, una zona di collina nella parte nord-orientale dello stato. Si potrebbe parlare a lungo del processo. Il giovane procuratore distrettuale David McAllister si comportava in modo brillante ma aveva la pericolosa abitudine di passare tutto il tempo libero in compagnia della stampa. Era un bell'uomo, convincente e ricco di calore umano, e ben presto apparve chiaro che quel processo aveva uno scopo. Il signor McAllister aveva grandi ambizioni politiche.

C'era una giuria formata da otto bianchi e quattro negri. C'erano la scheggia di vetro, la miccia, i rapporti dell'Fbi e tutte le fotografie e i reperti dei primi due processi.

E poi ci fu la testimonianza di Jeremiah Dogan, che prese posto sul banco dei testimoni indossando una camicia da lavoro di jeans. Con aria umile spiegò solennemente alla giuria di aver cospirato con Sam Cayhall per organizzare un attentato contro l'ufficio di Marvin Kramer. Sam lo fissava e assorbiva ogni parola, ma Dogan evitava di guardarlo. L'avvocato di Sam attaccò Dogan per mezza giornata e lo costrinse ad ammettere di aver concluso un patto con il governo. Ma ormai il danno era fatto.

La difesa di Sam Cayhall non aveva interesse a sollevare la questione di Rollie Wedge. Se l'avesse fatto, avrebbe ammesso che Sam era andato a Greenville con la bomba. Sam sarebbe stato costretto a confessare di essere stato complice con gli altri, e per la legge sarebbe stato colpevole esattamente quanto l'uomo che aveva messo la dinamite nell'ufficio. Inoltre, per raccontare tutto questo alla giuria, Sam avrebbe dovuto testimoniare, cosa che né lui né il suo avvocato volevano. Sam non poteva affrontare un controinterrogatorio rigoroso perché sarebbe stato costretto a dire troppe menzogne.

E poi a quel punto, ormai, nessuno gli avrebbe creduto se all'improvviso avesse tirato fuori un nuovo terrorista misterioso, mai nominato in precedenza, e che era venuto e se n'era andato senza che nessuno lo vedesse. Sam sapeva che era inutile chiamare in causa Rollie Wedge, e non fece mai il suo nome, neppure con l'avvocato.

Al termine del dibattimento, David McAllister si piazzò di fronte alla giuria nell'aula affollatissima e tenne l'arringa conclusiva. Ricordò la sua giovinezza a Greenville e parlò dei suoi amici ebrei. Per lui non erano diversi. Conosceva alcuni Kramer, brave persone che lavoravano sodo e davano molto alla città. Aveva giocato anche con bambini negri e aveva scoperto che erano amici meravigliosi. Non aveva mai capito perché loro frequentassero una scuola e lui un'altra. Raccontò di aver sentito il suolo tremare la mattina del 20 aprile 1967, e di essere accorso verso il luogo dell'esplosione mentre il fumo saliva verso il cielo. Per tre ore era rimasto ad attendere dietro gli sbarramenti della polizia. Aveva visto i vigili del fuoco estrarre Marvin Kramer. Li aveva visti frugare fra le macerie e trovare i bambini. Aveva pianto quando i corpicini coperti da lenzuoli bianchi erano stati trasportati pian piano all'ambulanza.

Fu un'esibizione magnifica, e al termine nell'aula regnava il silenzio. Molti giurati si asciugavano gli occhi.

Il 12 febbraio 1981 Sam Cayhall fu riconosciuto colpevole di duplice omicidio di primo grado e di tentato omicidio. Due giorni dopo la stessa giuria si ripresentò in aula con la condanna alla pena capitale.

Sam fu portato nel penitenziario statale di Parchman e cominciò ad attendere l'appuntamento con la camera a gas. Il 19 febbraio 1981 mise piede per la prima volta nel braccio della morte.

4

Lo studio legale Kravitz & Bane contava quasi trecento avvocati che coesistevano pacificamente a Chicago sotto lo stesso tetto. Per l'esattezza erano duecentottantasei, anche se era difficile tenere il conto perché ogni momento ce n'era più o meno una decina che se ne andava per ragioni varie, e c'era sempre più o meno una ventina di giovani reclute preparate e tirate a lucido, smaniose di gettarsi nella mischia. E sebbene fosse un grande studio legale, Kravitz & Bane non aveva saputo fare una politica espansionista con la stessa prontezza di tanti altri, non aveva fagocitato studi legali più deboli in altre città, non si era dato da fare abbastanza per strappare clienti alla concorrenza, e per questo era soltanto il terzo studio legale di Chicago in ordine di grandezza. Aveva uffici in sei città ma, con grande imbarazzo dei soci più giovani, sulla carta intestata non c'era un indirizzo a Londra.

Anche se si era un po' ammorbidito, Kravitz & Bane era ancora famoso come uno studio particolarmente aggressivo nei dibattimenti in aula. Aveva sezioni più addomesticate che si occupavano di proprietà immobiliare, fisco e legislazione anti-trust, ma guadagnava soprattutto grazie ai processi, appunto. Quando reclutava avvocati nuovi, dava alla caccia ai migliori studenti del terzo anno che ottenevano i voti più alti nei contraddittori e nei processi simulati. Voleva uomini giovani (più qualche donna qua e là in omaggio ai tempi) che potessero essere allenati immediatamente allo stile aggressivo perfezionato ormai da molto tempo dagli specialisti dello studio.

C'era una sezione efficiente, anche se non molto numerosa,

che si occupava di lesioni personali, un ottimo campo dal quale lo studio incassava il cinquanta per cento e permetteva ai clienti di tenere il resto. C'era una sezione piuttosto grande per la difesa dei colletti bianchi nelle cause penali, ma i colletti bianchi dovevano avere un reddito cospicuo per potersi assicurare la difesa di Kravitz & Bane. Poi c'erano le due sezioni maggiori, una per le cause civili commerciali e una per le cause intentate dalle assicurazioni. A eccezione dei casi di lesioni personali, che però come percentuale degli introiti lordi totali erano quasi insignificanti, lo studio guadagnava soprattutto grazie alle ore che metteva in conto ai clienti. Duecento dollari l'ora per le assicurazioni; anche di più se era possibile. Trecento dollari per le cause penali. Quattrocento per una grande banca, e fino a cinquecento, per una ricca società per azioni i cui pigri avvocati interni si addormentavano sulla scrivania.

Lo studio Kravitz & Bane faceva soldi a palate e a Chicago aveva creato una dinastia. Gli uffici erano eleganti ma non sfarzosi. E come in fondo era giusto, occupavano gli ultimi piani del terzo palazzo del centro in ordine di altezza.

Come quasi tutti i grandi studi legali, guadagnava tanto che si era sentito in dovere di costituire una piccola sezione *pro bono* per adempiere con patrocini gratuiti e in altri modi al proprio dovere morale verso la società. Lo studio era molto fiero di avere un socio che si occupava a tempo pieno delle attività gratuite, un filantropo eccentrico che si chiamava E. Garner Goodman e aveva un ampio ufficio con due segretarie al sessantunesimo piano. Goodman aveva anche un assistente in comune con un socio che si occupava di processi. L'opuscolo illustrativo dello studio metteva in notevole risalto il fatto che i suoi avvocati erano incoraggiati a dedicarsi alle attività *pro bono*, e dichiarava che nell'ultimo anno, il 1989, gli avvocati di Kravitz & Bane avevano donato quasi sessantamila ore del loro tempo prezioso a clienti che non potevano pagare. Ragazzi dei quartieri popolari, reclusi nel braccio della morte, stranieri immigrati clandestinamente, drogati, e naturalmente lo studio si interessava moltissimo alla sorte dei senzatetto. L'opuscolo mostrava addirittura la foto di due giovani avvocati che, senza giacca, con le maniche della camicia rimboccate, le cravatte allentate, sudati ma con gli occhi traboccanti di solidarietà, lavoravano manualmente in mezzo a un gruppo di bambini di una minoranza etnica in quella che sembrava una discarica. Avvocati che difendevano la società.

Adam Hall aveva un opuscolo nella sottile cartella e procedeva a passo lento nel corridoio del sessantunesimo piano, diretto verso l'ufficio di E. Garner Goodman. Si soffermò a parlare con un altro giovane avvocato che non aveva mai visto prima. In occasione della festa di Natale dello studio, all'ingresso venivano distribuiti i cartellini con i nomi. Alcuni dei soci si conoscevano appena e alcuni degli associati si vedevano una volta o due all'anno. Adam aprì una porta ed entrò in una stanzetta dove una segretaria smise di battere a macchina e gli rivolse un mezzo sorriso. Chiese del signor Goodman, e la segretaria indicò una fila di sedie. Era arrivato con cinque minuti di anticipo per l'appuntamento delle dieci, come se la cosa avesse importanza. Quello era un patrocinio gratuito, quindi poteva dimenticare l'orologio e le ore da mettere in conto e gli extra. Come se volesse sfidare il resto dello studio, Goodman non tollerava orologi alle pareti del suo ufficio, e non ne portava neppure uno al polso.

Adam sfogliò il contenuto della sua cartella e schioccò la lingua nel vedere l'opuscolo. Rilesse il proprio breve curriculum: college a Peppardine, facoltà di legge all'università statale del Michigan, direzione della rivista legale della facoltà, alcuni suoi saggi sulle pene crudeli e insolite, commenti su casi recenti di condanne a morte. Era un curriculum piuttosto breve, ma d'altra parte aveva appena ventisei anni e lavorava per Kravitz & Bane da nove mesi.

Lesse due lunghe sentenze della Corte Suprema degli Stati Uniti riguardanti esecuzioni avvenute in California, e prese appunti. Diede un'occhiata all'orologio e riprese a leggere. Dopo un po' la segretaria gli offrì un caffè, ma rifiutò educatamente.

L'ufficio di E. Garner Goodman era un sensazionale esempio di disorganizzazione. Era grande ma ingombro, con librerie dai ripiani incurvati contro tutte le pareti e cataste di pratiche polverose che coprivano il pavimento. Piccoli mucchi di carte di ogni forma e dimensione invadevano la scrivania posta al centro della stanza. Fogli appallottolati, brutte copie e lettere perdute coprivano il tappeto sotto la scrivania. Se le veneziane non fossero state chiuse, l'ampia finestra avrebbe offerto una splendida vista del lago Michigan; ma era evidente che il signor Goodman non perdeva tempo a contemplare il panorama.

Era un vecchio dalla barba grigia ben curata e una massa di capelli grigi. La camicia candida era inamidata penosamente. La cravatta a fiocco, verde a disegni minutissimi, il suo segno caratteristico, era annodata esattamente sotto il mento. Adam entrò e zigzagò con cautela intorno ai mucchi di carte. Goodman non si alzò ma gli tese la mano con una certa freddezza.

Adam gli consegnò la cartella e prese posto sull'unica sedia libera. Attese nervosamente intanto che Goodman studiava la pratica, si accarezzava la barba e tormentava un po' la cravatta.

«Perché vuole dedicarsi al patrocinio gratuito?» borbottò il vecchio avvocato dopo un lungo silenzio, senza alzare gli occhi. Da altoparlanti incassati nel soffitto usciva in sordina un brano per chitarra classica.

Adam si assestò sulla sedia, un po' a disagio. «Uhm, ecco, per diverse ragioni.»

«Mi lasci indovinare. Vuole servire l'umanità, fare qualcosa per la sua comunità, o forse si sente in colpa perché passa tanto tempo qui dentro e si fa spremere come un limone per mettere in conto le ore ai clienti, e quindi vuole purificarsi l'anima, farsi venire i calli alle mani, lavorare onestamente e aiutare gli altri.» Gli occhi azzurri di Goodman lanciarono uno sguardo su Adam al di sopra degli occhiali da lettura in equilibrio sulla punta del naso piuttosto aguzzo. «Una di queste ragioni?»

«Non proprio.»

Goodman continuò a esaminare la pratica. «Dunque è stato assegnato a Emmitt Wycoff?» Stava leggendo una lettera di Wycoff, il socio supervisore di Adam.

«Sì, signore.»

«È un ottimo avvocato. Non ho molta simpatia per lui, ma ha una grande capacità in campo penale. Probabilmente è uno dei nostri tre maggiori esperti in fatto di cause dei colletti bianchi. Piuttosto sgarbato, però. Non le sembra?»

«A me sembra a posto.»

«Da quanto lavora con lui?»

«Da quando ho cominciato, nove mesi fa.»

«Quindi fa l'avvocato da nove mesi?»

«Sì, signore.»

«Cosa ne pensa?» Goodman chiuse la cartella e fissò Adam. Si tolse gli occhiali e si mise tra i denti una stanghetta.

«Finora mi piace. È stimolante.»

«Certo. Perché ha scelto Kravitz & Bane? Voglio dire, con le sue credenziali avrebbe potuto andare dove voleva. Perché proprio qui?»

«Mi interessano le cause penali, e questo studio ha una notevole reputazione.»

«Quante proposte di assunzione aveva ricevuto? Su, me lo dica, la mia è semplice curiosità.»

«Diverse.»

«Da dove arrivavano?»

«Soprattutto da Washington. Una da Denver. Non ho avuto colloqui con studi di New York.»

«Quanto le abbiamo offerto qui?»

Adam si assestò di nuovo sulla sedia. Dopotutto Goodman era un socio e senza dubbio sapeva quanto venivano pagati gli associati novellini. «Sessantamila l'anno, più o meno. E noi, quanto la paghiamo?»

Il vecchio trovò la cosa divertente. Sorrise per la prima volta. «Mi pagano quattrocentomila dollari l'anno per regalare il loro tempo, perché così si mettono la coscienza a posto e possono fare bei discorsi sugli avvocati e le responsabilità sociali. Quattrocentomila dollari, ci pensa?»

Erano voci che Adam aveva sentito circolare. «Non vorrà lamentarsi, vero?»

«No. Sono l'avvocato più fortunato della città, signor Hall. Mi pagano un sacco di soldi per fare un lavoro che mi piace, non devo timbrare il cartellino né preoccuparmi di mettere in conto le ore al cliente. È il sogno di tutti gli avvocati. Ecco perché sgobbo ancora sessanta ore la settimana. Sa che ho quasi settant'anni?»

Secondo una leggenda accreditata nello studio, Goodman, quando era più giovane, non ce l'aveva fatta a reggere al ri‑

mo e aveva rischiato di rimetterci la pelle con alcol e pillole. Per un anno era stato in cura per disintossicarsi, e intanto sua moglie se n'era andata con i figli; poi aveva convinto i soci che valeva la pena di salvarlo. Aveva solo bisogno di un ufficio dove la vita non fosse imperniata su un orologio.

«Che genere di lavoro fa per Emmitt Wycoff?» chiese Goodman.

«Soprattutto ricerche. In questo periodo si occupa di alcuni industriali che hanno ottenuto appalti dalla Difesa, e questo mi porta via quasi tutto il tempo. La settimana scorsa ho sostenuto una mozione in tribunale» Adam lo annunciò con un certo orgoglio. Di solito i novellini venivano tenuti incatenati alle scrivanie per i primi dodici mesi.

«Una vera mozione?» chiese Goodman, stupito.

«Sì, signore.»

«In una vera aula di tribunale.»

«Sì, signore.»

«Davanti a un vero giudice?»

«Certo.»

«Chi ha vinto?»

«Il giudice ha dato ragione all'accusa, ma è stata una vittoria ai punti. L'avevo messo alle corde.» Goodman sorrise, ma il gioco era finito. Aprì di nuovo la cartella.

«Wycoff manda una lettera che parla molto bene di lei. Lo fa molto di rado.»

«Sa riconoscere il talento» commentò Adam con un sorriso.

«Immagino che sia una richiesta molto significativa, signor Hall. Cos'ha in mente, di preciso?»

Adam smise di sorridere e si schiarì la gola. Si era innervosito di colpo. Decise di riaccavallare le gambe. «Si tratta, ecco, be', di una condanna a morte.»

«Una condanna a morte?» ripeté Goodman.

«Sì, signore.»

«Perché?»

«Perché sono contrario alla pena di morte.»

«Lo siamo tutti, signor Hall. Io ho scritto vari libri sull'argomento e mi sono interessato a una ventina di casi. Perché vuole occuparsene?»

«Ho letto i suoi libri. Voglio rendermi utile.»

Goodman richiuse la cartella e si sporse un po' al di sopra della scrivania. Due pezzi di carta caddero svolazzando sul pavimento. «È troppo giovane e troppo inesperto.»

«Potrebbe cambiare idea sul mio conto.»

«Senta, signor Hall, non è come dare consigli legali a un alcolizzato in una mensa per i poveri. È questione di vita o di morte. Roba da alta pressione, figliolo. Non è molto divertente.»

Adam annuì ma non replicò. Guardava Goodman negli occhi e si rifiutava di battere le palpebre. Un telefono squillò in lontananza, ma entrambi lo ignorarono.

«Le andrebbe bene un caso qualunque, oppure ha un nuovo cliente per Kravitz & Bane?» chiese Goodman.

«Il caso Cayhall» rispose Adam.

Goodman scosse la testa e tirò la cravatta a fiocco. «Sam Cayhall ci ha appena revocato la procura. La corte del Quinto Distretto ha stabilito proprio la settimana scorsa che in effetti ha il diritto di farlo.»

«Ho letto il parere. So cos'ha detto la corte del Quinto Distretto. Quell'uomo ha bisogno di un avvocato.»

«No, non ne ha bisogno. Con o senza avvocato, fra tre mesi sarà morto. A essere sincero, per me è un sollievo che esca dalla mia vita.»

«Ha bisogno di un avvocato» ripeté Adam.

«Si difende da solo e, per dire la verità, lo fa piuttosto bene. Prepara mozioni e memorie, svolge personalmente le ricerche. Ho sentito che adesso dà consigli legali ai suoi compagni del braccio della morte. Ma solo ai bianchi.»

«Ho studiato tutta la pratica.»

E. Garner Goodman rigirò lentamente gli occhiali fra le dita e rifletté. «È una mezza tonnellata di carta. Perché l'ha fatto?»

«Il caso mi interessa. L'ho seguito per anni, ho letto tutto quello che è stato scritto su quell'uomo. Poco fa lei mi ha chiesto perché ho scelto Kravitz & Bane. Bene, la verità è che volevo lavorare al caso Cayhall, e mi pare che questo studio si sia occupato del suo patrocinio gratuito per... per quanto? otto anni?»

«Sette, ma sembrano venti. Sam Cayhall non è l'uomo più gradevole con cui si possa avere a che fare.»

«Comprensibile, no? Voglio dire, è rimasto in isolamento per quasi dieci anni.»

«Non mi tenga una conferenza sulla vita nelle carceri, signor Hall. Ha mai visto l'interno di una prigione?»

«No.»

«Be', io sì. Sono entrato nel braccio della morte in sei stati. Sam Cayhall mi ha coperto di maledizioni mentre era incatenato alla sedia. Non è un uomo simpatico. È un razzista convinto che odia più o meno tutti e odierebbe anche lei, se la conoscesse.»

«Non credo.»

«Signor Hall, lei è un avvocato. Cayhall odia gli avvocati più dei negri e degli ebrei. Da dieci anni vive faccia a faccia con la morte e si è convinto di essere vittima di una cospirazione di avvocati. Diavolo, per tre anni ha cercato di revocarci la procura. Lo studio ha speso più di due milioni di dollari in termini di tempo per cercare di tenerlo in vita, e lui pensava soprattutto a liberarsi della nostra assistenza. Ho perso il conto delle volte in cui si è rifiutato di incontrarsi con noi dopo che avevamo fatto il viaggio fino a Parchman. È pazzo, signor Hall. Si trovi un altro caso. Perché non sceglie qualche bambino maltrattato o cose del genere?»

«No, grazie. A me interessano i casi che riguardano la pena di morte, e la storia di Sam Cayhall ha finito per diventare quasi un'ossessione.»

Goodman si rimise gli occhiali in bilico sulla punta del naso, poi appoggiò con calma i piedi sull'angolo della scrivania. Intrecciò le mani sulla camicia inamidata. «Posso chiedere perché è così ossessionato da Sam Cayhall?»

«Ecco, è un caso molto interessante, non le sembra? Il Klan, il movimento per i diritti civili, gli attentati, un ambiente così tormentato. Sullo sfondo c'è un periodo molto intenso della storia americana. Sembra una vicenda antica, ma sono passati soltanto venticinque anni. È molto avvincente.»

Il ventilatore a pale appeso al soffitto girava adagio. Passò un minuto.

Goodman posò di nuovo i piedi sul pavimento e si puntellò sui gomiti. «Signor Hall, apprezzo il suo interesse per le attività *pro bono*, e le assicuro che c'è parecchio da fare. Ma dovrà trovare un altro progetto. Qui non si tratta di un processo simulato.»

«E io non sono uno studente.»

«Sam Cayhall ci ha revocato la procura, signor Hall. Mi sembra che non se ne renda conto.»

«Voglio avere la possibilità di incontrarmi con lui.»

«Perché?»

«Credo di poterlo convincere ad autorizzarmi a difenderlo.»

«Oh, davvero?»

Adam respirò a fondo, poi si alzò, passò fra i mucchi di pratiche e raggiunse la finestra. Un altro respiro profondo. Goodman lo guardava e attendeva.

«Ho un segreto da rivelarle, signor Goodman. Non lo sa nessuno tranne Emmitt Wycoff, e in un certo senso sono stato costretto a dirglielo. Deve restare fra noi, d'accordo?»

«La sto ascoltando.»

«Mi dà la sua parola?»

«Sì, le do la mia parola» borbottò Goodman mordicchiando una stanghetta degli occhiali.

Adam sbirciò attraverso una stecca della veneziana e vide una barca veleggiare sul lago Michigan. Parlò a voce bassa. «Sono parente di Sam Cayhall.»

Goodman non si scompose. «Capisco. Parente in che senso?»

«Sam aveva un figlio, Eddie, che lasciò il Mississippi quando il padre fu arrestato per l'attentato. Fuggì in California, cambiò nome e si sforzò di dimenticare il passato. Ma era tormentato dal retaggio della famiglia e si suicidò poco dopo che il padre fu condannato nel 1981.»

Adesso Goodman stava seduto sul bordo della sedia.

«Eddie Cayhall era mio padre.»

Goodman esitò per un attimo «Sam Cayhall è suo nonno?»

«Sì. Sono venuto a saperlo quando avevo diciassette anni. Me lo disse mia zia dopo che seppellimmo mio padre.»

«Accidenti.»

«Ha promesso di non dirlo a nessuno.»

«Sì, certo.» Goodman si sedette sul bordo della scrivania e appoggiò i piedi sulla sedia. Fissò le veneziane. «E Sam lo sa che…»

«No. Sono nato nella contea di Ford, Mississippi, in una

città che si chiama Clanton, non a Memphis. Mi avevano sempre detto che ero nato a Memphis. Il mio vero nome era Alan Cayhall, ma l'ho saputo molto più tardi. Avevo tre anni quando lasciammo il Mississippi, e i miei genitori non ne parlavano mai. Mia madre pensa che non ci siano mai stati contatti fra Eddie e Sam dal giorno in cui partimmo fino a quando lei gli scrisse in prigione per comunicargli che il figlio era morto. Lui non rispose.»

«Accidenti, accidenti, accidenti» borbottò Goodman fra sé.

«C'è parecchio da dire, signor Goodman. È una famiglia piuttosto bacata.»

«Non è colpa sua.»

«Secondo mia madre, il padre di Sam era molto attivo nel Klan, prendeva parte ai linciaggi e così via. Quindi provengo da un ceppo assai discutibile.»

«Suo padre era diverso.»

«Mio padre si uccise. Le risparmio i particolari. Ma fui io a trovare il corpo, e a ripulire un po' prima che rientrassero mia madre e mia sorella.»

«E aveva diciassette anni?»

«Quasi. Era il 1981. Nove anni fa. Quando mia zia, la sorella di Eddie, mi disse la verità, rimasi molto affascinato dalla sordida storia di Sam Cayhall. Ho passato ore e ore nelle biblioteche a cercare i vecchi articoli apparsi su giornali e riviste. C'era parecchio materiale. Ho letto i verbali dei tre processi. Ho studiato le sentenze di appello. Alla law school ho cominciato a seguire la difesa di Sam Cayhall sostenuta da questo studio legale, da lei e Wallace Tyner. Un lavoro esemplare.»

«Mi fa piacere che l'approvi.»

«Ho letto centinaia di libri e migliaia di articoli sull'Ottavo Emendamento e sui processi con pena di morte. Lei, mi pare, ha scritto quattro libri e un gran numero di articoli. Lo so, non sono che un novellino, ma ho fatto una ricerca ineccepibile.»

«E crede che Sam si fiderà di lei come avvocato?»

«Non lo so. Ma è mio nonno, gli piaccia o no, e devo andare a parlargli.»

«Non ci sono stati contatti...»

«No, nessuno. Avevo tre anni quando lasciammo il Mississippi, e non lo ricordo nel modo più assoluto. Ho cominciato mille volte a scrivergli una lettera, ma non sono mai arrivato fino in fondo. Non saprei spiegarle il perché.»

«È comprensibile.»

«Non c'è niente di comprensibile, signor Goodman. Non capisco come o perché mi trovo qui, in questo ufficio, in questo preciso momento. Avevo sempre desiderato diventare pilota, ma ho studiato legge perché sentivo un vago dovere di aiutare la società. Qualcuno aveva bisogno di me e forse intuivo che quel qualcuno era il mio folle nonno. Avevo ricevuto quattro proposte di assunzione, e ho scelto questo studio perché aveva avuto il coraggio di difenderlo gratuitamente.»

«Avrebbe dovuto parlarne con qualcuno, prima che l'assumessimo.»

«Lo so. Ma nessuno mi aveva chiesto se mio nonno era cliente dello studio.»

«Avrebbe dovuto dire qualcosa comunque.»

«Non mi licenzieranno, vero?»

«Ne dubito. Dov'è stato in questi ultimi nove mesi?»

«Qui, a lavorare novanta ore la settimana, a dormire sulla scrivania, a mangiare qualcosa in biblioteca, a studiare come un pazzo per gli esami di ammissione all'ordine, la solita routine del corso addestramento reclute che avete inventato per noi.»

«È ridicolo, vero?»

«Sono un tipo duro.» Adam scostò di nuovo una stecca della veneziana per vedere meglio il lago. Goodman l'osservava con attenzione.

«Perché non apre le veneziane?» chiese Adam. «Il panorama è splendido.»

«L'ho già visto.»

«Io sarei pronto a uccidere per avere una vista come questa. Il mio ufficetto è a un chilometro dalla finestra più vicina.»

«Lavori sodo, conteggi molte ore ai clienti, e un giorno tutto questo sarà suo.»

«Non ci tengo.»

«Ha intenzione di lasciarci, signor Hall?»

«È probabile che finisca per farlo. Ma questo è un altro segreto, d'accordo? Ho intenzione di sgobbare come un matto per un paio d'anni, e poi cambiare. Forse aprirò uno studio legale tutto mio, dove la vita non sia imperniata su un orologio. Voglio svolgere un lavoro di pubblica utilità, un po' come fa lei.»

«Dunque dopo nove mesi è già deluso di Kravitz & Bane.»

«No. Ma prevedo che lo diventerò. Non voglio passare gli anni della mia carriera a difendere ricconi disonesti e società intrallazzatrici.»

«Allora è senza dubbio nel posto sbagliato.»

Adam si allontanò dalla finestra e tornò verso la scrivania. Guardò Goodman. «Sono nel posto sbagliato e voglio trasferirmi. Wycoff accetterà di mandarmi per i prossimi mesi nella nostra piccola sede di Memphis, in modo che possa occuparmi del caso Cayhall. Una specie di aspettativa, naturalmente a stipendio pieno.»

«Nient'altro?»

«È tutto, più o meno. E funzionerà. Non sono che un novellino e qui non sono indispensabile. Nessuno sentirà la mia mancanza. Diavolo, qui ci sono un sacco di giovani accaniti disposti a lavorare diciotto ore al giorno e a metterne in conto venti.»

La faccia di Goodman si rilassò in un caldo sorriso. Scosse la testa, come se fosse molto colpito. «Aveva pianificato tutto, vero? Voglio dire, ha scelto questo studio legale perché difendeva Sam Cayhall e perché ha una sede a Memphis.»

Adam annuì senza sorridere. «È andato tutto come avevo calcolato. Non sapevo come o quando sarebbe arrivato questo momento. Nessuno sapeva che Cayhall ci avrebbe revocato il mandato ma, sì, in un certo senso avevo pianificato tutto. Non mi chieda però cosa succederà adesso.»

«Entro tre mesi, se non prima, sarà morto.»

«Ma io devo fare qualcosa, signor Goodman. Se lo studio legale non mi permetterà di occuparmi del caso, con ogni probabilità darò le dimissioni e tenterò da solo.»

Goodman scosse di nuovo la testa e si alzò di scatto. «Non lo faccia, signor Hall. Troveremo una soluzione. Dovrò parlarne con Dan Rosen, il socio dirigente. Credo che approverà.»

«Ha una pessima reputazione.»

«Sì, e anche meritata. Però posso parlargliene.»

«Accetterà se lei e Wycoff daranno parere favorevole, non è vero?»

«Naturalmente. Ha fame?» Goodman prese la giacca.

«Un po'.»

«Andiamo fuori a mangiare un boccone.»

Al delicatessen d'angolo non era ancora arrivata la solita folla dell'ora di pranzo. Il socio e il novellino sedettero a un piccolo tavolo accanto alla vetrata che si affacciava sul marciapiedi. Il traffico andava a rilento e centinaia di pedoni passavano a poca distanza. Il cameriere portò un Reuben molto grasso per Goodman e un brodo di pollo per Adam.

«Quanti detenuti ci sono nel braccio della morte nel Mississippi?» chiese Goodman.

«Il mese scorso erano quarantotto. Venticinque negri, ventitré bianchi. L'ultima esecuzione è stata due anni fa. Willie Parris. Il prossimo, probabilmente, sarà Sam Cayhall, a meno di un piccolo miracolo.»

Goodman masticò in fretta un grosso boccone e si pulì la bocca con un tovagliolo di carta. «Un grande miracolo, direi. Non ci sono molte possibilità dal punto di vista legale.»

«C'è il solito assortimento di istanze dell'ultima ora.»

«Rimandiamo a più tardi la discussione delle strategie. Non credo che lei sia mai stato a Parchman.»

«No. Da quando ho saputo la verità, ho sempre desiderato tornare nel Mississippi ma non ci sono andato.»

«È una grande fattoria in mezzo al delta del fiume, e per un'ironia del destino non è molto lontana da Greenville. Qualcosa come seimilaottocento ettari. Probabilmente è il posto più caldo del mondo. Si trova sulla Highway 49, un po' a ovest, e sembra un piccolo villaggio. Ci sono molte case e altre costruzioni. La parte anteriore è occupata dagli uffici amministrativi e non è recintata. Ci sono una trentina di campi sparsi nella fattoria, e tutti sono cintati e sorvegliati. Ogni campo è separato dagli altri, e a volte sono lontani chilometri. Si passa in macchina davanti a vari campi, tutti circondati da reti e filo spinato, e tutti con centinaia di detenuti in ozio perché non hanno niente da fare. Portano colori diversi, secondo la classificazione. A vederli, sembra che siano tutti ragazzi negri sfaccendati; qualcuno gioca a basket, qualcuno sta seduto sotto un portico. Ogni tanto si vede qualche faccia bianca. Si passa in macchina, molto lentamente, sulla strada inghiaiata, davanti ai campi e al filo spinato, fino a una piccola costruzione dall'aria innocua e con il tetto piatto. È circondata da alte recinzioni, e le guardie la sorvegliano dalle torrette. È piuttosto moderna. Ha un nome ufficiale, ma tutti la chiamano semplicemente "il Braccio".»

«Sembra un posto magnifico.»

«Pensavo che fosse una specie di sotterraneo, sa, buio e freddo e con l'acqua che sgocciola dal soffitto. Invece è semplicemente una piccola costruzione piatta in mezzo a un campo di cotone. Per la verità, è meno peggio dei bracci della morte di altri stati.»

«Mi piacerebbe vederla.»

«Non è pronto per un'esperienza simile. È un posto orribile, pieno di individui deprimenti che aspettano di morire. Avevo sessant'anni quando l'ho vista, e dopo non ho dormito per una settimana.» Goodman bevve un sorso di caffè. «Non riesco a immaginare cosa proverà quando ci metterà piede. Il Braccio è già abbastanza sconvolgente quando l'assistito è uno sconosciuto.»

«Per me è uno sconosciuto.»

«Come ha intenzione di dirgli...?»

«Non lo so. Qualcosa mi verrà in mente. Sono sicuro che succederà.»

Goodman scosse la testa. «È molto bizzarro.»

«È bizzarra tutta la famiglia.»

«Ora ricordo: Sam aveva due figli, e mi pare che una fosse una femmina. È passato tanto tempo. Gran parte del lavoro l'ha svolta Tyner, lo sa.»

«La figlia di Sam è mia zia, Lee Cayhall Booth, ma fa di tutto per dimenticare il cognome da nubile. Ha sposato uno che appartiene a una vecchia, ricca famiglia di Memphis. Il marito ha un paio di banche, e non parlano con nessuno del padre di lei.»

«Sua madre dov'è?»

«A Portland. Si è risposata qualche anno fa, e ci parliamo in media due volte l'anno. Il meno che si può dire è che non ci sono legami molto stretti.»

«Come ha potuto permettersi di studiare al Peppardine?»

«L'assicurazione sulla vita. Mio padre faceva fatica a conservarsi un posto di lavoro ma aveva avuto il buon senso di assicurarsi. Il periodo di aspettativa era già scaduto da anni quando lui si è ucciso.»

«Sam non ha mai parlato della sua famiglia.»

«E la sua famiglia non parla mai di lui. La moglie, mia nonna, morì qualche anno prima che venisse condannato. Naturalmente io non lo sapevo. Quasi tutte le mie informazioni genealogiche le ho ottenute a fatica da mia madre, che ha fatto tutto il possibile per dimenticare il passato. Non so come vadano le cose nelle famiglie normali, signor Goodman, ma la mia si riunisce molto di rado e quando alcuni di noi si incontrano, l'ultima cosa di cui si parla è il passato. Ci sono molti segreti tenebrosi.»

Goodman mangiucchiava una patatina fritta e ascoltava con attenzione. «Mi ha detto di avere una sorella.»

«Sì, ho una sorella, Carmen. Ha ventitré anni, è bella e intelligente e studia a Berkeley, un corso per laureati. È nata a Los Angeles, e quindi non ha cambiato cognome come noi. Ci teniamo in contatto.»

«E lo sa?»

«Sì. Mia zia Lee lo disse prima a me, subito dopo il funerale di mio padre, e poi, com'era prevedibile, mia madre mi chiese di dirlo a Carmen. Aveva appena quattordici anni. Non ha mai dimostrato il minimo interesse per Sam Cayhall. Francamente, il resto della famiglia preferirebbe che sparisse in silenzio dalla faccia della terra.»

«È un desiderio che sta per realizzarsi.»

«Ma non sarà in silenzio, vero, signor Goodman?»

«No. Non succede mai. Per un momento breve ma terribile, Sam Cayhall sarà l'uomo di cui si parlerà di più in tutto il paese. Rivedremo le vecchie immagini di repertorio dell'attentato, e i processi con i membri del Klan che marciano intorno ai tribunali. Riesploderà il solito dibattito sulla pena di morte. La stampa piomberà su Parchman. Poi lo uccideranno e due giorni più tardi sarà tutto dimenticato. Succede sempre così.»

Adam rimescolò il brodo e ne estrasse un pezzettino di pollo. Lo esaminò per un attimo, poi lo rimise nel brodo. Non aveva appetito. Goodman finì un'altra patatina e si sfiorò con il tovagliolo gli angoli della bocca.

«Non credo, signor Hall, che lei stia pensando di poter far passare la cosa sotto silenzio.»

«Ci avevo pensato.»

«Se lo scordi.»

«Mia madre mi ha supplicato di non farlo. Mia sorella non ha voluto parlarne. E mia zia a Memphis trema di fronte alla possibilità che veniamo tutti identificati come Cayhall e rovinati per sempre.»

«Non è una possibilità remota. Quando la stampa avrà finito di occuparsi di voi, avrà a disposizione vecchie foto in bianco e nero che la mostrano seduto sulle ginocchia del nonno. Farà molto chiasso, signor Hall. Rifletta un momento. Il nipote dimenticato che accorre all'ultimo momento e compie uno sforzo eroico per salvare il nonno sventurato quando sta per scoccare l'ultima ora.»

«È un'idea che non mi dispiace.»

«Sì, non è male, per la verità. Attirerà molta attenzione sul nostro caro, piccolo studio legale.»

«E questo solleva un'altra questione spiacevole.»

«Non credo. Non ci sono vigliacchi da Kravitz & Bane, Adam. Siamo sopravvissuti e abbiamo prosperato nel mondo giudiziario di Chicago dove ci si batte senza esclusione di colpi. Ci conoscono come le carogne più carogne della città. Abbiamo la pelle dura e il pelo sullo stomaco. Non si preoccupi per lo studio.»

«Allora è d'accordo?»

Goodman posò il tovagliolo sul tavolo e bevve un altro sorso di caffè. «Oh, è un'idea magnifica, purché suo nonno acconsenta. Se riesce ad averlo come assistito, o più esattamente a riaverlo, allora ci rimetteremo al lavoro. Lei sarà il titolare della causa, e noi, da qui, le forniremo tutto il necessario. Io sarò sempre nella sua ombra. Funzionerà. Poi uccideranno Sam Cayhall, e lei non supererà mai il trauma. Ho visto morire tre dei miei clienti, signor Hall, incluso uno nel Mississippi. Lei non sarà più lo stesso.»

Adam annuì, sorrise e guardò la gente che passava sul marciapiedi.

Goodman continuò: «Le staremo accanto per darle il nostro sostegno, quando lo uccideranno. Non dovrà affrontare l'esperienza da solo.»

«Ma non è un caso disperato, vero?»

«Quasi. Discuteremo di strategia più tardi. Prima devo parlare con Daniel Rosen, e probabilmente vorrà avere un lungo colloquio con lei. Poi dovrà vedere Sam e sarà una piccola riunione di famiglia, per così dire. È la parte più difficile. Infine, se lui accetterà, ci metteremo al lavoro.»

«Grazie.»

«Non mi ringrazi, Adam. Non credo che ci rivolgeremo più la parola quando tutto sarà finito.»

«Grazie lo stesso.»

5

La riunione fu organizzata velocemente. Goodman fece la prima telefonata e nel giro di un'ora tutti gli interessati furono avvertiti. Quattro ore dopo erano in una saletta per riunioni che veniva usata di rado, accanto all'ufficio di Daniel Rosen. Era territorio di Rosen, e questo dava un certo fastidio ad Adam.

Secondo la leggenda, Daniel Rosen era un mostro anche se due attacchi di cuore gli avevano smorzato l'aggressività addolcendolo un po'. Per trent'anni era stato un civilista spietato, il più perfido e subdolo e senza dubbio uno dei più abili di Chicago. Prima degli attacchi di cuore era famoso per i suoi brutali ritmi di lavoro: novanta ore la settimana, maratone notturne con impiegati e assistenti che correvano a cercare documenti. Era stato piantato da diverse mogli. Quattro segretarie sgobbavano contemporaneamente per andare al suo passo. Daniel Rosen era stato il cuore e l'anima di Kravitz & Bane, ma ormai non lo era più. Il medico gli aveva imposto un massimo di cinquanta ore settimanali in ufficio, e gli aveva proibito di comparire in un'aula di tribunale.

Ora che aveva sessantacinque anni e stava ingrassando, era stato scelto all'unanimità dai cari colleghi per pascolare nei prati più verdi della direzione dell'ufficio legale. Aveva il compito di sovrintendere alla burocrazia piuttosto elefantiaca dell'intero studio. Era un onore, gli avevano spiegato non troppo convinti gli altri soci quando gli avevano conferito l'incarico.

Fino a quel momento l'onore era stato un disastro. Escluso

dal campo di battaglia che amava disperatamente e di cui non poteva fare a meno, Rosen gestiva lo studio legale in un modo che ricordava molto da vicino la preparazione di una causa molto costosa. Controinterrogava le segretarie e gli impiegati sui particolari più trascurabili. Affrontava gli altri soci e li arringava per ore su temi nebulosi di politica aziendale. Confinato nel carcere del suo ufficio, convocava i giovani associati, e poi litigava per valutare il loro comportamento sotto pressione.

Attorno al piccolo tavolo per riunioni sedette volutamente di fronte ad Adam e tenne fra le mani una cartella sottile come se custodisse un segreto letale. Goodman stava un po' acquattato sulla sedia a fianco di Adam: giocherellava con la cravatta a fiocco e si grattava la barba. Quando aveva telefonato comunicando la richiesta di Adam e aveva spiegato la sua parentela con Sam Cayhall, Rosen aveva reagito nel modo prevedibile. Emmitt Wycoff se ne stava in un angolo con un cellulare grande quanto una scatola di fiammiferi appoggiato all'orecchio. Aveva quasi cinquant'anni ma ne dimostrava molti di più, e viveva le sue giornate in una perenne condizione di panico e dominato dai telefoni.

Rosen aprì meticolosamente la cartella davanti a Adam e prese un blocco per appunti. «Perché non ci ha parlato di suo nonno durante il colloquio per l'assunzione, l'anno scorso?» esordì con tono secco e uno sguardo di fuoco.

«Perché nessuno me l'ha chiesto» rispose Adam. Goodman l'aveva avvertito che la riunione poteva diventare burrascosa, ma aveva anche assicurato che alla fine lui e Wycoff l'avrebbero spuntata.

«Non faccia il furbo» brontolò Rosen.

«Oh, andiamo, Daniel» intervenne Goodman, e lanciò un'occhiata a Wycoff che scosse la testa e guardò il soffitto.

«Non pensa, signor Hall, che avrebbe dovuto comunicarci di essere imparentato con uno dei nostri clienti? Ammetterà che abbiamo il diritto di saperlo, no, signor Hall?» Il tono sarcastico era quello riservato di solito ai testimoni che venivano colti in flagrante a mentire.

«Mi avete chiesto di tutto» rispose Adam, che si dominava

molto bene. «Ricorda il controllo della sicurezza? Le impronte digitali? Si è parlato addirittura della macchina della verità.»

«Sì, signor Hall; però lei sapeva certe cose che noi non sapevamo. Suo nonno era cliente di questo studio quando lei ha presentato domanda di assunzione, e avrebbe dovuto dirlo.» Rosen aveva la voce profonda e la alzava o la abbassava con il gusto teatrale di un bravo attore. Non staccava mai lo sguardo da Adam.

«Non è un nonno come tutti gli altri» rispose Adam senza perdere la calma.

«È pur sempre suo nonno, e lei sapeva che era un nostro cliente quando ha chiesto di essere assunto.»

«Allora chiedo scusa» disse Adam. «Lo studio ha migliaia di clienti ricchi sfondati che pagano parcelle enormi per i nostri servigi. Non potevo immaginare che un piccolo caso insignificante di patrocinio gratuito avrebbe provocato tanto scalpore.»

«Ci ha ingannati, signor Hall. Ha scelto di proposito questo studio perché a quel tempo difendeva suo nonno. E adesso, all'improvviso, chiede di occuparsi del caso. Questo ci mette in una situazione imbarazzante.»

«Quale situazione imbarazzante?» chiese Emmitt Wycoff mentre chiudeva il cellulare e lo metteva in tasca. «Senti, Daniel, stiamo parlando di un uomo nel braccio della morte. Ha bisogno di un avvocato, accidenti!»

«Suo nipote?» ribatté Rosen.

«Che importa se è suo nipote? Quell'uomo ha già un piede nella fossa e ha bisogno di un avvocato.»

«Ci ha revocato la procura, ricordi?» replicò Rosen.

«Certo, e può sempre darcela di nuovo. Vale la pena di tentare. Cerca di capirlo.»

«Senti, Emmitt, è compito mio preoccuparmi dell'immagine di questo studio, e l'idea di mandare uno dei nostri nuovi associati nel Mississippi perché sia preso a pedate e il suo cliente venga giustiziato non mi piace affatto. Per essere sincero, credo che Kravitz & Bane dovrebbe licenziare il signor Hall.»

«Oh, magnifico, Daniel!» commentò Wycoff. «È la tipica reazione intransigente davanti a una questione molto delicata. E poi, chi difenderà Cayhall? Rifletti un momento. Quell'uomo ha bisogno di un avvocato, e forse Adam è la sua unica possibilità.»

«Che Dio l'aiuti» borbottò Rosen.

Goodman decise di intervenire. Intrecciò le dita, appoggiò le mani sul tavolo e fissò Rosen con durezza. «L'immagine di questo studio? Credi sinceramente che ci considerino un branco di assistenti sociali sottopagati e votati alla missione di aiutare gli altri?»

«O un gruppo di suore che si prodiga nei quartieri popolari più degradati?» soggiunse pronto Wycoff con una smorfia sprezzante.

«Com'è possibile che questo danneggi l'immagine dello studio?» proseguì Goodman.

Rosen non aveva mai pensato, in tutta la sua vita, di dover battere in ritirata. «È molto semplice, Garner. Noi non mandiamo i nostri novellini nel braccio della morte. Approfittiamo di loro, cerchiamo di ammazzarli, pretendiamo che lavorino venti ore al giorno, ma non li mandiamo in battaglia prima che siano pronti. Sai bene quanto è difficile e complessa una causa che prevede la pena di morte. Diavolo, hai scritto più di un libro sull'argomento. Come puoi pensare che il signor Hall sia in grado di farcela?»

«Seguirò personalmente tutto quello che farà» rispose Goodman.

«E poi è molto efficiente» insistette Wycoff. «Sai, Daniel, ha imparato a memoria l'intera documentazione.»

«Funzionerà» incalzò Goodman. «Fidati di me, Daniel. Ho molta esperienza in queste cose. Lo seguirò da vicino.»

«E io riserverò qualche ora per dare una mano» soggiunse Wycoff. «Se sarà necessario prenderò l'aereo e andrò sul posto.»

Goodman trasalì e fissò Wycoff. «Tu? Un patrocinio gratuito?»

«Certo. Anch'io ho una coscienza.»

Adam ignorava la discussione e osservava Daniel Rosen. Avanti, mi licenzi pure, avrebbe voluto dire. Avanti, signor Rosen, mi butti fuori, così potrò andare a seppellire mio nonno e poi continuerò a vivere.

«E se Cayhall venisse giustiziato?» chiese Rosen rivolgendosi a Goodman.

«Abbiamo perduto altri clienti, Daniel, lo sai. Tre, da quando ho cominciato a occuparmi del *pro bono*.»

«Che speranze ci sono?»

«Molto poche. Per ora tira avanti grazie a una sospensione concessa dal Quinto Distretto. La sospensione potrebbe essere revocata da un giorno all'altro, e allora fisseranno una nuova data per l'esecuzione. Probabilmente verso la fine dell'estate.»

«Quindi non c'è molto tempo.»

«Appunto. Ci siamo occupati dei suoi appelli per sette anni, e hanno fatto il loro corso.»

«Fra tutti i detenuti del braccio della morte, come mai avevamo difeso proprio quello stronzo?» chiese Rosen.

«È una storia molto lunga, e in questo momento è del tutto irrilevante.»

Rosen prendeva appunti all'apparenza fondamentali sul blocco. «Non penserete neppure per un momento di riuscire a far passare la cosa sotto silenzio, vero?»

«Forse.»

«Forse un corno. Poco prima di ucciderlo ne faranno una celebrità. I media gli staranno addosso come un branco di lupi. E scopriranno il suo rapporto di parentela, signor Hall.»

«E con questo?»

«E con questo? Farà scalpore, signor Hall. Non immagina i titoli dei giornali? Il nipote perduto ritorna per salvare il nonno?»

«Piantala, Daniel» disse Goodman.

Ma Rosen insistette. «La stampa la farà a pezzi, signor Hall. Non capisce? La metteranno sotto i riflettori e scriveranno che la sua è una famiglia di pazzi.»

«Ma noi adoriamo la stampa, non è vero, signor Rosen?» replicò calmo Adam. «Siamo avvocati abituati alle aule dei tribunali. Non dobbiamo forse esibirci davanti alle telecamere? Lei non ha mai...»

«Giustissimo» lo interruppe Goodman. «Daniel, forse non dovresti consigliare a questo giovane di ignorare la stampa. Possiamo parlare di qualcuna delle tue prodezze.»

«Sì, Daniel, ti prego, fai prediche a questo ragazzo su tutto quello che vuoi, ma lascia perdere le stronzate sui media» intervenne Wycoff con un sorriso maligno. «Sei stato tu a stabilire le regole.»

Per qualche istante Rosen sembrò imbarazzato. Adam l'osservava attento.

«A me la situazione non dispiace affatto» disse Goodman, mentre rigirava fra le dita la cravatta a fiocco e fissava gli scaffali di libri alle spalle di Rosen. «Anzi, direi che è interessante. Potrebbe essere molto utile per noi poverini del *pro bono*. Pensaci bene. Il giovane avvocato che va là e si batte come un disperato per salvare dalla camera a gas un assassino piuttosto famoso. Ed è un nostro avvocato... di Kravitz & Bane. Certo, la stampa farà chiasso, ma che male c'è?»

«Se vuoi il mio parere, è un'idea grandiosa» soggiunse Wycoff mentre il cellulare gli squillava in una tasca. Se lo accostò alla bocca, e voltò le spalle agli altri.

«E se Cayhall muore? Non faremo una brutta figura?» chiese Rosen a Goodman.

«Deve morire, no? Per questo è nel braccio della morte» spiegò Goodman.

Wycoff smise di mormorare e ripose in tasca il cellulare. «Devo scappare» annunciò avviandosi in fretta alla porta con aria innervosita. «Dove siamo arrivati?»

«La faccenda continua a non piacermi» disse Rosen.

«Daniel, Daniel, sei il solito testone» disse Wycoff. Si fermò e si appoggiò al tavolo con entrambe le mani. «Sai bene che è un'ottima idea, ma sei incavolato perché Hall non ci ha detto subito la verità.»

«Sì, è così. Ci ha imbrogliati e adesso si sta servendo di noi.»

Adam respirò a fondo e scosse la testa.

«Cerca di ragionare, Daniel. Il colloquio c'è stato un anno fa. Appartiene al passato. Non conta. Dimenticalo. Abbiamo cose più urgenti a cui pensare. Hall è sveglio. Lavora con impegno. Ci sa fare. È meticoloso nelle ricerche. Per noi, averlo è una fortuna. D'accordo, la sua famiglia è un disastro, ma non ci metteremo a licenziare tutti i nostri avvocati che hanno una famiglia scombinata, no?» Wycoff rivolse un sorriso ad Adam. «E poi, le segretarie lo trovano bello e simpatico. Propongo di mandarlo al sud per qualche mese e poi farlo tornare qui al più presto. Ho bisogno di lui. E adesso scappo.» Uscì e si chiuse la porta alle spalle.

Nella saletta scese il silenzio. Rosen continuò a scribacchiare sul blocco, poi rinunciò e chiuse la cartella. Ad Adam faceva quasi pena. Il grande guerriero, il leggendario protagonista del mondo giudiziario di Chicago, il famoso avvocato che per trent'anni aveva convinto le giurie, terrorizzato gli avversari e ispirato timore ai giudici, adesso era ridotto a fare il burocrate e si aggrappava disperatamente al problema dell'assegnazione di un caso di patrocinio gratuito a un novellino. Adam si rendeva conto dell'ironia e della pateticità di tutto ciò.

«Acconsento, signor Hall» disse Rosen con voce bassa e drammatica, quasi un bisbiglio, come se si sentisse terribilmente frustrato. «Ma le garantisco che quando il caso Cayhall si sarà concluso e lei tornerà a Chicago, proporrò che Kravitz & Bane la licenzi.»

«Forse non sarà necessario» ribatté pronto Adam.

«Si è presentato da noi nascondendoci la verità» continuò Rosen.

«Ho già chiesto scusa. Non succederà più.»

«E poi cerca di fare il furbo.»

«Anche lei, signor Rosen. Mi mostri un avvocato che non fa il furbo.»

«Davvero carino. Si diverta pure con il caso Cayhall, signor Hall, perché sarà l'ultima volta che lavorerà per questo studio.»

«Vuole che mi diverta a un'esecuzione?»

«Calmati, Daniel» mormorò Goodman. «Calmati. Non ci sarà nessun licenziamento.»

Rosen gli puntò contro l'indice in uno scatto d'irritazione. «Ti giuro che lo chiederò.»

«D'accordo. Tutto ciò che puoi fare è chiederlo, Daniel. Io sottoporrò la cosa alla commissione e ci sarà una bella lotta. Va bene?»

«Non vedo l'ora» replicò Rosen rabbioso e si alzò di scatto. «Comincerò subito a cercare appoggi per la mia posizione. Avrò i voti prima della fine della settimana. Buongiorno!» Uscì infuriato e sbatté la porta.

Goodman e Hall rimasero seduti in silenzio a guardare,

dall'altro lato del tavolo e oltre le sedie vuote, le file dei grossi volumi di giurisprudenza allineati negli scaffali, e ad ascoltare l'eco della porta sbattuta fragorosamente.

«Grazie» disse Adam dopo un po'.

«In fondo non è cattivo» commentò Goodman.

«Squisito. Un vero signore.»

«Lo conosco da molto tempo. Soffre molto, è frustrato e depresso. Non sappiamo bene come comportarci con lui.»

«Non potreste mandarlo in pensione?»

«Ci abbiamo pensato, ma nessuno dei soci è mai stato costretto ad andare in pensione. Per ragioni ovvie, è un precedente che preferiremmo non creare.»

«Diceva sul serio quando ha parlato di licenziarmi?»

«Non si preoccupi, Adam. Non succederà, glielo assicuro. Ha sbagliato a non dire la verità; ma è un peccato veniale, del tutto comprensibile. Lei è giovane, spaventato, ingenuo, e vuole rendersi utile. Non si preoccupi per Rosen. Non credo che ricoprirà ancora questo incarico fra tre mesi.»

«In fondo, penso che mi adori.»

«Questo è evidente.»

Adam trasse un respiro profondo e girò intorno al tavolo. Goodman tolse il cappuccio alla penna e cominciò a prendere appunti. «Non abbiamo molto tempo, Adam» disse.

«Lo so.»

«Quando può partire?»

«Domani. Stanotte farò le valigie. Ci vogliono dieci ore di macchina.»

«L'incartamento completo pesa circa cinquanta chili. In questo momento lo stanno stampando. Glielo spedirò domani.»

«Mi dica qualcosa della sede di Memphis.»

«Ho parlato con loro circa un'ora fa. Il socio dirigente è Baker Cooley, e l'aspetta. Le metteranno a disposizione un ufficio e una segreteria, e se potranno le daranno una mano. Però non sono granché quando si arriva in tribunale.»

«Quanti avvocati sono?»

«Dodici. È un piccolo studio legale che abbiamo assorbito dieci anni fa, e nessuno ricorda con precisione il perché. Ma ci sono brave persone e bravi avvocati. È quel che resta di un vecchio studio legale che prosperava grazie ai grossisti di cotone e di cereali, e credo che sia proprio questo il legame con Chicago. Comunque, fa una bella figura sulla carta intestata. È mai stato a Memphis?»

«Ci sono nato, ricorda?»

«Oh, già.»

«Ci sono stato una volta, quando sono andato a trovare mia zia qualche anno fa.»

«È una vecchia città fluviale, piuttosto tranquilla e tagliata fuori. Le piacerà.»

Adam fissò Goodman. «Crede che potrò trovare qualcosa di piacevole nei prossimi mesi?»

«Ha ragione. Dovrà andare nel Braccio al più presto.»

«Dopodomani.»

«Bene. Telefonerò al direttore del carcere. Si chiama Phillip Naifeh. Un particolare un po' strano: è libanese. Ce ne sono parecchi nel delta del Mississippi. Comunque è un vecchio amico e gli annuncerò il suo arrivo.»

«Il direttore è suo amico?»

«Sì. Ci conosciamo da diversi anni, dai tempi di Maynard Tole, un ragazzotto che fu il mio primo caduto in questa guerra. Lo giustiziarono nel 1986, mi pare, e io e il direttore diventammo amici. Forse non ci crederà, ma è contrario alla pena di morte.»

«Non ci credo.»

«Odia le esecuzioni. Presto imparerà una cosa, Adam. La pena di morte sarà anche molto popolare nel nostro paese, ma coloro che sono obbligati a eseguirla non l'approvano. Sta per conoscerli tutti: i secondini che vivono accanto ai detenuti ogni giorno, gli amministratori che devono pianificare un'esecuzione ben fatta, gli impiegati che fanno le prove un mese prima. È un piccolo, strano angolo del mondo, e molto deprimente.»

«Non vedo l'ora di esserci.»

«Parlerò con il direttore e le farò ottenere il permesso per la visita. Di solito concedono un paio d'ore. Naturalmente possono bastare cinque minuti, nel caso che Sam non voglia saperne di un avvocato.»

«Non crede che accetterà di parlare con me?»

«Sì, credo di sì. Non riesco a immaginare come reagirà, comunque parlerà. Forse ci vorrà più di una visita per convincerlo ad affidarle la procura, ma lei può farcela.»

«Quando l'ha visto l'ultima volta?»

«Un paio d'anni fa. Io e Wallace Tyner andammo da lui. A proposito, dovrà consultare Tyner. Negli ultimi sei anni è stato l'uomo di punta in questo caso.»

Adam annuì e passò a un altro argomento. In quei nove mesi aveva ottenuto da Tyner tutte le informazioni possibili.

«Cosa presenteremo, per cominciare?»

«Ne parleremo più tardi. Io e Tyner ci vedremo domattina presto per riesaminare il caso. Ma terremo tutto in sospeso finché non avremo sue notizie. Non possiamo muoverci senza il mandato di Sam.»

Adam stava pensando alle foto in bianco e nero apparse sui giornali nel 1967 quando Sam era stato arrestato, alle foto a colori dei rotocalchi in occasione del terzo processo del 1980, e al materiale di repertorio che aveva montato in un video di mezz'ora. «Che aspetto ha?»

Goodman posò la penna sul tavolo e giocherellò con la cravatta. «Statura media. È magro... ma è difficile vedere un detenuto grasso nel Braccio... questione di nervi e di alimentazione. Fuma una sigaretta dopo l'altra, e questo è normale perché non c'è molto altro da fare, e tanto devono morire comunque. Una marca strana, Montclair, mi pare, in un pacchetto azzurro. Ricordo che aveva i capelli grigi e grassi. Nel Braccio non fanno la doccia tutti i giorni. Aveva i capelli piuttosto lunghi, due anni fa. Non ne aveva persi molti. Barba grigia. Ha molte rughe, ma si avvicina alla settantina e poi fuma troppo. Noterà che nel Braccio i bianchi sono ridotti peggio dei negri. Sono rinchiusi per ventitré ore al giorno e quindi si sbiancano ancora di più. Sono pallidissimi, hanno un'aria malaticcia. Sam ha occhi azzurri e lineamenti regolari. Credo che una volta fosse un bell'uomo.»

«Dopo che mio padre morì e io seppi la verità, feci un sacco di domande a mia madre. Non mi diede molte risposte, ma una volta mi disse che Sam e mio padre non si assomigliavano.»

«Nemmeno lei assomiglia a Sam, se è a questo che vuole arrivare.»

«Sì, immagino di sì.»

«Non la vede da quando era un bambino, Adam. Non la riconoscerà. Non sarà tanto facile. Dovrà dirgli tutto.»

Adam fissò il tavolo con sguardo vacuo. «Ha ragione. Cosa dirà?»

«Non ne ho idea. Credo che sarà troppo sconvolto per parlare molto. Ma è un uomo assai intelligente; non è istruito, però ha letto parecchio e sa esprimersi bene. Troverà qualcosa da dire. Forse ci vorrà qualche minuto.»

«Sembra quasi che le piaccia.»

«Non è così. È un razzista fanatico, e non ha mai manifestato il minimo rimorso per le sue imprese.»

«È convinto che sia colpevole?»

Goodman borbottò e sorrise fra sé, quindi pensò a una risposta. C'erano stati tre processi per stabilire se Sam Cayhall era colpevole o innocente. Da nove anni il caso veniva dibattuto nelle corti d'appello ed esaminato da molti giudici. Innumerevoli articoli di giornali e riviste avevano parlato dell'attentato e di coloro che l'avevano organizzato. «I giurati ne erano convinti, e ritengo sia l'unica cosa che conta.»

«Ma qual è la sua opinione personale?»

«Lei ha letto gli atti, Adam. Per molto tempo ha fatto ricerche sul caso. Non ci sono dubbi: Sam prese parte all'attentato.»

«Ma...?»

«Ci sono molti ma. Come sempre.»

«Non risulta che avesse mai maneggiato esplosivi.»

«È vero. Però era un terrorista del Klan, e quelli del Klan seminavano bombe. Dopo il suo arresto gli attentati cessarono.»

«Ma in uno degli attentati precedenti a quello contro Kramer, un testimone affermò di avere visto due persone a bordo della Pontiac verde.»

«Anche questo è vero. Ma non fu ammesso a testimoniare al processo. E poi era uscito da un bar alle tre del mattino.»

«Però un altro testimone, un camionista, sostenne di avere visto Sam e un altro uomo parlare in un caffè di Cleveland qualche ora prima dell'esplosione da Kramer.»

«È vero. Ma il camionista non aveva detto niente per tre anni e nemmeno lui fu ammesso a testimoniare nell'ultimo processo perché era passato troppo tempo.»

«Quindi, chi era il complice di Sam?»

«Credo che non lo sapremo mai. Tenga presente, Adam, che si tratta di un'uomo processato ben tre volte, ma che non è mai stato chiamato a testimoniare. Non disse quasi nulla alla polizia, disse ben poco ai suoi avvocati, non pronunciò una sola parola di fronte alle giurie... e non ci ha detto niente di nuovo negli ultimi sette anni.»

«Crede che agisse da solo?»

«No. Qualcuno lo aiutava. Sam custodisce segreti tenebrosi, Adam. Non li rivelerà mai. Ha fatto un giuramento come membro del Klan, con la convinzione romantica e distorta di aver fatto un voto sacro che non può violare. Anche suo padre era del Klan, lo sa?»

«Sì, lo so. Non me lo ricordi.»

«Mi scusi. Comunque, è troppo tardi per cercare nuovi indizi. Se aveva un complice, avrebbe dovuto parlarne molto tempo fa. Forse avrebbe dovuto parlarne all'Fbi. Forse avrebbe dovuto patteggiare con il procuratore distrettuale. Non so: ma quando si viene rinviati a giudizio per duplice omicidio di primo grado e si ha di fronte una condanna a morte, si comincia a parlare. Si parla eccome, Adam. Si pensa a salvare la pelle e si lascia che sia il complice a pensare alla sua.»

«E se non c'era un complice?»

«C'era.» Goodman prese la penna e scrisse un nome su un foglietto. Lo passò ad Adam che lo guardò e disse: «Wyn Lettner. Il nome non mi è nuovo».

«Lettner è l'agente dell'Fbi che si occupò del caso Kramer. Adesso è in pensione e vive negli Ozark, in riva a un ruscello ricco di trote. Gli piace raccontare episodi sul Klan e sui tempi della battaglia per i diritti civili nel Mississippi.»

«Sarà disposto a parlare anche con me?»

«Oh, certamente. È un gran bevitore di birra, e quando è mezzo sbronzo racconta storie incredibili. Non le rivelerà niente di segreto, ma sull'attentato contro Kramer ne sa più di chiunque altro. Ho sempre sospettato che sappia molto più di quello che ha detto.»

Adam piegò il foglietto e lo mise in tasca. Guardò l'orologio. Erano quasi le sei. «Devo scappare. Per fare le valigie e tutto il resto.»

«Domani le spedirò gli atti. E mi chiami non appena avrà parlato con Sam.»

«Senz'altro. Posso dire una cosa?»

«Certo.»

«A nome della mia famiglia, per quello che è, con mia madre che rifiuta di parlare di Sam, mia sorella che si limita a sussurrare sottovoce il suo nome, mia zia di Memphis che ha rinnegato il cognome Cayhall, e in nome del mio defunto padre, vorrei ringraziare lei e lo studio per tutto ciò che avete fatto. Lei ha tutta la mia stima.»

«Grazie. E io ricambio la stima. Adesso si tolga dai piedi e parta per il Mississippi.»

6

L'appartamento era un loft con una sola camera da letto, sopra il terzo piano di un magazzino dei primi del Novecento poco lontano dal Loop, in una zona del centro famosa per l'alto tasso di criminalità ma, a quanto pareva, solo dopo il tramonto. Il magazzino era stato acquistato a metà degli anni Ottanta da un imprenditore attento alle mode che aveva speso un patrimonio per rimodernarlo e dotarlo di impianti igienici. L'aveva diviso in sei appartamenti, si era rivolto a un'elegante agenzia immobiliare e l'aveva decantato come un condominio per yuppie all'inizio della carriera. Aveva guadagnato una barca di soldi perché l'ex magazzino si era riempito da un giorno all'altro di giovani banchieri e agenti di cambio rampanti.

Adam lo odiava. Mancavano tre settimane alla scadenza del contratto semestrale d'affitto, ma non aveva un altro posto dove andare. Sarebbe stato costretto a rinnovare il contratto per altri sei mesi perché lo studio Kravitz & Bane pretendeva che lavorasse diciotto ore al giorno, e quindi non aveva avuto il tempo di cercare un altro appartamento.

Non aveva avuto neppure molto tempo per acquistare i mobili, a quanto pareva. Un bel divano di pelle senza braccioli troneggiava in solitudine sul parquet, di fronte a un antico muro di mattoni. Accanto c'erano due puff a sacco, gialli e blu, nell'eventualità poco probabile di un sovraffollamento. A sinistra c'era una piccola zona cucina con un bar e tre sgabelli di vimini; a destra del divano c'era la camera con il letto sfatto e indumenti per terra. Sessantatré metri quadri a milletrecento dollari al mese. Lo stipendio di Adam, nove mesi prima, era partito da sessantamila dollari l'anno, ed era salito a sessantaduemila. Dalla retribuzione lorda, poco superiore a cinquemila dollari al mese, millecinquecento dollari venivano trattenuti per le tasse statali e federali. Altri seicento dollari non finivano mai nelle sue tasche e andavano invece al fondo pensioni di Kravitz & Bane, che a cinquantacinque anni avrebbe dato i suoi frutti, ammesso e non concesso che il superlavoro non lo ammazzasse prima. Dopo l'affitto, le bollette, quattrocento dollari al mese per il leasing della Saab e altre spese occasionali come i surgelati e qualche bel capo di abbigliamento, Adam si ritrovava in tasca settecento dollari circa. In parte li spendeva con le donne, ma quelle che conosceva avevano appena terminato gli studi ed erano assunte da poco, avevano carte di credito nuove fiammanti e di solito insistevano per pagare la loro parte. Per Adam andava benissimo. Grazie alla fede riposta da suo padre nell'assicurazione sulla vita, non doveva rimborsare prestiti per gli studi. Anche se avrebbe voluto comprare tante cose, ogni mese investiva ostinatamente cinquecento dollari in fondi comuni di investimento. Non aveva prospettive immediate di sposarsi e avere figli, e le sue intenzioni erano lavorare sodo, risparmiare molto e andare in pensione a quarant'anni.

Appoggiato al muro di mattoni c'era un tavolo di alluminio con un televisore. Con indosso solo i boxer, Adam sedette sul divano e impugnò il telecomando. A parte la luminosità omogenea emessa dallo schermo, il loft era buio. Era mezzanotte passata. La videocassetta era quella che aveva montato nel corso degli anni: la chiamava "Le avventure di un terrorista del Klan". Incominciava con un breve servizio registrato da una troupe locale a Jackson, Mississippi, il 3 marzo 1967, la mattina dopo che una sinagoga era stata rasa al suolo da una bomba. Era il quarto attacco contro bersagli ebraici negli ultimi due mesi, spiegava la telecronista mentre una ruspa rombava alle sue spalle per rimuovere le macerie. L'Fbi aveva pochi indizi, e diceva pochissimo alla stampa. La campagna terroristica del Klan continua, annunciava la donna con aria solenne, e concludeva così.

Poi veniva l'attentato contro Kramer, e il servizio cominciava con ululati di sirene e poliziotti che cercavano di tenere lontana la gente. Un cronista locale e il suo cameraman erano arrivati sul posto abbastanza rapidamente da documentare il caos iniziale. Si vedeva gente accorrere verso quanto restava dell'ufficio di Marvin Kramer. Una densa nube di polvere marrone aleggiava sopra le piccole querce del prato antistante. Gli alberi erano spogli e malandati, ma ancora in piedi. La nube era immobile e non sembrava disperdersi. Fuori campo si udiva gridare "al fuoco"; la telecamera girava e inquadrava la casa accanto, dove un fumo scuro usciva da un muro sfondato. Il giornalista, ansimando e con la voce rotta, descriveva in modo incoerente la drammatica scena. Indicava prima di qua e poi di là e la telecamera si spostava per seguirlo. I poliziotti lo spinsero via, ma era troppo sconvolto per dar loro retta. Nella sonnolenta città di Greenville era scoppiato un finimondo incredibile, e quello era il suo grande momento.

Trenta minuti più tardi la sua voce era un po' più calma mentre, da un'inquadratura diversa, descriveva la convulsa operazione di soccorso per estrarre Marvin Kramer dalle macerie. La polizia piazzò le barriere e fece indietreggiare i curiosi mentre i vigili del fuoco e i soccorritori sollevavano il corpo e portavano via la barella. L'obiettivo seguì l'ambulanza che si allontanava. Poi, un'ora dopo e in un'inquadratura ancora differente, il giornalista appariva composto e addolorato mentre le due barelle con i piccoli cadaveri dei gemelli, coperti dai lenzuoli, venivano maneggiate con delicatezza dai soccorritori.

La cassetta passava dalla scena dell'attentato alla facciata della prigione. Per la prima volta s'intravedeva Sam Cayhall. Era ammanettato, e veniva fatto salire velocemente su una macchina.

Come sempre, Adam premette un pulsante per rivedere la breve scena con l'inquadratura di Sam. Era il 1967, ventitré anni prima, e Sam ne aveva quarantasei. Portava i capelli scuri tagliati molto corti, secondo la moda del tempo. Sotto l'occhio sinistro, sul lato opposto all'obiettivo, aveva un cerotto. Camminava in fretta, adeguandosi alla velocità degli agenti, perché la gente lo osservava, lo fotografava e lo tempestava di domande. Si girò una sola volta verso le voci e, come sempre,

Adam bloccò l'immagine e scrutò per la milionesima volta la faccia del nonno. Era in bianco e nero e un po' sfuocata, ma i loro occhi si incontravano sempre.

1967. Se Sam aveva quarantasei anni, Eddie ne aveva ventiquattro e Adam quasi tre. A quel tempo si chiamava Alan. Alan Cayhall, che presto sarebbe diventato residente di uno stato lontano dove un giudice avrebbe firmato un decreto che gli attribuiva un nome nuovo. Aveva guardato spesso la cassetta e si era chiesto dove si trovava, lui, nel momento preciso in cui erano stati assassinati i figli di Kramer. Le otto del mattino del 21 aprile 1967. La sua famiglia abitava allora in una casetta a Clanton, e con ogni probabilità lui stava ancora dormendo e sua madre lo teneva d'occhio. Aveva quasi tre anni e i gemelli Kramer ne avevano appena cinque.

La cassetta continuava con altre immagini fuggevoli di Sam che veniva scortato dentro e fuori da varie macchine, prigioni e tribunali. Era sempre ammanettato e aveva preso l'abitudine di tenere lo sguardo fisso a terra. La faccia era priva d'espressione. Non guardava mai i cronisti, non dava mai segno di aver udito le loro domande, non pronunciava mai una parola. Si muoveva in fretta per uscire dalle porte e salire sulle auto che lo attendevano.

Lo spettacolo dei primi due processi era abbondantemente documentato dai servizi quotidiani della televisione. Nel corso degli anni Adam era riuscito a raccogliere quasi tutto il materiale esistente e l'aveva montato con cura. C'era il roboante e baldanzoso T. Louis Brazelton, l'avvocato di Sam, che approfittava di qualsiasi occasione per dissertare a beneficio della stampa. Ma con il tempo le inquadrature riservate a Brazelton erano state accorciate sempre di più. Adam lo disprezzava. C'erano immagini nitide dei prati intorno ai tribunali, con le folle dei curiosi in silenzio, la polizia dello stato armata fino ai denti, i membri del Klan con le tuniche, i cappucci a punta e le sinistre maschere. C'erano brevi immagini di Sam sempre di fretta, sempre intento a ripararsi dalle telecamere nascondendosi dietro un agente robusto. Dopo il secondo processo e il secondo esito nullo, Marvin Kramer si piazzava con la sedia a rotelle sul marciapiedi davanti al tribunale della contea di Wilson e con le lacrime agli occhi accusava duramente Sam

Cayhall, il Ku Klux Klan e il sistema giudiziario del Mississippi. Le telecamere avevano ripreso anche un episodio penoso. Marvin vedeva all'improvviso, poco lontano, due membri del Klan con tanto di tuniche bianche, e cominciava a inveire. Uno dei due reagiva con improperi, ma la risposta andava perduta nel chiasso generale. Adam aveva fatto il possibile per decifrare le parole dell'uomo, ma invano. La risposta sarebbe rimasta incomprensibile per sempre. Un paio di anni prima, quando studiava legge all'Università del Michigan, Adam aveva trovato uno dei cronisti locali che al momento della ripresa era sul posto e teneva un microfono davanti alla faccia di Marvin. Secondo il cronista, la risposta dell'uomo del Klan esprimeva l'intenzione di far saltare in aria anche il resto degli arti di Marvin. A quanto pareva, doveva essersi trattato proprio di una crudeltà simile, perché Marvin aveva perso il lume degli occhi, e aveva urlato un torrente d'oscenità all'indirizzo dei due del Klan che si stavano allontanando. Aveva fatto girare le ruote metalliche della sedia per lanciarsi all'inseguimento, urlando, imprecando e piangendo. La moglie e alcuni amici cercavano di trattenerlo, ma lui si liberava a azionava furiosamente le ruote con le mani. Si spostava per circa sei metri, inseguito dalla moglie mentre le telecamere riprendevano tutto, fino a che il marciapiede terminava e cominciava il prato. La sedia a rotelle si rovesciava e Marvin cadeva sull'erba. La trapunta che avvolgeva le gambe mutilate volava via mentre lui ruzzolava vicino a un albero. La moglie e gli amici lo raggiungevano subito, e per qualche secondo scompariva in mezzo a loro. Ma la sua voce si udiva ancora. Mentre la telecamera arretrava e inquadrava per un momento i due del Klan, uno piegato in due dalle risate e l'altro immobile, uno strano lamento erompeva dal gruppetto chino sul prato. Marvin gemeva, ma era l'ululato acuto e stridulo di un pazzo sofferente. Era un suono malsano, e dopo qualche secondo straziante la cassetta passava a un'altra scena.

Gli erano salite le lacrime agli occhi la prima volta che aveva visto Marvin rotolare a terra gemendo; ma sebbene le immagini e i suoni gli facessero ancora venire un nodo alla gola, da molto tempo aveva smesso di piangere. La cassetta era una sua creazione. Nessuno l'aveva vista tranne lui. E l'aveva vista tante volte che non poteva più piangere.

Dal 1968 al 1981 la tecnologia aveva fatto passi da gigante e il materiale di repertorio del terzo e ultimo processo di Sam era molto più preciso e nitido. Era il mese di febbraio del 1981, in una graziosa cittadina con una piazza affollata e un tribunale in mattoni rossi dall'architettura un po' bizzarra. L'aria era gelida, e forse questo aveva tenuto lontano le folle di curiosi e dimostranti. Un servizio sul primo giorno del processo mostrava per un momento tre incappucciati del Klan raccolti intorno a una stufetta portatile. Si strofinavano le mani e sembravano più maschere di carnevale che veri razzisti. Erano sorvegliati da una decina di agenti della polizia di stato in giubba blu con collo di pelliccia.

Dato che ormai il movimento per i diritti civili era considerato più un avvenimento storico che una battaglia in atto, il terzo processo contro Sam Cayhall aveva attratto i media più dei primi due. L'imputato era un membro del Klan, un terrorista in carne e ossa dei tempi lontani dei Freedom Riders e degli attentati contro le chiese, un relitto di quei giorni infami stanato e chiamato a rendere conto davanti alla giustizia. E si sentiva ripetere più di una volta l'analogia con i criminali di guerra nazisti.

Durante l'ultimo processo Sam non era in stato di arresto. Era libero, e questo rendeva ancora più difficile il compito di riprenderlo con le telecamere. Brevissime inquadrature lo mostravano mentre varcava in fretta varie porte del tribunale. Era invecchiato bene, nei tredici anni trascorsi dal secondo processo. I capelli erano ancora corti e curati, ma erano per metà grigi. Sembrava un po' ingrassato, ma in forma. Si muoveva con agilità sul marciapiede e mentre saliva e scendeva dalle macchine inseguito dai media. Una telecamera lo aveva inquadrato mentre usciva da una porta secondaria del tribunale, e Adam fermò il nastro nel momento in cui Sam fissava l'obiettivo.

Gran parte del materiale del terzo e ultimo processo riguardava un giovane e battagliero rappresentante dell'accusa, David McAllister, un bell'uomo che sfoggiava abiti scuri e grandi sorrisi dai denti perfetti. Non c'erano dubbi: David McAllister aveva forti ambizioni politiche. Aveva l'aspetto, i capelli, il mento, la voce profonda, le parole suadenti, la capacità di attirare le telecamere.

Nel 1989, appena otto anni dopo il processo, McAllister era stato eletto governatore dello stato del Mississippi. Nessuno si era meravigliato quando aveva annunciato le basi del suo programma: nuove carceri, condanne più severe, e un'incrollabile predilezione per la pena di morte. Adam disprezzava anche lui, ma sapeva che nel giro di poche settimane, forse pochi giorni, si sarebbe presentato nello studio del governatore a Jackson, Mississippi, per invocare la grazia.

La cassetta terminava quando Sam, di nuovo ammanettato, veniva condotto fuori dal tribunale dopo che la giuria lo aveva condannato a morte. La faccia era inespressiva. Il suo avvocato sembrava in stato di shock e pronunciò poche parole tutt'altro che memorabili. Il cronista concludeva annunciando che Sam sarebbe stato trasferito entro pochi giorni nel braccio della morte.

Adam premette il tasto del riavvolgimento e fissò lo schermo vuoto. Dietro il divano senza braccioli c'erano tre scatole di cartone con il seguito della vicenda: i verbali dei tre processi che Adam si era procurato quando studiava al Peppardine; copie delle memorie e delle mozioni e degli altri atti della guerra degli appelli scoppiata nel momento in cui Sam era stato riconosciuto colpevole; un raccoglitore voluminoso con le copie, dettagliatamente catalogate, di centinaia di articoli di giornali e riviste sulle avventure di Sam quale membro del Klan; materiale e ricerche sulla pena di morte; appunti presi alla facoltà di legge. Sul conto di suo nonno ne sapeva più di chiunque altro al mondo.

Eppure Adam si rendeva conto di non aver neppure scalfito la superficie. Premette un altro tasto e fece ripartire la cassetta dall'inizio.

7

Il funerale di Eddie Cayhall si svolse meno di un mese dopo la condanna a morte di Sam. Fu celebrato in una piccola cappella di Santa Monica, alla presenza di pochi amici e di pochissimi parenti. Adam era seduto su un banco di prima fila, tra la madre e la sorella. Si tenevano per mano e fissavano la bara chiusa a pochi centimetri da loro. Come sempre, sua madre era rigida e stoica. Ogni tanto gli occhi le si riempivano di lacrime ed era costretta ad asciugarli con un fazzolettino di carta. Lei e Eddie si erano separati e riconciliati tante volte che i figli non le ricordavano più. Anche se il loro matrimonio non era mai sconfinato nella violenza, era stato vissuto in un perenne stato di divorzio: minacce di divorzio, progetti di divorzio, discussioni solenni con i figli a proposito del divorzio, trattative per il divorzio, presentazione di istanze di divorzio, ripensamenti e promesse di evitare il divorzio. Durante il processo contro Sam Cayhall, la madre di Adam era tornata nella loro casetta ed era rimasta il più possibile accanto a Eddie. Lui aveva smesso di andare a lavorare, e si era chiuso di nuovo nel suo piccolo mondo tenebroso. Adam interrogava la madre, ma lei spiegava in poche parole che papà stava passando un altro "brutto momento". Le tende erano sempre chiuse, le veneziane abbassate, le lampade staccate; si parlava a voce bassa e si teneva spento il televisore mentre la famiglia sopportava un altro dei brutti momenti di Eddie.

Tre settimane più tardi era morto. Si era sparato nella camera di Adam, un giorno in cui sapeva che lui sarebbe stato il primo a rincasare. Aveva lasciato sul pavimento un biglietto per Adam, perché si affrettasse a ripulire tutto prima che tornassero la madre e la sorella. Un altro biglietto era stato trovato in cucina.

Carmen aveva quattordici anni, tre meno di Adam. Era stata concepita nel Mississippi ma era nata in California dopo il frettoloso trasferimento dei genitori all'Ovest. Quando Carmen era nata, Eddie aveva già cambiato legalmente il cognome della famiglia. I Cayhall erano diventati Hall, Alan era diventato Adam. Vivevano nella zona est di Los Angeles in un appartamento di tre stanze con i teli sporchi alle finestre. Adam ricordava che i teli erano pieni di buchi. Dopo di quella c'erano state molte altre abitazioni provvisorie.

Vicino a Carmen, sul banco in prima fila, c'era una donna misteriosa che veniva chiamata zia Lee. Era stata presentata a Carmen e Adam come la sorella di Eddie, l'unica sorella. Da bambini erano stati abituati a non fare domande sulla famiglia, ma ogni tanto era emerso il nome di Lee. Viveva a Memphis, era sposata con un uomo ricco, aveva un figlio e non aveva più nessun rapporto con Eddie a causa di un vecchio dissidio. I ragazzi, soprattutto Adam, avevano desiderato conoscere un parente e siccome zia Lee era l'unica che veniva nominata, cercavano di immaginarla. Volevano conoscerla, ma Eddie rifiutava sempre perché, diceva, non era simpatica. Ma la madre confidava loro in segreto che Lee era una brava persona e che un giorno li avrebbe accompagnati a Memphis per conoscerla.

Invece era stata Lee a venire in California. E insieme avevano sepolto Eddie Hall. Dopo il funerale si era fermata per due settimane e aveva fatto conoscenza con i due nipoti, che si erano affezionati a lei perché era graziosa e posata, indossava jeans e magliette e camminava sulla spiaggia a piedi nudi. Li portava a far compere e al cinema, e facevano insieme lunghe passeggiate in riva all'oceano. Lee si scusava perché non era mai venuta a trovarli. Avrebbe voluto, diceva, ma Eddie non glielo aveva permesso. Non voleva rivederla perché avevano litigato molto tempo prima.

E fu zia Lee che sedette accanto ad Adam in fondo a un molo, e guardando il sole che tramontava nel Pacifico parlò finalmente di suo padre, Sam Cayhall. Mentre le onde dondolavano dolcemente sotto di loro, Lee spiegò al giovane Adam che quando era molto piccolo aveva vissuto in una cittadina del Mississippi. Gli teneva la mano e ogni tanto gli dava dei colpetti incoraggianti mentre rivelava la storia sciagurata della famiglia. Accennò appena alle attività di Sam nell'organizzazione del Klan, all'attentato contro Kramer e ai processi che si erano conclusi con la condanna a morte. Nel suo racconto c'erano abbastanza lacune da riempire intere biblioteche; ma aveva trattato i punti principali con grande delicatezza.

Anche se era un sedicenne insicuro che aveva appena perso il padre, Adam assorbì il colpo piuttosto bene. Fece qualche domanda mentre un vento fresco investiva la costa e si stringevano l'uno all'altra; ma soprattutto ascoltò senza scandalizzarsi o andare in collera, con enorme interesse. La vicenda terribile gli dava una strana soddisfazione. Aveva una famiglia, dunque! Forse, dopotutto, lui non era poi così anormale. Forse c'erano zii e cugini che avevano le loro storie da raccontare. Forse c'erano vecchie case costruite dagli antenati, e terreni e fattorie dove si erano stabiliti. Aveva anche lui una storia, finalmente.

Ma Lee era molto intelligente e capì subito i motivi del suo interesse. Spiegò che i Cayhall erano una razza strana che amava la segretezza, si isolavano ed evitavano gli estranei. Non erano di quei tipi cordiali e affettuosi che si riuniscono a Natale e il quattro di luglio. Lei abitava a un'ora di macchina da Clanton, eppure non li vedeva mai.

Durante la settimana seguente, le visite al molo verso l'imbrunire diventarono un rito. Si fermavano al mercato per comprare un sacchetto di uva nera, poi sputavano i semi nell'oceano fino al calar della notte. Lee raccontava episodi della sua infanzia nel Mississippi con il fratellino Eddie. Vivevano in una piccola fattoria a un quarto d'ora da Clanton, con stagni per pescare e pony da cavalcare. Sam era un padre passabile: non era opprimente, ma certo neppure affettuoso. La madre era una donna debole che detestava Sam ma adorava i figli. Ne aveva perso uno appena nato quando Lee aveva sei anni e Eddie quasi quattro, e per circa un anno era rimasta nella sua camera. Sam aveva assunto una negra che badava a Eddie e Lee. La madre era morta di cancro nel 1977, e quella era stata l'ultima volta che i Cayhall si erano ritrovati tutti insieme. Eddie era andato di nascosto in città per il funerale ma aveva cercato di evitare tutti. Tre anni dopo, Sam era stato arrestato per l'ultima volta e condannato.

Lee non aveva molto da dire della propria vita. Aveva lasciato la famiglia a diciotto anni, una settimana dopo aver preso il diploma delle superiori, ed era andata a Nashville con la speranza di diventare una cantante famosa. Poi aveva conosciuto Phelps Booth, uno studente universitario della Vanderbilt figlio di un banchiere. Si erano sposati e vivevano a Memphis, ormai rassegnati a un'esistenza che sembrava infelice. Avevano un unico figlio, Walt, un temperamento ribelle che era andato a stare ad Amsterdam. E questi erano gli unici particolari.

Adam non era in grado di capire se Lee si era trasformata in qualcosa di diverso da una Cayhall, ma sospettava di sì. E chi poteva darle torto?

Lee se ne tornò via con discrezione, com'era arrivata. Senza un abbraccio, senza un addio, uscì dalla casa prima dell'alba e se ne andò. Due giorni dopo telefonò e parlò con Adam e Carmen. Li invitò a scriverle, e loro lo fecero con entusiasmo; ma le sue lettere e le sue telefonate divennero sempre meno frequenti. La promessa di un nuovo rapporto familiare svanì a poco a poco. La loro madre cercava di giustificarla. Diceva che Lee era una brava persona, ma era pur sempre una Cayhall e quindi portata alla tetraggine e all'eccentricità. Adam ne soffrì molto.

L'estate dopo aver ottenuto il diploma al Peppardine, Adam e un amico attraversarono gli Stati Uniti per raggiungere Key West. Fecero tappa a Memphis e trascorsero due serate con zia Lee, che viveva sola in un grande appartamento moderno in un condominio affacciato sul Mississippi. Passarono lunghe ore nel patio, loro tre soli, e mangiarono pizza fatta in casa, bevvero birra, guardarono le chiatte e parlarono più o meno di tutto. Ma non si accennò neppure una volta alla famiglia. Adam era emozionato all'idea di studiare alla facoltà di legge, e Lee gli faceva molte domande sulle sue intenzioni per il futuro. Era stimolante, spiritosa e comunicativa: una zia e una padrona di casa perfetta. Quando si salutarono con un abbraccio, i suoi occhi si riempirono di lacrime e lo pregò di tornare a trovarla.

Adam e l'amico evitarono lo stato del Mississippi. Si diressero a ovest, attraversarono il Tennessee e le Smokey Mountains. A un certo punto, secondo i calcoli di Adam, si trovarono a circa centocinquanta chilometri da Parchman, dal braccio della morte e da Sam Cayhall. Era accaduto quattro anni prima, nell'estate del 1986, e Adam aveva già riempito una capace scatola con il materiale riguardante suo nonno. E la cassetta era quasi completa.

La conversazione telefonica della sera prima era stata breve. Adam aveva detto che per qualche mese avrebbe soggiornato a Memphis e che ci teneva a vederla. Lee lo invitò a trasferirsi nel suo appartamento sul fiume, dove c'erano quattro camere da letto e una cameriera a ore. Doveva assolutamente stare con lei, gli aveva ripetuto. Poi Adam aveva spiegato che avrebbe lavorato nella sede di Memphis e si sarebbe occupato, per la precisione, del caso di Sam. Lee aveva taciuto per lunghi istanti, quindi gli aveva proposto fiaccamente di andare comunque a trovarla perché ne avrebbero parlato.

Adam suonò il campanello pochi minuti dopo le nove e si girò a lanciare un'occhiata alla Saab nera decappottabile. Il complesso era formato da venti case a schiera con i tetti rossi. Un robusto muro di mattoni sovrastato da grate di ferro proteggeva i residenti dai pericoli del centro di Memphis. Un guardiano armato azionava l'unico cancello. Se non ci fosse stata la vista sul fiume dall'altro lato, gli appartamenti non avrebbero avuto valore.

Lee aprì la porta. Si scambiarono un bacio sulle guance. «Benvenuto» lo salutò. Guardò il parcheggio, poi chiuse la porta alle spalle di Adam. «Sei stanco?»

«Non molto. È un viaggio di dieci ore, ma ne ho impiegate dodici. Non avevo fretta.»

«Hai fame?»

«No. Mi sono fermato a mangiare qualcosa un paio d'ore fa.» La seguì nello studio. Si guardarono, cercando qualcosa da dire. Lee aveva quasi cinquant'anni e negli ultimi quattro era molto invecchiata. I suoi capelli erano un misto di grigio e castano, molto più lunghi, tirati indietro e stretti in una coda di cavallo. Gli occhi azzurri erano arrossati, segnati da nuove rughe, e avevano un'espressione preoccupata. Portava una camicia di cotone troppo larga e un paio di jeans stinti. Aveva però conservato la sua posatezza.

«Sono contenta di vederti» disse con un bel sorriso.

«Sei sicura?»

«Ma certo. Sediamoci nel patio.» Lo prese per mano e lo condusse oltre le porte a vetri, su un terrazzo di legno dalle cui travi pendevano cesti di felci e buganvillee. Sotto di loro scorreva il Mississippi. Sedettero sulle sedie a dondolo di vimini bianco. «Come sta Carmen?» chiese la zia mentre versava tè freddo da una caraffa di ceramica.

«Bene. Studia ancora a Berkeley. Ci sentiamo una volta la settimana. Frequenta un tizio, e sembra che sia una cosa seria.»

«Cosa studia? L'ho dimenticato.»

«Psicologia. Vuole arrivare al dottorato e poi insegnare, forse.» Nel tè c'era molto limone e poco zucchero. Adam bevve lentamente. L'aria era ancora afosa. «Sono quasi le dieci. Come mai c'è ancora tanto caldo?»

«Benvenuto a Memphis, mio caro. Arrostiremo fino a settembre.»

«Io non riuscirei a sopportarlo.»

«Ci si abitua. Più o meno. Beviamo molto tè e stiamo in casa. Come va tua madre?»

«È sempre a Portland. Ha sposato un tale che ha fatto una fortuna con il legname. L'ho conosciuto. Avrà sessantacinque anni ma ne dimostra settanta. Lei ne ha quarantasette e ne dimostra quaranta. Una bella coppia. Vanno in giro in jet, St. Barts, la Riviera francese, Milano, tutti i posti dove i ricchi devono farsi vedere. È molto felice. I figli sono cresciuti. Eddie è morto. Il passato è sepolto. E ha un sacco di soldi. Le sta andando nel migliore dei modi.»

«Sei troppo duro.»

«Al contrario. Non mi vuole intorno perché rappresento un legame doloroso con mio padre e la sua sciagurata famiglia.»

«Tua madre ti vuole bene, Adam.»

«È una gioia sentirlo dire. Tu come lo sai?»

«Lo so e basta.»

«Non immaginavo che voi due foste così intime.»

«Non lo siamo. Calmati, Adam. Non prendertela.»

«Scusami. Sono nervoso, ecco tutto. Ho bisogno di bere qualcosa di più forte.»

«Rilassati. Ci divertiremo un po' durante la tua permanenza.»

«Non sono in visita di piacere, zia Lee.»

«Chiamami soltanto Lee, d'accordo?»

Lee posò con cura il bicchiere sul tavolo, si alzò e lasciò il patio. Tornò con una bottiglia di Jack Daniels e versò dosi abbondanti nei due bicchieri. Bevve una lunga sorsata e fissò il fiume. «Perché?» chiese finalmente.

«Perché no? Perché è mio nonno. Perché sta per morire. Perché sono avvocato e lui ha bisogno di aiuto.»

«Non ti conosce neppure.»

«Mi conoscerà domani.»

«Allora glielo dirai?»

«Sì, naturalmente. Riesci a crederci? Sto per rivelare un segreto tenebroso e sconvolgente dei Cayhall. Cosa ne pensi?»

Lee tenne il bicchiere con entrambe le mani e scosse adagio la testa. «Morirà» mormorò senza guardarlo.

«Non subito. Ma è bello sapere che ti interessa.»

«Mi interessa.»

«Oh, davvero? Quando è stata l'ultima volta che l'hai visto?»

«Non cominciare, Adam. Tu non capisci.»

«Bene, è giusto. Allora spiegami. Ti ascolto. Voglio capire.»

«Non possiamo parlare di qualcos'altro, caro? Non sono pronta per affrontare l'argomento.»

«No.»

«Ti prometto che ne parleremo più tardi. In questo momento non sono pronta. Credevo che per un po' avremmo chiacchierato e riso.»

«Mi dispiace, Lee. Sono stanco di chiacchiere e segreti. Non ho un passato perché mio padre ha provveduto a cancellarlo. Voglio conoscerlo, Lee. Voglio sapere quanto è terribile.»

«È spaventoso» mormorò Lee, come se parlasse a se stessa.

«Sta bene. Ormai sono cresciuto. Posso affrontarlo. Mio padre se n'è andato prima di doverne parlare con me, quindi temo che sia rimasta tu sola.»

«Lasciami un po' di tempo.»

«Non ce n'è abbastanza: domani m'incontrerò con lui faccia a faccia.» Adam bevve un sorso e si asciugò le labbra con la manica. «Ventitré anni fa, "Newsweek" scrisse che anche il padre di Sam apparteneva al Klan. È vero?»

«Sì. Mio nonno.»

«E così pure vari zii e cugini.»

«Tutti i maledetti parenti.»

«"Newsweek" scrisse che nella contea di Ford tutti sapevano che Sam Cayhall aveva sparato a un negro all'inizio degli anni Cinquanta e l'aveva ammazzato, ma non era mai stato arrestato. Non aveva fatto neppure un giorno di prigione. È vero?»

«Che importa adesso, Adam? È stato molti anni prima che tu nascessi.»

«Così è successo davvero?»

«Sì.»

«E tu lo sapevi?»

«L'ho visto.»

«L'hai visto!» Adam chiuse gli occhi, incredulo. Respirò a fondo e si assestò sulla sedia a dondolo. La sirena di un rimorchiatore attirò la sua attenzione. Lo seguì con lo sguardo lungo il fiume finché non lo vide sparire sotto un ponte. Il bourbon cominciava a calmarlo.

«Parliamo d'altro» propose Lee a bassa voce.

«Anche da bambino mi piaceva la storia» proseguì Adam continuando a guardare il fiume. «Mi interessava il modo in cui viveva la gente tanto tempo fa... i pionieri, i convogli di carri, la corsa all'oro, i cowboy e gli indiani, la conquista dell'Ovest. In quarta c'era un ragazzino che raccontava che il suo trisnonno aveva rapinato i treni e sepolto il bottino in Messico. Voleva organizzare una banda e scappare per ritrovare quel denaro. Sapevamo che mentiva, ma era divertente stare al gioco. Mi chiedevo spesso che cos'erano stati i miei antenati, e ricordo che ero disorientato perché sembrava che non ne avessi.»

«Cosa diceva Eddie?»

«Diceva che erano tutti morti, e che si spreca più tempo per pensare alla storia di famiglia che a qualunque altra cosa. Ogni volta che facevo domande sull'argomento, mia madre mi prendeva in disparte e mi raccomandava di smettere perché mio padre poteva agitarsi, piombare in un altro dei suoi brutti momenti e chiudersi per un mese in camera da letto. Ho passato gran parte della mia infanzia camminando in punta di piedi attorno a mio padre. Poi, crescendo, mi sono reso conto che era un uomo molto strano e molto infelice. Ma non immaginavo che si sarebbe ucciso.»

Lee fece tintinnare il ghiaccio nel bicchiere e bevve l'ultimo sorso. «Ci sarebbero tante cose da dire, Adam.»

«Quando me le dirai?»

Lee prese la caraffa e riempì di nuovo i bicchieri. Adam aggiunse bourbon in entrambi. Passarono alcuni minuti mentre bevevano e osservavano il traffico in Riverside Drive.

«Sei stata nel braccio della morte?» chiese finalmente Adam, senza distogliere lo sguardo dalle luci lungo il fiume.

«No» rispose lei con un filo di voce.

«È chiuso là dentro da quasi dieci anni, e non sei mai andata a trovarlo?»

«Una volta gli scrissi, poco dopo l'ultimo processo. Sei mesi più tardi mi rispose e mi disse di non andare. Non voleva che lo vedessi nel braccio della morte. Gli scrissi altre due lettere, ma non rispose.»

«Mi dispiace.»

«E di che? Sono tormentata da molti rimorsi, Adam, e non è facile parlarne. Dammi tempo.»

«Forse resterò a Memphis per un po'.»

«Voglio che tu venga qui. Avremo bisogno l'uno dell'altra.» Lee esitò e rimescolò il tè con l'indice. «Voglio dire, è inevitabile che lui muoia, no?»

«Così sembra.»

«Quando?»

«Fra due o tre mesi. Gli appelli sono virtualmente esauriti. Non resta più molto da fare.»

«Allora perché vuoi occupartene?»

«Non lo so. Forse perché abbiamo una possibilità. Lavorerò come un pazzo nei prossimi mesi e pregherò perché avvenga un miracolo.»

«Pregherò anch'io» disse Lee prima di bere un altro sorso.

«Possiamo parlare di una cosa?» chiese Adam, girandosi di scatto verso di lei.

«Certo.»

«Vivi sola? Voglio dire, è una domanda naturale, se dovrò alloggiare qui.»

«Vivo sola. Mio marito abita nella nostra casa in campagna.»

«Solo? Scusa, la mia è semplice curiosità.»

«Qualche volta. Gli piacciono le ragazze giovani, poco più che ventenni, di solito impiegate delle sue banche. Io devo telefonare prima di metter piede in quella casa, e lui telefona prima di venire qui.»

«Una soluzione amichevole e conveniente. Chi ha trattato l'accordo?»

«L'abbiamo messo a punto un po' alla volta, con l'andare del tempo. Non viviamo più insieme da quindici anni.»

«Un matrimonio molto strano.»

«Ma funziona benissimo. Io prendo il denaro di mio marito e non faccio domande sulla sua vita privata. Ci mostriamo insieme in pubblico quanto basta, e lui è felice.»

«Tu sei felice?»

«Quasi sempre.»

«Se ti tradisce, perché non chiedi il divorzio e non lo spenni a dovere? Mi occuperò volentieri della causa.»

«Un divorzio non andrebbe bene. Phelps appartiene a una vecchia famiglia molto rigida e tradizionalista di gente vergognosamente ricca. La buona società di Memphis, dove in alcune famiglie ci si sposa fra parenti da decenni. Phelps avrebbe dovuto sposare una cugina di quinto grado, e invece si innamorò di me. I suoi erano ferocemente contrari, e se divorziassimo ora sarebbe come ammettere che avevano ragione. E poi sono aristocratici orgogliosi, e un divorzio ostile li umilierebbe. Preferisco la mia indipendenza: prendo il suo denaro e vivo come voglio.»

«Lo hai mai amato?»

«Certo. Quando ci sposammo eravamo follemente innamorati. Fra l'altro, ci sposammo di nascosto. Era il 1963 e l'idea di un matrimonio solenne con tutti i suoi parenti aristocratici e i miei parenti bifolchi era insopportabile. Sua madre non mi rivolgeva la parola, e mio padre bruciava croci e piazzava bombe. A quel tempo Phelps non sapeva che mio padre era del Klan, e naturalmente non volevo che lo scoprisse.»

«E lo scoprì?»

«Glielo dissi appena mio padre fu arrestato per l'attentato. E lui lo disse a suo padre, e la notizia si diffuse a poco a poco in tutta la famiglia Booth con la massima discrezione. È gente abilissima nel mantenere i segreti. È l'unica cosa che hanno in comune con noi Cayhall.»

«Dunque sono pochi a sapere che sei figlia di Sam?»

«Pochissimi. E vorrei che continuasse così.»

«Ti vergogni di...»

«Sì, diavolo! Mi vergogno di mio padre! Chi non si vergognerebbe?» Le sue parole divennero aspre e colme di amarezza. «Spero che tu non ti sia fatto l'idea romantica di un povero vecchio che soffre nel braccio della morte e sta per essere crocifisso ingiustamente per i suoi peccati.»

«Io penso che non dovrebbe morire.»

«Anch'io. Ma è un assassino, ha ucciso tanta gente... i gemelli Kramer, il loro padre, tuo padre, e Dio sa chi altro. Dovrebbe restare in prigione per il resto della vita.»

«Non provi pietà per lui?»

«Qualche volta. Se è una bella giornata di sole e sono contenta, a volte penso a lui e ricordo qualche episodio piacevole della mia infanzia. Ma sono momenti molto rari, Adam. Ha portato tante infelicità nella mia vita e nella vita di quanti gli stavano intorno. Ci aveva insegnato a odiare tutti. Si comportava male con mia madre. La sua è una famiglia di carogne.»

«Allora lasciamo che lo ammazzino.»

«Non ho detto questo, Adam. Sei ingiusto. Penso sempre a lui, e prego per lui ogni giorno. Ho chiesto a questi muri un milione di volte come e perché mio padre è diventato un simile mostro. Perché non può essere un vecchio simpatico e per bene che sta seduto sotto il portico e fuma la pipa, e magari tiene a portata di mano un bicchiere con un po' di bourbon... per lo stomaco, naturalmente? Perché mio padre deve essere un membro del Klan che ha ucciso due bambini innocenti e ha rovinato la sua famiglia?»

«Forse non voleva ucciderli.»

«Sono morti, no? La giuria ha deciso che è stato lui. Sono

stati fatti a pezzi e li hanno sepolti in un'unica piccola tomba. A chi interessa sapere se aveva intenzione di ucciderli o no? Era lì sul posto, Adam.»

«Potrebbe essere molto importante.»

Lee si alzò di scatto e gli prese la mano. «Vieni qui» insistette, e lo condusse al bordo del patio. Indicò il profilo di Memphis, a molti isolati di distanza. «Vedi quel palazzo con il tetto piatto di fronte al fiume? Il più vicino. Là, a tre o quattro isolati di distanza.»

«Sì» rispose Adam.

«L'ultimo piano è il quindicesimo. Adesso, sulla destra, conta sei piani verso terra. Mi segui?»

«Sì» Adam annuì e contò, docile. Era un palazzo vistoso, affacciato sul fiume.

«Adesso conta quattro finestre sulla sinistra. C'è la luce accesa. La vedi?»

«Sì.»

«Indovina chi ci abita.»

«Come posso saperlo?»

«Ruth Kramer.»

«Ruth Kramer! La madre?»

«Sì.»

«La conosci?»

«Ci siamo incontrate una volta, per puro caso. Sapeva che ero Lee Booth, moglie del famoso Phelps Booth, ma nient'altro. È stato in occasione di una festa molto chic per raccogliere fondi per il balletto classico o qualcosa del genere. Ho sempre cercato di evitarla.»

«Dev'essere una città piccola.»

«In un certo senso lo è. Se tu potessi chiederle di Sam, cosa ti direbbe?»

Adam guardava le luci lontane. «Non lo so. Ho letto che è ancora amareggiata.»

«Amareggiata? Ha perduto tutta la sua famiglia. Non si è più risposata. Credi che le interessi sapere se mio padre aveva intenzione di ucciderle i figli? No, naturalmente. Sa soltanto che sono morti, Adam, morti ormai da ventitré anni. Sa che sono stati uccisi da una bomba messa da mio padre; e se quella notte lui fosse rimasto a casa con la sua famiglia invece di andare in giro con quegli idioti dei suoi compagni, Josh e John non sarebbero morti. Avrebbero ventotto anni, probabilmente un'ottima istruzione, sarebbero sposati e magari avrebbero un bimbo o due che farebbero la felicità di Martin e Ruth. A lei non interessa a chi era destinata la bomba, Adam, ma solo che è stata messa là ed è esplosa. I suoi bambini sono morti. È l'unica cosa che conta.»

Lee tornò a sedersi sulla sedia a dondolo. Fece tintinnare di nuovo il ghiaccio nel bicchiere e bevve un sorso. «Non fraintendermi, Adam. Sono contraria alla pena di morte. Con ogni probabilità sono l'unica cinquantenne bianca del paese che abbia il padre nel braccio della morte. È un'istituzione barbarica, immorale, discriminatoria, crudele, incivile... sono d'accordo. Ma non dimenticare le vittime. Hanno il diritto di chiedere la punizione. Se lo sono guadagnato.»

«Ruth Kramer vuole la punizione?»

«Sì. Non parla più con la stampa, ma è molto attiva nelle organizzazioni delle vittime. Anni fa ha dichiarato che avrebbe voluto essere nella stanza dei testimoni quando Sam Cayhall sarebbe stato giustiziato.»

«Non è l'atteggiamento di chi è disposto a perdonare.»

«Non ricordo che mio padre abbia mai chiesto perdono.»

Adam si voltò e sedette sulla ringhiera, con le spalle al fiume. Guardò i palazzi del centro, poi si guardò i piedi. Lee bevve un altro sorso.

«Dunque, zia Lee, cosa dobbiamo fare?»

«Lascia perdere quel "zia", per favore.»

«D'accordo, Lee. Sono qui. Non ho intenzione di andarmene. Domani farò visita a Sam, e conto di diventare il suo avvocato.»

«Hai intenzione di tenerlo segreto?»

«Il fatto che sono un Cayhall? Non penso di dirlo a qualcuno, ma mi sorprenderei se restasse a lungo un segreto. Sam è uno degli ospiti più famosi del braccio della morte. La stampa comincerà presto a scavare a fondo.»

Lee ripiegò le gambe sotto di sé e guardò il fiume. «E questo ti danneggerà?» chiese a voce bassa.

«No, ovviamente. Sono avvocato e gli avvocati difendono i molestatori di bambini, gli assassini, i trafficanti di droga, gli stupratori e i terroristi. Non godiamo di grande popolarità. Come può danneggiarmi il fatto che Sam è mio nonno?»

«Al tuo studio legale lo sanno?»

«Gliel'ho detto ieri. Non ne sono stati felici, ma si sono dimostrati ragionevoli. Gliel'avevo nascosto quando mi avevano assunto, e questo è stato un errore. Ma credo che sia tutto sistemato.»

«E se lui ti dirà di no?»

«Allora saremo al sicuro, vero? Nessuno lo saprà mai, e tu sarai protetta. Io tornerò a Chicago e aspetterò che la Cnn mi offra lo spettacolo dell'esecuzione. E in una fresca giornata d'autunno andrò a portare fiori sulla sua tomba, guarderò la lapide e mi chiederò per l'ennesima volta perché l'ha fatto, perché è diventato quel che era, e perché io sono nato in una famiglia tanto sciagurata... sai, le stesse domande che mi rivolgo da tanti anni. Ti inviterò a venire con me. Sarà una specie di riunione di famiglia, sai, noi Cayhall che entriamo furtivamente nel cimitero con un mazzo di fiori da pochi soldi e gli occhiali scuri perché nessuno ci riconosca.»

«Finiscila» esclamò Lee, e Adam vide che piangeva. Le lacrime le scorrevano sulle guance. Erano quasi arrivate al mento quando le asciugò con le dita.

«Scusami» disse lui. Si voltò a guardare un'altra chiatta che navigava lentamente verso nord fra le ombre del fiume. «Scusami, Lee.»

8

E così, dopo ventitré anni, stava tornando finalmente nello stato dove era nato. Non avvertiva una sensazione di benvenuto, e anche se non aveva paura di nulla in particolare viaggiava con prudenza a novanta all'ora e non sorpassava le altre macchine. La strada si restrinse e si addentrò nella piana del delta del Mississippi, e per oltre un chilometro e mezzo Adam seguì con gli occhi un argine che serpeggiava sulla destra e poi spariva. Attraversò il villaggio di Walls, il primo abitato lungo la 61, e seguì la corrente del traffico in direzione sud.

Le ricerche gli avevano permesso di scoprire che per decenni quell'autostrada era stata l'arteria principale percorsa da centinaia di migliaia di negri poveri del Delta che si spingevano a nord, fino a Memphis e St. Louis e Chicago e Detroit, nella speranza di trovare un lavoro e un'abitazione decente. Nelle cittadine e nelle fattorie, nelle misere case e nei polverosi empori e nei pittoreschi locali lungo la Highway 61 erano nati i blues che poi si erano diffusi al Nord. La musica aveva messo radici a Memphis, dove si era mescolata al gospel e al country; e insieme avevano dato vita al rock and roll. Adam ascoltò una vecchia cassetta di Muddy Waters mentre entrava nella famigerata contea di Tunica, che a quanto si diceva era la più povera della nazione.

La musica non servì a calmarlo. Aveva rifiutato di fare colazione in casa di Lee dicendo che non aveva appetito, ma in realtà aveva un nodo allo stomaco. Il nodo diventava sempre più serrato a ogni chilometro.

Poco più a nord di Tunica, i campi diventarono sconfinati e

si estesero in tutte le direzioni fino all'orizzonte. La soia e il cotone arrivavano al ginocchio. Un piccolo esercito di trattori rossi e verdi che trainavano aratri passavano fra gli interminabili filari ordinari. Non erano ancora le nove, ma c'era già un caldo afoso. Il terreno era asciutto, e ogni aratro era seguito da una nuvola di polvere. Ogni tanto un aereo della disinfestazione sbucava dal nulla, sorvolava acrobaticamente i campi a bassissima quota e risaliva. Il traffico era intenso e lento, e a volte si bloccava fin quasi a fermarsi quando un mostruoso John Deere procedeva a passo d'uomo come se l'autostrada fosse deserta.

Adam non si spazientiva. Non era atteso prima delle dieci, e se anche fosse arrivato in ritardo non avrebbe avuto importanza.

A Clarksdale lasciò la Highway 61 e si diresse verso sud-est sulla 49, attraversò i piccoli abitati di Mattson, Dublin e Tutwiler, e altri campi di soia. Passò davanti a molte sgranatrici di cotone inoperose in attesa del raccolto, a gruppi di povere case a schiera e di sudice roulotte, tutti situati, chissà perché, vicino all'autostrada. Ogni tanto scorgeva una bella casa, più distante, sempre maestosamente circondata da querce e olmi, di solito con una piscina recintata su un lato. Non era difficile intuire a chi appartenevano quei campi.

Un cartello indicava che il penitenziario di stato si trovava otto chilometri più avanti. Istintivamente Adam rallentò. Dopo un momento raggiunse un grosso trattore che avanzava sbuffando con disinvoltura e invece di superarlo decise di seguirlo. Il guidatore, un vecchio bianco con un berretto lurido, gli fece segno di passare. Adam agitò la mano e continuò a restargli in coda a trenta chilometri l'ora. Non c'erano altri mezzi in vista. Una zolla di terra scagliata da una ruota posteriore del trattore ricadde davanti alla Saab. Adam rallentò ancora di più. L'uomo del trattore si girò sul sedile e gli accennò di nuovo di passare. Diceva qualcosa e sembrava irritato, come se la strada fosse sua e non gradisse un idiota al seguito del suo trattore. Adam sorrise, agitò di nuovo la mano, ma continuò a stargli appresso.

Dopo qualche minuto vide il carcere. Non c'erano alte reti metalliche lungo la strada. Né barriere di lucidi fili metallici taglienti per impedire le evasioni. Non c'erano torrette di guardia con uomini armati. E nemmeno bande di detenuti che lanciavano insulti contro i passanti. Adam vide un'entrata sulla destra e la scritta PENITENZIARIO STATALE DEL MISSISSIPPI sull'arco che la sovrastava. Accanto all'entrata c'erano diverse costruzioni, tutte rivolte verso la strada e, a quanto pareva, non sorvegliate.

Adam fece un altro cenno con la mano all'uomo del trattore e lasciò la strada. Respirò a fondo e studiò l'entrata. Una donna in uniforme uscì da una guardiola sotto l'arco e lo fissò. Adam si avvicinò e abbassò il vetro.

«Buongiorno» disse la donna. Aveva la pistola al fianco e un portablocco a molla in mano. Un'altra guardia osservava da dentro la guardiola. «Desidera?»

«Sono un avvocato e sono venuto per parlare con un cliente che è nel braccio della morte» rispose Adam. La sua voce era stridula e nervosa, e se ne rendeva conto. Calmati, si disse.

«Non abbiamo nessuno nel braccio della morte, signore.»

«Come ha detto?»

«Il braccio della morte non esiste. Abbiamo diversi detenuti nell'Unità di Massima Sicurezza, chiamata Msu, ma può cercare dappertutto e non troverà un braccio della morte.»

«Ho capito.»

«Nome?» chiese la donna studiando un foglio fissato al portablocco.

«Adam Hall.»

«Il suo cliente?»

«Sam Cayhall.» Adam si aspettava una reazione, ma alla guardia non importava nulla. Girò un foglio e gli disse: «Aspetti qui».

Al di là dell'entrata c'era un viale con alberi ombrosi e piccole costruzioni ai lati. Non era una prigione: era una graziosa stradetta di una cittadina dove poteva comparire da un momento all'altro un gruppetto di ragazzini in bicicletta e pattini a rotelle. Sulla destra c'era una strana struttura con portico anteriore e aiole fiorite. Un cartello indicava che era il Centro Visitatori, come se lì ci fossero souvenir e limonata a disposizione dei turisti. Un furgoncino bianco con a bordo tre giovani negri e la scritta Dipartimento Correzionale del Mississippi stampigliata sulla portiera passò senza rallentare.

Adam vide che la guardia era dietro la sua macchina e scriveva qualcosa sul foglio mentre si avvicinava al finestrino. «Da che parte dell'Illinois viene?»

«Da Chicago.»

«Ha macchine fotografiche, pistole, registratori?»

«No.»

La donna tese la mano all'interno della macchina e mise un cartellino sul cruscotto. Poi consultò di nuovo i fogli fissati al portablocco e disse: «Qui c'è scritto che deve parlare con Lucas Mann».

«Chi è?»

«L'avvocato del carcere.»

«Non sapevo di dover parlare con lui.»

La donna mostrò un foglio, tenendolo a un metro di distanza. «Qui dice così. Prenda la terza strada a sinistra, quella che gira intorno alla costruzione in mattoni rossi» spiegò indicando.

«Cosa vuole da me il signor Mann?»

Lei sbuffò e alzò le spalle, poi rientrò nella guardiola scuotendo la testa. Gli avvocati erano stupidi.

Adam premette dolcemente l'acceleratore, passò accanto al Centro Visitatori e proseguì lungo il viale alberato. Ai lati c'erano linde casette bianche dove, come venne a sapere più tardi, le guardie carcerarie e altri impiegati vivevano con le famiglie. Seguì le indicazioni e si fermò davanti a una vecchia costruzione di mattoni. Due detenuti con i pantaloni blu a strisce bianche spazzavano i gradini. Adam evitò di guardarli in faccia ed entrò.

Trovò senza molte difficoltà l'ufficio di Mann anche se sulla porta non c'erano scritte. Una segretaria gli sorrise e aprì un'altra porta che dava in un grande ufficio dove Lucas Mann, in piedi dietro la scrivania, stava parlando al telefono.

«Si sieda» mormorò la segretaria prima di chiudere la porta. Mann sorrise e fece un cenno impacciato di saluto mentre continuava ad ascoltare al telefono. Adam posò la cartella su una sedia e restò in piedi. L'ufficio era grande e pulitissimo. Due lunghe finestre affacciate sull'autostrada lasciavano entrare molta luce. Sulla parete di sinistra c'era la foto incorniciata di una faccia familiare, un bel giovane dal sorriso sincero e dal mento energico. Era David McAllister, il governatore dello stato del Mississippi. Adam sospettava che ci fossero foto come quella in tutti gli uffici governativi dello stato, e anche in tutti i corridoi, gli sgabuzzini e i gabinetti sottoposti alla giurisdizione statale.

Lucas Mann tirò il filo del telefono e si accostò a una finestra con la schiena rivolta alla scrivania e ad Adam. Non aveva l'aspetto dell'avvocato. Era sui cinquantacinque, e aveva fluenti capelli grigi raccolti sulla nuca. Il suo abbigliamento era il massimo dello chic universitario: camicia da lavoro kaki perfettamente stirata con due taschini e una cravatta colorata allentata intorno al collo; il primo bottone era slacciato e lasciava vedere una t-shirt di cotone grigio; pantaloni marrone anch'essi stirati alla perfezione con un risvolto esemplare di due centimetri e mezzo che lasciava intravedere i calzini bianchi; mocassini lucidissimi. Era evidente che Lucas sapeva vestirsi, e si occupava di un ramo molto particolare dell'attività legale. Se avesse portato un piccolo orecchino al lobo sinistro sarebbe stato l'immagine classica dell'hippie che, invecchiando, si arrendeva al conformismo.

L'ufficio era arredato con mobili usati, forniti dal governo: una scrivania di legno rovinata ma tenuta in ordine perfetto; tre sedie metalliche con cuscini di gommapiuma abbastanza lisi; una fila di schedari spaiati lungo una parete. Adam rimase in piedi dietro una sedia e cercò di calmarsi. Possibile che quell'incontro fosse imposto a tutti gli avvocati? No, senza dubbio. A Parchman c'erano cinquemila detenuti. E Garner Goodman non aveva parlato di un colloquio con Lucas Mann.

Il nome gli era vagamente familiare. In una delle scatole dove conservava gli atti dei tribunali e i ritagli di giornali, aveva visto il nome di Lucas Mann, e adesso cercava disperatamente di ricordare se era tra i buoni o tra i cattivi. Che ruolo aveva in una causa con pena di morte? Adam sapeva con certezza che il vero nemico era il procuratore generale dello stato, ma non riusciva a inquadrare Mann nel copione.

Poi Mann posò il ricevitore e tese la mano. «Lieto di conoscerla, Adam. Si accomodi, prego» disse con un gradevole accento strascicato mentre indicava una sedia. «Grazie per essersi fermato a parlarmi.»

Adam sedette. «È un piacere conoscerla» rispose, innervosito. «Di che si tratta?»

«Un paio di cose. Innanzi tutto volevo conoscerla e salutarla. Sono l'avvocato del penitenziario ormai da dodici anni. Mi occupo di quasi tutte le cause civili che riguardano questo posto, sa, tutte le istanze assurde presentate dai nostri ospiti... i diritti dei detenuti, le cause per danni, cose del genere. Ci fanno causa tutti i giorni, a quanto pare. Secondo le norme statutarie, ho anche un piccolo ruolo in casi di condannati a morte, e ho saputo che è venuto per parlare con Sam.»

«Infatti.»

«Le ha affidato il suo caso?»

«Non esattamente.»

«Lo immaginavo. Questo pone un piccolo problema. Vede, lei non può parlare con un detenuto a meno che non sia il suo difensore ufficiale, e so che Sam ha revocato la procura allo studio Kravitz & Bane.»

«Quindi non posso vederlo?» chiese Adam. Nella sua voce c'era quasi una sfumatura di sollievo.

«Non potrebbe. Ieri ho fatto una lunga chiacchierata con Garner Goodman. Ci conosciamo da diversi anni, dall'esecuzione di Maynard Tole. La ricorda?»

«Vagamente.»

«1986. Fu la mia seconda esecuzione.» Lucas Mann lo disse come se avesse azionato personalmente il pulsante. Sedette sul bordo della scrivania e guardò Adam. I pantaloni frusciarono leggermente, e la gamba destra dondolava un po'. «Ne ho avute quattro. E Sam potrebbe essere la quinta. Comunque, Garner rappresentava Maynard Tole, e fu così che ci conoscemmo. È un vero gentiluomo e un avvocato battagliero.»

«Grazie» disse Adam, perché non gli veniva in mente nient'altro.

«Personalmente le odio.»

«È contrario alla pena di morte?»

«Sì, quasi sempre. Per la verità, attraverso varie fasi. Ogni volta che qui uccidiamo qualcuno penso che il mondo è impazzito. Poi, invariabilmente, riesamino uno dei casi e ricordo che alcuni di quei delitti erano brutali, orribili. La mia prima esecuzione fu quella di Teddy Doyle Meeks, un vagabondo che aveva violentato e mutilato un bambino. Non furono molti a compiangerlo, qui, quando entrò nella camera a gas. Ma, ecco, potrei continuare in eterno a raccontarle storie come questa. Forse avremo tempo per farlo più tardi, d'accordo?»

«Certo» disse Adam senza sbilanciarsi. Non riusciva a immaginare di voler ascoltare storie di assassini e delle loro esecuzioni.

«Ho detto a Garner che secondo me lei non dovrebbe essere autorizzato a parlare con Sam. Mi è stato a sentire per un po', e poi ha spiegato, in modo abbastanza vago a dire il vero, che forse la sua è una situazione speciale e che quindi deve esserle concesso almeno un colloquio. Non ha voluto dirmi cosa c'è di tanto speciale. Capisce?» Lucas si passò la mano sul mento quando lo disse, come se avesse quasi risolto l'enigma. «Abbiamo norme piuttosto rigorose, soprattutto per l'Msu. Ma il direttore farà tutto ciò che gli chiedo.» Lo disse lentamente, e le parole rimasero sospese nell'aria.

«Io... ecco, devo assolutamente vederlo» rispose Adam con voce prossima a spezzarsi.

«Be', ha bisogno di un avvocato. Per essere sincero, sono contento che lei sia venuto. Non abbiamo mai giustiziato qualcuno senza che fosse presente il suo avvocato. Ci sono manovre legali di ogni genere fino all'ultimo minuto, e mi sentirei più tranquillo se Sam avesse un avvocato.» Lucas girò intorno alla scrivania e sedette. Aprì un fascicolo e studiò un foglio. Adam attese e si sforzò di respirare in modo normale.

«Facciamo molte ricerche sui precedenti dei nostri condannati a morte» disse Lucas mentre continuava a esaminare il fascicolo. L'affermazione aveva il tono di un monito solenne. «Soprattutto quando gli appelli hanno seguito il loro corso e l'esecuzione è imminente. Sa qualcosa della famiglia di Sam?»

Il nodo nello stomaco di Adam parve ingigantire. Riuscì a scrollare le spalle e a scuotere contemporaneamente la testa come per rispondere che non sapeva nulla.

«Intende parlare ai familiari?»

Anche questa volta Adam non rispose, e scrollò di nuovo le spalle che gli sembravano molto, molto pesanti.

«Voglio dire, in questi casi di solito ci sono contatti con i familiari del condannato quando si avvicina la data dell'esecuzione. È probabile che lei voglia parlare con loro. Sam ha una figlia a Memphis, la signora Lee Booth. Ho l'indirizzo, se le interessa.» Lucas lo guardava con aria diffidente e Adam non riusciva a muoversi. «Immagino che non la conosca, vero?»

Adam scosse la testa e non rispose.

«Sam aveva anche un figlio, Eddie Cayhall, ma quel poveretto si suicidò nel 1981. Viveva in California. Ha lasciato due figli, un maschio nato a Clanton, Mississippi, il 12 maggio 1964, e questa, strano a dirsi, è anche la sua data di nascita, secondo l'annuario legale Martindale-Hubbel. Dice che lei è nato a Memphis lo stesso giorno. Eddie lasciò anche una figlia, nata in California. Sono i nipoti di Sam. Cercherò di mettermi in contatto con loro, se...»

«Eddie Cayhall era mio padre» sbottò Adam, e trasse un respiro profondo. Si lasciò andare sulla sedia e fissò il piano della scrivania. Il cuore gli batteva all'impazzata, ma almeno riusciva di nuovo a respirare. Il peso che gli gravava sulle spalle si era alleggerito. Riuscì addirittura ad accennare un sorriso.

Mann rimase impassibile. Riflettè per lunghi istanti, poi disse con una sfumatura di soddisfazione: «L'avevo immaginato». Ricominciò a girare i fogli come se il fascicolo contenesse ancora parecchie sorprese. «Sam è sempre stato molto solo, e mi sono domandato spesso perché i suoi si comportano così. Riceve qualche lettera, ma quasi nessuna dei familiari. Non ha mai visitatori, e per la verità non ci tiene. Ma è insolito che un condannato così famoso venga ignorato dalla famiglia. Soprattutto un bianco. Non voglio essere indiscreto, sia chiaro.»

«Capisco.»

Lucas sorvolò sulla risposta. «Dobbiamo fare i preparativi per l'esecuzione, signor Hall. Per esempio, dobbiamo sapere cosa fare del cadavere. Le disposizioni per il funerale e tutto il resto. La famiglia deve intervenire. Ieri, dopo aver parlato con Garner, ho chiesto ai nostri colleghi di Jackson di rintracciare la famiglia. È stato molto semplice. Hanno controllato anche i suoi dati e hanno subito scoperto che nello stato del Tennessee non risulta la nascita di Adam Hall il 12 maggio 1964. E una cosa ha portato all'altra. Non è stato difficile.»

«Non ho più intenzione di nascondermi.»

«Quando ha saputo la verità?»

«Nove anni fa. Mia zia, Lee Booth, me lo disse dopo i funerali di mio padre.»

«Ha mai avuto contatti con Sam?»

«No.»

Lucas chiuse il fascicolo e si assestò sulla sedia cigolante. «Quindi Sam non sa chi è lei e perché è venuto?»

«Proprio così.»

«Accidenti.» Lucas emise un fischio e alzò gli occhi al soffitto.

Adam si calmò un po' e si raddrizzò sulla sedia. Ormai era fatta, e se non fosse stato per Lee e i suoi timori di essere scoperta, si sarebbe sentito completamente a suo agio. «Per quanto tempo posso parlare con Sam, oggi?» chiese.

«Ecco, signor Hall...»

«Mi chiami Adam.»

«Certo, Adam. Per il Braccio abbiamo due serie di regole.»

«Mi scusi, ma una guardia al cancello mi ha detto che il braccio della morte non esiste.»

«Non esiste ufficialmente. Non sentirà mai le guardie o il personale parlarne se non come Massima Sicurezza o Msu o Unità 17. Comunque, quando un condannato del Braccio si avvicina alla fine, allentiamo un po' le regole. Normalmente un colloquio con l'avvocato è limitato a un'ora al giorno. Ma nel caso di Sam può avere a disposizione tutto il tempo necessario. Immagino che avrete molte cose da dirvi.»

«Quindi non ci saranno limiti di tempo?»

«No. Può restare anche tutto il giorno, se vuole. Negli ultimi giorni cerchiamo di rendere le cose più facili. Potrà andare e venire in libertà purché non ci siano rischi per la sicurezza. Sono stato nel braccio della morte in altri cinque stati e, mi creda, il nostro trattamento è il migliore. Diavolo, nella Louisiana tolgono il poveraccio dalla sua unità e per tre giorni lo mettono in quella che viene chiamata Casa della Morte prima di ucciderlo. È una crudeltà. Noi non lo facciamo. Sam avrà un trattamento speciale fino al gran giorno.»

«Il gran giorno?»

«Già. Fra quattro settimane da oggi, non lo sa? L'8 agosto.»

Lucas prese alcune carte dall'angolo della scrivania e le porse ad Adam. «È arrivata questa mattina. Il Quinto Distretto ha revocato la sospensione ieri pomeriggio. La Corte Suprema del Mississippi ha fissato per l'8 agosto la nuova data dell'esecuzione.»

Adam tenne in mano i fogli senza guardarli. «Quattro settimane» mormorò sbigottito.

«Sì, purtroppo. Un'ora fa ne ho portato una copia a Sam, e quindi è di pessimo umore.»

«Quattro settimane» ripeté Adam, come se parlasse a se stesso. Diede un'occhiata alla motivazione della Corte Suprema. La causa era intestata *Sam Cayhall contro lo Stato del Mississippi*. «È meglio che vada a parlargli, non le sembra?» chiese senza riflettere.

«Già. Stia a sentire, io non sono uno dei cattivi, d'accordo?» Lucas si alzò adagio, sedette sul bordo della scrivania. Incrociò le braccia e guardò Adam. «Faccio semplicemente il mio lavoro, è chiaro? Sarò coinvolto perché devo sorvegliare questo posto e assicurarmi che tutto sia fatto legalmente, secondo le regole. Non mi divertirò per niente. Ci saranno momenti tremendi e stressanti, e tutti mi chiameranno al telefono: il direttore, i suoi assistenti, la procura generale, il governatore, lei e altri cento. E mi troverò preso in mezzo, anche se non lo voglio. È l'aspetto più spiacevole del mio lavoro. Vorrei farle capire che sarò qui a sua disposizione, se avrà bisogno di me, d'accordo? E con lei sarò sempre imparziale e sincero.»

«Crede che Sam mi permetterà di rappresentarlo?»

«Sì, credo di sì.»

«Quante probabilità ci sono che l'esecuzione avvenga fra quattro settimane?»

«Il cinquanta per cento. Non si sa mai cosa faranno le corti all'ultimo momento. Cominceremo i preparativi fra una settimana. C'è un lungo elenco di cose che dobbiamo fare.»

«Una specie di programma di morte.»

«Più o meno. Non creda che la cosa ci diverta.»

«Immagino che tutti, qui, facciano semplicemente il loro dovere, giusto?»

«È la legge di questo stato. Se la nostra società vuole uccidere i criminali, qualcuno deve pur farlo.»

Adam mise nella borsa la sentenza della Corte Suprema e si alzò. «Grazie per l'ospitalità.»

«Non è niente. Dopo che avrà parlato con Sam, avrò bisogno di sapere com'è andata.»

«Le manderò una copia della procura, se Sam la firmerà.»

«Sarà sufficiente.»

Si strinsero la mano e Adam si avviò verso la porta.

«Un'altra cosa» disse Lucas. «Quando porteranno Sam nel parlatorio, dica alle guardie di levargli le manette. Li avvertirò io. Per Sam sarà molto importante.»

«Grazie.»

«Buona fortuna.»

9

La temperatura era salita almeno di cinque gradi quando Adam uscì dall'ufficio e passò accanto ai due detenuti che continuavano a spazzare la stessa polvere con gli stessi movimenti svogliati. Si fermò sui gradini e per un momento osservò un gruppo di altri detenuti che raccoglievano i rifiuti lungo l'autostrada, a meno di cento metri di distanza. Erano sorvegliati da una guardia armata a cavallo. Il traffico scorreva senza rallentamenti. Adam si chiese quali reati avevano commesso per poter lavorare fuori dalle recinzioni, così vicino a un'autostrada. Sembrava che la cosa non interessasse a nessuno, tranne lui.

Tornò alla macchina. Era già sudato quando aprì la portiera e accese il motore. Seguì il viale che attraversava il parcheggio dietro l'ufficio di Mann, e svoltò a sinistra sulla strada principale del carcere. Passò davanti ad altre casette bianche con fiori e alberi sul prato davanti all'ingresso. Era una piccola comunità molto civile. Un cartello con una freccia indicava, sulla sinistra, l'Unità 17. Svoltò a passo d'uomo e in pochi secondi si trovò su una strada sterrata che portava a una recinzione robusta e ai fili metallici taglienti.

Il Braccio di Parchman era stato costruito nel 1954 e chiamato ufficialmente Unità di Massima Sicurezza, Msu. L'inevitabile targa fissata a un muro interno elencava la data, il nome del governatore allora in carica e quelli di vari personaggi importanti e ormai dimenticati che contribuirono in qualche modo alla costruzione e, naturalmente, anche i nomi dell'architetto e dell'impresa edile. Era il massimo della modernità, per quei tempi. Un edificio di mattoni rossi a un solo piano, con il tetto piatto, che si estendeva in due lunghi rettangoli.

Adam parcheggiò nello spiazzo di terra battuta fra altre due macchine e guardò l'Unità 17. Dall'esterno non si vedevano sbarre. Non c'erano guardie di ronda. Se non fosse stato per il filo spinato e le recinzioni, avrebbe potuto passare per una scuola elementare di periferia. In un cortile circondato da sbarre, in fondo a una delle ali, un detenuto solitario faceva rimbalzare una palla da basket su un campo privo di erba e la lanciava contro un tabellone sbilenco.

La recinzione che stava davanti ad Adam era alta almeno tre metri e mezzo e alla sommità era coronata da avvolgimenti di filo spinato e di minaccioso filo tagliente. Si estendeva in linea retta fino all'angolo, dove sorgeva una torretta con le guardie. La recinzione circondava il Braccio sui quattro lati con notevole simmetria, e in ogni angolo stava una torretta identica, con una postazione a vetri in cima. Appena al di là della recinzione incominciavano i campi che sembravano estendersi all'infinito. Il Braccio era al centro di una piantagione di cotone.

Adam scese dalla macchina, provò un inatteso attacco di claustrofobia, e strinse il manico della cartella mentre fissava attraverso la rete metallica il piccolo edificio piatto dove uccidevano gli esseri umani. Si tolse lentamente la giacca e si accorse che la camicia era già macchiata di sudore e incollata alla pelle. Il nodo allo stomaco era ricomparso, ancora più tenace. I primi passi verso la guardiola furono lenti e impacciati, soprattutto perché aveva le gambe malferme e gli tremavano le ginocchia. Gli eleganti mocassini con le nappe erano impolverati quando si fermò sotto la torretta e alzò gli occhi. Una zelante donna in uniforme stava calando con una corda un secchio rosso, del tipo usato per lavare le macchine. «Metta le chiavi nel secchio» spiegò sporgendosi dalla ringhiera. Il filo spinato che sovrastava la recinzione era un metro e mezzo sotto di lei.

Adam obbedì. Mise le chiavi nel secchio, dove c'era già una decina di altri portachiavi. La donna lo ritirò e Adam lo guardò salire per qualche secondo e poi fermarsi, restare sospeso in aria: la guardia doveva aver legato la corda. Se ci fosse stato un po' di brezza avrebbe oscillato, ma in quel vuoto soffocante c'era appena l'aria per respirare. I venti non soffiavano da anni.

La guardia aveva finito di occuparsi di lui. Qualcuno, chissà dove, premette un pulsante o tirò una leva. Si sentì un ronzio e il primo di due grandi cancelli di rete metallica cominciò a scostarsi di qualche decina di centimetri per farlo passare. Adam procedette per cinque metri sul viottolo sterrato e si fermò mentre il primo cancello si chiudeva dietro di lui. Stava imparando la prima regola fondamentale della sicurezza carceraria: ogni entrata protetta ha sempre due porte o due cancelli ben chiusi.

Quando il primo cancello si bloccò alle sue spalle, il secondo si mosse e scivolò lungo la recinzione. Intanto una guardia dal corpo tarchiato e braccia grosse quanto le gambe di Adam comparve sulla soglia dell'Unità e s'incamminò lungo il viottolo di mattoni. Aveva pancia robusta e collo taurino, e si fermò ad attendere Adam, che a sua volta attendeva al cancello.

L'uomo tese un'enorme mano nera e disse: «Sergente Packer». Adam gliela strinse e notò subito i lucidi stivali neri da cowboy del sergente Packer.

«Adam Hall» rispose, sforzandosi di stringergli tutta la mano.

«È qui per vedere Sam» dichiarò Packer.

«Sì, signore» rispose Adam, e si chiese se tutti, lì, lo chiamavano semplicemente Sam.

«È la sua prima visita?» Si avviarono a passo lento verso la facciata della costruzione.

«Sì» disse Adam guardando le più vicine finestre aperte. «Sono tutti condannati a morte?» chiese.

«Già. Adesso ne abbiamo quarantasette. Ne abbiamo perso uno la settimana scorsa.»

Erano quasi arrivati alla porta. «Perso uno?»

«Già. La Corte Suprema ha commutato la condanna, e lo abbiamo trasferito con i detenuti comuni. Devo perquisirla.» Erano alla porta e Adam si guardò intorno nervosamente per vedere dove intendeva condurlo Packer per perquisirlo.

«Allarghi un po' le gambe» disse Packer prendendogli la cartella per posarla sul cemento. I mocassini con le nappe erano come incollati al suolo. Sebbene gli girasse la testa e in quell'orribile momento non fosse nel pieno possesso delle sue facoltà, non ricordava che qualcuno gli avesse mai chiesto di allargare le gambe.

Ma Packer era un esperto. Diede dei colpetti intorno ai calzini, fece salire le mani con delicatezza fino alle ginocchia che tremavano, poi intorno alla vita, tutto in un attimo. La prima perquisizione di Adam finì fortunatamente in pochi secondi, quando il sergente Packer gli passò le mani sotto le braccia come se lui potesse portare una fondina con una pistola. Poi affondò la mano destra nella cartella prima di renderla. «Non è la giornata migliore per parlare con Sam» disse.

«L'ho saputo» rispose Adam, e si ributtò la giacca sulla spalla. Si girò verso la porta di ferro come se fosse venuto il momento di entrare nel Braccio.

«Da questa parte» borbottò Packer. Scese sull'erba e s'incamminò verso l'angolo. Adam lo seguì obbediente lungo un altro viottolo di mattoni rossi fino a una porta molto comune fiancheggiata da erbacce e priva di targhette o simboli.

«Cos'è?» chiese Adam. Ricordava vagamente la descrizione fattagli da Goodman, ma al momento i particolari erano confusi.

«Il parlatorio.» Packer tirò fuori una chiave e aprì. Adam si guardò intorno prima di entrare e cercò di orientarsi. La porta era vicina alla sezione centrale dell'Unità: forse i guardiani e gli amministratori non volevano gli avvocati fra i piedi a curiosare. Perciò la porta comunicava direttamente con l'esterno.

Respirò a fondo ed entrò. Non c'erano altri avvocati venuti a parlare con i loro clienti, e per Adam fu un conforto. L'incontro poteva diventare burrascoso e anche sconvolgente, e preferiva che si svolgesse in privato. Almeno per il momento la stanza era vuota. Era abbastanza grande perché più avvocati contemporaneamente potessero avere colloqui con i loro assistiti: era lunga una decina di metri e larga tre e mezzo, con il pavimento di cemento e lampade fluorescenti. La parete in fondo era di mattoni rossi con tre finestre molto in alto, come l'esterno dell'Unità. Si capiva subito che il parlatorio era stato aggiunto per un ripensamento.

Il piccolo condizionatore d'aria fissato a una finestra ronzava rabbioso ma era assai poco efficace. Il locale era diviso da un muro di mattoni e metallo: una metà spettava agli avvocati, l'altra ai clienti. Il divisorio era di mattoni fino all'altezza di un metro. Poi c'era un ripiano dove gli avvocati potevano appoggiare gli inevitabili incartamenti e blocchi per appunti. Una rete verde di robuste grate metalliche saliva dal ripiano al soffitto.

Adam si avviò a passo lento verso l'estremità girando intorno a un campionario di sedie, pezzi usati verdi e grigi provenienti da uffici governativi, del tipo pieghevole, seggiole da bar.

«Ora chiudo a chiave questa porta» avvertì Packer mentre usciva. «Andiamo a prendere Sam.» La porta sbatté e Adam rimase solo. Scelse un posto in fondo, nell'eventualità che arrivasse un altro avvocato, il quale si sarebbe piazzato senza dubbio all'estremità opposta. Così avrebbero potuto discutere di strategie con un minimo di riservatezza. Accostò una sedia al ripiano di legno, appoggiò la giacca su un'altra, prese dalla cartella il blocco per appunti, tolse il cappuccio alla penna e cominciò a rosicchiarsi le unghie. Cercò di smettere ma non ci riuscì. Lo stomaco sussultava con violenza, i piedi erano scossi da tic nervosi. Guardò oltre il divisorio e studiò la metà della stanza riservata ai detenuti: lo stesso ripiano di legno, lo stesso assortimento di vecchie sedie. Al centro dello schermo di fronte a lui c'era un'apertura, dieci centimetri per venticinque. Attraverso quella si sarebbe trovato faccia a faccia con Sam Cayhall.

Attese nervosissimo, ripetendosi di stare calmo, di non agitarsi. Scarabocchiò qualcosa sul blocco, ma non riuscì a leggerlo. Si rimboccò le maniche. Si guardò intorno per scoprire eventuali microfoni o telecamere nascosti, ma la stanza era così semplice e modesta che era impossibile immaginare qualcuno occupato a origliare. Se il sergente Packer era un esempio tipico, il personale era pressoché indifferente.

Studiò le sedie vuote ai due lati dello schermo e si chiese quanti disperati, nelle ultime ore di vita, si erano incontrati lì con i loro avvocati desiderando sentire qualche parola di speranza. Quante suppliche erano passate attraverso lo schermo mentre l'orologio ticchettava inesorabile? Quanti avvocati si erano seduti dove ora stava lui e avevano detto ai loro assistiti che non c'era più niente da fare e che ci sarebbe stata l'esecuzione? Era un pensiero doloroso, ma contribuì a calmarlo. Non era il primo che veniva lì e non sarebbe stato l'ultimo. Era un avvocato, ben preparato, sveglio, intelligente, e si era presentato con l'appoggio delle formidabili risorse di Kravitz & Bane. Avrebbe potuto svolgere il suo lavoro. A poco a poco cessò il tremito alle gambe e lui smise di rosicchiarsi le unghie.

Una serratura scattò facendolo sussultare. La porta si aprì lentamente e un giovane bianco, una guardia carceraria, entrò nella metà dello stanzone riservata ai detenuti. Dietro di lui, con una tuta rosso vivo e le manette, apparve Sam Cayhall. Si guardò intorno con aria truce, sbirciò attraverso la rete e finalmente vide Adam. Un'altra guardia che lo seguiva lo prese per il gomito e lo condusse davanti al suo nuovo avvocato. Sam era magro, pallido, di quindici centimetri più basso delle due guardie, che però davano l'impressione di trattarlo con una certa soggezione.

«Lei chi è?» sibilò Sam ad Adam, che in quel momento si mordicchiava un'unghia.

Una delle guardie tirò una sedia dietro Sam, l'altro lo fece sedere. Sam appoggiò le mani ammanettate sul ripiano e fissò Adam. I guardiani indietreggiarono. Stavano per uscire quando Adam chiese: «Potete levargli le manette, per favore?»

«No, signore. Non possiamo.»

Adam deglutì. «Toglietele, d'accordo? Resteremo qui per un po'» disse, sfoggiando una certa energia. I guardiani si scambiarono un'occhiata come se fosse una richiesta inaudita. Poi uno di loro tirò fuori la chiave e tolse le manette.

Sam non si lasciò impressionare. Continuò a guardare cupo Adam attraverso l'apertura nello schermo, mentre gli altri due uscivano. La porta sbatté, la serratura si chiuse con uno scatto metallico.

Erano soli, nella versione Cayhall di una riunione di famiglia. Il condizionatore sferragliava e sibilava; e per un lungo minuto quelli furono gli unici suoni. Per quanto si sforzasse, Adam non riusciva a guardare Sam negli occhi per più di due secondi. Per darsi un contegno cominciò a prendere appunti sul blocco, e mentre numerava le righe sentiva lo sguardo bruciante di Sam.

Alla fine, gli porse un biglietto da visita attraverso l'apertura. «Mi chiamo Adam Hall. Sono un avvocato di Kravitz & Bane di Chicago e Memphis.»

Sam prese il biglietto e lo esaminò pazientemente, davanti e dietro. Adam osservava ogni movimento. Le dita erano grinzose, gialle di fumo. La faccia era pallida e l'unica nota di colore era il sale-e-pepe della barba di cinque giorni. I capelli erano lunghi, grigi e untuosi, pettinati austeramente all'indietro. Adam pensò che non assomigliava affatto alle immagini cristallizzate della sua videocassetta. Non somigliava neppure alle ultime foto conosciute, scattate durante il processo del 1981. Ormai era vecchio, con la pelle slavata e delicata e un reticolo di rughe sottili intorno agli occhi. La fronte era segnata da solchi profondi, incisi dall'età e dall'angoscia. La sola cosa attraente erano i penetranti occhi color indaco che in quel momento si sollevavano dal biglietto. «Voi ebrei non vi arrendete mai, vero?» commentò in tono tranquillo, senz'ombra di collera.

«Non sono ebreo» rispose Adam ricambiando lo sguardo con fermezza.

«Allora com'è possibile che lavori per Kravitz & Bane?» chiese Sam posando il biglietto. Parlava adagio, a voce bassa, con la pazienza di un uomo che ha passato nove anni in solitudine in una cella di due metri per tre.

«È uno studio che rispetta il principio della pari opportunità.»

«Molto bello. Tutto corretto e legale, immagino. In piena ottemperanza di tutte le decisioni sui diritti civili e le benintenzionate leggi federali.»

«Certo.»

«Quanti soci ci sono nello studio Kravitz & Bane, adesso?»

Adam si strinse nelle spalle. Il numero cambiava da un anno all'altro. «Più o meno centocinquanta.»

«Centocinquanta soci. E quante sono le donne?»

Adam esitò mentre cercava di fare il conto. «Non lo so, per dire la verità. Probabilmente una decina.»

«Una decina» ripeté Sam muovendo appena le labbra. Teneva le dita intrecciate, le mani immobili. Non batteva neppure le palpebre. «Quindi meno del dieci per cento dei soci sono donne. Quanti sono i soci negri?»

«Non potremmo chiamarli neri?»

«Oh, certo, ma ormai anche questo è un termine superato. Adesso vogliono essere chiamati afro-americani. Senza dubbio lei è abbastanza politicamente corretto da saperlo.»

Adam annuì ma non rispose.

«Quanti soci afro-americani avete?»

«Quattro, mi pare.»

«Meno del tre per cento. Ahi, ahi. Kravitz & Bane, la grande roccaforte della giustizia civile e della politica progressista, in realtà discrimina gli afro-americani e le donne americane. Sono senza parole.»

Adam scribacchiò sul blocco una frase illeggibile. Avrebbe potuto ribattere, naturalmente, che le donne erano quasi un terzo degli associati e che lo studio faceva il possibile per assumere i migliori studenti negri. Avrebbe potuto spiegare che Kravitz & Bane era stato citato per discriminazione alla rovescia da due maschi bianchi che avevano visto sfumare l'assunzione all'ultimo momento.

«Quanti soci ebrei americani avete? L'ottanta per cento?»

«Non lo so. Per me non ha importanza.»

«Ma ne ha per me. Mi ha sempre imbarazzato l'idea di essere assistito da ipocriti come quelli.»

«Molti lo riterrebbero appropriato.»

Sam frugò nell'unica tasca visibile della tuta e prese un pacchetto azzurro di Montclair e un accendino. La tuta era sbottonata fino a metà del petto, e lasciava intravedere folti peli grigi. Il tessuto era cotone molto leggero. Adam non riusciva a immaginare come fosse possibile vivere in quel posto senza l'aria condizionata.

Sam accese la sigaretta e lanciò verso il soffitto uno sbuffo di fumo. «Credevo di aver chiuso con voialtri.»

«Non è stato lo studio a mandarmi. L'ho voluto io.»

«Perché?»

«Non lo so. Lei ha bisogno di un avvocato e...»

«Perché è tanto nervoso?»

Adam smise di rosicchiarsi le unghie e di picchiettare i piedi sul pavimento. «Non sono nervoso.»

«Sì che lo è. Ho visto tanti avvocati, qui dentro, ma nessuno nervoso come lei. Cosa c'è, figliolo? Ha paura che sfondi lo schermo e le salti alla gola?»

Adam borbottò e si sforzò di sorridere. «Non dica sciocchezze. Non sono nervoso.»

«Quanti anni ha?»

«Ventisei.»

«Ne dimostra ventidue. Quando ha finito la law school?»

«L'anno scorso.»

«Magnifico. Quei bastardi ebrei hanno mandato un novellino per salvarmi. Lo sapevo da un pezzo che in segreto mi vogliono morto, e questo lo dimostra. Ho ucciso qualche ebreo, e adesso loro vogliono uccidermi. Avevo ragione.»

«Ammette di aver ucciso i gemelli Kramer?»

«Che razza di domanda è? La giuria ha detto che li ho uccisi. Per nove anni le corti d'appello hanno ripetuto che la giuria aveva deciso secondo giustizia. È l'unica cosa che conta. Chi diavolo è lei per farmi domande del genere?»

«Lei ha bisogno di un avvocato, signor Cayhall. Sono qui per aiutarla.»

«Ho bisogno di tante cose, figliolo, ma di sicuro non ho bisogno dei consigli di un novellino pieno di buoni propositi. È pericoloso, figliolo, e lei è troppo ignorante per saperlo.» Anche questa volta parlò lentamente, senza emozioni. Teneva la sigaretta fra l'indice e il medio della destra e faceva cadere con noncuranza la cenere in un mucchietto ordinato dentro un portacenere di plastica. Ogni tanto batteva le palpebre. La sua faccia non rivelava il minimo sentimento.

Adam prese qualche appunto del tutto superfluo, poi tentò ancora di guardare Sam negli occhi attraverso l'apertura. «Senta, signor Cayhall, sono avvocato e da un punto di vista morale sono fermamente contrario alla pena di morte. Sono istruito e ben preparato, conosco bene le controversie dell'Ottavo Emendamento, e posso esserle d'aiuto. Sono qui per questo. Gratis.»

«Gratis» ripeté Sam. «Molto generoso. Si rende conto, figliolo, che ricevo almeno tre offerte la settimana da parte di avvocati che vogliono rappresentarmi gratis? Grossi avvocati. Avvocati famosi. Avvocati ricchi. Alcuni sono veri serpenti. Tutti disposti a sedersi dove adesso è seduto lei, a presentare tutte le mozioni e gli appelli dell'ultimo minuto, concedere interviste, rincorrere le telecamere, tenermi la mano durante le ultime ore, assistere mentre mi gassano e poi tenere un'altra conferenza stampa, firmare un contratto per un libro o un film o magari una miniserie televisiva sulla vita e i tempi di Sam Cayhall, un autentico assassino del Klan. Vede, figliolo, sono famoso, e ciò che ho fatto è entrato nella leggenda. E dato che stanno per uccidermi, diventerò ancora più famoso. Perciò gli avvocati vogliono assistermi. Valgo un sacco di soldi. Questo è un paese marcio, no?»

Adam scosse la testa. «Io non cerco niente di simile, le assicuro. Sono pronto a metterlo per iscritto. Firmerò un impegno di riservatezza assoluta.»

Sam ridacchiò. «Bene, e chi lo farà rispettare quando non ci sarò più?»

«La sua famiglia» rispose Adam.

«Lasci perdere la mia famiglia» ribatté Sam in tono deciso.

«Le mie motivazioni sono oneste, signor Cayhall. Il mio studio legale l'ha rappresentata per sette anni, e so quasi tutto del suo caso. E ho fatto molte ricerche.»

«Benvenuto a bordo. Centinaia di giornalisti imbecilli hanno esaminato anche la mia biancheria. C'è tanta gente che sa molte cose di me, sembra, ma tutto questo, anche messo insieme, non mi è di nessuna utilità. Mi restano quattro settimane. Lo sa?»

«Ho una copia del parere.»

«Quattro settimane e poi mi gasseranno.»

«Quindi mettiamoci al lavoro. Le do la mia parola che non parlerò con la stampa senza la sua autorizzazione, che non ripeterò mai niente di ciò che mi dirà, e che non firmerò contratti per libri o film. Lo giuro.»

Sam accese un'altra sigaretta e fissò il ripiano. Si massaggiò delicatamente la tempia destra con il pollice, accostando la sigaretta ai capelli. Per lunghi istanti l'unico suono fu il gorgoglio affaticato del condizionatore. Sam fumava con lo sguardo fisso. Adam scarabocchiava sul blocco. Era fiero di sé perché riusciva a tenere i piedi immobili e lo stomaco non gli doleva più. C'era un silenzio imbarazzato e aveva la sensazione, corrispondente al vero, che Sam fosse capace di star seduto a fumare e riflettere in silenzio per giorni interi.

«Conosce il caso Barroni?» chiese all'improvviso Sam senza alzare la voce.

«Barroni?»

«Sì, Barroni. È stato deciso la settimana scorsa dal Nono Distretto. Un caso avvenuto in California.»

Adam si lambiccò il cervello cercando di ricordare il caso Barroni. «Può darsi che abbia visto la sentenza.»

«Può darsi che l'abbia vista? È molto preparato, molto colto, e così via, e può darsi che abbia visto il caso Barroni? Che razza di avvocato incapace è, lei?»

«Non sono un avvocato incapace.»

«Giusto, giusto. E Texas contro Eekes? Quello l'avrà letto senz'altro.»

«Quando è stata emessa la sentenza?»

«Meno di sei settimane fa.»

«Quale tribunale?»

«Il Quinto Distretto.»

«Per l'Ottavo Emendamento?»

«Non dica stupidaggini» borbottò Sam in tono di sincero disgusto. «Crede che passi il tempo a leggere sentenze sulla libertà di parola? Questo sono io, figliolo, e questi sono i polsi e le caviglie che legheranno con le cinghie. E questo è il naso che aspirerà il veleno.»

«No. Non ricordo il caso Eekes.»

«Cos'ha letto?»

«Tutti i casi importanti.»

«Ha letto il caso Barefoot?»

«Certo.»

«Me ne parli.»

«Cos'è, un programma di quiz?»

«È tutto quello che voglio che sia. Dov'è stato il caso Barefoot?» chiese Sam.

«Non ricordo. Ma l'intestazione completa era *Barefoot contro Estelle*, e fu un caso famoso del 1983. La Corte Suprema sentenziò che i detenuti nel braccio della morte non possono tenere nascosti validi motivi di appello per servirsene successivamente. Più o meno.»

«Oh, oh, l'ha letto davvero. Ha notato com'è strano che la stessa gente può cambiare idea tutte le volte che vuole? Ci pensi. Per due secoli la Corte Suprema degli Stati Uniti ha autorizzato le esecuzioni. Diceva che erano costituzionali, consentite dall'Ottavo Emendamento. Poi nel 1972 la Corte Suprema degli Stati Uniti ha riletto la stessa Costituzione, che non era cambiata di una virgola, e ha messo fuori legge la pena di morte. E infine nel 1976 la Corte Suprema degli Stati Uniti ha sentenziato che dopotutto le esecuzioni erano costituzionali. Lo stesso gruppo di presuntuosi con le stesse toghe nere, nello stesso palazzo di Washington. Adesso la Corte Suprema degli Stati Uniti cambia ancora una volta le regole servendosi della stessa costituzione. I reaganiani si sono stancati di leggere troppi appelli, e perciò hanno deciso di chiudere certe strade. A me sembra strano.»

«Sembra strano a tanta gente.»

«E il caso Dulaney?» chiese Sam, dopo aver tirato una lunga boccata dalla sigaretta. C'era poca aerazione e il fumo stava formando una nuvola sopra di loro.

«Dove?»

«Louisiana. L'avrà letto di sicuro.»

«Ne sono certo. Anzi, probabilmente ho letto più casi di lei; ma non sempre li imparo a memoria, a meno che non abbia intenzione di servirmene.»

«E come?»

«Nelle mozioni e negli appelli.»

«Allora si è occupato di altri casi di condanne a morte. Quanti?»

«Questo è il primo.»

«Perché la prospettiva non mi tranquillizza? Gli avvocati ebrei americani di Kravitz & Bane l'hanno mandata qui per fare esperienza con me, giusto? Per un addestramento sul campo da includere nel suo curriculum.»

«Gliel'ho già detto. Non sono stati loro a mandarmi.»

«E Garner Goodman? È ancora vivo?»

«Sì. Ha la sua età.»

«Allora non gli resta molto da vivere, vero? E Tyner?»

«Il signor Tyner sta bene. Gli riferirò che ha chiesto di lui.»

«Oh, sì, la prego. Gli dica che sento molto la sua mancanza... anzi, la mancanza di tutti e due. Diavolo, ci ho messo quasi due anni per liberarmi di loro.»

«Hanno lavorato per lei come pazzi.»

«Gli dica di mandarmi la parcella.» Sam ridacchiò fra sé. Era la prima volta che sorrideva dall'inizio del colloquio. Spense metodicamente la sigaretta nel portacenere e ne accese un'altra. «La verità, signor Hall, è che odio gli avvocati.»

«È un sentimento assai diffuso in America.»

«Gli avvocati mi hanno dato la caccia, mi hanno incriminato, accusato, perseguitato, fregato, e mi hanno mandato in questo posto. E da quando sono qui mi hanno assediato, mi hanno fregato ancora, mi hanno mentito, e adesso sono ricomparsi nella persona di un novellino zelante che non sa neppure trovare la strada per arrivare in tribunale.»

«Può darsi che l'aspetti qualche sorpresa.»

«Sarebbe una grossa sorpresa, figliolo, se sapesse distinguere il suo culo da un buco nel terreno. Sarebbe il primo buffone di Kravitz & Bane a saperlo fare.»

«Sono riusciti a evitarle la camera a gas per gli ultimi sette anni.»

«E dovrei ringraziarli? Ci sono quindici inquilini del Braccio con un'anzianità superiore alla mia. Perché adesso dovrebbe toccare a me? Sono qui da nove anni e mezzo. Treemont c'è da quattordici anni. Naturalmente è un afro-americano, e questo è sempre utile. Sa, loro hanno più diritti. È assai più difficile giustiziarne uno perché, qualunque cosa abbia fatto, è sempre colpa di qualcun altro.»

«Non è vero.»

«Come diavolo fa a sapere cosa è vero e cosa no? Un anno fa era ancora studente, portava blue-jeans stinti tutto il santo giorno, e beveva birra con i suoi amichetti idealisti. Non ha vissuto, figliolo. Non venga a dirmi cos'è vero e cosa non lo è.»

«Allora è favorevole a rapide esecuzioni per gli afro-americani?»

«A essere sincero, non sarebbe una cattiva idea. Anzi, quasi tutti quei delinquenti meritano la camera a gas.»

«Sono sicuro che questa è un'opinione di minoranza nel braccio della morte.»

«Può ben dirlo.»

«E lei, naturalmente, è diverso e non dovrebbe essere qui.»

«No, non dovrei esserci. Sono un prigioniero politico, spedito qui da un egocentrico che si è servito di me per le sue ambizioni politiche.»

«Possiamo discutere della sua innocenza o della sua colpevolezza?»

«No. Però non ho fatto quello che la giuria ha detto che ho fatto.»

«Aveva un complice? Fu qualcun altro a mettere la bomba?»

Sam si massaggiò con il dito medio le profonde rughe della fronte in un movimento che sembrava una serie di buffetti. Ma non era così. Era immerso in uno stato ipnotico profondo e prolungato. Lo stanzone dei colloqui era molto più fresco della sua cella. La conversazione era inutile, ma almeno era una conversazione con qualcuno di diverso da una guardia o un altro detenuto, invisibile nella cella accanto. Aveva intenzione di tirarla per le lunghe, di farla durare il più possibile.

Adam studiava gli appunti chiedendosi che altro dire. Per venti minuti avevano parlato, o meglio sostenuto una schermaglia senza un orientamento preciso. Intendeva affrontare la storia della loro famiglia prima di andarsene. Ma non sapeva come.

Trascorsero alcuni minuti. Non si guardavano. Sam accese un'altra Montclair.

«Perché fuma tanto?» chiese finalmente Adam.

«Preferirei morire di cancro ai polmoni. È un desiderio molto diffuso nel braccio della morte.»

«Quanti pacchetti al giorno?»

«Sono arrivato a tre. Dipende dai soldi.»

Passò un altro minuto. Sam finì la sigaretta e chiese in tono cortese: «Dove ha studiato?».

«All'università del Michigan. E prima al Peppardine.»

«Dov'è?»

«In California.»

«È cresciuto là?»

«Sì.»

«In quanti stati c'è la pena di morte?»

«Trentotto. Ma la maggioranza non la applica. Sembra che

sia molto popolare soltanto nel Profondo Sud, in Texas, in Florida e in California.»

«Sa che la nostra illustre legislatura, qui, ha cambiato la legge? Adesso possiamo morire con un'iniezione letale. È più umano. Non è bello? Per me non vale, però, perché sono stato riconosciuto colpevole anni fa. Dovrò respirare il gas.»

«Forse no.»

«Ha ventisei anni?»

«Sì.»

«È nato nel 1964.»

«Giusto.»

Sam prese un'altra sigaretta dal pacchetto e batté il filtro sul ripiano. «Dove?»

«A Memphis» rispose Adam senza guardarlo.

«Lei non capisce, figliolo. Questo stato ha bisogno di un'esecuzione, e tocca a me. Nella Louisiana, nel Texas e in Florida li ammazzano come mosche, e la brava gente di questo stato non capisce perché non viene utilizzata la nostra piccola camera a gas. Più ci sono reati violenti, e più la gente invoca le esecuzioni. Si sente meglio, perché ha l'impressione che il sistema si dia da fare per eliminare gli assassini. I politici basano le loro campagne elettorali sulle promesse di altri carceri, condanne più dure e un maggior numero di esecuzioni. Ecco perché quei buffoni, a Jackson, hanno votato per l'iniezione letale. È più umana, meno contestabile, quindi più facile da accettare. Mi segue?»

Adam annuì.

«È venuto il momento per un'esecuzione, e hanno estratto il mio numero. Ecco perché fanno tante pressioni. Non potrà evitarlo.»

«Possiamo tentare. Voglio averne la possibilità.»

Sam accese finalmente la sigaretta. Aspirò a pieni polmoni e fece uscire il fumo con un sibilo dalle labbra socchiuse. Si sporse in avanti puntellandosi sui gomiti e guardò attraverso l'apertura nella grata. «Da che parte della California viene?»

«La parte meridionale. Los Angeles.» Adam incontrò per un momento gli occhi penetranti, poi distolse lo sguardo.

«I suoi stanno ancora là?»

Una fitta dolorosa trapassò il petto di Adam, e per un secondo si sentì gelare il cuore. Sam continuò a lanciare sbuffi di fumo dalla sigaretta senza batter ciglio.

«Mio padre è morto» rispose Adam con voce scossa e si lasciò un po' andare sulla sedia.

Passò un lungo minuto di silenzio. Sam restò proteso in avanti. Alla fine chiese: «E sua madre?»

«Sta a Portland. Si è risposata.»

«Dov'è sua sorella?»

Adam chiuse gli occhi e chinò la testa. «Al college» mormorò.

«Mi pare che si chiami Carmen. Giusto?» chiese Sam a voce bassa.

Adam annuì. «Come fa a saperlo?» chiese stringendo i denti.

Sam si ritrasse dalla grata e si abbandonò sulla sedia pieghevole di metallo. Lasciò cadere la sigaretta per terra senza guardarla. «Perché sei venuto?» chiese con voce più dura e decisa.

«Come hai fatto a capire chi sono?»

«La voce. Hai la stessa voce di tuo padre. Perché sei venuto?»

«Mi ha mandato Eddie.»

I loro occhi s'incontrarono per un momento, poi Sam li abbassò. Si sporse in avanti, adagio, e si appoggiò i gomiti sulle ginocchia. Tenne lo sguardo fisso sul pavimento e restò immobile. Poi si coprì gli occhi con la mano destra.

10

Phillip Naifeh aveva sessantatré anni, e di lì a diciannove mesi sarebbe andato in pensione. Diciannove mesi e quattro giorni. Era in servizio come sovrintendente del Dipartimento Correzionale Statale da ventisette anni, e in quell'incarico era sopravvissuto a sei governatori, un esercito di legislatori dello stato, un migliaio di cause intentate dai detenuti, innumerevoli intromissioni delle corti federali e a più esecuzioni di quante gli piacesse ricordare.

Il direttore, come preferiva farsi chiamare (anche se ufficialmente quel titolo non esisteva secondo la terminologia del Codice del Mississippi), era un libanese purosangue i cui genitori erano immigrati negli anni Venti e si erano stabiliti nel Delta. Avevano raggiunto una certa agiatezza con un piccolo negozio di alimentari a Clarksdale, dove la madre era diventata famosa per i dolci libanesi fatti in casa. Naifeh aveva studiato alle scuole pubbliche, poi era andato al college, era ritornato nello stato e, per ragioni ormai dimenticate, si era trovato a lavorare nel campo della giustizia penale.

Odiava la pena di morte. Capiva perché la società la chiedeva, e molto tempo prima aveva imparato a memoria le sterili giustificazioni della sua necessità. Era un deterrente. Eliminava gli assassini. Era la pena suprema. Era biblica. Soddisfaceva l'esigenza di punizione della gente. Alleviava l'angoscia dei familiari delle vittime. Se qualcuno lo metteva alle strette, era capace di esporre tutte queste argomentazioni con la stessa persuasività di un pubblico ministero. E per la verità, a una o due ci credeva.

Ma l'onere delle esecuzioni ricadeva su di lui, e provava repulsione per quell'aspetto orribile del suo lavoro. Toccava a Phillip Naifeh accompagnare il condannato dalla cella alla Camera d'Isolamento, come veniva chiamata, per trascorrere l'ultima ora prima della morte. Toccava a Phillip Naifeh condurlo nella vicina camera a gas, e controllare mentre gli legavano con le cinghie le braccia, le gambe e la testa. «Le ultime parole?» aveva chiesto per ventidue volte in ventisette anni. Toccava a lui ordinare alle guardie di chiudere la porta della camera a gas, e fare un cenno al boia perché azionasse le leve che mescolavano il gas mortale. Aveva addirittura osservato le facce dei primi due mentre morivano; poi aveva deciso che era meglio guardare le facce dei testimoni nella stanza dietro la camera a gas. Doveva sceglierli lui quei testimoni. Doveva fare cento cose elencate in un manuale che spiegava come uccidere legalmente i detenuti del braccio della morte, incluso la constatazione dell'avvenuto decesso, il trasferimento del cadavere, l'irrorazione per rimuovere il gas dagli indumenti e così via.

Una volta aveva testimoniato davanti a una commissione legislativa a Jackson, e aveva esposto le sue opinioni sulla pena di morte. Aveva spiegato, inutilmente, di avere un'idea migliore: il suo piano consisteva nel tenere rinchiusi in isolamento gli assassini nell'Unità di Massima Sicurezza, dove non avrebbero potuto uccidere, non sarebbero evasi e non avrebbero mai potuto ottenere la libertà condizionata. Sarebbero morti nel Braccio, ma non per mano dello stato.

La sua testimonianza era finita sulle prime pagine dei giornali e per poco non gli era costata il licenziamento.

Ancora diciannove mesi e quattro giorni, pensò mentre si passava le dita tra i folti capelli grigi e leggeva adagio la recente decisione del Quinto Distretto: Lucas Mann attendeva, seduto davanti alla scrivania.

«Quattro settimane» disse Naifeh, e posò il foglio. «Quanti appelli restano?» chiese con accento strascicato.

«Il solito assortimento di tentativi dell'ultima ora» rispose Mann.

«Questo quando è arrivato?»

«Stamattina presto. Sam si appellerà alla Corte Suprema, e

probabilmente la sua istanza verrà ignorata. Dovrebbe portar via una settimana o poco più.»

«Qual è la tua opinione, avvocato?»

«A questo punto sono state sollevate tutte le questioni di merito. Direi che con cinquanta probabilità su cento succederà fra quattro settimane.»

«È parecchio tempo.»

«Qualcosa mi dice che stavolta potrebbe andare così.»

Nell'interminabile roulette della pena di morte, una probabilità del cinquanta per cento era molto vicina alla certezza. Dunque si doveva iniziare la procedura, e bisognava consultare il manuale. Dopo anni di appelli e rinvii, le ultime quattro settimane sarebbero volate in un batter d'occhio.

«Hai parlato con Sam?» chiese il direttore.

«Per pochi minuti. Questa mattina gli ho portato una copia della decisione.»

«Ieri mi ha telefonato Garner Goodman, e ha detto che avrebbero mandato uno dei loro giovani associati a parlare con Sam. Ci hai pensato tu?»

«Ho parlato con Garner, e ho parlato con l'associato. Si chiama Adam Hall e in questo momento è a colloquio con Sam. Dovrebbe essere interessante. Sam è suo nonno.»

«Cos'hai detto?»

«Hai sentito benissimo. Sam Cayhall è il nonno paterno di Adam Hall. Ieri abbiamo chiesto le solite informazioni su Hall, e abbiamo scoperto qualche vuoto. Ho chiamato l'Fbi, a Jackson, e in due ore hanno raccolto indizi in abbondanza. Questa mattina gliel'ho detto, e lui ha confessato. Ma non credo che cerchi di nasconderlo.»

«Però porta un cognome diverso.»

«È una storia lunga. Non si vedono da quando Adam era bambino. Suo padre fuggì dallo stato dopo che Sam venne arrestato per l'attentato. Si trasferì all'Ovest, cambiò nome, si spostò di qua e di là, fece vari lavori... un vero perdente, si direbbe. Nel 1981 si suicidò. Comunque, Adam ha studiato al college e ha preso ottimi voti, poi si è iscritto alla facoltà di legge dell'Università del Michigan, una delle migliori del paese, e ne ha diretto la rivista legale. È stato assunto da Kravitz

& Bane, e questa mattina è arrivato per incontrarsi con suo nonno.»

Naifeh si passò entrambe le mani fra i capelli e scosse la testa. «Meraviglioso! Come se avessimo bisogno di altra pubblicità e di altri giornalisti idioti che fanno domande cretine.»

«In questo momento stanno parlando. Ritengo che Sam consentirà al ragazzo di rappresentarlo. Me lo auguro, anzi. Non abbiamo mai giustiziato un detenuto senza avvocato.»

«Dovremmo giustiziare qualche avvocato senza detenuto» replicò Naifeh con un sorriso forzato. Il suo odio per gli avvocati era leggendario, ma Lucas non se la prendeva. Capiva la situazione. Una volta aveva calcolato che Phillip Naifeh era stato chiamato a difendersi in un numero enorme di cause, più di chiunque altro nella storia dello stato. Si era guadagnato il diritto di detestare gli avvocati.

«Andrò in pensione fra diciannove mesi» disse, come se Lucas non lo sapesse. «A chi tocca, dopo Sam?»

Lucas rifletté per un momento e cercò di catalogare i voluminosi appelli di quarantasette detenuti. «Per la precisione, a nessuno. L'uomo delle pizze c'è andato vicino quattro mesi fa, ma ha ottenuto una sospensione. Con ogni probabilità la sospensione scadrà fra un anno o poco più, ma nel suo caso ci sono altri problemi. Credo che non ci saranno altre esecuzioni per un paio d'anni.»

«L'uomo delle pizze? Scusa, ma...»

«Malcolm Friar. Ha ucciso in una settimana tre fattorini che consegnavano le pizze. Al processo ha dichiarato che il movente non era la rapina, ma la fame.»

Naifeh alzò le mani e annuì. «Sì, sì, adesso ricordo. Sarà il prossimo dopo Sam?»

«Probabilmente. Difficile dirlo.»

«Già.» Naifeh si scostò dalla scrivania e andò alla finestra. Aveva lasciato le scarpe accanto alla sedia. Infilò le mani nelle tasche, affondò i piedi nella moquette e rifletté a fondo per qualche istante. Dopo l'ultima esecuzione era stato ricoverato in ospedale; per un leggero soffio al cuore, diceva il suo medico. Era rimasto all'ospedale per una settimana, a guardare sul monitor quel piccolo soffio al cuore, e aveva promesso alla moglie che non avrebbe più diretto un'altra esecuzione. Se riusciva a sopravvivere a Sam, sarebbe andato in pensione con il massimo.

Si voltò a guardare l'amico. «Questa volta non lo farò io, Lucas. Passerò l'incarico a un altro, uno dei miei subordinati, un uomo più giovane, fidato, che non ha mai assistito a uno di questi spettacoli e non vede l'ora di macchiarsi le mani di sangue.»

«Non alluderai a Nugent.»

«Proprio a lui. L'ex colonnello George Nugent, il mio fido assistente.»

«Quello è pazzo.»

«Sì, ma è il pazzo che ci vuole, Lucas. È un fanatico dei dettagli, della disciplina, dell'organizzazione... Diavolo, è la scelta ideale. Gli darò il manuale, gli spiegherò cosa voglio, e lui ucciderà Sam Cayhall in modo ineccepibile. Sarà perfetto.»

George Nugent era il vice-sovrintendente di Parchman. Si era fatto un nome organizzando con successo un campo per i detenuti alla prima condanna. Era un'esperienza brutale di sei settimane: Nugent andava in giro arrogante in stivali neri, imprecava come un sergente istruttore e minacciava stupri collettivi alla minima infrazione. I detenuti alla prima condanna tornavano raramente a Parchman.

«Nugent è pazzo, Phillip. È solo questione di tempo prima che faccia del male a qualcuno.»

«Appunto! Adesso hai capito. Lasceremo che faccia del male a Sam nel modo in cui deve avvenire. Secondo il manuale. Dio sa quanto piace a Nugent avere un manuale da seguire. È la scelta ideale, Lucas. Sarà un'esecuzione impeccabile.»

A Lucas Mann non importava molto. Scrollò le spalle e disse: «Il capo sei tu».

«Grazie» rispose Naifeh. «Basta che tieni d'occhio Nugent, d'accordo? Io lo terrò d'occhio da qui, e tu stai attento ai dettagli legali. Ce la caveremo benissimo.»

«Sarà la più sensazionale esecuzione che ci sia capitata» commentò Lucas.

«Lo so. Devo aver cura di me stesso. Ormai sono vecchio.»

Lucas prese la pratica dalla scrivania e si avviò alla porta. «Ti chiamerò dopo che Hall se ne sarà andato. Deve passare da me, prima di ripartire.»

«Mi piacerebbe conoscerlo» disse Naifeh.

«È un bravo ragazzo.»

«Strana famiglia, uhm.»

Il bravo ragazzo e il nonno condannato avevano passato un quarto d'ora in silenzio. L'unico suono era lo sferragliare molesto del condizionatore. A un certo punto Adam si era avvicinato al muro e aveva agitato la mano davanti al bocchettone impolverato. Mandava un soffio di aria fresca appena percepibile. Poi si era appoggiato al ripiano a braccia conserte e aveva guardato la porta, lontano il più possibile da Sam. Stava ancora guardando quando la porta si aprì e si affacciò il sergente Packer. Era venuto a controllare se tutto andava bene, disse, e guardò prima Adam poi, oltre la grata, Sam, che stava seduto, proteso in avanti, con una mano sulla faccia.

«Sì, va tutto bene» lo tranquillizzò Adam senza troppa convinzione.

«D'accordo» disse Packer, e richiuse la porta in fretta. La serratura scattò e Adam tornò verso la sedia a passo lento, l'accostò alla grata e si appoggiò sui gomiti. Sam lo ignorò per un paio di minuti; si asciugò gli occhi con la manica e si raddrizzò sulla sedia. Si guardarono.

«Dobbiamo parlare» esordì Adam a voce bassa.

Sam annuì ma non disse nulla. Si asciugò di nuovo gli occhi, con l'altra manica. Prese una sigaretta e se la mise fra le labbra. La mano che reggeva l'accendino tremava. Aspirò in fretta.

«Dunque sei proprio Alan» disse con voce bassa e rauca.

«Una volta lo ero. L'ho saputo solo dopo la morte di mio padre.»

«Sei nato nel 1964.»

«Sì.»

«Il mio primo nipote.»

Adam annuì e distolse lo sguardo.

«E sei scomparso nel 1967.»

«Qualcosa del genere. Io non ricordo, sai. I miei primi ricordi riguardano la California.»

«Sapevo che Eddie era andato in California, e che là era nata una bambina. Più tardi qualcuno mi disse che si chiamava

118

Carmen. Nel corso degli anni ho sentito dire diverse cose; sapevo che eravate nella California meridionale, ma Eddie era abilissimo a scomparire.»

«Ci spostavamo spesso, quando ero bambino. Credo che mio padre non riuscisse a conservare un posto di lavoro per molto tempo.»

«Non sapevi niente di me?»

«No. Nessuno parlava mai della famiglia. Ho scoperto la verità dopo il suo funerale.»

«Chi te l'ha detto?»

«Lee.»

Sam chiuse gli occhi con forza per un momento, poi lanciò un altro sbuffo di fumo. «Come sta?»

«Bene, credo.»

«Perché ti sei fatto assumere da Kravitz & Bane?»

«È uno studio famoso.»

«Sapevi che mi rappresentavano?»

«Sì.»

«Quindi avevi pianificato tutto?»

«Da circa cinque anni.»

«Ma perché?»

«Non lo so.»

«Devi pur avere una ragione.»

«La ragione è ovvia. Sei mio nonno, giusto? Mi piaccia o no, sei mio nonno e io sono tuo nipote. E adesso sono qui. Cosa decidiamo di fare?»

«Credo che dovresti andartene.»

«Non me ne vado, Sam. Ho passato molto tempo a prepararmi per questo.»

«Per che cosa?»

«Hai bisogno di assistenza legale. Hai bisogno di tutto. Perciò sono qui.»

«Ormai nessuno può aiutarmi. Hanno deciso di mandarmi nella camera a gas per molte ragioni. Non c'è bisogno che ti faccia coinvolgere.»

«Perché?»

«Ecco, tanto per cominciare non ci sono speranze. Finirai per soffrire, se ti romperai la schiena senza ottenere niente. Secondo punto: tutti conosceranno la tua vera identità. Sarà molto imbarazzante. Per te la vita sarà molto più facile se continuerai a essere Adam Hall.»

«Sono Adam Hall e non intendo cambiare nome. Ma sono anche tuo nipote, e questo non possiamo cambiarlo, vero? Quindi, dov'è il problema?»

«Sarà imbarazzante per la tua famiglia. Eddie aveva fatto tanto per proteggervi. Non rovinare tutto.»

«La mia copertura è già saltata. Lo studio lo sa. L'ho detto a Lucas Mann e...»

«E quel disgraziato lo racconterà a tutti. Non fidarti di lui neppure per un minuto.»

«Senti, Sam, non hai capito. Non m'importa niente che lo racconti in giro. Non m'importa se tutto il mondo viene a sapere che sono tuo nipote. Sono stufo di questi piccoli, sporchi segreti di famiglia. Non sono più un bambino, so pensare con la mia testa. Sono anche avvocato, e mi sta crescendo il pelo sullo stomaco. È una situazione che posso affrontare.»

Sam si rilassò un poco e guardò il pavimento con un piacevole sorrisetto, il sorriso che gli adulti rivolgono spesso ai bambini quando cercano di comportarsi come se fossero grandi. Borbottò qualcosa e annuì adagio. «Tu non capisci, figliolo» ripeté, questa volta in tono paziente e misurato. La voce non era più rauca.

«E allora spiegami» insistette Adam.

«Ci vorrebbe un'eternità.»

«Abbiamo quattro settimane. In quattro settimane, io e te possiamo parlare parecchio.»

«Cosa vuoi sapere, esattamente?»

Adam si sporse un po' di più, pronto a scrivere sul blocco. I suoi occhi erano a pochi centimetri dall'apertura nella grata. «Per prima cosa, voglio parlare dell'intero caso... gli appelli, le strategie, i processi, l'attentato, chi era con te quella notte...»

«Non c'era nessuno.»

«Possiamo parlarne più tardi.»

«No, parliamone subito. Ero solo, hai capito?»

«E va bene. Secondo, voglio sapere qualcosa della mia famiglia.»

«Perché?»

«Perché no? Perché tenere tutto insabbiato? Voglio sapere di tuo padre e di suo padre, dei tuoi fratelli e cugini. Forse li detesterò tutti quando sarà finita, ma ho il diritto di sapere qualcosa di loro. Per tutta la vita sono stato defraudato di queste informazioni, e voglio sapere.»

«Non c'è niente di memorabile.»

«Oh, davvero? Bene, Sam, a me pare memorabile che tu sia riuscito a entrare nel braccio della morte. Qui sono molto selettivi. Aggiungi il fatto che sei bianco, del ceto medio, quasi settantenne, e la cosa diventa ancora più memorabile. Voglio sapere come e perché sei finito qui. Chi ti ha indotto a fare certe cose? Quanti membri del Klan c'erano nella mia famiglia? E perché? Quante altre persone sono state uccise nel corso degli anni?»

«E tu credi che spiffererò tutto?»

«Sì, lo credo. Ti deciderai a farlo. Sono tuo nipote, Sam, l'unico tuo parente vivo che si preoccupi per te. Parlerai, Sam. Con me, parlerai.»

«Bene, dato che diventerò tanto loquace, di che altro discuteremo?»

«Di Eddie.»

Sam respirò a fondo e chiuse gli occhi. «Non chiedi molto, vero?» disse a voce bassa. Adam scribacchiò sul blocco qualcosa di insignificante.

Era venuto il momento del rito di un'altra sigaretta e Sam lo eseguì con pazienza e attenzione anche maggiori. Un altro sbuffo di fumo azzurro andò a raggiungere la nebbia sopra le loro teste. Le sue mani erano di nuovo ferme. «Quando avremo finito con Eddie, di cosa vuoi che parliamo?»

«Non lo so. Questo dovrebbe tenerci occupati per quattro settimane.»

«E quando parleremo di te?»

«In qualunque momento.» Adam aprì la cartella e prese un fascicoletto sottile. Passò un foglio e una penna attraverso l'apertura. «È la procura per la rappresentanza legale. Firma in fondo.»

Sam non toccò il foglio e lo lesse a distanza. «E così darò di nuovo l'incarico a Kravitz & Bane.»

«In un certo senso.»

«Come sarebbe a dire, in un certo senso? Qui c'è scritto che acconsento che quegli ebrei mi rappresentino di nuovo. Ci ho messo un'eternità a liberarmi di loro e, diavolo, non li pagavo neppure.»

«Questa procura riguarda me, Sam. Non vedrai nessuno di loro, se non vorrai.»

«Non lo voglio.»

«Benissimo. Ma poiché io lavoro alle dipendenze dello studio legale, la procura dev'essere rilasciata allo studio. È molto semplice.»

«Ah, l'ottimismo dei giovani. È tutto semplice. Io sto qui, a meno di trenta metri dalla camera a gas, l'orologio continua a ticchettare su quella parete, sempre più forte, eppure tutto è semplice.»

«Firma quel maledetto pezzo di carta, Sam.»

«E poi?»

«E poi ci mettiamo al lavoro. Secondo la legge, non posso far niente per te senza la procura. Tu la firmi e cominciamo a lavorare.»

«E quale sarebbe il primo aspetto del lavoro che vorresti affrontare?»

«Riesaminare l'attentato contro lo studio di Kramer, piano piano e passo passo.»

«È già stato fatto mille volte.»

«Lo faremo ancora. Ho pronto un grosso quaderno pieno di domande.»

«Le hanno già fatte tutte quante.»

«È vero. Ma non hanno avuto risposta, non è così?»

Sam si mise il filtro fra le labbra.

«E non sono state fatte da me, vero?»

«Tu pensi che stia mentendo.»

«Stai mentendo?»

«No.»

«Però non hai raccontato tutta la storia.»

«Che differenza fa, avvocato? Hai letto il caso Bateman.»

«Sì, l'ho imparato a memoria, ed è pieno di punti deboli.»

«Ecco la tipica mentalità dell'avvocato.»

«Se ci sono nuove prove, c'è sempre un modo per presentarle. Sam, noi cerchiamo semplicemente di creare confusione, quanto basta per indurre un giudice a pensarci una seconda volta. E una terza. Allora concederà un rinvio per poterne sapere di più.»

«Conosco bene questo gioco, figliolo.»

«Adam, d'accordo? Chiamami Adam.»

«Sì, e tu chiamami nonno. Immagino che rivolgerai un appello al governatore.»

«Sì.»

Sam si spostò in avanti sulla sedia e si avvicinò alla grata. Tese indice della mano destra e indicò un punto al centro del naso di Adam. La sua faccia aveva assunto all'improvviso un'espressione dura, gli occhi erano socchiusi. «Ascoltami bene, Adam» ringhiò, continuando ad agitare l'indice. «Se firmo questo foglio, non dovrai mai parlare con quel bastardo. Mai. Hai capito?»

Adam seguì l'indice con lo sguardo ma non disse nulla.

Sam decise di continuare. «È un ipocrita, un figlio di puttana. È viscido, corrotto, e riesce a mascherarlo con un bel sorriso e un bel taglio di capelli. È lui l'unica ragione per cui adesso mi trovo nel braccio della morte. Se ti azzardi a contattarlo, in qualunque modo, non ti voglio più come avvocato.»

«Quindi sono il tuo avvocato.»

L'indice si abbassò, Sam si rilassò un poco. «Oh, posso metterti alla prova, lasciarti far pratica sulla mia pelle. Sai, Adam, la professione forense è davvero scombinata. Se fossi un uomo libero che cerca di guadagnarsi da vivere, bada agli affari suoi, paga le tasse, rispetta le leggi e così via, non riuscirei a trovare un avvocato disposto a degnarmi della sua attenzione, a meno che non avessi un pozzo di soldi. Invece eccomi qui: riconosciuto colpevole di duplice omicidio, condannato a morte, senza un soldo, ma in tutto il paese ci sono avvocati che implorano di potermi rappresentare. Avvocati ricchi e importanti con cognomi lunghissimi preceduti da iniziali e seguiti da numeri romani, avvocati famosi che hanno jet privati e programmi televisivi. Riesci a spiegarlo?»

«No, naturalmente. E non m'interessa.»

«Ti sei scelto una professione marcia.»

«In maggioranza, però, gli avvocati sono onesti e lavoratori.»

«Sicuro, e in maggioranza i miei compagni, qui nel braccio

123

della morte, sarebbero sacerdoti e missionari se non fossero stati condannati ingiustamente.»

«Il governatore potrebbe essere la nostra ultima possibilità.»

«Allora tanto vale che mi mandino subito nella camera a gas. Probabilmente quello stronzo borioso vorrà assistere all'esecuzione, e poi terrà una conferenza stampa e racconterà al mondo intero tutti i particolari. È un verme senza spina dorsale che ha fatto tanta strada sulla mia pelle. E se adesso potrà sfruttarmi ancora per il suo interesse, non esiterà a farlo. Sta lontano da lui.»

«Ne discuteremo più tardi.»

«Ne stiamo discutendo adesso, mi pare. Devi darmi la tua parola prima che firmi questo foglio.»

«Altre condizioni?»

«Sì. Voglio aggiungere una clausola, così se deciderò di revocarti la procura tu e il tuo studio non potrete opporvi. Dovrebbe essere facile.»

«Proviamo.»

Il foglio fu fatto passare di nuovo attraverso l'apertura e Adam aggiunse in calce un paragrafo in stampatello, poi lo restituì a Sam che lo lesse con attenzione e lo posò sul ripiano.

«Non l'hai firmato» commentò Adam.

«Ci sto ancora pensando.»

«Posso fare qualche domanda, mentre ci pensi?»

«Prova.»

«Dove avevi imparato a maneggiare gli esplosivi?»

«Un po' qua e un po' là.»

«Ci furono almeno cinque attentati prima di quello contro Kramer, e tutti erano molto rudimentali: dinamite, detonatori, micce. Il caso Kramer fu diverso perché venne usato un congegno a orologeria. Chi ti aveva insegnato a fabbricare le bombe?»

«Hai mai acceso un mortaretto?»

«Certo.»

«Il principio è lo stesso. Accendi la miccia con un fiammifero, scappi come se avessi il diavolo alle calcagna e... bum!»

«Il congegno a orologeria è un po' più complicato. Chi ti aveva insegnato a costruirlo?»

«Mia madre. Quando hai intenzione di tornare?»

«Domani.»

«Bene. Senti cosa faremo. Ho bisogno di un po' di tempo per pensarci. Non voglio parlarne in questo momento, e soprattutto non voglio rispondere a una montagna di domande. Lasciami guardare questo documento e fare qualche modifica. Ci rivediamo domani.»

«È una perdita di tempo.»

«Ho già perso dieci anni qui dentro. Cosa può contare un giorno in più?»

«Forse non mi permetteranno di tornare se non avrò la tua procura. Questa visita è stata concessa a titolo di favore.»

«Che brava gente, eh? Digli che sei il mio avvocato per le prossime ventiquattr'ore. Ti lasceranno entrare.»

«Abbiamo molte cose da discutere, Sam. Vorrei cominciare al più presto.»

«Ho bisogno di riflettere, va bene? Quando passi più di nove anni solo in una cella, impari a pensare e ad analizzare. Ma sono cose che non puoi fare in fretta, capisci? Ci vuole tempo per chiarire le cose e metterle in ordine. In questo momento mi gira la testa, sai. È stato un grosso colpo.»

«D'accordo.»

«Domani andrà meglio. E allora potremo parlare. Te lo prometto.»

«Certo.» Adam rimise il cappuccio alla penna e l'infilò in tasca. Ripose il fascicolo nella cartella e si rilassò. «Starò a Memphis per i prossimi due mesi.»

«A Memphis? Credevo che abitassi a Chicago.»

«Abbiamo una piccola sede a Memphis. Sarà la mia base. Il numero è sul biglietto da visita. Puoi telefonarmi quando vuoi.»

«Cosa succederà quando questa storia sarà finita?»

«Non lo so. Forse tornerò a Chicago.»

«Sei sposato?»

«No.»

«E Carmen?»

«Nemmeno.»

«Com'è?»

Adam intrecciò le mani dietro la testa e contemplò la nebbia azzurrina che aleggiava sopra di loro. «È molto intelligente. Molto carina. Somiglia parecchio a sua madre.»

«Evelyn era una bella ragazza.»

«È bella anche adesso.»

«Ho sempre pensato che Eddie era stato fortunato a sposarla. Ma la sua famiglia non mi piaceva.»

E a lei non piaceva la famiglia di Eddie, pensò Adam. Sam chinò il mento fin sul petto. Si sfregò gli occhi e si pizzicò il naso. «La faccenda della famiglia richiederà un certo lavoro, no?» chiese senza guardare Adam.

«Già.»

«Forse non potrò parlare di certe cose.»

«E invece ne parlerai. Me lo devi, Sam. E lo devi a te stesso.»

«Non sai quello che dici, e non dovresti aver voglia di sapere tutto.»

«Mettimi alla prova. Sono stufo di segreti.»

«Perché vuoi sapere tante cose?»

«Per cercare di ricavarne un senso.»

«Sarà tempo perso.»

«Questo dovrò deciderlo io, non ti pare?»

Sam si appoggiò le mani sulle ginocchia e si alzò, adagio. Respirò a fondo e guardò Adam attraverso la grata. «Adesso vorrei andare.»

I loro occhi si incontravano attraverso gli stretti rombi del divisorio. «Bene» disse Adam. «Posso portarti qualcosa?»

«No. Mi basta che torni.»

«Te lo prometto.»

11

Packer chiuse a chiave la porta. Uscirono insieme dalla fascia d'ombra davanti al parlatorio e passarono nel sole accecante di mezzogiorno. Adam chiuse gli occhi e si fermò per un secondo, quindi si frugò nelle tasche alla ricerca disperata degli occhiali scuri. Packer attese paziente, con gli occhi protetti da un paio di falsi RayBan e la faccia ombreggiata dalla visiera del berretto dell'uniforme. L'aria era soffocante, così densa da essere quasi visibile. Il sudore coprì subito le braccia e il viso di Adam. Finalmente trovò gli occhiali nella borsa e li inforcò. Socchiuse le palpebre, fece una smorfia, e quando gli occhi si furono abituati seguì Packer lungo il viottolo di terra battuta e l'erba bruciata.

«È andata bene con Sam?» chiese Packer. Teneva le mani in tasca e non mostrava fretta.

«Mi pare di sì.»

«Ha fame?»

«No» rispose Adam lanciando un'occhiata all'orologio. Era quasi l'una. Non sapeva se Packer aveva intenzione di proporgli il vitto del carcere o qualcosa d'altro, ma preferiva non correre rischi.

«Peccato. Oggi è mercoledì, e ci sono cime di rapa e panini di mais. Buonissimi.»

«Grazie.» Adam era certo che, nel profondo dei suoi geni, avrebbe dovuto apprezzare le cime di rapa e i panini di mais. Il menu di quel giorno avrebbe dovuto fargli venire l'acquolina in bocca. Ma si considerava un californiano, e a quanto gli risultava non aveva mai visto le cime di rapa. «Forse la settimana prossima» disse. Non riusciva a credere che Packer gli offrisse il pranzo nel Braccio.

Arrivarono al primo cancello. Mentre si apriva Packer, senza togliere le mani dalle tasche, chiese: «Quando torna?».

«Domani.»

«Così presto?»

«Sì. Per un po' verrò spesso.»

«Be', lieto di averla conosciuta.» Packer gli rivolse un gran sorriso e si allontanò.

Mentre Adam varcava il secondo cancello, il secchio rosso cominciò a scendere. Si fermò a un metro da terra, e Adam frugò sul fondo finché non trovò le sue chiavi. Non alzò gli occhi verso la guardia.

Un minipullman bianco con le scritte ufficiali sulla portiera e sulle fiancate era in attesa accanto alla macchina di Adam. Il finestrino dalla parte del guidatore si abbassò e Lucas Mann si affacciò. «Va di fretta?»

Adam guardò di nuovo l'orologio. «Non proprio.»

«Bene. Salti su. Devo parlarle. Faremo il giro di questo posto.»

Ad Adam non interessava fare il giro del complesso carcerario ma aveva già deciso di fermarsi all'ufficio di Mann, perciò aprì la portiera e buttò la giacca e la cartella sul sedile posteriore. Per fortuna l'aria condizionata andava al massimo. Lucas, fresco e impeccabilmente inamidato, sembrava un po' fuori posto al volante di un minipullman. Si allontanò dall'Msu e si diresse verso il viale principale.

«Com'è andata?» chiese. Adam si sforzò di ricordare l'opinione di Sam su Lucas Mann. Aveva detto che non ci si poteva fidare.

«Bene, direi» rispose tenendosi volutamente sul vago.

«Lo assisterà?»

«Credo di sì. Vuole pensarci questa notte. E vuole vedermi domani.»

«Non ci sono problemi, ma domani dovrà convincerlo a firmare. Abbiamo bisogno di una sua autorizzazione scritta.»

«Domani l'avrò. Dove andiamo?» Voltarono a sinistra e si allontanarono dalla parte anteriore della prigione. Oltrepassarono l'ultima delle linde casette bianche abbellite da alberi e aiole, e procedettero in mezzo ai campi di cotone e di soia che si estendevano fino all'orizzonte.

«In nessun posto particolare. Ho pensato che potrebbe interessarle vedere qualcuna delle nostre fattorie. Dobbiamo parlare di diverse cose.»

«L'ascolto.»

«La decisione del Quinto Distretto è stata diffusa a metà mattina e abbiamo già ricevuto le telefonate di tre giornalisti. Hanno sentito l'odore del sangue, è chiaro, e vogliono sapere se potrebbe essere la fine per Sam. Ne conosco parecchi, ho avuto a che fare con loro in occasione di altre esecuzioni. Qualcuno è a posto, ma in maggioranza sono individui senza scrupoli. Comunque, tutti vogliono sapere di Sam, e chiedono se ha o no un avvocato. Si rappresenterà da solo fino alla fine? Le solite fesserie, insomma.»

In un campo sulla destra c'era un gruppo numeroso di detenuti in pantaloni bianchi e senza camicia. Lavoravano nei filari e sudavano; avevano il petto e la schiena lucidi sotto il sole bruciante. Un guardiano a cavallo armato di fucile li sorvegliava. «Cosa fanno?» chiese Adam.

«Tagliano il cotone.»

«Sono obbligati a farlo?»

«No. Sono tutti volontari. Altrimenti gli toccherebbe stare in cella tutto il giorno.»

«Sono vestiti di bianco, Sam di rosso. Vicino all'autostrada ho visto un gruppo di uomini vestiti di blu.»

«Fa parte del sistema di classificazione. Il bianco indica che sono detenuti a basso rischio.»

«Che reati hanno commesso?»

«Un po' di tutto. Droga, omicidio... molti recidivi. Ma qui si sono comportati bene, quindi sono vestiti di bianco e possono lavorare.»

Il minipullman svoltò a un incrocio, e riapparvero le recinzioni e gli avvolgimenti di filo tagliente. Sulla sinistra c'era una serie di costruzioni moderne a due piani che si diramavano da un perno centrale in tutte le direzioni. Se non ci fossero stati il filo spinato e le torri di vedetta, il complesso avrebbe potuto passare per il brutto dormitorio di un college. «Che cos'è?» chiese Adam indicando con la mano.

«L'Unità 30.»

«Quante unità ci sono?»

«Non lo so, esattamente. Continuiamo a costruire e a demolire. Una trentina.»

«Mi sembra nuova.»

«Oh, sì. Abbiamo avuto guai con le corti federali per quasi vent'anni, e quindi costruiamo come matti. Non è un segreto che il vero sovrintendente di questo posto è un giudice federale.»

«I giornalisti possono aspettare fino a domani? Devo sapere cos'ha in mente Sam. Non vorrei parlare con loro adesso, se poi domani, magari, le cose vanno male.»

«Credo di poterli tenere a bada per un giorno. Ma non aspetteranno per molto tempo.»

Passarono davanti all'ultima torre e l'Unità 30 sparì. Proseguirono per oltre tre chilometri prima che al di sopra dei campi spuntassero gli avvolgimenti di filo tagliente di un altro complesso.

«Ho parlato questa mattina con il direttore, dopo che lei è venuto da me» riprese Lucas. «Ha detto che gli piacerebbe conoscerla. Lo troverà simpatico. Sa, odia le esecuzioni. Sperava di andare in pensione fra un paio d'anni senza doversi occupare di un'altra, ma ormai è molto dubbio.»

«Mi lasci indovinare. Lui fa semplicemente il suo lavoro, giusto?»

«Qui facciamo tutti il nostro lavoro.»

«È appunto quello che intendevo. Ho l'impressione che tutti vogliano darmi pacche sulle spalle e parlarmi in tono triste di quel che succederà al povero Sam. Nessuno vuole ammazzarlo. Tutti voi state solo facendo il vostro lavoro.»

«Sono molti quelli che vogliono Sam morto.»

«Chi?»

«Il governatore e il procuratore generale dello stato. Sono sicuro che saprà già tutto del governatore; ma farà bene a tener d'occhio il procuratore generale. Naturalmente aspira a diventare governatore, un giorno. Non so perché, ma in questo stato abbiamo eletto un'infornata di politici giovani e ambiziosissimi, incapaci di stare tranquilli.»

«È un certo Roxburgh, no?»

«Sì, è lui. Adora le telecamere e prevedo che oggi pomeriggio terrà una conferenza stampa. Se non lo conosco male, si prenderà il merito della vittoria nel Quinto Distretto e prometterà di impegnarsi al massimo per far giustiziare Sam fra quattro settimane. È il suo ufficio che si occupa di queste cose. E non mi sorprenderei se anche il governatore apparisse nel telegiornale della sera per fare qualche commento. Ecco quel che intendo dire, Adam... ci saranno enormi pressioni dall'alto per fare in modo che non si abbiano altri rinvii. Vogliono che Sam muoia per i loro interessi politici. E sfrutteranno al massimo la situazione.»

Adam osservò il campo successivo mentre gli passavano accanto. Sullo spiazzo di cemento fra due costruzioni si svolgeva una partita di basket con una dozzina di giocatori per parte. Erano tutti negri. Sui bordi del campo, altri si dedicavano al sollevamento pesi. Adam notò qualche bianco.

Lucas svoltò in un'altra strada. «C'è anche un motivo diverso» continuò. «In Louisiana li ammazzano con facilità. Nel Texas quest'anno ne hanno già giustiziati sei, in Florida cinque. Noi non abbiamo un'esecuzione da più di tre anni. Secondo la gente siamo pigri e svogliati. È ora di dimostrare agli altri stati che anche noi prendiamo sul serio il buon governo. Proprio la settimana scorsa, a Jackson, una commissione legislativa ha tenuto una serie di udienze sulla questione. Ci sono state dichiarazioni indignate a proposito degli interminabili ritardi. Com'era prevedibile, si è arrivati alla conclusione che la responsabilità è delle corti federali. Si è insistito molto perché si giustiziasse qualcuno. E adesso tocca a Sam.»

«E dopo Sam?»

«Non c'è nessuno, per la verità. Può darsi che passino due anni prima che torniamo a trovarci nella stessa situazione. Gli avvoltoi volano in cerchio.»

«Perché lo dice proprio a me?»

«Non sono io il nemico, è chiaro? Sono l'avvocato del carcere, non dello stato del Mississippi. E lei non era mai venuto qui. Ho pensato che le interessasse sapere queste cose.»

«Grazie» disse Adam. Anche se le informazioni non erano state richieste, erano indubbiamente utili.

«L'aiuterò per quanto sarà possibile.»

All'orizzonte si scorgevano i tetti di alcune costruzioni. «È l'entrata del carcere?» chiese Adam.

«Sì.»

«Ecco, adesso vorrei andarmene.»

L'ufficio di Kravitz & Bane a Memphis occupava due piani del Brinkley Plaza, un palazzo degli anni Venti all'angolo di Main e Monroe Street, in centro. Main Street era conosciuta anche come Mid-America Mall. Alle macchine e ai camion era stato vietato l'accesso quando la città aveva cercato di rivitalizzare il centro e sostituito l'asfalto con piastrelle, fontane e alberi decorativi. Nel Mall potevano transitare soltanto i pedoni.

Anche il palazzo era stato restaurato con molto buon gusto. L'atrio principale era tutto marmi e bronzi. Gli uffici di Kravitz & Bane erano grandi e arredati riccamente con mobili d'antiquariato, pannelli di legno alle pareti e tappeti persiani.

Una segretaria giovane e carina accompagnò Adam nell'ufficio d'angolo di Baker Cooley, il socio dirigente. Si presentarono, si scambiarono una stretta di mano e ammirarono la segretaria mentre usciva e chiudeva la porta. Cooley sorrise maliziosamente un po' troppo a lungo e parve trattenere il respiro finché la porta si richiuse e la segretaria non fu più visibile.

«Benvenuto nel Sud» disse poi. Finalmente respirò e sedette sulla lussuosa poltroncina girevole di pelle bordeaux.

«Grazie. Immagino che avrà parlato con Garner Goodman.»

«Ieri, per due volte. Mi ha esposto la situazione. Abbiamo una piccola sala riunioni in fondo a questo corridoio, con telefono, computer e spazio in abbondanza. È a sua disposizione per... per il tempo necessario.»

Adam annuì e si guardò intorno. Cooley era sulla cinquantina, un uomo ordinato con la scrivania ben organizzata e l'ufficio lindo. Parlava e muoveva le mani rapidamente, e aveva i capelli grigi e gli occhi cerchiati di scuro come un contabile stanco. «Che tipo di lavoro fate, qui?» chiese Adam.

«Poche cause civili e nessuna penale, assolutamente» rispose Cooley come se ai criminali fosse vietato mettere i loro sudici piedi sulla folta moquette e sui tappeti raffinati dello studio. Adam ricordava le parole con cui Goodman gli aveva descritto

132

la sede di Memphis: uno studio prestigioso con dodici ottimi avvocati, ma i motivi dell'acquisizione da parte di Kravitz & Bane, avvenuta anni prima, erano ormai un mistero. Però l'indirizzo in più faceva bella figura sulla carta intestata.

«Ci occupiamo soprattutto di rapporti fra società commerciali» continuò Cooley. «Rappresentiamo diverse vecchie banche e gestiamo i prestiti obbligazionari di vari organi governativi locali.»

Un lavoro esaltante, pensò Adam.

«Lo studio nacque centoquarant'anni fa e, fra l'altro, è il più antico di Memphis. Esiste dal tempo della guerra civile. Si è scisso diverse volte, e poi si è fuso con il grosso studio di Chicago.»

Cooley espose la breve cronistoria con orgoglio come se i precedenti storici avessero qualcosa a che fare con l'esercizio dell'attività legale nel 1990.

«Quanti avvocati?» chiese Adam cercando di colmare i vuoti di una conversazione che era partita lentamente e non conduceva da nessuna parte.

«Una dozzina. Undici paralegali. Nove impiegati. Diciassette segretarie. Dieci persone nello staff di supporto. Niente male per questa parte del paese. Naturalmente non è paragonabile a Chicago.»

Quanto a questo hai ragione, pensò Adam. «Non vedo l'ora di cominciare a muovermi. Spero di non dare disturbo.»

«Per niente. Purtroppo, però, temo che non potremo esserle d'aiuto. Ci occupiamo di società, capisce, pratiche d'ufficio, burocrazia e via discorrendo. Sono vent'anni che non metto piede in un tribunale.»

«Non ha importanza. Il signor Goodman e gli altri, lassù, mi aiuteranno.»

Cooley si alzò di scatto e si fregò le mani come se non sapesse in quale altro modo adoperarle. «Bene, uhm, la sua segretaria sarà Darlene. Adesso è alla segreteria comune, ma l'ho assegnata a lei. Le consegnerà una chiave e le darà le informazioni sul parcheggio, la sicurezza, i telefoni, le copiatrici, tutto quanto. È tutto materiale nuovissimo e della qualità migliore. Se ha bisogno di un paralegale, me lo faccia sapere. Ne sottrarremo uno agli altri avvocati e...»

«Non sarà necessario, grazie.»

«Bene, allora andiamo a vedere il suo ufficio.»

Adam seguì Cooley nel corridoio deserto e silenzioso e sorrise fra sé ricordando gli uffici di Chicago. Là i corridoi erano sempre popolati da avvocati frettolosi e da segretarie indaffarate. I telefoni squillavano incessantemente, le fotocopiatrici, i fax e gli intercom trillavano e ronzavano creando un'atmosfera simile a quella di una sala giochi. Per dieci ore al giorno era un manicomio. Si poteva trovare la solitudine soltanto nelle biblioteche o negli angoli del grattacielo dove lavoravano i soci.

La sede di Memphis, invece, era silenziosa come un'impresa di pompe funebri. Cooley aprì una porta e fece scattare un interruttore. «Cosa le sembra?» chiese indicando con il braccio. Era una stanza più che dignitosa, lunga e stretta, con un bel tavolo lucidissimo al centro e cinque sedie per lato. A un'estremità era stata sistemata una postazione di lavoro improvvisata con un telefono, un computer e una poltroncina girevole. Adam si avviò a fianco del tavolo, sbirciando gli scaffali carichi di testi giuridici mai usati. Lanciò un'occhiata attraverso le tende delle finestre. «Che bella vista» commentò guardando i piccioni e la gente sul Mall, tre piani più sotto.

«Spero che le vada bene» disse Cooley.

«È molto bello e andrà benissimo. Non darò fastidio a nessuno, vedrà.»

«Sciocchezze. Se ha bisogno di qualcosa, si rivolga a me.» Cooley si avvicinò. «C'è un particolare» soggiunse aggrottando le sopracciglia con aria seria.

Adam si girò verso di lui. «Che cosa?»

«Un paio d'ore fa mi ha telefonato un giornalista di Memphis. Non lo conosco, ma ha detto che segue il caso Cayhall da anni. Voleva sapere se il nostro studio se ne occupa ancora. Gli ho consigliato di mettersi in contatto con Chicago. Naturalmente noi non c'entriamo.» Cooley prese dal taschino della camicia un foglietto e lo porse ad Adam. C'erano un nome e un numero di telefono.

«Ci penso io» si offrì Adam.

Cooley si avvicinò di un altro passo e incrociò le braccia sul petto. «Senta, Adam, lei sa che non siamo avvocati da tribunale. Ci occupiamo di società commerciali. Rendono molto bene.

Lavoriamo con la massima discrezione ed evitiamo la pubblicità, mi capisce.»

Adam annuì e non disse nulla.

«Non ci siamo mai occupati di un caso penale, in particolare di uno tanto clamoroso.»

«E non volete essere infangati, giusto?»

«Non ho detto questo. No, no. Ma qui la situazione è diversa. Non siamo a Chicago. I nostri migliori clienti sono banchieri solidi e tradizionalisti, che si affidano a noi da anni e... ecco, siamo preoccupati per la nostra immagine. Capisce cosa voglio dire?»

«No.»

«E invece ha capito. Non trattiamo con i criminali e, be', ci teniamo molto all'immagine che ci siamo costruiti qui a Memphis.»

«Non trattate con i criminali?»

«Mai.»

«Ma rappresentate diverse grosse banche?»

«Andiamo, Adam. Lei sa cosa voglio dire. È un campo della nostra attività che sta cambiando in fretta. Deregulation, fusioni, fallimenti, un settore molto dinamico del diritto. C'è una fortissima concorrenza fra i grandi studi legali e non vogliamo perdere clienti. Diavolo, tutti vorrebbero avere le banche.»

«E non volete che i vostri clienti siano contaminati dal mio?»

«Mi ascolti, Adam, lei viene da Chicago. Lasciamo che questa faccenda rimanga al suo posto, d'accordo? È un caso che riguarda Chicago, seguito da voi di lassù. Memphis non c'entra affatto, d'accordo?»

«Questa sede fa parte di Kravitz & Bane.»

«Certo, e non ha niente da guadagnare da un qualunque collegamento con un delinquente come Sam Cayhall.»

«Sam Cayhall è mio nonno.»

«Merda!» A Cooley cedettero leggermente le ginocchia e le braccia gli ricaddero lungo i fianchi. «È una bugia!»

Adam si accostò di un passo. «Non sto mentendo, e se ha obiezioni alla mia presenza qui, dovrà chiamare Chicago.»

«È terribile» mormorava Cooley indietreggiando e avviandosi verso la porta.

«Chiami Chicago.»

«Forse lo farò» disse Cooley quasi fra sé mentre apriva la porta e spariva borbottando qualcos'altro.

Benvenuto a Memphis, si disse Adam accomodandosi sulla poltroncina nuova e fissava lo schermo spento del computer. Posò il foglietto sul tavolo e guardò il nome e il numero di telefono. Fu assalito da fitte di fame e ricordò che non mangiava da parecchie ore. Erano quasi le quattro. All'improvviso si sentiva debole, stanco, affamato.

Appoggiò delicatamente i piedi sul tavolo accanto al telefono e chiuse gli occhi. Era stata una giornata confusa per l'ansia di guidare fino a Parchman e vedere il cancello d'ingresso della prigione, per l'incontro imprevisto con Lucas Mann, l'orrore di entrare nel Braccio, la paura di affrontare Sam. E adesso il direttore del carcere voleva conoscerlo, la stampa voleva curiosare, la sede di Memphis del suo studio voleva mettere tutto a tacere. E questo era accaduto in meno di otto ore.

Cosa poteva aspettarsi l'indomani?

Erano seduti sul soffice divano, e fra loro c'era una ciotola di popcorn preparato nel forno a microonde. Avevano appoggiato i piedi scalzi sul tavolino fra mezza dozzina di contenitori vuoti di specialità cinesi e due bottiglie di vino. Guardavano la televisione da sopra i piedi. Adam aveva in mano il telecomando. La stanza era al buio. Mangiava il popcorn lentamente, un granello alla volta.

Lee non si muoveva da molto tempo. Aveva gli occhi pieni di lacrime ma non parlava. La videocassetta cominciò per la seconda volta.

Adam la fermò quando Sam apparve per la prima volta, ammanettato, mentre veniva condotto dal carcere a un'udienza. «Dov'eri quando venisti a sapere che l'avevano arrestato?» chiese a Lee senza guardarla.

«Qui a Memphis» rispose lei, a voce bassa ma decisa. «Ero sposata da qualche anno, ed ero a casa. Phelps mi telefonò e disse che a Greenville c'era stato un attentato ed erano morte almeno due persone. Poteva essere stato il Klan. Mi disse di guardare il telegiornale di mezzogiorno, ma avevo paura di farlo. Qualche ora dopo telefonò mia madre e mi disse che avevano arrestato papà per l'attentato. Disse che l'avevano rinchiuso nella prigione di Greenville.»

«Come reagisti?»

«Non lo so. Ero stordita, spaventata. Eddie mi telefonò e mi disse che Sam aveva consigliato a lui e alla mamma di andare di nascosto a Cleveland per recuperare la sua macchina. Ricordo che Eddie continuava a ripetere che Sam l'aveva fatto, l'aveva fatto. Aveva ucciso un'altra volta. Piangeva. Mi misi a piangere anch'io, e ricordo che fu spaventoso.»

«Portarono via la macchina?»

«Sì. Nessuno lo seppe mai. Non saltò fuori durante i tre processi. Avevamo paura che la polizia venisse a saperlo e costringesse Eddie e la mamma a testimoniare. Invece, niente.»

«Io dov'ero?»

«Fammi pensare. Abitavate in una casetta bianca a Clanton, e sono sicura che eri là con Evelyn. Mi pare che non lavorasse, in quel periodo. Ma non ne sono sicura.»

«Che lavoro faceva mio padre?»

«Non ricordo. Per un po' di tempo lavorò come direttore di un negozio di pezzi di ricambio per auto a Clanton; cambiava sempre lavoro.»

La cassetta continuò con inquadrature di Sam che entrava e usciva scortato dalla prigione e dal tribunale. Poi c'era la notizia che era stato formalmente incriminato per i due omicidi. Adam fermò l'immagine. «Qualcuno di voi andò a trovarlo in prigione?»

«No. Almeno finché rimase a Greenville. Avevano fissato una cauzione altissima. Mi pare mezzo milione di dollari.»

«Sì, mezzo milione.»

«All'inizio la famiglia cercò di mettere insieme la somma per pagarla. Mia madre, naturalmente, voleva che convincessi Phelps a firmare un assegno; e Phelps, altrettanto naturalmente, rispose di no. Non voleva saperne. Litigammo furiosamente, ma per essere sincera non potevo dargli torto. Papà rimase in prigione. Ricordo che uno dei suoi fratelli tentò di ottenere un prestito ipotecando certi terreni, ma non ci riuscì. Eddie non voleva andare alla prigione per vederlo, e la mamma non se la sentiva. Non credo che Sam volesse che ci andassimo.»

«E noi quando lasciammo Clanton?»

Lee si sporse e prese dal tavolo il bicchiere di vino. Bevve un sorso e rifletté per un momento. «Papà era in prigione da circa un mese, credo. Un giorno presi la macchina e andai a trovare la mamma, e mi disse che Eddie parlava di trasferirsi. Non riuscivo a crederci. Mi disse che era imbarazzato e umiliato e non poteva guardare in faccia la gente. Aveva appena perduto il lavoro e non usciva più di casa. Gli telefonai, ma parlai con Evelyn. Eddie non volle venire all'apparecchio. Lei disse che era depresso e si vergognava, e ricordo che le risposi che lo stesso valeva anche per noi. Le chiesi se sarebbero partiti, e mi rispose di no. Circa una settimana dopo, mia madre mi ritelefonò e mi disse che avevate fatto i bagagli ed eravate partiti nel cuore della notte. Il padrone di casa continuava a chiamare perché voleva l'affitto, ma nessuno aveva visto Eddie. La casa era vuota.»

«Purtroppo non ricordo niente.»

«Avevi appena tre anni, Adam. L'ultima volta che ti vidi, stavi giocando nel garage della casetta bianca. Eri così carino, così dolce.»

«Oh, grazie.»

«Passarono diverse settimane. Un giorno Eddie mi telefonò e mi chiese di dire alla mamma che eravate nel Texas e stavate tutti bene.»

«Nel Texas?»

«Già. Molto più tardi Evelyn mi disse che eravate andati verso l'Ovest. Era incinta e non vedeva l'ora di sistemarsi da qualche parte. Eddie ritelefonò e disse che eravate in California. Fu l'ultima chiamata per molti anni.»

«Molti anni?»

«Sì. Cercai di convincerlo a tornare, ma era deciso. Giurò che non sarebbe più tornato, e penso che dicesse sul serio.»

«Dov'erano i genitori di mia madre?»

«Non lo so. Non erano della contea di Ford. Mi pare che vivessero in Georgia, o forse in Florida.»

«Non li ho mai conosciuti.»

Adam preme di nuovo il pulsante e la videocassetta continuò. Il primo processo iniziava nella contea di Nettles. La telecamera mostrava una panoramica del prato davanti al tribunale con il gruppo di membri del Klan, ranghi di poliziotti e sciami di curiosi.

«È incredibile» commentò Lee.

Adam fermò di nuovo l'immagine. «Andasti al processo?»

«Una volta sola. Entrai furtivamente in aula e ascoltai le arringhe conclusive. Papà ci proibì di assistere ai suoi processi. Mia madre era nell'impossibilità di andare. Prendeva una quantità di medicine per la pressione ed era praticamente costretta a letto.»

«Sam sapeva che eri presente?»

«No. Mi ero seduta in fondo all'aula, con un foulard in testa. Non mi vide.»

«Phelps cosa faceva?»

«Stava rintanato in ufficio, si occupava dei suoi affari e si augurava che nessuno scoprisse che Sam Cayhall era suo suocero. La nostra prima separazione avvenne poco tempo dopo quel processo.»

«Cosa ricordi del processo, dell'aula?»

«Ricordo che pensai che Sam aveva una giuria favorevole, gente con le sue stesse idee. Non so come ci fosse riuscito l'avvocato, ma avevano pescato i dodici peggiori razzisti in circolazione. Vidi come reagivano all'arringa dell'accusa, e vidi che ascoltavano con grande attenzione l'avvocato di Sam.»

«Louis Brazelton.»

«Era un vero oratore, pendevano dalle sue labbra. Rimasi sconvolta quando i giurati non si accordarono sul verdetto e il processo fu annullato. Ero convinta che l'avrebbero assolto. Credo che fosse sconvolto anche lui.»

La cassetta continuava, mostrava le reazioni all'annullamento del processo, i commenti di T. Louis Brazelton, un'altra inquadratura di Sam che usciva dal tribunale. Poi incominciava il secondo processo, molto simile al primo. «Quanto ci hai messo per realizzarlo?» chiese Lee.

«Sette anni. Ero matricola a Peppardine quando mi venne l'idea. È stata come una sfida.» Adam fece scorrere in fretta la scena patetica di Marvin Kramer che cadeva dalla sedia a rotelle dopo il secondo processo, e fermò l'immagine sulla faccia sorridente di una giornalista locale che parlava dell'inizio del terzo processo a carico del leggendario Sam Cayhall. Ormai era l'anno 1981.

«Sam rimase libero per tredici anni» disse Adam. «Cosa faceva?»

«Stava sulle sue, coltivava un po' la terra, cercava di far quadrare i conti. Non mi parlava mai dell'attentato e delle sue attività nel Klan, ma apprezzava l'attenzione di Clanton. Era una specie di gloria locale, e ne era orgoglioso. Le condizioni di salute della mamma peggiorarono, e lui stava a casa ad assisterla.»

«Aveva mai pensato di andarsene?»

«A me non ne parlò mai. Era convinto che i suoi problemi con la giustizia fossero finiti. Aveva subito due processi, e se l'era cavata. Verso la fine degli anni Sessanta nessuna giuria, nel Mississippi, avrebbe condannato uno del Klan. Si credeva invincibile. Rimase nelle vicinanze di Clanton. Evitava il Klan e viveva un'esistenza tranquilla. Pensavo che avrebbe passato i suoi anni d'oro coltivando pomodori e pescando abramidi.»

«Chiedeva mai di mio padre?»

Lee finì il vino e posò il bicchiere sul tavolo. Non aveva immaginato che un giorno le sarebbe stato chiesto di ricordare tanti dettagli della sua storia dolorosa. Aveva fatto il possibile per dimenticarla. «Ricordo che il primo anno, dopo il suo ritorno a casa, ogni tanto mi chiedeva se avevo notizie di mio fratello. Naturalmente non ne avevo. Sapevamo che eravate in California, e speravamo che andasse tutto bene. Sam è molto orgoglioso e testardo, Adam. Non vi avrebbe mai cercati, non avrebbe mai implorato Eddie di tornare a casa. Se Eddie si vergognava della famiglia, Sam pensava che avrebbe fatto meglio a restare in California.» S'interruppe e si assestò sul divano. «Nel 1973 i medici diagnosticarono un cancro alla mamma, e io incaricai un investigatore privato di trovare Eddie. Lavorò per sei mesi, mi costò un pozzo di soldi e non scoprì niente.»

«Io avevo nove anni, ero in quarta elementare e stavamo a Salem, nell'Oregon.»

«Sì. Più tardi Evelyn mi disse che eravate vissuti nell'Oregon per qualche tempo.»

«Ci spostavamo di continuo. Ogni anno andavo in una scuola diversa, fino all'ottava classe. Poi ci stabilimmo a Santa Monica.»

«Eravate introvabili. Eddie doveva aver ingaggiato un avvocato molto abile perché tutte le tracce dei Cayhall erano state eliminate. L'investigatore si rivolse a qualcuno di laggiù, ma inutilmente.»

«Quando morì tua madre?»

«Nel 1977. Eravamo in chiesa e stava per iniziare il rito funebre quando Eddie entrò furtivamente da una porta laterale e sedette dietro di me. Non chiedermi come aveva saputo della morte della mamma. Comparve a Clanton e poi sparì di nuovo. Non disse una parola a Sam. Era arrivato con una macchina a noleggio in modo che nessuno potesse risalire fino a lui dalla targa. Dopo il funerale lo cercai. Era sparito. Il giorno seguente andai a Memphis e lui era lì, ad aspettarmi sul vialetto di casa. Prendemmo il caffè e per due ore parlammo di tutto. Aveva le fotografie fatte a scuola a te e a Carmen, e tutto era meraviglioso sotto il sole della California meridionale. Un ottimo lavoro, una bella casa in periferia, Evelyn che faceva l'agente immobiliare. Il sogno americano. Disse che non sarebbe più tornato nel Mississippi, neppure per il funerale di Sam. Mi fece giurare che avrei mantenuto il segreto, mi disse i vostri nuovi nomi e mi diede il suo numero di telefono. Non l'indirizzo, soltanto il numero di telefono. Se fossi venuta meno al segreto, minacciò, sarebbe sparito di nuovo. Comunque mi raccomandò di non chiamarlo se non per un motivo grave. Io gli dissi che volevo vedere te e Carmen, e mi rispose che forse un giorno sarebbe stato possibile. In certi momenti sembrava lo stesso Eddie di un tempo, in certi era un'altra persona. Ci abbracciammo, ci salutammo, e non lo rividi più.»

Adam azionò il telecomando e la cassetta ripartì. Le immagini nitide e moderne del terzo e ultimo processo scorsero rapide: apparve Sam, invecchiato di tredici anni e accompagnato da un nuovo avvocato, mentre entrava da una porta secondaria del tribunale della contea di Lakehead. «Andasti al terzo processo?»

«No. Sam mi disse di stare lontana.»

141

Adam bloccò il video. «Quando si rese conto che stavano per prendersela di nuovo con lui?»

«Difficile dirlo. Un giorno il giornale di Memphis pubblicò una notizia: il nuovo procuratore distrettuale di Greenville voleva riaprire il caso Kramer. Era un pezzo molto breve, un paio di frasi nelle pagine centrali. Ricordo che lo lessi e inorridii. Lo lessi dieci volte e rimasi a fissarlo per un'ora. Dopo tanti anni, il nome di Sam Cayhall era di nuovo sul giornale. Non riuscivo a crederci. Gli telefonai. Naturalmente l'aveva visto anche lui. Mi disse di non preoccuparmi. Due settimane dopo uscì un altro articolo, un po' più lungo, con la foto di David McAllister. Telefonai a papà e lui mi disse che era tutto a posto. Cominciò così. Senza chiasso. Ma poi divenne un rullo compressore. La famiglia Kramer appoggiò l'iniziativa, poi intervenne l'Naacp. Un giorno diventò evidente che McAllister era deciso ad arrivare a un nuovo processo, e che sarebbe stato impossibile evitarlo. Sam era nauseato e aveva paura, ma cercava di ostentare coraggio. Aveva vinto due volte, diceva, e avrebbe vinto ancora.»

«Telefonasti a Eddie?»

«Sì. Appena fu evidente che ci sarebbe stato un nuovo rinvio a giudizio, lo chiamai e gli diedi la notizia. Non parlò molto. Fu una conversazione molto breve, e io promisi di tenerlo informato. Non credo che l'abbia presa bene. In poco tempo diventò un caso nazionale, e sono sicura che Eddie lo seguì sui giornali e alla televisione.»

Guardarono in silenzio le ultime inquadrature del terzo processo. La faccia sorridente di McAllister era dappertutto, e più di una volta Adam desiderò di aver tagliato di più il nastro in quel punto. Sam fu condotto via in manette per l'ultima volta, e lo schermo restò vuoto.

«L'ha visto qualcuno?» chiese Lee.

«No. Tu sei la prima.»

«Come hai fatto a raccogliere tutto questo materiale?»

«Ci sono voluti tempo, un po' di soldi e molto impegno.»

«È incredibile.»

«Facevo il terzo anno delle superiori e avevamo un insegnante di scienze politiche che ci permetteva di portare a scuola giornali e riviste e di discutere gli argomenti del giorno. Qualcuno portò un articolo apparso in prima pagina sul "Los Angeles Times". Parlava dell'imminente processo contro Sam Cayhall nel Mississippi. Ci furono diverse discussioni in classe e poi lo seguimmo fino alla conclusione. Tutti, me compreso, fummo contenti quando lo condannarono. Ma poi ci fu una controversia molto accesa sulla pena di morte. Due mesi dopo mio padre si suicidò e tu mi dicesti finalmente la verità. Ero terrorizzato all'idea che i miei amici lo scoprissero.»

«Lo scoprirono?»

«No, naturalmente. Sono un Cayhall, un maestro nel mantenere i segreti.»

«Non resterà un segreto per molto tempo.»

«No, infatti.»

Ci fu una lunga pausa mentre entrambi guardavano lo schermo vuoto. Finalmente Adam premette il pulsante e il televisore si spense. Buttò il telecomando sul tavolino. «Scusami, Lee, se questo sarà per te un motivo d'imbarazzo. Davvero. Vorrei che ci fosse un modo per evitarlo.»

«Tu non puoi capire.»

«Lo so. E tu non puoi spiegarmelo. Hai paura di Phelps e della sua famiglia?»

«Li disprezzo.»

«Ma apprezzi il loro denaro.»

«Me lo sono guadagnato, chiaro? Sopporto Phelps da venticinque anni.»

«Hai paura che i soci dei tuoi club ti mettano al bando? Che ti buttino fuori dai country club?»

«Smettila, Adam.»

«Scusami» disse lui. «È stata una giornata strana. È come se fossi uscito dalla gabbia. Sto affrontando il mio passato, e in un certo senso mi aspetto che tutti siano altrettanto audaci. Scusami.»

«Lui com'è?»

«Molto vecchio. Tante rughe, la pelle sbiancata. Troppo vecchio per stare rinchiuso.»

«Ricordo che gli parlai pochi giorni prima dell'ultimo processo. Gli chiesi perché non scappava, perché non si dileguava nella notte per andare a nascondersi in un posto come l'America del Sud. E sai cosa mi disse?»

«Cosa?»

«Ci stava pensando. Mamma era morta da tre anni. Eddie era sparito. Aveva letto molti libri su Mengele e su Eichmann e altri criminali di guerra nazisti scomparsi in Sudamerica. Parlò di São Paulo, disse che era una città con venti milioni di abitanti, piena di profughi di ogni genere. Aveva un amico, credo del Klan, che poteva fornirgli i documenti e aiutarlo a nascondersi. Ci aveva pensato molto.»

«Vorrei che l'avesse fatto. Forse mio padre sarebbe ancora vivo.»

«Due giorni prima che lo trasferissero a Parchman lo vidi nella prigione di Greenville. Fu l'ultimo incontro. Gli chiesi perché non era scappato. Mi rispose che non aveva mai immaginato che l'avrebbero condannato a morte. E io non riuscivo a credere che fosse rimasto libero per tanti anni e che avrebbe potuto fuggire facilmente. Disse che aveva commesso un grave errore a non scappare. Un errore che gli sarebbe costato la vita.»

Adam mise la ciotola del popcorn sul tavolino e si sporse verso Lee. Le appoggiò la testa sulla spalla. Lei gli prese la mano. «Mi dispiace che ti trovi preso in mezzo» mormorò.

«Faceva tanta pena, seduto davanti a me con la tuta rossa del braccio della morte.»

144

12

Clyde Packer versò una dose abbondante di caffè forte nella tazza con il suo nome e cominciò a sbrigare la routine della mattina. Lavorava nel Braccio da ventun anni, e da sette era capoturno. Ogni giorno, per otto ore, era uno dei quattro sergenti di raggio dell'Msu, responsabili di quattordici condannati, due guardie e due spesini, detenuti che godevano di una relativa libertà all'interno del carcere e svolgevano diversi lavori. Compilò i moduli e consultò un blocco a molla. Un appunto gli ricordava di chiamare il direttore. Un altro diceva che F.M. Dempsey era a corto di pillole per il cuore e voleva vedere il medico. Tutti volevano vedere il medico. Lasciò l'ufficio per l'ispezione mattutina con la tazza di caffè fumante in mano. Controllò le uniformi delle due guardie alla porta principale e disse a una di loro, un giovane bianco, di farsi accorciare i capelli.

Lavorare nell'Msu non era male. Di regola i detenuti del braccio della morte erano tranquilli e si comportavano bene. Passavano ventitré ore al giorno soli in cella, separati l'uno dall'altro e quindi nell'impossibilità di causare guai. Per sedici ore al giorno dormivano. Mangiavano in cella. Avevano un'ora di ricreazione all'aperto al giorno, l'ora d'aria, e se volevano potevano passarla da soli. Ognuno aveva il televisore o la radio, oppure l'uno e l'altra, e dopo colazione i quattro raggi dell'Unità si animavano di musica, notiziari, telenovelas e conversazioni a bassa voce attraverso le sbarre. I detenuti non potevano vedere i vicini, ma si parlavano senza fatica. Ogni tanto scoppiava una discussione per il volume eccessivo della musica, ma i contrasti venivano sedati prontamente dalle guardie. I detenuti avevano certi diritti e privilegi. Il sequestro del televisore o della radio era devastante.

Il Braccio generava cameratismo fra i condannati. Per metà erano bianchi e per metà negri, e tutti erano stati riconosciuti colpevoli di omicidi atroci. Ma si badava poco alle azioni del passato e ai precedenti, e in generale il colore della pelle non contava. Nella popolazione normale del carcere, c'erano bande di ogni genere che classificavano i detenuti, di solito in base alla razza. Ma nel Braccio un uomo veniva giudicato dal modo in cui affrontava la reclusione. Anche se non avevano simpatia l'uno per l'altro, erano rinchiusi tutti insieme in quel piccolo angolo del mondo ad aspettare di morire. Era una piccola confraternita eterogenea di spostati, vagabondi, criminali recidivi e assassini a sangue freddo.

E la morte di uno poteva significare la morte di tutti. L'annuncio della nuova sentenza a carico di Sam veniva bisbigliato lungo i raggi e attraverso le sbarre. Quando la notizia era stata data dal telegiornale, il mezzogiorno precedente, nel Braccio era sceso un silenzio profondo. Tutti i detenuti avrebbero voluto parlare con i rispettivi avvocati. Ci fu un rinnovato interesse per i problemi legali, e Packer ne aveva notati molti immersi nell'esame delle loro cause con i televisori spenti e la radio al minimo.

Varcò una porta massiccia, bevve un sorso abbondante di caffè e si avviò a passo lento, in silenzio, lungo il Raggio A. Quattordici celle identiche, larghe poco più di un metro e ottanta e lunghe tre, si aprivano sul corridoio. La parete anteriore di ogni cella era a sbarre di ferro, e i detenuti non avevano neppure un attimo di vera intimità. Qualunque cosa facessero, sia che dormissero, sia che usassero il gabinetto, venivano osservati dalle guardie.

Erano tutti a letto mentre Packer rallentava davanti a ogni cella e cercava con lo sguardo una testa sotto le lenzuola. Le luci erano spente e il raggio al buio. Il capocorridoio, un detenuto dai privilegi speciali, li avrebbe svegliati alle cinque. Alle sei sarebbe arrivata la colazione: uova, toast, marmellata, a volte bacon, caffè e succo di frutta. In pochi minuti il Braccio si sarebbe animato via via che quarantasette uomini emergevano dal sonno per proseguire l'interminabile discesa verso la morte. Era un procedere lento, un giorno alla volta, mentre un'altra aurora angosciosa portava una nuova coltre di caldo soffocante nei loro piccoli angoli d'inferno. Ma procedeva più in fretta quando, come il giorno prima, una corte respingeva un'istanza, una mozione o un appello e stabiliva che un'esecuzione doveva compiersi presto.

Packer continuò a bere il caffè, a contare le teste, e a proseguire senza far rumore il rituale mattutino. In genere l'Msu funzionava senza intoppi quando la routine non veniva cambiata e si seguivano gli orari. Nel manuale le regole erano molte, ma erano eque e facili da osservare. Le conoscevano tutti. Ma un'esecuzione aveva un manuale tutto suo con una politica diversa e direttive fluttuanti che di solito sconvolgevano la tranquillità del Braccio. Packer aveva il più grande rispetto per Phillip Naifeh; però riscriveva il manuale prima e dopo ogni esecuzione. C'erano forti pressioni perché tutto si svolgesse correttamente, secondo la costituzione e i principi umanitari. Non c'erano mai state due esecuzioni eguali.

Packer odiava le esecuzioni. Credeva nella pena di morte perché era religioso, e quando Dio diceva "occhio per occhio", non scherzava. Ma avrebbe preferito che venissero compiute altrove e da altri. Per fortuna nel Mississippi erano sempre state così rare che il suo lavoro aveva potuto svolgersi in modo regolare e con poche interferenze. Aveva assistito a quindici esecuzioni in ventun anni, ma solo a quattro dopo il 1972.

Parlò sottovoce a una guardia in fondo al raggio. Il sole cominciava ad affacciarsi attraverso le finestre aperte sopra il ballatoio del raggio. Sarebbe stata una giornata calda e soffocante, ma anche molto più silenziosa. Ci sarebbero state meno lamentele per il vitto, meno richieste di vedere il medico, qualche mugugno per questo e per quello, ma nel complesso i detenuti sarebbero stati docili e assorti. Era passato almeno un anno, forse più, dall'ultima volta che una sospensione era stata revocata a così poco tempo da un'esecuzione. Packer sorrise fra sé mentre cercava con lo sguardo una testa sotto le lenzuola. Sarebbe stato un giorno molto tranquillo.

Durante i primi mesi della permanenza di Sam nel Braccio, Packer lo aveva ignorato. Il manuale ufficiale vietava ogni contatto non strettamente indispensabile con i detenuti, e Packer aveva scoperto che era facile evitare Sam. Era un membro del Klan. Odiava i negri. Parlava poco. Era cupo e rabbioso, almeno i primi tempi. Ma non fare niente per dodici ore al giorno finisce per smussare gli spigoli, e a poco a poco erano arrivati a un livello di comunicazione consistente in una manciata di parole laconiche e di brontolii. Dopo nove anni in cui si erano visti ogni giorno, ogni tanto Sam arrivava a rivolgere a Packer una specie di sorriso.

Nel Braccio c'erano due tipi di assassini, aveva concluso Packer dopo anni di studio. C'erano gli omicidi a sangue freddo che l'avrebbero rifatto se ne avessero avuto la possibilità, e c'erano quelli che avevano ammazzato per sbaglio e non si sarebbero mai sognati di spargere altro sangue. Quelli del primo gruppo meritavano di finire gassati in fretta. Quelli del secondo causavano a Packer un senso di disagio perché le loro esecuzioni non servivano a nulla. La società non avrebbe sofferto se fossero stati rilasciati; anzi, non se ne sarebbe neppure accorta. Sam faceva parte del secondo gruppo. Se l'avessero rimandato a casa, vi sarebbe morto in solitudine. No, Packer non voleva che Sam Cayhall fosse giustiziato.

Tornò indietro lungo il Raggio A, continuò a sorseggiare il caffè e a sbirciare nelle celle buie. Il suo raggio era quello più vicino alla stanza d'isolamento, contigua alla camera a gas. Sam era il numero sei del Raggio A, a meno di venticinque metri dalla camera a gas. Aveva chiesto il trasferimento qualche anno prima in seguito a uno stupido litigio con Cecil Duff, il suo vicino.

Adesso Sam era seduto sul bordo del letto, al buio. Packer si fermò e si avvicinò alle sbarre. «'Giorno, Sam» disse a voce bassa.

«'Giorno» rispose Sam; socchiuse gli occhi e lo sbirciò. Si alzò e si girò verso la porta. Aveva addosso una maglietta bianca e un paio di boxer sformati, l'abbigliamento abituale per i detenuti del Braccio a causa del caldo. Il regolamento imponeva che la tuta rossa venisse portata fuori dalle celle, ma dentro la indossavano il meno possibile.

«Sarà una giornata calda» commentò Packer. Era il solito saluto di ogni mattina.

«Aspetta che arrivi agosto» rispose Sam, ed era la solita risposta.

«Come va?» chiese Packer.

«Mai sentito meglio.»

«Il tuo avvocato ha detto che oggi tornerà.»

«Già. Ha detto così. Credo di aver bisogno di un esercito di avvocati, eh, Packer?»

«A quanto pare.» Packer bevve un sorso di caffè e guardò il raggio. Le finestre alle sue spalle erano esposte a sud, ed entrava un filo di sole. «Ci vediamo dopo, Sam» disse, e si allontanò. Controllò le altre celle e trovò tutti i suoi ragazzi. Le porte si chiusero con uno scatto dietro di lui quando lasciò il Raggio A e tornò all'entrata.

L'unica lampadina della cella era sopra il lavabo d'acciaio inossidabile: acciaio inossidabile perché non fosse possibile farlo a pezzi e usarlo come arma per un'aggressione o un suicidio. Sotto il lavabo c'era un gabinetto d'acciaio inossidabile. Sam accese la luce e si lavò i denti. Erano quasi le cinque e mezzo. Aveva faticato ad addormentarsi.

Accese una sigaretta, sedette sul bordo del letto e si fissò i piedi e il pavimento di cemento dipinto che, misteriosamente, tratteneva il caldo d'estate e il freddo d'inverno. Le sue uniche calzature, un paio di sandali di gomma da doccia che detestava, erano sotto il letto. Possedeva un paio di calzettoni di lana e li teneva ai piedi, d'inverno, quando dormiva. Il resto dei suoi beni consisteva in un televisore in bianco e nero, una radio, una macchina per scrivere, sei magliette bucate, cinque paia di boxer bianchi, uno spazzolino da denti, un pettine, un tagliaunghie, un ventilatore oscillante, quattro libri tascabili disposti in ordine di grandezza su uno scaffale, e un calendario a muro. La cosa più preziosa che aveva era una collezione di libri giuridici che aveva raccolto e imparato a memoria nel corso degli anni. Anche quei volumi erano disposti in ordine sui modesti scaffali di legno di fronte alla branda. In una scatola di cartone posata sul pavimento fra gli scaffali e la porta c'era una catasta di fascicoli voluminosi, la storia cronologica della causa dello Stato contro Sam Cayhall. E aveva imparato a memoria anche quella.

Il suo bilancio era breve e scarno, e a parte la condanna a morte non c'erano altri passivi. La povertà gli aveva dato fastidio all'inizio, ma quelle preoccupazioni erano finite anni prima. Secondo la leggenda di famiglia, il suo bisnonno era stato un ricco proprietario di terreni e di schiavi, ma nessuno dei Cayhall contemporanei possedeva molto. Aveva conosciuto condannati che si erano lambiccati il cervello per preparare il testamento, come se gli eredi dovessero litigare per i loro televisori malconci e le riviste porno. Stava pensando di scrivere il suo testamento per lasciare i calzettoni di lana e la biancheria sporca allo stato del Mississippi o magari al Naacp.

Alla sua destra c'era J.B. Gullitt, un giovane bianco analfabeta che aveva violentato e ucciso un omosessuale. Tre anni prima Gullitt era arrivato a pochi giorni dall'esecuzione, ma Sam era intervenuto con una mozione molto abile. Aveva sottolineato numerosi interrogativi irrisolti e aveva spiegato al Quinto Distretto che Gullitt non aveva un avvocato. Era stata concessa subito la sospensione, e Gullitt era diventato suo grande amico.

A sinistra c'era Hank Henshaw, presunto capo di una banda di delinquenti ormai dimenticata, nota come la Mafia dei Bifolchi. Hank e la sua banda, una notte, avevano assaltato un grosso camion con l'intenzione di rubare il carico. Il camionista aveva estratto la pistola, ed era morto nella sparatoria. La famiglia di Hank pagava ottimi avvocati, perciò non sarebbe morto se non fra molti anni.

I tre vicini avevano soprannominato Rhodesia la loro piccola sezione dell'Msu.

Sam gettò la sigaretta nel gabinetto e si stese sul letto. Il giorno prima dell'attentato allo studio Kramer si era fermato da Eddie, a Clanton. Non ricordava perché, ma aveva portato un po' di pomodori del suo orto e aveva giocato per qualche minuto con il piccolo Alan, ora Adam, sul prato. Era aprile e faceva piuttosto caldo, ricordava, e suo nipote era scalzo. Ricordava i piedini paffuti con un cerotto intorno a un alluce. Si era tagliato con un sasso, aveva spiegato Alan con aria orgogliosa. Il piccolo amava molto i cerotti, ne aveva sempre uno a un dito o su un ginocchio. Evelyn aveva preso i pomodori e scuoteva la testa mentre Alan mostrava fieramente al nonno una confezione di cerotti assortiti.

Era stata l'ultima volta che aveva visto Alan. Il giorno dopo c'era stato l'attentato, e Sam aveva passato in prigione gli undici mesi successivi. Quando il secondo processo si era concluso e l'avevano rilasciato, Eddie e la sua famiglia se n'erano andati. Sam era troppo orgoglioso per cercarli. Erano circolate voci e dicerie sulla loro destinazione. Lee diceva che erano in California ma non riusciva a rintracciarli. Dopo diversi anni lei aveva parlato con Eddie e aveva saputo che era nata una bambina, Carmen.

In fondo al raggio si sentirono delle voci. Poi lo sciacquone di un gabinetto, una radio che si accendeva. Il braccio della morte si animava scricchiolando. Sam si pettinò i capelli grassi, accese un'altra Montclair e studiò il calendario appeso al muro. Era il 12 luglio. Gli restavano ventisette giorni.

Rimase seduto sul bordo del letto e si studiò ancora i piedi. J.B. Gullitt accese il televisore per ascoltare il notiziario; e mentre fumava e si grattava le caviglie, Sam ascoltò l'emittente di Jackson, consociata dell'Nbc. Dopo i servizi sulle sparatorie, le rapine e gli omicidi, il giornalista diede la notizia scottante: a Parchman ci sarebbe stata un'esecuzione. Il Quinto Distretto, riferì, il giorno prima aveva respinto la sospensione per Sam Cayhall, l'ospite più famoso di Parchman, e aveva fissato la data per l'8 agosto. Le autorità ritenevano che ormai gli appelli di Cayhall si fossero esauriti, disse la voce, e l'esecuzione poteva aver luogo.

Sam accese il suo televisore. Come al solito l'audio precedette le immagini di almeno dieci secondi, così poté udire il procuratore generale in persona assicurare che sarebbe stata fatta giustizia nel caso del signor Cayhall, dopo tanti anni. Sullo schermo prese forma una faccia granulosa da cui uscivano le parole. Roxburgh sorrideva e aggrottava nel contempo la fronte, profondamente assorto, mentre spiegava alle telecamere che finalmente avrebbe trascinato il signor Cayhall nella camera a gas. Poi riapparve il giornalista, un giovanotto locale con i baffi lanuginosi, che concluse il servizio riassumendo il mostruoso crimine di Sam mentre alle sue spalle appariva un'immagine grossolana di un membro del Klan con maschera e cappuccio. Una pistola, una croce incendiata e le lettere KKK completavano la scena. Il giovanotto ripeté la data, 8 agosto, come se i telespettatori dovessero segnarla sui calendari e decidere di prendersi un giorno di ferie. Poi si passò al bollettino meteorologico.

Sam spense il televisore e si avvicinò alle sbarre.

«Hai sentito, Sam?» lo chiamò Gullitt dalla cella accanto.

«Già.»

«Sarà pazzesco, amico.»

«Già.»

«Pensa al rovescio della medaglia.»

«Quale?»

«Dovrai stare in questo posto appena quattro settimane.» Gullitt ridacchiò della battuta, ma non a lungo. Sam prese alcune carte e sedette sul bordo del letto. Nella cella non c'erano sedie. Lesse la procura che gli aveva portato Adam, un documento di due pagine con una pagina e mezzo di linguaggio forense. Su tutti i margini Sam aveva fatto ordinate annotazioni a matita. E aveva aggiunto altri paragrafi sul retro dei fogli. Gli venne un'altra idea e trovò lo spazio per scrivere anche quella. Con la sigaretta nella destra, tenne il documento nella sinistra e lo rilesse. Una, due volte.

Alla fine andò verso gli scaffali e prese la vecchia portatile Royal. La mise in equilibrio sulle ginocchia, infilò un foglio e cominciò a battere.

Alle sei e dieci le porte all'estremità nord del Raggio A si aprirono con uno scatto ed entrarono due guardie. Una spingeva un carrello con quattordici vassoi disposti in pila su guida. Si fermarono davanti alla cella numero uno e fecero passare un vassoio di metallo attraverso la stretta apertura nella porta. L'inquilino della numero uno era un cubano magrissimo in attesa accanto alle sbarre, senza camicia e con le mutande cascanti. Afferrò il vassoio come un profugo affamato e senza una parola lo portò alla branda.

Il menu di quella mattina comprendeva due uova strapazzate, quattro fette di pane tostato, una robusta fetta di bacon, due piccoli contenitori di gelatina d'uva, una bottiglietta di succo d'arancia e una grande tazza di caffè. Era un pasto caldo e nutriente, e aveva l'onore di essere stato approvato dalle corti federali.

Le due guardie passarono alla cella accanto. Il detenuto le aspettava. Erano sempre lì ad aspettare accanto alla porta come cani affamati.

«Siete in ritardo di undici minuti» disse a voce bassa il detenuto mentre prendeva il vassoio. Le guardie non gli rivolsero neppure un'occhiata.

«Facci causa.»

«Ho i miei diritti.»

«Non rompere i coglioni con la storia dei diritti.»

«Voi non potete parlarmi così. Vi farò causa. Mi state insultando.»

Le guardie raggiunsero la porta seguente senza rispondere. Faceva parte del rituale quotidiano.

Sam non aspettava alla porta. Era al lavoro nel suo piccolo studio legale quando arrivò la colazione.

«Immaginavo che ti avremmo trovato a battere a macchina» commentò una guardia quando si fermarono davanti al numero sei. Sam posò la macchina sul letto.

«Lettere d'amore» rispose mentre si alzava.

«Be', qualunque cosa tu stia scrivendo, è meglio che ti sbrighi, Sam. Il cuoco sta già parlando del tuo ultimo pasto.»

«Digli che voglio una pizza cotta nel forno a microonde. È probabile che ne faccia una schifezza. Forse mi accontenterò di hot dog e fagioli.» Sam prese il vassoio.

«Puoi scegliere tu, Sam. L'ultimo voleva bistecca e gamberetti. Te l'immagini? Bistecca e gamberetti in questo posto.»

«E li ha avuti?»

«No. Ha perso l'appetito e così lo hanno imbottito di Valium.»

«Non è un brutto modo di andarsene.»

«Silenzio!» gridò J.B. Gullitt dalla cella accanto. Le guardie spinsero il carrello per pochi passi e si fermarono davanti a J.B. che stava aggrappato alle sbarre con entrambe le mani. Si tennero a distanza.

«Bene, bene, ma come siamo vivaci stamattina» commentò uno dei due.

«Non siete capaci di servire la colazione in silenzio, stronzi?

Voglio dire, credete che ci diverta svegliarci la mattina e cominciare la giornata ascoltando le vostre battute di spirito? Passami la colazione, uomo.»

«Ehi, J.B., mille scuse. Pensavamo che vi sentiste soli.»

«Pensavate sbagliato.» J.B. ritirò il vassoio e gli voltò le spalle.

«Com'è suscettibile» disse una guardia mentre procedevano verso qualcun altro da tormentare.

Sam posò il vassoio sul letto e versò una bustina di zucchero nel caffè. La sua routine quotidiana non includeva uova strapazzate e bacon. Avrebbe tenuto da parte il pane tostato e la gelatina e li avrebbe mangiati durante la mattinata. Avrebbe centellinato il caffè fino alle dieci, la sua ora d'aria.

Si appoggiò di nuovo la macchina per scrivere sulle ginocchia e ricominciò a battere.

13

Sam terminò alle nove e mezzo la sua interpretazione della legge. Ne era molto fiero: uno dei risultati migliori degli ultimi mesi. Mangiucchiò una fetta di pane mentre riguardava per l'ultima volta il documento. Era battuto in caratteri chiari ma obsoleti, come si addiceva a una macchina vecchissima. Il linguaggio era straripante e ripetitivo, fiorito e pieno di parole che gli umili profani non pronunciavano mai. Sam aveva imparato il linguaggio forense in modo quasi perfetto ed era in grado di reggere il confronto con qualunque avvocato.

In fondo al corridoio una porta si aprì e sbatté rumorosamente. Poi un rumore di passi e apparve Packer. «C'è il tuo avvocato, Sam» disse, mentre sganciava le manette dalla cintura.

Sam si alzò e si tirò su i boxer. «Che ore sono?»

«Le nove e mezzo passate da poco. Che differenza fa?»

«La mia ora d'aria è alle dieci.»

«Vuoi andare all'aria oppure vuoi vedere il tuo avvocato?»

Sam rifletté mentre indossava la tuta rossa e calzava i sandali di gomma. Ci si vestiva in fretta nel braccio della morte. «Posso recuperarla più tardi?»

«Vedremo.»

«Voglio la mia ora d'aria, chiaro?»

«Lo so, Sam. Andiamo.»

«Per me è molto importante.»

«Lo so, Sam. È importante per tutti. Cercheremo di recuperarla più tardi, d'accordo?»

Sam si pettinò con cura, poi si sciacquò le mani. Packer attendeva, paziente. Avrebbe voluto dire qualcosa a J.B. Gullitt a proposito del suo umore del mattino, ma Gullitt si era riaddormentato. Come quasi tutti gli altri, del resto. Di solito i detenuti del braccio della morte ce la facevano a restare svegli per la colazione e un'ora di televisione o poco più, prima di sdraiarsi per il sonnellino della mattina. Anche se il suo studio non era rigorosamente scientifico, Packer calcolava che dormissero dalle quindici alle sedici ore al giorno. E riuscivano a dormire nonostante il caldo, il sudore, il freddo, il chiasso dei televisori e delle radio al massimo.

Quella mattina c'era molto meno chiasso. I ventilatori ronzavano e gemevano, ma i detenuti non si scambiavano grida.

Sam si avvicinò alle sbarre, voltò le spalle a Packer e tese le mani attraverso l'apertura nella porta. Packer lo ammanettò, e Sam tornò al letto e prese il documento. Packer fece un cenno a una guardia in fondo al corridoio, e la porta della cella si aprì elettronicamente. Poi si chiuse.

In quelle situazioni le catene alle caviglie erano facoltative, e con un detenuto più giovane o dal temperamento ribelle ed energico, probabilmente Packer le avrebbe usate. Ma quello era Sam. Era vecchio. Per quanto avrebbe potuto correre? Che danni avrebbe potuto causare con i piedi?

Packer gli afferrò con gentilezza il bicipite scarno e lo guidò lungo il corridoio. Si fermarono alla porta del raggio, un'altra fila di sbarre, attesero che si aprisse e si chiudesse e lasciarono il Raggio A. Un'altra guardia li seguì quando arrivarono a una porta di ferro che Packer aprì con una delle chiavi appese alla cintura. La varcarono. Adam era solo, dall'altra parte della grata verde.

Packer tolse le manette a Sam e se ne andò.

Adam lo lesse lentamente una prima volta. Durante la seconda lettura prese qualche appunto e notò divertito certe espressioni. Aveva visto lavori peggiori preparati da avvocati esperti. Ma ne aveva visti di molto migliori. Sam era afflitto dallo stesso difetto di tanti studenti del primo anno di legge: usava sei parole quando ne bastava una. Il suo uso del latino era spaventoso. C'erano interi paragrafi inutili. Ma nel complesso, niente male per un profano.

La procura che all'inizio era di due pagine adesso era di

cinque, battute ordinatamente con i margini perfetti, due soli errori di battitura e uno di ortografia.

«Ottimo lavoro» commentò Adam, posando il documento sul ripiano. Sam tirò una boccata dalla sigaretta e lo fissò attraverso l'apertura. «In pratica è la stessa procura che ti ho consegnato ieri.»

«In pratica è completamente diversa» lo corresse Sam.

Adam diede un'occhiata agli appunti, poi disse: «Mi sembri preoccupato per cinque motivi. Il governatore, i libri, i film, la revoca e chi assisterà all'esecuzione».

«Sono preoccupato per molte cose. Ma queste non sono trattabili.»

«Ieri ho già promesso che non voglio saperne di libri e film.»

«Bene. Allora continua.»

«La clausola della revoca è scritta bene. Vuoi avere il diritto di revocare la procura a me e a Kravitz & Bane in qualunque momento e per qualunque ragione, senza che ci siano contestazioni.»

«Ci ho messo più di un anno per togliermi dai piedi quei bastardi ebrei, l'ultima volta. Non voglio essere costretto a ricominciare da capo.»

«Questo è ragionevole.»

«Non m'interessa se lo ritieni ragionevole, chiaro? È scritto nella procura e non è trattabile.»

«Mi pare giusto. E non vuoi avere a che fare con nessun altro oltre a me.»

«Esatto. Nessuno di Kravitz & Bane dovrà toccare la mia pratica. Quello studio brulica di ebrei, e non devono immischiarsi, d'accordo? Lo stesso vale per gli sporchi negri e le donne.»

«Senti, Sam, lasciamo perdere gli insulti. Perché non li chiamiamo neri?»

«Oooh, scusami. E se facessimo di meglio e li chiamassimo afro-americani ed ebrei-americani e femmine-americane? Io e te saremo irlandesi-americani, e maschi-bianchi-americani. Se avrai bisogno di collaborazione da parte del tuo studio, cerca di limitarti ai tedesco-americani e agli italo-americani. Anzi, dato che sei a Chicago, magari potrai servirti di qualche polacco-americano. Cavoli, sarebbe simpatico, no? Saremmo molto appropriati e multiculturali e politicamente corretti, no?»

«Come vuoi.»

«Mi sento già meglio.»

Adam fece un segno accanto agli appunti. «Va bene, acconsento.»

«Per forza, se vuoi la procura. Basta che tieni le minoranze fuori dalla mia vita.»

«Presumi che non vedano l'ora di immischiarsi?»

«Io non presumo niente. Mi restano quattro settimane, e preferisco passare il tempo in compagnia di gente fidata.»

Adam rilesse un paragrafo a pagina tre della bozza. Il testo conferiva a Sam l'autorità esclusiva di scegliere due testimoni per la sua esecuzione. «Non capisco la clausola sui testimoni» disse Adam.

«È molto semplice. Se arriveremo a quel punto, ci saranno quindici testimoni, più o meno. Dato che sarò l'ospite d'onore, ho il diritto di sceglierne due. Lo statuto, se avrai occasione di leggerlo, indica quelli che devono essere presenti. Il direttore, che fra l'altro è un libanese-americano, può scegliere il resto a sua discrezione. Di solito organizzano una lotteria con la stampa per scegliere gli avvoltoi autorizzati a godersi la scena.»

«Allora perché vuoi includere questa clausola?»

«Perché l'avvocato è sempre uno dei due che vengono scelti dal condannato. Cioè da me.»

«E non vuoi che io assista all'esecuzione?»

«Appunto.»

«Credi che voglia assistere?»

«Non credo niente. È la regola: gli avvocati smaniano di veder gassare i loro poveri clienti, quando è inevitabile. Poi non vedono l'ora di presentarsi alle telecamere per piangere e agitarsi e inveire contro l'ingiustizia.»

«E credi che mi comporterò così?»

«No, non credo.»

«Allora che senso ha questa clausola?»

Sam si protese in avanti, appoggiò i gomiti sul ripiano e accostò il naso alla grata. «Perché non assisterai all'esecuzione, chiaro?»

«D'accordo» disse Adam, e girò il foglio. «Non arriveremo a questo, Sam.»

«Bravo. È quel che voglio sentire.»

«Naturalmente, può darsi che dobbiamo rivolgerci al governatore.»

Sam sbuffò, schifato, e si rilassò sulla sedia. Accavallò le gamba destra sul ginocchio sinistro e fissò Adam con aria cupa. «La procura è chiarissima.»

E lo era. C'era quasi un'intera pagina dedicata a un attacco velenoso contro David McAllister. Sam abbandonava il linguaggio aulico e usava parole come scurrile, egocentrico, narcisista, mettendo in risalto più di una volta la sua insaziabile sete di pubblicità.

«Dunque hai un problema con il governatore» disse Adam. Sam sbuffò.

«Non credo che sia una buona idea, Sam.»

«Non me ne frega niente di quello che credi.»

«Il governatore potrebbe salvarti la vita.»

«Oh, certo. È solo per causa sua che sono qui nel braccio della morte in attesa di finire nella camera a gas. Perché diavolo dovrebbe avere voglia di salvarmi?»

«Non ho detto che lo voglia. Ho detto che potrebbe. Teniamo aperte tutte le possibili strade.»

Sam sogghignò per un lungo istante mentre accendeva una sigaretta. Batté le palpebre e alzò gli occhi al soffitto come se il giovane che aveva di fronte fosse l'essere umano più stupido che incontrava da molti decenni. Poi si appoggiò sul gomito sinistro, si protese in avanti, e gli puntò contro l'indice destro. «Se credi che David McAllister mi concederà la grazia all'ultimo minuto, sei scemo. Lascia che ti spieghi io cosa farà. Si servirà di te e di me per ricavarne tutta la pubblicità possibile. Ti inviterà nel suo ufficio nella capitale dello stato, e prima del tuo arrivo avvertirà i giornalisti. Ti ascolterà con grande sincerità. Esprimerà gravi riserve sul fatto che io debba morire. Ti fisserà un altro incontro, più vicino alla data dell'esecuzione. E dopo che te ne sarai andato, concederà un paio di interviste e rivelerà tutto ciò che gli avrai appena detto. Rievocherà l'attentato dinamitardo contro lo studio Kramer. Parlerà dei diritti civili e di tutte le stronzate degli sporchi negri radicali. Può

159

anche darsi che pianga. Più si avvicinerà il momento in cui finirò nella camera a gas, e più crescerà il circo dei media. McAllister tenterà in tutti i modi di esserne al centro. S'incontrerà con te tutti i giorni, se glielo permetteremo. Ci darà in pasto alla stampa.»

«Questo può farlo anche senza di noi.»

«E lo farà. Ricorda le mie parole, Adam. Un'ora prima che io muoia, terrà una conferenza stampa da qualche parte, probabilmente qui, o nella sua residenza ufficiale, si presenterà davanti agli obiettivi di cento telecamere e mi negherà la grazia. E avrà le lacrime agli occhi, il bastardo.»

«Non ci danneggerà parlare con lui.»

«Benissimo. Vai a parlargli. E quando l'avrai fatto, io invocherò la clausola numero due e tu tornerai a Chicago.»

«Forse mi prenderà in simpatia. Potremmo diventare amici.»

«Oh, ti adorerà. Sei il nipote di Sam. Una storia sensazionale. Altri cronisti, altre telecamere, altri fotografi, altre interviste. Sarà felicissimo di conoscerti per poterti menare per il naso. Diavolo, può darsi che venga rieletto per merito tuo.»

Adam girò un altro foglio, prese altri appunti e indugiò un poco, nel tentativo di evitare la questione del governatore. «Dove hai imparato a scrivere così?» chiese.

«Dove hai imparato tu. I miei maestri sono stati gli stessi autorevoli dotti che ti hanno istruito. Giudici defunti. Magistrati stimatissimi. Avvocati logorroici. Professori noiosi. Ho letto le stesse boiate che hai letto tu.»

«Niente male» commentò Adam mentre dava una scorsa a un altro paragrafo.

«Sono felice che la pensi così.»

«Ho saputo che qui eserciti l'attività di avvocato.»

«Esercito l'attività... Cosa significa? Perché gli avvocati "esercitano la professione"? Perché non lavorano come tutti gli altri? Gli idraulici esercitano il loro mestiere? E i camionisti? No, lavorano e basta. Ma gli avvocati no. No, che diavolo. Loro sono speciali ed esercitano la professione. E a forza di esercitare, si dovrebbe credere che sanno cosa stanno facendo. Si dovrebbe pensare che finiscano per imparare il mestiere.»

«Non hai simpatia per nessuno?»

«Ecco una domanda idiota.»

«Perché?»

«Perché sei seduto dall'altra parte del muro. E puoi uscire da quella porta, salire in macchina e andartene. E stasera puoi cenare in un bel ristorante e dormire in un letto comodo. Da questa parte la vita è un po' diversa. Non vedo la luna da nove anni. Mi trattano come un animale. Sono chiuso in una gabbia. Su di me pesa una condanna a morte che autorizza lo stato del Mississippi a uccidermi fra quattro settimane, e quindi sì, figliolo, è difficile traboccare di comprensione e affetto. È difficile provare simpatia per qualcuno, di questi tempi. Ecco perché la tua è una domanda idiota.»

«Vuoi dire che prima di finire qui traboccavi di comprensione e affetto?»

Sam lo fissò attraverso l'apertura e tirò una boccata dalla sigaretta. «Un'altra domanda stupida.»

«Perché?»

«Non è pertinente, avvocato. Sei un avvocato, non uno strizzacervelli.»

«Sono tuo nipote. E di conseguenza ho diritto di farti domande sul tuo passato.»

«Falle pure. Può darsi che non ti risponda.»

«Perché?»

«Il passato è passato, figliolo. È storia antica. Non possiamo disfare quello che è stato fatto. E non possiamo neppure spiegarlo.»

«Ma io non ho un passato.»

«Allora sei molto fortunato.»

«Non ne sono tanto sicuro.»

«Senti, se aspetti che sia io a colmare i vuoti, ti sei rivolto alla persona sbagliata.»

«E sta bene. Con chi dovrei parlare?»

«Non lo so. Non ha importanza.»

«Forse ne ha per me.»

«Ecco, per essere sincero, in questo momento non mi preoccupo molto di te. Puoi crederlo o no, ma mi preoccupo soprattutto per me. Per me e per il mio futuro. Per me e per la mia pelle. C'è un grosso orologio che sta ticchettando da qualche parte, e in modo rumoroso, non ti pare? Per qualche strana ragione, e non chiedermi perché, io lo sento, e mi fa stare in ansia. Mi è molto difficile preoccuparmi per i problemi degli altri.»

«Perché entrasti nel Klan?»

«Perché c'era mio padre.»

«E lui, perché c'era entrato?»

«Perché c'era suo padre.»

«Magnifico! Tre generazioni.»

«Quattro, credo. Il colonnello Jacob Cayhall combatté con Nathan Bedord Forrest nella guerra di Secessione, e secondo la leggenda di famiglia fu uno dei primi membri del Klan. Era il mio bisnonno.»

«Ne sei orgoglioso.»

«È una domanda?»

«Sì.»

«Non si tratta di orgoglio.» Sam indicò il ripiano con un cenno. «Firmerai la procura?»

«Sì.»

«Allora sbrigati.»

Adam firmò in fondo all'ultima pagina e passò la procura a Sam. «Stai facendo domande molto confidenziali. Dato che sei il mio avvocato, non puoi rifiatare neppure una parola.»

«So benissimo qual è il mio rapporto professionale con te.»

«Sam mise la firma accanto a quella di Adam, poi le studiò entrambe. «Quando sei diventato Hall?»

«Un mese prima di compiere quattro anni. La cosa riguardò tutta la famiglia. Cambiammo cognome contemporaneamente. Io, è ovvio, non ricordo.»

«Perché proprio Hall? Perché non dare un taglio netto e scegliere Miller o Green o qualcosa del genere?»

«È una domanda?»

«No.»

«Mio padre stava scappando, Sam. E si bruciava i ponti alle spalle. Credo che per lui quattro generazioni fossero anche troppe.»

Sam posò la procura su una sedia e accese metodicamente un'altra sigaretta. Lanciò uno sbuffo verso il soffitto e guardò Adam. «Ascolta» disse in un tono diventato improvvisamente più gentile. «Lasciamo perdere la famiglia per un po'. D'accordo? Magari ne parleremo più tardi. In questo momento ho bisogno di sapere cosa sarà di me. Che possibilità ho, capisci? Cose del genere. Come farai a fermare l'orologio? Cosa presenterai?»

«Dipende da diverse cose, Sam. Dipende da quello che mi dirai dell'attentato.»

«Non riesco a seguirti.»

«Se ci sono fatti nuovi, li presenteremo. Un sistema c'è, credimi. Troveremo un giudice disposto ad ascoltare.»

«Che tipo di fatti nuovi?»

Adam girò un foglio del blocco e scribacchiò la data sul margine. «Chi consegnò la Pontiac verde a Cleveland la notte dell'attentato?»

«Non lo so. Uno degli uomini di Dogan.»

«Non sai come si chiamava?»

«No.»

«Andiamo, Sam!»

«Lo giuro. Non so chi fosse. Non lo vidi neppure. La macchina fu lasciata in un parcheggio, e io la trovai. Dovevo riportarla dove l'avevo presa. E non vidi mai l'uomo che l'aveva consegnata.»

«Perché quest'uomo non fu scoperto durante i processi?»

«E come posso saperlo? Era soltanto un complice di scarsa importanza, credo. Ce l'avevano con me. Perché prendersi il disturbo di stanare un fattorino? Non lo so.»

«L'attentato contro Kramer fu il sesto, esatto?»

«Mi pare.» Sam si protese di nuovo in avanti, con la faccia che quasi sfiorava la grata. La voce era bassa, le parole scelte con cura come se qualcuno, chissà dove, potesse ascoltare.

«Ti pare?»

«È successo tanto tempo fa, giusto?» Sam chiuse gli occhi e rifletté per un momento. «Sì, fu il sesto.»

«Lo dichiarò l'Fbi.»

«Allora è così. Quelli hanno sempre ragione.»

«Era la stessa Pontiac verde usata in qualcuno degli attentati precedenti?»

«Sì. In un paio, se non ricordo male. Usammo più di una macchina.»

«Tutte fornite da Dogan?»

«Sì. Era un venditore di macchine usate.»

«Lo so. Era stato lo stesso uomo a consegnare la Pontiac per gli altri attentati?»

«Non ho mai visto né incontrato chi consegnava le macchine per gli attentati. Dogan non lavorava in questo modo. Era molto prudente e i suoi piani erano minuziosi. Non lo so con certezza, ma sono convinto che chi consegnava le macchine non aveva idea di chi fossi.»

«A bordo delle macchine c'era già la dinamite?»

«Sì. Sempre. Dogan aveva abbastanza armi ed esplosivi per combattere una piccola guerra. Ma i federali non trovarono il suo arsenale.»

«Tu dove avevi imparato a usare gli esplosivi?»

«Al campo addestramento del KKK e sui manuali.»

«Avuti in eredità, no?»

«No.»

«Sto parlando sul serio. Come avevi imparato a far detonare gli esplosivi?»

«È molto semplice. Anche un imbecille può imparare in mezz'ora.»

«Quindi con un po' di pratica si diventa esperti.»

«La pratica è utile. Non è molto più difficile che accendere un mortaretto. Strofini un fiammifero di qualunque tipo e lo accosti all'estremità di una lunga miccia per accenderla. Poi scappi come un fulmine. Se ti va bene, la carica scoppia solo dopo un quarto d'ora.»

«E questo viene appreso da tutti i membri del Klan?»

«Quasi tutti quelli che conoscevo sapevano farlo.»

«Conosci ancora qualcuno del Klan?»

«No. Mi hanno abbandonato.»

Adam lo scrutò con attenzione. Gli occhi azzurri avevano un'espressione decisa. Le rughe non si muovevano. Non tradiva emozione né collera né angoscia né altro. Ricambiava il suo sguardo senza batter ciglio.

Adam tornò a concentrarsi sul blocco. «Il 2 marzo 1967 ci fu un attentato contro la sinagoga Hirsch, a Jackson. Lo facesti tu?»

«Vai subito al dunque, vero?»

«È una domanda semplice.»

Sam rigirò fra le labbra il filtro della sigaretta e rifletté per un secondo. «Perché è importante?»

«Tu pensa a rispondere» ribatté Adam. «È troppo tardi per i giochetti.»

«È una domanda che nessuno mi ha mai fatto.»

«Bene, allora penso che oggi sia la tua grande giornata. Mi basta un sì o un no.»

«Sì.»

«Usasti la Pontiac verde?»

«Mi pare.»

«Chi c'era con te?»

«Perché pensi che ci fosse qualcuno?»

«Perché un testimone disse di aver visto una Pontiac verde passare in fretta pochi minuti prima dell'esplosione. E disse che a bordo c'erano due persone. Affermò addirittura che tu potevi essere al volante.»

«Ah, sì. Il nostro piccolo amico Bascar. Lo lessi sui giornali.»

«Si trovava all'angolo fra Fortification e State Street quando passaste di corsa tu e il tuo compagno.»

«Certo, era lì. Era appena uscito da un bar alle tre del mattino, ubriaco fradicio. E per giunta era completamente stupido. Bascar, sono sicuro che lo saprai, non comparve in aula, non mise la mano sulla Bibbia e non giurò di dire la verità, non fu sottoposto a controinterrogatorio e non si fece avanti se non quando io ero in prigione a Greenville e mezzo mondo aveva visto le immagini della Pontiac verde. La sua identificazione, fra l'altro, non fu categorica e arrivò solo dopo che la mia faccia era finita in prima pagina su tutti i giornali.»

«Quindi mentiva.»

«No, probabilmente parlava così per ignoranza. Tieni presente, Adam, che non sono mai stato incriminato per quell'attentato. Bascar non si trovò mai sotto pressione. Non fece mai testimonianze giurate. La sua versione fu rivelata, mi pare, quando un giornalista di Memphis frugò nei bar e nei bordelli finché non trovò qualcuno come Bascar.»

«Proviamo a metterla così. C'era o non c'era qualcuno con te quando mettesti la bomba nella sinagoga Hirsch il 2 marzo 1967?»

Lo sguardo di Sam si abbassò al di sotto dell'apertura, poi

sul ripiano e infine sul pavimento. Si scostò leggermente dal documento e si rilassò sulla sedia. Com'era prevedibile, estrasse il pacchetto azzurro di Montclair dal taschino, impiegò un'eternità per sceglierne una, poi per battere il filtro e infilarla fra le labbra umide. Anche l'accensione del fiammifero fu un'altra breve cerimonia, ma finalmente si concluse e una nuova nuvola di fumo s'innalzò verso il soffitto.

Adam attese fino a quando si rese conto che non avrebbe avuto una risposta sollecita. L'indugio era di per sé un'ammissione. Batté nervosamente la penna sul blocco. Il suo respiro accelerò e si accorse che il cuore gli batteva più forte. Lo stomaco vuoto era in subbuglio. Possibile che fosse la svolta decisiva? Se c'era stato un complice, forse avevano agito in gruppo e forse non era stato Sam a piazzare la carica di dinamite che aveva ucciso i gemelli Kramer. Forse questo fatto poteva essere presentato a un giudice comprensivo che avrebbe ascoltato e concesso una sospensione. Forse. Forse. Possibile?

«No» rispose Sam sempre a voce bassa ma ferma guardando Adam attraverso l'apertura.

«Non ti credo.»

«Non c'era nessun complice.»

«Non ti credo, Sam.»

Sam scrollò le spalle con noncuranza, come se non gli importasse nulla. Accavallò le gambe e strinse le dita intorno a un ginocchio.

Adam respirò a fondo, scribacchiò qualcosa come se si fosse aspettato quella reazione, e passò a una pagina nuova.

«A che ora arrivasti a Cleveland la notte del 20 aprile 1967?»

«Quando?»

«La prima volta.»

«Partii da Clanton verso le sei. Impiegai due ore per raggiungere Cleveland. Quindi ci arrivai verso le otto.»

«Dove andasti?»

«In un centro commerciale.»

«Perché?»

«Per prendere la macchina.»

«La Pontiac verde?»

«Sì, ma non c'era. Allora andai a Greenville per dare un'occhiata in giro.»

«C'eri stato altre volte?»

«Sì. Un paio di settimane prima avevo fatto un sopralluogo. Ero persino entrato nell'ufficio dell'ebreo, per dare un'occhiata.»

«Fu una grossa sciocchezza, no? Voglio dire, al processo la segretaria ti riconobbe come l'uomo che era entrato per chiedere indicazioni e andare in bagno.»

«Sì, fu una sciocchezza. Ma non era previsto che mi prendessero. La segretaria non avrebbe più dovuto vedere la mia faccia.» Sam strinse il filtro fra i denti e aspirò. «Una mossa sbagliata. Naturalmente, col senno di poi è tutto più facile.»

«Per quanto tempo rimanesti a Greenville?»

«Un'ora o poco più. Poi tornai a Cleveland per prendere la macchina. Dogan faceva sempre piani dettagliati con diverse possibilità. La macchina era parcheggiata nel punto B, vicino a un locale per camionisti.»

«Dov'erano le chiavi?»

«Sotto il tappetino.»

«Cosa facesti?»

«Andai a fare un giro. Lasciai la città e attraversai parecchi campi di cotone. Trovai un posto isolato e fermai la macchina. Aprii il portabagagli per controllare la dinamite.»

«Quanti candelotti erano?»

«Quindici, mi sembra. Ne usavo da dodici a venti, secondo il tipo di costruzione. Venti per la sinagoga perché era nuova, moderna, di cemento e pietra. Ma l'ufficio dell'ebreo era una vecchia struttura di legno, e sapevo che ne sarebbero bastati quindici per raderla al suolo.»

«Cos'altro c'era nel portabagagli?»

«Il solito. Una scatola di cartone con la dinamite. Due detonatori. Una miccia da quindici minuti.»

«Nient'altro?»

«No.»

«Sicuro?»

«Certo, sono sicuro.»

«E il congegno a orologeria? Il detonatore?»

«Oh, già. L'avevo dimenticato. Era in un'altra scatola più piccola.»

«Descrivilo.»

«Perché? Hai letto i verbali dei processi. L'esperto dell'Fbi fece una ricostruzione perfetta della mia bomba. Tu l'hai letta, no?»

«L'ho letta. E Dogan, dove si era procurato la sveglia?»

«Non glielo chiesi. È roba che si compra in qualunque grande magazzino. Era una comune sveglia da pochi soldi con carica manuale. Niente di lussuoso.»

«Era la prima volta che adoperavi un detonatore a orologeria?»

«Lo sai bene. Le altre bombe erano state fatte esplodere con le micce. Perché mi fai tutte queste domande?»

«Perché voglio sentire le tue risposte. Ho letto tutto, ma voglio sentirlo dire da te. Perché volevi che la bomba nell'ufficio di Kramer scoppiasse dopo un certo tempo?»

«Perché ero stanco di accendere le micce e scappare come se avessi il diavolo alle calcagna. Volevo un intervallo più lungo fra il momento in cui piazzavo la bomba e quello dell'esplosione.»

«A che ora la piazzasti?»

«Verso le quattro del mattino.»

«Quando avrebbe dovuto scoppiare?»

«Verso le cinque.»

«Cosa non funzionò?»

«Non scoppiò alle cinque, ma qualche minuto prima delle otto. Ormai c'era gente nell'ufficio, e qualcuno ci lasciò la pelle. Ecco perché adesso sto qui, con addosso una ridicola tuta rossa, e mi domando che odore avrà il gas.»

«Dogan testimoniò che la scelta di Marvin Kramer come bersaglio fu raggiunta di comune accordo da voi due, che Kramer era da tre anni nella lista nera del Klan, che il ricorso a un congegno a orologeria era stato suggerito da te per uccidere Kramer poiché era un abitudinario e si andava a colpo sicuro, e che tu agisti da solo.»

Sam ascoltava con pazienza e fumava. Socchiuse le palpebre e annuì, guardando il pavimento. Poi sembrò sul punto di sorridere. «Be', purtroppo Dogan era ammattito, no? I federali non gli davano tregua da anni, e alla fine crollò. Non aveva un carattere molto forte, sai.» Respirò a fondo e guardò Adam. «Ma in parte quel che disse è vero. Non tutto, ma in parte sì.»

«Avevi intenzione di uccidere Kramer?»

«No. Non ammazzavamo nessuno. Facevamo saltare in aria gli edifici e basta.»

«E la casa dei Pinder a Vicksburg? Fu uno dei tuoi attentati?»

Sam annuì.

«La bomba scoppiò alle quattro del mattino mentre tutta la famiglia Pinder dormiva. Sei persone. Fu un miracolo se ci fu un solo ferito leggero.»

«Non fu un miracolo. La bomba era stata piazzata nel garage. Se avessi voluto ammazzare qualcuno, l'avrei messa vicino alla finestra di una camera da letto.»

«Crollò metà della casa.»

«Sicuro, e io avrei potuto usare una sveglia e far fuori un branco di ebrei mentre mangiavano i bagel o chissà cos'altro.»

«Perché non lo facesti?»

«Te l'ho detto. Non volevamo ammazzare nessuno.»

«E cosa volevate fare?»

«Intimidire. Compiere rappresaglie. Impedire a quei maledetti ebrei di finanziare il movimento per i diritti civili. Cercavamo di far restare gli africani al loro posto... nelle loro scuole e chiese, nei loro quartieri e gabinetti, lontano dalle nostre donne e dai nostri bambini. Gli ebrei come Marvin Kramer propagandavano una società inter-razziale e istigavano gli africani. Era necessario rimettere in riga quel figlio di puttana.»

«E così gli deste una lezione, no?»

«Ebbe quello che meritava. Mi dispiace soltanto per i bambini.»

«Il tuo spirito umanitario è commovente.»

«Ascolta, Adam, e ascoltami bene. Non avevo intenzione di far male a nessuno. La bomba era regolata per scoppiare alle cinque del mattino, tre ore prima del suo abituale arrivo in ufficio. E l'unica ragione per cui c'erano i bambini era che la moglie aveva l'influenza.»

«Ma non provi rimorso perché Marvin perse tutte e due le gambe?»

«Non proprio.»

«E neppure perché un anno dopo si uccise?»

«Fu lui a premere il grilletto, non io.»

«Sei marcio, Sam.»

«Sicuro, e non migliorerò molto quando respirerò il gas.»

Adam scosse la testa disgustato, ma tenne a freno la lingua. Avrebbero potuto discutere più tardi di razzismo e di odio, anche se in quel momento non prevedeva di fare molti progressi con Sam sull'argomento. Ma aveva deciso di tentare. Adesso, comunque, dovevano parlare dei fatti.

«Cosa facesti dopo aver ispezionato la dinamite?»

«Tornai al locale per camionisti e presi un caffè.»

«Perché?»

«Forse avevo sete.»

«Non fare lo spiritoso, Sam. Sforzati di rispondere alle domande.»

«Aspettavo.»

«Cosa?»

«Dovevo far passare un paio d'ore. Ormai era quasi mezzanotte e volevo rimanere a Greenville il minor tempo possibile. Così mi trattenni a Cleveland.»

«Parlasti con qualcuno in quel locale?»

«No.»

«Era affollato?»

«Per essere sincero non lo ricordo.»

«Eri seduto da solo?»

«Sì.»

«A un tavolo?»

«Sì.» Sam sfoggiò un sogghigno perché sapeva cosa stava per accadere.

«Un camionista, un certo Tommy Farris, disse di aver visto quella notte nel locale un uomo che ti somigliava moltissimo, e che quell'uomo si era fermato a lungo a bere il caffè in compagnia di uno più giovane.»

«Non ho mai conosciuto il signor Farris, ma credo che abbia avuto un vuoto di memoria per tre anni. Non ne parlò con nessuno, se non sbaglio, fino a quando un altro giornalista non lo scovò e pubblicò il suo nome. È strano che questi testimoni misteriosi saltino sempre fuori anni dopo i processi.»

«Perché Farris non testimoniò al tuo ultimo processo?»

«Non chiederlo a me. Perché non aveva niente da dire, immagino. Il fatto che prendessi il caffè da solo o con qualcuno sette ore prima dell'esplosione non era pertinente. E poi, il caffè l'avevo bevuto a Cleveland, e non c'entrava con il fatto che avessi commesso l'attentato o no.»

«Quindi Farris è un bugiardo.»

«Non so se sia un bugiardo. E non m'interessa. Ero solo. È l'unica cosa che conta.»

«A che ora partisti da Cleveland?»

«Intorno alle tre, mi pare.»

«E andasti direttamente a Greenville?»

«Sì. Passai davanti alla casa di Kramer, vidi la guardia seduta sotto il portico, passai davanti al suo ufficio, ammazzai di nuovo il tempo per un po' e verso le quattro, poco più o poco meno, parcheggiai dietro l'ufficio, entrai dalla porta posteriore, misi la bomba in un ripostiglio nel corridoio, tornai alla macchina e me ne andai.»

«A che ora lasciasti Greenville?»

«Avevo deciso di andarmene dopo lo scoppio della bomba. Ma come sai passarono diversi mesi prima che potessi lasciare la città.»

«Dove andasti dopo esserti allontanato dall'ufficio di Kramer?»

«Trovai un piccolo caffè sull'autostrada, a meno di un chilometro.»

«Perché ci andasti?»

«Per prendere un caffè.»

«Che ora era?»

«Non lo so. Circa le quattro e mezzo.»

«Era affollato?»

«No, non c'era molta gente. Era il tipico ristorante aperto tutta la notte, con un cuoco grasso dalla maglietta sporca e una cameriera che masticava il chewing gum.»

«Parlasti con qualcuno?»

«Con la cameriera quando ordinai il caffè. Forse mangiai una ciambella.»

«E rimanesti tranquillo a bere il caffè e a pensare agli affari tuoi in attesa che scoppiasse la bomba.»

«Sicuro. Mi è sempre piaciuto sentir esplodere le bombe e vedere la reazione della gente.»

«Quindi l'avevi già fatto?»

«Una sola volta. Nel gennaio di quell'anno misi una bomba

in un'agenzia immobiliare di Jackson. Erano ebrei che avevano venduto a una famiglia di sporchi negri una casa in un quartiere bianco. E io ero in un ristorante a meno di tre isolati di distanza quando la bomba scoppiò. Avevo usato una miccia, quindi avevo dovuto allontanarmi in fretta, parcheggiare e trovare un tavolo. La cameriera mi aveva appena messo davanti il caffè quando il terreno tremò e tutti si immobilizzarono. Mi piaceva. Erano le quattro del mattino e il locale era pieno di camionisti e corrieri; in un angolo c'erano addirittura dei poliziotti, che naturalmente corsero subito alle macchine e sfrecciarono via con le luci lampeggianti. Il mio tavolo tremò tanto che il caffè traboccò dalla tazza.»

«E per te fu un'emozione piacevole?»

«Sì, certo. Ma gli altri lavori erano troppo rischiosi. Non avevo il tempo di trovare un caffè o un ristorante, e quindi giravo e giravo per qualche minuto in attesa che cominciasse il divertimento. Controllavo attentamente l'orologio, e quindi sapevo sempre quando ci sarebbe stata l'esplosione. Se ero in macchina, preferivo trovarmi alla periferia della città.» Sam s'interruppe e tirò una lunga boccata dalla sigaretta. Parlava adagio, meticolosamente. Gli brillavano gli occhi perché parlava delle sue avventure, ma le parole erano misurate. «Assistetti all'esplosione in casa Pinder» soggiunse.

«E come facesti?»

«Abitavano in una grande casa in periferia, con una quantità di alberi, una specie di valle. Fermai la macchina su una collina lontana circa un chilometro e mezzo. Ero seduto sotto un albero quando scoppiò la bomba.»

«Una scena idilliaca.»

«Sì, davvero. Luna piena, notte fresca. Vedevo benissimo la strada, e quasi tutto il tetto. Era una scena pacifica e tutti dormivano. Poi, bum, il tetto volò via.»

«Cos'aveva fatto il signor Pinder?»

«Molto semplicemente era ebreo. Adorava gli sporchi negri. Abbracciava sempre gli africani radicali quando venivano dal Nord ad aizzare tutti. Gli piaceva marciare e fare i boicottaggi insieme con gli africani. Avevamo il sospetto che finanziasse molte delle loro attività.»

Adam prendeva appunti e cercava di assimilare tutto. Ma

era molto difficile perché era quasi impossibile crederci. Forse la pena di morte, dopotutto, non era una cattiva idea. «Torniamo a Greenville. Dove si trovava questo caffè?»

«Non ricordo.»

«Come si chiamava?»

«Sono passati ventitré anni. E non era il tipo di locale che uno ci tiene a ricordare.»

«Era sulla Highway 82?»

«Mi pare di sì. Cos'hai intenzione di fare? Perdere tempo a cercare di rintracciare il cuoco grasso e la cameriera? Dubiti del mio racconto?»

«Sì. Dubito del tuo racconto.»

«Perché?»

«Perché non sai dirmi dove hai imparato a fabbricare una bomba con un detonatore a orologeria.»

«Nel garage dietro casa mia.»

«A Clanton?»

«Un po' fuori Clanton. Non è poi molto difficile.»

«Chi te l'aveva insegnato?»

«Ho imparato da solo. Avevo un disegno, un libriccino con i diagrammi e le istruzioni. Fase uno, due, tre. Non era un problema.»

«Quante volte ti sei esercitato con un congegno del genere prima di usarlo nell'attentato contro Kramer?»

«Una volta sola.»

«Dove? Quando?»

«Nel bosco non lontano da casa mia. Presi due candelotti di dinamite e il resto dell'attrezzatura e raggiunsi il letto di un ruscello all'interno del bosco. Funzionò perfettamente.»

«Certo. E tutti questi studi e queste ricerche li facesti nel tuo garage?»

«Sì, l'ho già detto.»

«Il tuo piccolo laboratorio.»

«Chiamalo come vuoi.»

«Bene, l'Fbi fece una perquisizione meticolosa in casa tua, nel garage e tutto intorno mentre eri in prigione. E non trovarono tracce di esplosivi.»

«Forse erano stupidi. Forse ero stato molto prudente e non avevo voluto lasciare tracce.»

«O forse la bomba fu piazzata da qualcun altro che aveva esperienza di esplosivi.»

«No. Mi dispiace.»

«Per quanto tempo ti fermasti nel caffè di Greenville?»

«Parecchio. Passarono le cinque. Poi si avvicinarono le sei. Pochi minuti prima delle sei me ne andai e guidai fino all'ufficio di Kramer. Sembrava tutto normale. C'era già in giro un po' di gente e non volevo farmi vedere. Attraversai il fiume, andai a Lake Village, in Arkansas, poi tornai a Greenville. Ormai erano le sette, era sorto il sole e c'era gente in giro. Ma niente esplosione. Parcheggiai la macchina in una via laterale e per un po' girai a piedi. La maledetta bomba non voleva scoppiare. Non potevo entrare per rimediare, capisci? Continuai a camminare e a tendere l'orecchio, augurandomi che il terreno tremasse. Invece non succedeva niente.»

«Hai visto Marvin Kramer e i figli entrare nell'ufficio?»

«No. Svoltai a un angolo, vidi la sua macchina ferma e pensai: accidenti. Non capii più niente. Non riuscivo a riflettere. Poi pensai: diavolo, è solo un ebreo e ne ha combinate tante. Ma poi ricordai che potevano esserci le segretarie e altri che lavoravano lì, e feci di nuovo il giro dell'isolato. Guardai l'orologio alle otto meno venti, e decisi che forse avrei dovuto telefonare in ufficio e dire a Kramer che c'era una bomba nel ripostiglio. E se non mi avesse creduto, avrebbe potuto controllare con i suoi occhi e scappare.»

«Perché non lo facesti?»

«Non avevo gli spiccioli per il telefono. Li avevo lasciati tutti di mancia alla cameriera, e non me la sentivo di entrare in un negozio per cambiare. Devo ammettere che ero molto nervoso. Mi tremavano le mani e non volevo comportarmi in modo da suscitare sospetti. Ero un forestiero, giusto? E là dentro c'era la mia bomba, giusto? Ero in una città piccola dove si conoscono tutti, e quando c'è un delitto tutti si ricordano dei forestieri. Mi incamminai lungo il marciapiedi, attraversai la strada di fronte dall'ufficio di Kramer. Davanti a un barbiere c'era un distributore di giornali, e un uomo si frugava nelle tasche per cercare gli spiccioli. Avrei voluto chiedergli dieci cent per telefonare, ma ero troppo nervoso.»

«Perché eri nervoso, Sam? Hai appena detto che non ti importava niente se Kramer ci andava di mezzo. Ed era il tuo sesto attentato, no?»

«Sì, ma gli altri erano stati facili. Avevo acceso la miccia, ero scappato e avevo aspettato qualche minuto. Continuavo a pensare alla segretaria di Kramer, quella così carina che mi aveva indicato il gabinetto. La stessa che poi testimoniò al processo. E continuavo a pensare agli altri che lavoravano in quello studio perché il giorno che ero entrato avevo visto una quantità di gente. Erano quasi le otto e sapevo che l'ufficio avrebbe aperto dopo pochi minuti. Sapevo che sarebbe morta parecchia gente. Il mio cervello non funzionava più. Mi fermai davanti a una cabina telefonica, a un isolato di distanza; guardavo l'orologio e poi il telefono e mi dicevo che dovevo assolutamente chiamare. Alla fine entrai e cercai il numero, ma quando chiusi l'elenco l'avevo già dimenticato. Lo cercai ancora e cominciai a comporlo, poi ricordai che non avevo i dieci cent. E allora decisi di entrare dal barbiere, lì vicino, per farmi dare qualche spicciolo. Avevo le gambe pesanti e sudavo come un porco. Mi avvicinai alla bottega, mi fermai davanti alla vetrata e guardai dentro. Era pieno di gente. Stavano allineati contro il muro, parlavano e leggevano i giornali, e c'era anche una fila di sedie, occupate da uomini che parlavano tutti insieme. Ricordo che due o tre mi guardarono, poi uno o due cominciarono a fissarmi, e allora mi allontanai.»

«Dove andasti?»

«Non lo so dire con certezza. C'era un ufficio vicino a quello di Kramer e ricordo che una macchina stava parcheggiando. Pensai che fosse una segretaria o qualcuno che stava per entrare da Kramer, e mi ero avviato verso la macchina quando scoppiò la bomba.»

«Quindi eri dall'altra parte della strada?»

«Mi pare. Ricordo che caddi sulle ginocchia mentre mi piovevano addosso pezzi di vetro e calcinacci. Ma non ricordo molto di più.»

Si sentì bussare leggermente alla porta e il sergente Packer entrò con una grande tazza di plastica, un tovagliolo di carta, un bastoncino per mescolare il caffè e un sacchettino con la panna. «Ho pensato che le andasse un po' di caffè. Scusi se la disturbo.» Posò sul ripiano la tazza e gli accessori.

«Grazie» disse Adam.

Packer si voltò in fretta e si avviò verso la porta.

«Io lo voglio con due bustine di zucchero e una di panna» intervenne Sam dall'altra parte della grata.

«Sissignore» rispose Packer senza rallentare. E uscì.

«C'è un ottimo servizio» commentò Adam.

«Magnifico, proprio magnifico.»

14

Naturalmente Sam non ebbe il caffè. Lo sapeva benissimo, ma Adam no. Quindi, dopo qualche minuto d'attesa, Sam gli disse: «Bevi». Accese un'altra sigaretta e per un po' camminò avanti e indietro mentre Adam mescolava lo zucchero con il bastoncino di plastica. Erano quasi le undici. Sam aveva saltato l'ora d'aria e non era affatto sicuro che Packer avrebbe trovato il tempo per rimediare. Si chinò diverse volte ed eseguì una mezza dozzina di piegamenti. Le ginocchia scricchiolavano e le giunture crocchiavano mentre si sollevava e si abbassava. Durante i primi mesi del primo anno di detenzione nel Braccio aveva fatto sempre ginnastica con grande disciplina. Era arrivato a fare ogni giorno cento sollevamenti sulle braccia stando sdraiato e altri cento stando seduto. Il suo peso si era ridotto agli ideali settantadue chili e la dieta a basso contenuto di grassi aveva fatto il resto. Lo stomaco gli era diventato piatto e solido. Non era mai stato così bene.

Ma poi aveva pensato che il Braccio era la sua ultima residenza e che un giorno lo stato l'avrebbe ucciso lì dentro. A cosa servono la buona salute e i bicipiti robusti quando si sta rinchiusi ventitré ore al giorno in attesa di morire? Un po' alla volta aveva smesso di far ginnastica. E aveva fumato sempre di più. Fra i compagni era considerato fortunato soprattutto perché aveva un po' di denaro. Aveva un fratello più giovane, Donnie, che viveva nel North Carolina e ogni mese gli spediva una grossa scatola con dieci stecche di sigarette Montclair. Sam ne fumava in media tre o quattro pacchetti al giorno. Cercava di uccidersi prima che lo facesse lo stato. E preferiva morire di una malattia prolungata, una malattia tale da richiedere quelle cure costose che a norma della costituzione lo stato del Mississippi avrebbe dovuto fornirgli.

Ma a quanto pareva stava per perdere la gara.

Il giudice federale che aveva assunto il controllo di Parchman in seguito a una causa per i diritti dei detenuti aveva impartito ordini che modificavano le fondamentali misure correzionali. Aveva definito minuziosamente i diritti dei detenuti. E aveva fissato certi minimi dettagli, come l'area di ogni cella del Braccio e l'entità delle somme che ogni ospite poteva possedere. Venti dollari era il massimo. La somma veniva chiamata "polvere" e proveniva sempre dall'esterno. I condannati a morte non potevano lavorare e guadagnare. I più fortunati ricevevano qualche dollaro al mese da parenti e amici. Potevano spenderli allo spaccio che si trovava al centro dell'Msu. Le bibite analcoliche le chiamavano "le lunghe", la cioccolata e gli spuntini "zuzù" e "uam-uam". Le sigarette in pacchetti erano "gambe sode" e "rotoli fatti".

La maggioranza dei detenuti non riceveva niente dall'esterno. Facevano scambi e baratti fra loro e mettevano insieme le piccole somme necessarie per acquistare tabacco sciolto per farsi a mano sigarette che fumavano lentamente. Sam era davvero fortunato.

Tornò a sedere e accese un'altra sigaretta.

«Perché non testimoniasti al processo?» gli chiese il suo avvocato attraverso la grata.

«Quale processo?»

«Giusto. I primi due.»

«Non era necessario. Brazelton aveva scelto i giurati adatti, tutti bianchi e comprensivi. Sapevo che non mi avrebbero condannato. Non avevo bisogno di testimoniare.»

«E l'ultimo processo?»

«Be', è un po' più complicato. Io e Keys ne discutemmo molte volte. All'inizio lui pensava che potesse servire, perché avrei spiegato alla giuria le mie vere intenzioni, il fatto che non avrebbero dovuto esserci feriti e così via. La bomba doveva scoppiare alle cinque. Ma sapevamo che un controinterrogatorio sarebbe stato brutale. Il giudice aveva già deciso che si poteva discutere degli altri attentati per dimostrare certe cose.

Sarei stato costretto ad ammettere che avevo messo la bomba, quindici candelotti che naturalmente bastavano e avanzavano per ammazzare parecchia gente.»

«E allora perché non testimoniasti?»

«Per colpa di Dogan. Quel maledetto bugiardo raccontò alla giuria che il nostro piano aveva lo scopo di ammazzare l'ebreo. Fu una testimonianza molto efficace. Voglio dire, prova a pensarci: l'ex Imperial Wizard del Klan che testimonia per la pubblica accusa contro uno dei suoi uomini. Sensazionale. La giuria la bevve.»

«Perché Dogan mentì?»

«Jerry Dogan era impazzito, Adam. Impazzito davvero. I federali non gli avevano dato tregua per quindici anni... avevano messo sotto controllo i suoi telefoni, seguivano la moglie, piantavano grane ai parenti, minacciavano i figli, bussavano alla sua porta in piena notte. Gli avevano rovinato l'esistenza. C'era sempre qualcuno che lo spiava e ascoltava. Poi fece un passo falso e intervennero quelli del fisco. Insieme all'Fbi gli dissero che rischiava trent'anni. Dogan crollò. Dopo il mio processo, seppi che fu ricoverato per diverso tempo. In un ospedale psichiatrico. Lo curarono, tornò a casa e morì pochi mesi dopo.»

«Dogan è morto?»

Sam restò immobile mentre tirava una boccata dalla sigaretta. Il fumo gli uscì dalla bocca e salì in volute oltre il naso e davanti agli occhi che in quel momento fissavano increduli il nipote attraverso l'apertura. «Non sapevi di Dogan?» chiese.

Adam passò fulmineamente in rassegna con la memoria gli innumerevoli articoli che aveva raccolto e catalogato. Scosse la testa. «No. Cosa gli successe?»

«Credevo che sapessi tutto» ribatté Sam. «Credevo che avessi imparato tutto sul mio conto.»

«So molte cose di te, Sam. Ma non so che fine abbia fatto Jeremiah Dogan.»

«Morì nell'incendio della sua casa. Lui e la moglie. Una notte stavano dormendo quando un tubo cominciò a perdere gas. I vicini dissero che fu come lo scoppio di una bomba.»

«E quando accadde?»

«Esattamente un anno dopo che aveva testimoniato contro di me.»

Adam cercò di prendere un appunto, ma non riuscì a muovere la penna. Scrutò Sam per cercare un indizio. «Esattamente un anno dopo?»

«Già.»

«Una bella coincidenza.»

«Io ero qui, naturalmente, ma ne sentii parlare. La polizia concluse che era stato un incidente. Anzi, mi pare che ci fu una causa contro la società del gas.»

«Quindi non credi che sia stato assassinato.»

«Sono sicuro che fu un omicidio.»

«D'accordo. Chi l'ha commesso?»

«Quelli dell'Fbi vennero qui a farmi diverse domande. Ci credi? I federali che ficcano il naso da queste parti. Erano due ragazzotti del Nord. Non vedevano l'ora di visitare il braccio della morte, mostrare i distintivi e conoscere un vero terrorista del Klan. Erano così spaventati che avevano paura delle loro ombre. Mi fecero domande stupide per un'ora, poi se ne andarono. Non ho più saputo niente.»

«Chi potrebbe averlo assassinato?»

Sam strinse il filtro tra i denti e aspirò dalla sigaretta l'ultima boccata di fumo. La spense nel posacenere e lanciò una nuvoletta attraverso la grata. Adam disperse il fumo con movimenti esagerati ma Sam lo ignorò. «Tanta gente» borbottò.

Adam prese un appunto sul margine del foglio per parlare di Dogan più tardi. Voleva fare prima qualche ricerca, e riaffrontare l'argomento in qualche colloquio futuro.

«Tanto per amor di polemica» rispose Sam con una sfumatura di rimpianto. «L'ultima sera del processo, io e Keys e il suo associato, non ricordo il nome, restammo a discutere fino a mezzanotte per decidere se dovevo testimoniare o no. Ma prova a pensarci, Adam. Sarei stato costretto ad ammettere di aver piazzato la bomba, che aveva un congegno a orologeria regolato per esplodere più tardi, di aver partecipato ad altri attentati e di essere di là dalla strada quando l'ufficio era esploso. E la pubblica accusa aveva provato inequivocabilmente che il bersaglio era Marvin Kramer. Voglio dire, accidenti, avevano fatto ascoltare alla giuria le registrazioni telefoniche dell'Fbi. Dovevi sentire. Avevano messo altoparlanti enormi in aula, il registratore su un tavolo davanti alla giuria come se fosse una bomba. Al telefono c'era Dogan che parlava con Wayne Graves. La voce era stridente ma si sentiva bene, e parlava di far saltare Marvin Kramer per questa e quella ragione, e si vantava che avrebbe mandato a Greenville il suo gruppo, cioè me, per sistemare le cose. Le voci registrate sembravano quelle di fantasmi usciti dall'inferno, e la giuria beveva ogni parola. Molto efficace. E poi, naturalmente, c'era la testimonianza di Dogan. Mi sarei reso ridicolo se avessi cercato di testimoniare per convincere i giurati che non ero cattivo. McAllister mi avrebbe sbranato. Così decidemmo che non dovevo testimoniare. Ora che ci penso, fu una mossa sbagliata. Avrei dovuto parlarne.»

«Ma non parlasti per consiglio del tuo difensore?»

«Senti, Adam, se pensi di attaccare Keys per assistenza insufficiente o patrocinio infedele, scordatelo. Lo pagai bene, ipotecai tutto quello che avevo, e lui fece un buon lavoro. Molto tempo fa Goodman e Tyner presero in considerazione la possibilità di prendersela con Keys, ma non trovarono niente di sindacabile nella sua difesa. Scordatelo.»

La pratica Cayhall, nello studio Kravitz & Bane, includeva una montagna di ricerche e promemoria sulla questione della difesa sostenuta da Benjamin Keys.

Il patrocinio inefficiente da parte del difensore era un argomento molto comune negli appelli contro le condanne a morte, ma nel caso di Sam non era stato usato. Goodman e Tyner ne avevano discusso a lungo e si erano scambiati lunghi promemoria da un ufficio all'altro, al sessantunesimo e al sessantaduesimo piano. Il promemoria conclusivo affermava che Keys aveva fatto un ottimo lavoro e e era impossibile attaccarlo.

La pratica includeva anche una lettera di tre pagine in cui Sam proibiva espressamente di prendersela con Keys. Non avrebbe mai firmato una petizione del genere, diceva.

Ma l'ultimo promemoria era stato scritto sette anni prima, quando l'esecuzione era una possibilità molto remota. Adesso la situazione era diversa. Bisognava riesumare certe questioni, o magari inventarle. Era venuto il momento di cercare il pelo nell'uovo.

«Dov'è adesso Keys?» chiese Adam.

«A quanto ne so, è andato a lavorare a Washington. Mi scrisse cinque anni fa e mi disse che non esercitava più la professione. La prese molto male quando perdemmo. Nessuno di noi se l'aspettava.»

«Non ti aspettavi di essere condannato?»

«Non proprio. Me l'ero già cavata due volte, lo sai. E la terza volta la giuria comprendeva otto bianchi, anzi dovrei dire anglo-americani. Per quanto il processo andasse male, non credevo che mi avrebbero giudicato colpevole.»

«E Keys?»

«Oh, era preoccupato. Di certo non la prendemmo alla leggera. Passammo mesi a prepararci. Lui trascurò gli altri clienti e persino la famiglia per settimane intere, mentre ci preparavamo. McAllister faceva qualche uscita sui giornali ogni giorno, e più lui parlava e più noi lavoravamo. Pubblicarono l'elenco dei potenziali giurati, quattrocento, e passammo giorni e giorni a informarci su di loro. La preparazione fu impeccabile. Non eravamo ingenui.»

«Lee mi ha detto che avevi preso in considerazione la possibilità di sparire.»

«Oh, te l'ha detto.»

«Sì. Ieri sera.»

Sam batté un'altra sigaretta sul banco e per un momento la fissò come se fosse l'ultima. «Già, ci avevo pensato. Erano passati tredici anni prima che McAllister si accanisse contro di me. Ero libero. Diavolo, avevo quarantasei anni quando era finito il secondo processo ed ero tornato a casa. Quarantasei anni, e me l'ero cavata con due giurie. Non ci pensavo più. Ero felice. La mia vita era normale. Coltivavo la terra e gestivo una segheria, andavo a prendere il caffè in città e votavo a tutte le elezioni. I federali mi tennero d'occhio per qualche mese ma poi, credo, si convinsero che avevo rinunciato agli attentati. Ogni tanto un giornalista arrivava a Clanton e cominciava a far domande, ma nessuno gli rispondeva. Erano sempre del Nord, stupidi come somari, maleducati e ignoranti, e non si fermavano mai per molto tempo. Un giorno uno di loro venne a casa mia. Non voleva andarsene. Invece di prendere il fucile gli aizzai contro i cani che gli addentarono il culo. Non tornò più.» Sam ridacchiò e accese la sigaretta. «Non l'avevo immaginato nemmeno nei peggiori incubi. Se avessi avuto il minimo sospetto che potesse capitarmi una cosa simile, me ne sarei andato molti anni fa. Ero completamente libero, capisci, senza restrizioni. Sarei andato in Sudamerica, avrei cambiato nome, sarei sparito due o tre volte e poi mi sarei stabilito in una città, Sâo Paulo o Rio.»

«Come Mengele.»

«Qualcosa del genere. Non lo presero mai, ricordalo. Non presero mai tanti altri come lui. In questo momento vivrei in una bella casetta, parlerei portoghese e riderei degli imbecilli come David McAllister.» Sam scosse la testa e chiuse gli occhi, pensando a come poteva andare.

«Perché non scappasti quando McAllister cominciò a far chiasso?»

«Perché ero stupido. Successe un poco per volta. Fu come un brutto sogno che a poco a poco diventava realtà. Prima McAllister si fece eleggere con tutte le sue promesse. Pochi mesi dopo, l'Fbi inchiodò Dogan. Cominciai a sentire certe chiacchiere e a leggere certe cose sui giornali. Mi rifiutavo di credere che sarebbe successo. E prima che me ne rendessi conto, l'Fbi cominciò a seguirmi e non potei più scappare.»

Adam guardò l'orologio. Si sentiva improvvisamente stanco. Avevano parlato per oltre due ore, e sentiva il bisogno di aria pura e di sole. Il fumo gli aveva fatto venir mal di testa e lo stanzone diventava sempre più caldo. Avvitò il cappuccio della penna e rimise nella cartella il blocco degli appunti. «È meglio che vada» disse. «Probabilmente tornerò domani per un'altra puntata.»

«Mi troverai qui.»

«Lucas Mann mi ha autorizzato a venire tutte le volte che voglio.»

«Un tipo straordinario, no?»

«Un tipo a posto. Sta solo facendo il suo dovere.»

«Come Naifeh, Nugent e tutti gli altri bianchi.»

«I bianchi?»

«Già, è il nome in gergo delle autorità. Nessuno vorrebbe ammazzarmi: fanno solo il loro lavoro. C'è l'imbecille con nove dita, il boia ufficiale… è quello che prepara il gas e collega la tanica. Chiedigli cosa sta facendo quando mi legheranno alla sedia, e lui risponderà: "Sto solo facendo il mio lavoro". Il cappellano, il dottore e lo psichiatria del carcere, e le guardie che mi scorteranno e gli inservienti che mi porteranno fuori, oh, sono persone perbene, non hanno niente contro di me, ma fanno il loro lavoro.»

«Non arriveremo a questo punto, Sam.»

«È una promessa?»

«No. Ma cerca di essere ottimista.»

«Già, qui l'ottimismo è molto diffuso. Io e i miei compagni abbiamo la passione per gli spettacoli psicologici, i programmi di viaggio e gli acquisti per televisione. Gli africani preferiscono *Soul Train*.»

«Lee è preoccupata per te, Sam. Mi ha chiesto di dirti che ti pensa e prega per te.»

Sam si morse il labbro inferiore e fissò il pavimento. Annuì ma non rispose.

«Starò da lei per il prossimo mese o più.»

«È ancora sposata con quel tizio?»

«In un certo senso. Vuole vederti.»

«No.»

«Perché?»

Sam si alzò lentamente e andò a bussare alla porta dietro di lui. Si voltò e guardò Adam attraverso la grata. Restarono a fissarsi fino a quando un guardiano non aprì la porta e condusse via Sam.

15

«Il ragazzo è andato via un'ora fa con la procura, anche se io non l'ho vista» spiegò Lucas Mann a Phillip Naifeh, che era in piedi accanto alla finestra e guardava una squadra al lavoro sull'autostrada. Naifeh aveva mal di testa e mal di schiena, ed era arrivato a metà di una giornata terribile che aveva incluso tre telefonate del governatore e due di Roxburgh, il procuratore generale del Mississippi. Naturalmente, il motivo delle telefonate era Sam.

«Così adesso ha un avvocato» commentò Naifeh mentre si premeva un pugno contro le reni.

«Sì, e il ragazzo mi piace. Prima di andarsene è venuto da me. Sembrava che fosse stato investito da un camion. Credo che per lui e suo nonno siano momenti difficili.»

«Per il nonno diventerà anche peggio.»

«Diventerà peggio per tutti noi.»

«Sai cosa mi ha chiesto il governatore? Voleva sapere se poteva avere una copia del nostro manuale delle esecuzioni. Gli ho risposto di no, che non poteva averla. Ha detto che è il governatore dello stato e si ritiene in diritto di averla. Ho cercato di spiegargli che in effetti non è un vero manuale, ma un fascicoletto di fogli staccati con una copertina nera, e che viene riveduto e modificato ogni volta che gassiamo qualcuno. Il governatore voleva sapere il titolo. Ho detto che non ha nessun titolo ufficiale perché grazie a Dio non viene usato spesso, ma che comunque io lo chiamo il libretto nero. Lui ha insistito, io mi sono arrabbiato. Abbiamo riattaccato e un quarto d'ora dopo il suo avvocato, quel piccolo stronzo gobbo con gli occhiali a pince-nez...»

«Larramore.»

«Larramore mi ha telefonato e ha detto che secondo il tale e il talaltro articolo del codice il governatore ha il diritto di avere una copia del manuale. Ho premuto il tasto dell'attesa, ho consultate gli articoli del codice, l'ho fatto aspettare dieci minuti, poi abbiamo letto insieme le disposizioni di legge e come al solito lui bluffava come se io fossi un imbecille. Nel codice non c'era niente di quel che diceva lui. Ho riattaccato. Dopo dieci minuti mi ha richiamato il governatore. Era tutto zucchero e miele; mi ha detto di lasciar perdere il libretto nero, che è molto interessato ai diritti costituzionali di Sam e via di seguito e quindi vuole che lo tenga informato mentre le cose procedono. La gentilezza in persona.» Naifeh spostò il peso del corpo da un piede all'altro e si premette l'altro pugno contro la schiena mentre continuava a guardare dalla finestra.

«Mezz'ora dopo ha chiamato Roxburgh. Indovina cosa voleva sapere? Voleva sapere se avevo parlato con il governatore. Vedi, Roxburgh pensa che siamo vecchi amici in politica, e quindi possiamo fidarci l'uno dell'altro. Perciò mi dice, in tutta confidenza, che secondo lui il governatore potrebbe cercare di sfruttare l'esecuzione per i suoi interessi politici.»

«Che assurdità!» esclamò Lucas.

«Già. Ho risposto a Roxburgh che non riuscivo a credere che pensasse una cosa simile del nostro governatore. Avevo un tono serio, e lui altrettanto, e ci siamo scambiati la promessa di tener d'occhio il governatore e di metterci subito in contatto se avessimo avuto l'impressione che cercava di manipolare la situazione. Roxburgh ha detto che può fare qualcosa per neutralizzare il governatore se sgarra. Non ho avuto il coraggio di chiedere spiegazioni, ma sembrava molto sicuro di sé.»

«Chi è il più imbecille?»

«Credo Roxburgh, ma non c'è molta differenza.» Naifeh si stirò con cautela e tornò alla scrivania. Era senza scarpe e aveva sfilato la camicia dai calzoni. Soffriva visibilmente. «Tutti e due hanno una sete insaziabile di pubblicità. Sono come due bambini timorosi che all'uno tocchi un pezzo di cioccolata più grosso. Li odio.»

«Li odiano tutti, tranne gli elettori.»

Si sentì bussare alla porta, tre colpi energici a intervalli precisi. «Dev'essere Nugent» disse Naifeh. I dolori aumentarono di colpo. «Avanti.»

La porta si aprì e il colonnello in pensione George Nugent entrò a passo di marcia, indugiò un attimo per chiudere, e si avvicinò a Mann che non si alzò ma gli strinse la mano. «Signor Mann» lo salutò sbrigativo Nugent, poi andò a stringere la mano a Naifeh.

«Si accomodi, George» disse Naifeh, indicando una sedia libera accanto a quella di Mann. Avrebbe voluto ordinargli di piantarla con le pose militaresche. ma sapeva che sarebbe stato inutile.

«Sì, signore» rispose Nugent, e sedette senza piegare la schiena. Anche se a Parchman soltanto le guardie e i detenuti portavano l'uniforme, Nugent era riuscito a crearne una per sé. Camicia e pantaloni erano oliva scuro, stirati perfettamente, con una piega impeccabile, ogni giorno sopravvivevano come per miracolo senza la minima grinza. I pantaloni finivano pochi centimetri sopra le caviglie, dove sparivano all'interno di un paio di stivaletti neri da combattimento che venivano lucidati almeno due volte al giorno e sprizzavano scintille. Una volta era corsa la voce che una segretaria o forse un detenuto aveva visto una macchia di fango su una suola, ma non c'era mai stata conferma.

Il primo bottone della camicia era slacciato per formare un triangolo perfetto che rivelava una maglietta grigia. Le tasche e le maniche erano nude e disadorne, senza medaglie o nastrini, e Naifeh sospettava che questo costituisse per il colonnello un motivo d'umiliazione. Il taglio dei capelli era rigorosamente militare, con la pelle nuda sopra le orecchie e un rado strato di corte setole grigie in alto. Aveva cinquantadue anni, aveva servito il suo paese per trentaquattro, prima come soldato semplice in Corea poi come capitano in Vietnam, dove aveva fatto la guerra dietro una scrivania. Era stato ferito in un incidente con la jeep ed era stato rimandato a casa con un altro nastrino.

Da due anni prestava servizio in modo ammirevole come vicesovrintendente: era un subordinato leale e affidabile. Amava i dettagli, i regolamenti e le norme. Divorava i manuali e scriveva continuamente nuove procedure, direttive e modifiche che sottoponeva all'attenzione del direttore. Per Naifeh era una notevole scocciatura, ma gli era comunque indispensabile. Non era un segreto che il colonnello aspirava a prendere il posto di Naifeh di lì a due anni.

«George, io e Lucas stavamo parlando della faccenda Cayhall. Non so cosa sappia lei degli appelli, ma il Quinto Distretto ha revocato la sospensione e quindi è prevedibile che l'esecuzione avverrà fra quattro settimane.»

«Sì, signore» rispose Nugent, mentre s'imprimeva ogni parola nella memoria. «L'ho letto sul giornale di oggi.»

«Bene. Lucas pensa che potrebbe proprio succedere. Giusto, Lucas?»

«Ci sono buone probabilità. Più del cinquanta per cento» confermò Lucas senza guardare Nugent.

«Da quanto tempo è qui, George?»

«Due anni e un mese.»

Il direttore fece un calcolo mentre si massaggiava le tempie. «Non era qui quando ci fu l'esecuzione di Parris?»

«No, signore. Arrivai qualche settimana dopo» rispose con una sfumatura di disappunto.

«Non ha mai assistito a un'esecuzione, allora?»

«No, signore.»

«Ecco, sono spaventose, George. Spaventose. L'aspetto peggiore del nostro lavoro. Sinceramente, io non me la sento. Speravo di andare in pensione prima che usassimo di nuovo la camera a gas, ma ormai sembra molto dubbio. Ho bisogno di aiuto.»

Nugent, che già teneva la schiena irrigidita, sembrò tenderla ancora di più. Annuì pronto e lanciò occhiate in tutte le direzioni.

Naifeh sedette con cautela e fece una smorfia quando si assestò sul cuoio morbido. «Dato che non me la sento, George, io e Lucas abbiamo pensato che forse lei potrebbe fare un ottimo lavoro.»

Il colonnello non riuscì a reprimere un sorriso, che subito sparì e fu sostituito da un'espressione serissima. «Sono sicuro di riuscirci, signore.»

«Anch'io ne sono sicuro.» Naifeh indicò un piccolo fascicolo nero sull'angolo della scrivania. «Abbiamo una specie di manuale. Eccolo lì. È il risultato dell'esperienza di una ventina di visite nella camera a gas durante gli ultimi trent'anni.»

Nugent socchiuse gli occhi e li puntò sul volumetto nero. Notò che non tutte le pagine erano eguali e uniformi, che vari fogli erano piegati e infilati in disordine nel testo e che la rilegatura era sciupata. Nel giro di qualche ora, decise subito, il manuale sarebbe stato trasformato in un testo meritevole di pubblicazione. Era il suo primo dovere. Il risultato sarebbe stato impeccabile.

«Perché non lo legge questa sera e ne riparliamo domani mattina?»

«Sì, signore» rispose soddisfatto Nugent.

«Non ne parli con nessuno finché non ne avremo riparlato, intesi?»

«Sì, signore.»

Nugent rivolse un cenno di saluto a Lucas Mann e uscì dall'ufficio stringendo il libro nero come un bambino che tiene un giocattolo nuovo. La porta si chiuse dietro di lui.

«È pazzo» commentò Lucas.

«Lo so. Lo terremo d'occhio.»

«Sarà meglio. È tanto scatenato che potrebbe tentare di gassare Sam questo fine settimana.»

Naifeh aprì un cassetto della scrivania e prese una boccetta di pillole. Ne inghiottì due senza bere un po' d'acqua. «Vado a casa, Lucas. Ho bisogno di sdraiarmi. Probabilmente morirò prima di Sam.»

«Sì, vai.»

Il colloquio telefonico con Goodman fu breve. Adam spiegò con un certo orgoglio che lui e Sam avevano firmato la procura e avevano già passato insieme quattro ore, anche se non avevano concluso molto. Goodman chiese una copia della procura e Adam spiegò che al momento non esisteva, che l'originale era al sicuro in una cella del braccio della morte e le copie si sarebbero fatte solo se il cliente lo avesse deciso.

Goodman promise di riesaminare gli atti e di mettersi al lavoro. Adam gli diede il numero di telefono di Lee e promise di farsi sentire tutti i giorni. Riattaccò e fissò i due agghiaccianti messaggi telefonici accanto al computer. Erano di due giornalisti, uno d'un quotidiano di Memphis e uno di una stazione televisiva di Jackson, Mississippi.

Baker Cooley aveva parlato con entrambi. Anzi, una squadra della televisione di Jackson si era presentata allo studio e se n'era andata solo dopo che Cooley li aveva minacciati. Tanta attenzione aveva sconvolto la noiosa routine della sede di Memphis di Kravitz & Bane, e Cooley era tutt'altro che soddisfatto. Gli altri soci avevano ben poco da dire ad Adam. Le segretarie erano educate, ma si vedeva che preferivano stargli alla larga.

I giornalisti sapevano, aveva detto solennemente Cooley. Sapevano che Sam e Adam erano nonno e nipote, e anche se non capiva come mai lo sapessero, di certo non era stato lui a rivelarlo. Non l'aveva detto ad anima viva fino a che, naturalmente, la faccenda si era risaputa ed era stato costretto a riunire soci e associati poco prima di pranzo per spiegare la situazione.

Erano quasi le cinque. Adam era seduto alla scrivania con la porta chiusa, e ascoltava le voci che risuonavano nel corridoio mentre gli impiegati, i paralegali e gli altri dipendenti si preparavano a uscire. Decise che non avrebbe detto niente al giornalista della televisione. Fece il numero di Todd Marks del "Memphis Press". Un messaggio registrato lo guidò tra i prodigi della corrispondenza a voce e dopo un paio di minuti Marks rispose al suo numero interno e disse sbrigativamente: «Todd Marks». Dalla voce sembrava un adolescente.

«Sono Adam Hall, di Kravitz & Bane. Ho trovato un biglietto che mi chiedeva di chiamarla.»

«Sì, signor Hall» rispose Marks. Era diventato di colpo cordiale e non aveva più fretta. «Grazie per avermi chiamato. Io, uhm, ecco, noi, uhm, abbiamo sentito dire che si occupa del caso Cayhall e, uhm, stavo cercando di scoprire se è vero.»

«Io assisto il signor Cayhall» confermò Adam in tono misurato.

«Sì, ecco, è appunto quello che avevamo sentito dire. E lei, uhm, viene da Chicago?»

«Sì.»

«Capisco. E come, uhm, come mai si occupa del caso?»

«Il mio studio legale assiste Sam Cayhall da sette anni.»

«Sì, è vero. Ma non aveva revocato la procura, un po' di tempo fa?»

«Sì. E adesso l'ha rinnovata.» Adam sentiva il ticchettio dei tasti mentre Marks affidava le sue parole a un computer.

«Capisco. Abbiamo sentito una voce, una semplice voce, credo, secondo la quale Sam Cayhall sarebbe suo nonno.»

«Da chi l'avete saputo?»

«Ecco, vede, abbiamo le nostre fonti d'informazione e dobbiamo proteggerle. Non posso dirle da chi l'abbiamo saputo, mi creda.»

«Sì, capisco.» Adam respirò a fondo e lasciò in sospeso Marks per un minuto. «Ora dov'è?»

«Al giornale.»

«Dove, esattamente? Non conosco la città.»

«E lei dov'è?» chiese Marks.

«In centro. Nel nostro ufficio.»

«Non è lontano. Posso essere lì fra dieci minuti.»

«No, non venga qui. Vediamoci in qualche altro posto. Un piccolo bar tranquillo.»

«D'accordo. Il Peabody Hotel è in Union Street, a tre isolati da lei. C'è un bar simpatico, si chiama Mallards.»

«Arriverò fra un quarto d'ora. Io e lei soli, d'accordo?»

«Certo.»

Adam riattaccò. La procura di Sam conteneva alcune clausole ambigue che cercavano di impedire al suo avvocato di parlare con la stampa. Era una clausola piena di scappatoie che qualunque avvocato avrebbe saputo sfruttare, ma Adam non voleva correre rischi. Dopo due incontri, suo nonno rimaneva un mistero. Non aveva simpatia per gli avvocati e non avrebbe esitato a scaricarne un altro, anche se era suo nipote.

Il Mallards si andava riempiendo di giovani professionisti stanchi che sentivano il bisogno di un paio di bicchierini per affrontare la strada che li avrebbe portati in periferia. Poca gente abitava nel centro di Memphis e quindi i banchieri e gli agenti di cambio si incontravano lì e in innumerevoli altri bar a bere birra nelle bottiglie verdi e centellinare vodka svedese.

Erano allineati lungo il banco o raggruppati intorno ai tavolini e discutevano l'andamento della Borsa e dei tassi di sconto. Era un locale elegante, con muri di mattoni autentici e pavimenti di legno duro. Accanto alla porta c'era un tavolo carico di vassoi di ali di pollo e fegatelli avvolti nel bacon.

Adam scorse un giovane in jeans che teneva in mano un blocco per appunti. Si presentò e andarono a un tavolo d'angolo. Todd Marks non aveva più di venticinque anni, portava occhiali dalla montatura metallica e i capelli gli arrivavano alle spalle. Era cordiale e un po' nervoso. Ordinarono due birre Heineken.

Il blocco per gli appunti era sul tavolino, pronto per l'uso, e Adam decise di prendere in mano la situazione. «Qualche regola fondamentale» annunciò. «Primo, tutto quello che le dico è in via non ufficiale. Non può nominarmi come autore di questa o di quell'affermazione. Siamo d'accordo?»

Marks alzò le spalle come per accettare anche se non era proprio ciò che aveva in mente. «D'accordo» disse.

«Credo che voi le chiamiate informazioni di fondo o qualcosa del genere.»

«Appunto.»

«Risponderò a qualche domanda, ma non a molte. Sono qui perché voglio che lei capisca come stanno esattamente le cose. Chiaro?»

«Sta bene. Sam Cayhall è suo nonno?»

«Sam Cayhall è mio cliente e mi ha dato istruzioni di non parlare con la stampa. Ecco perché non può citare il mio nome. Sono qui per confermare o smentire. Niente di più.»

«D'accordo. Ma è suo nonno?»

«Sì.»

Marks respirò a fondo e assaporò quel fatto incredibile che senza dubbio avrebbe portato a un articolo straordinario. Gli sembrava già di vedere i titoli.

Poi si rese conto che doveva fare qualche altra domanda. Prese una penna dal taschino. «Chi è suo padre?»

«Mio padre è morto.»

Un lungo silenzio. «Quindi Sam è il padre di sua madre?»

«No. È il padre di mio padre.»

«Ho capito. Perché avete cognomi diversi?»

«Mio padre lo cambiò.»

«E perché?»

«A questa domanda non intendo rispondere. Non voglio parlare della storia della famiglia.»

«È cresciuto a Clanton?»

«No. Ci sono nato, ma partii quando avevo tre anni. I miei genitori si trasferirono in California, ed è là che sono cresciuto.»

«Quindi non frequentava Sam Cayhall?»

«No.»

«Lo conosceva?»

«L'ho incontrato ieri.»

Marks rifletté sulla prossima domanda che intendeva fare. Arrivò la birra. La bevvero all'unisono, in silenzio.

Il giornalista fissò il blocco, scribacchiò qualcosa, poi chiese: «Da quanto tempo lavora da Kravitz & Bane?».

«Quasi un anno.»

«E da quanto lavora al caso Cayhall?»

«Un giorno e mezzo.»

Marks bevve un sorso abbondante e fissò Adam come se attendesse una spiegazione. «Senta, uhm, signor Hall...»

«Mi chiami Adam.»

«Bene, Adam. Sembra che ci siano molte lacune. Non può aiutarmi un po'?»

«No.»

«D'accordo. Ho letto che di recente Cayhall aveva revocato la procura a Kravitz & Bane. Quando è successo, lei stava lavorando al caso?»

«Ho appena spiegato che lavoro al caso da un giorno e mezzo.»

«Quando è andato per la prima volta nel braccio della morte?»

«Ieri.»

«Sam Cayhall sapeva che stava per andare da lui?»

«Non intendo parlarne.»

«Perché?»

«È un argomento molto confidenziale. Non parlerò delle mie visite al braccio della morte. Confermerò o smentirò solo le cose che lei potrà accertare altrove.»

«Sam ha altri figli?»

«Non parlerò della famiglia. Sono sicuro che il suo giornale si è già occupato dell'argomento.»

«Ma è stato molto tempo fa.»

«Allora controlli.»

Un altro lungo sorso, un'altra lunga occhiata al blocco. «Che probabilità ci sono che l'esecuzione avvenga l'otto agosto?»

«È molto difficile dirlo. Non vorrei fare ipotesi azzardate.»

«Ma tutti gli appelli hanno esaurito il loro corso, no?»

«Può darsi. Diciamo che non ho un compito molto facile.»

«Il governatore può accordare la grazia?»

«Sì.»

«C'è questa possibilità?»

«È piuttosto improbabile. Dovrà chiederlo a lui.»

«Il suo cliente concederà interviste prima dell'esecuzione?»

«Ne dubito.»

Adam lanciò un'occhiata all'orologio come se avesse ricordato all'improvviso di dover prendere un aereo. «C'è altro?» chiese, e finì la birra.

Marks rimise la penna nel taschino. «Possiamo parlarci qualche altra volta?»

«Dipende.»

«Da cosa?»

«Dal modo in cui si comporterà adesso. Se rivangherà le faccende di famiglia, potrà scordarselo.»

«Devono esserci parecchi scheletri nell'armadio.»

«No comment.» Adam si alzò e gli tese la mano. «È stato un piacere conoscerla.»

«Grazie. Le telefonerò.»

Adam si fece largo in fretta fra la folla del bar e sparì nell'atrio dell'albergo.

16

Fra tutte le regole stupide e pignole imposte ai detenuti nel braccio della morte, la più irritante per Sam era quella dei dodici centimetri e mezzo. Era una trovata geniale che poneva un limite al volume dei documenti legali che un detenuto nel braccio della morte poteva tenere in cella. Non dovevano avere uno spessore superiore ai dodici centimetri e mezzo, una volta pressati insieme. L'incartamento di Sam non era molto diverso da quello dei suoi compagni e dopo nove anni di guerra a base di appelli riempiva due grosse scatole di cartone. Come diavolo poteva fare ricerche, studiare e prepararsi con un limite di quel genere?

Packer era entrato più volte nella sua cella con un metro rigido, l'aveva agitato come il direttore di una banda musicale agita la bacchetta, poi l'aveva accostato alle carte. Tutte le volte Sam aveva superato il limite. Una volta, secondo i calcoli di Packer, era stato sorpreso con cinquantadue centimetri e mezzo di documenti. In ogni occasione Packer aveva compilato un rapporto, e altre scartoffie erano finite nel fascicolo personale di Sam. Spesso si chiedeva se la sua pratica, nella sede dell'amministrazione, superava dodici centimetri e mezzo. Se lo augurava. E a chi interessava? L'avevano chiuso in gabbia per nove anni con l'unico scopo di tenerlo in vita per poterlo uccidere un giorno. Altrimenti, perché si comportavano così?

Ogni volta Packer gli aveva dato ventiquattr'ore di tempo per sfoltire il suo incartamento. Di solito Sam ne spediva un po' al fratello che abitava nel North Carolina. E talvolta ne aveva inviato un poco, controvoglia, a E. Garner Goodman.

Al momento, sforava di una trentina di centimetri. E sotto il materasso teneva un fascicoletto di casi recenti esaminati dalla Corte Suprema. Aveva un incartamento di altri cinque centimetri nella cella accanto, dove Hank Henshaw lo custodiva sullo scaffale; e sette centimetri e mezzo nel mucchio di carte di J.B. Gullitt. Sam rivedeva tutti i documenti e le lettere di Henshaw e Gullitt. Il primo aveva un ottimo avvocato, pagato dalla famiglia; il secondo ne aveva uno molto stupido che faceva parte di un importante studio legale di Washington e non aveva mai messo piede in un tribunale.

La regola dei tre libri era un'altra limitazione sconcertante a proposito di ciò che i detenuti potevano tenere in cella: un ospite del braccio della morte non poteva avere più di tre volumi. Sam ne aveva quindici, sei nella cella e nove sparsi fra i suoi clienti dell'Msu. Non aveva tempo per la narrativa. La sua collezione era formata esclusivamente da testi giuridici sulla pena di morte e sull'Ottavo Emendamento.

Aveva finito la cena – maiale bollito, fagioli e pane di mais – e stava leggendo un caso del Nono Distretto in California: un detenuto si era comportato con tanta calma di fronte all'imminenza dell'esecuzione che i suoi avvocati avevano concluso che doveva essere pazzo. Perciò avevano presentato una serie di mozioni, sostenendo che il loro cliente era troppo pazzo per essere giustiziato. Il Nono Distretto era pieno di progressisti californiani contrari alla pena di morte, che si erano buttati su quel nuovo argomento. L'esecuzione era stata sospesa. A Sam il caso piaceva molto. Tante volte si era augurato che a occuparsi di lui fosse il Nono Distretto anziché il Quinto.

Gullitt, nella cella accanto, annunciò: «Ho un aquilone, Sam». Sam si avvicinò alle sbarre. Lanciare un aquilone era l'unico servizio postale fra detenuti che si trovavano in celle lontane. Gullitt gli passò il biglietto. Era del Predicatore, un patetico ragazzo bianco rinchiuso sette porte più avanti. Era diventato predicatore di campagna a quattordici anni, uno di quei tipi che parlano sempre dell'inferno e delle punizioni divine. Ma la sua carriera si era interrotta, forse per sempre, quando era stato riconosciuto colpevole di aver violentato e assassinato la moglie di un diacono. Aveva ventiquattro anni, era nel Braccio da tre, e di recente era tornato al Vangelo. Il biglietto diceva:

Caro Sam,

in questo momento sto pregando per te. Sono convinto che Dio interverrà e fermerà tutto. Ma se non lo farà, gli chiedo di portarti via in fretta, senza farti soffrire, e di condurti a casa. Con affetto,

Randy

"Meraviglioso" pensò Sam "stanno già pregando perché me ne vada in fretta senza soffrire." Sedette sul bordo del letto e scrisse una breve risposta su un pezzo di carta.

Caro Randy,

grazie per le preghiere. Ne ho bisogno. Ho bisogno anche di uno dei miei libri. È *Rassegna sulla pena di morte* di Bronstein. È un libro verde. Mandamelo.

Sam

Passò il foglietto a J.B. e attese con le braccia fuori dalle sbarre mentre l'aquilone procedeva lungo il raggio. Erano quasi le otto e regnava ancora l'afa, ma per fortuna fuori si stava facendo buio. La notte avrebbe abbassato la temperatura intorno ai venticinque gradi, e con i ventilatori in funzione le celle sarebbero diventate tollerabili.

Durante il giorno Sam aveva ricevuto diversi aquiloni. Tutti esprimevano solidarietà e speranza. Tutti offrivano aiuto, nei limiti del possibile. La musica era più smorzata, e non c'erano state le sfuriate che ogni tanto scoppiavano quando venivano lesi i diritti di qualcuno. Per il secondo giorno consecutivo, il braccio della morte era stato un posto più tranquillo del solito. I televisori erano rimasti in funzione per tutto il giorno e per tutta la sera, ma a volume più basso. Il Raggio A era notevolmente più calmo.

«Ho un avvocato nuovo» annunciò Sam e si appoggiò sui gomiti, con le braccia che penzolavano nel corridoio. Indossava soltanto i boxer. Vedeva le mani e i polsi di Gullitt, ma non gli vedeva mai la faccia quando si parlavano dalle celle. Ogni giorno, mentre lo conducevano fuori per l'ora d'aria, Sam camminava adagio lungo il raggio e guardava i compagni negli occhi. E loro lo guardavano. Aveva imparato a memoria le loro facce e conosceva le voci. Era una crudeltà vivere per anni accanto a qualcuno, parlare con lui della vita e della morte e vedergli soltanto le mani.

«Bene, Sam. Mi fa piacere saperlo.»

«Già. Mi sembra un ragazzo molto sveglio.»

«Chi è?» Gullitt teneva le dita intrecciate, immobili.

«Mio nipote.» Sam lo disse con voce abbastanza forte perché Gullitt sentisse. Poteva confidargli un segreto.

Gullitt mosse leggermente le dita mentre rifletteva. «Tuo nipote?»

«Già. È venuto da Chicago. Lavora in un grande studio legale e pensa che potremmo avere una possibilità.»

«Non mi avevi mai detto di avere un nipote.»

«Non lo vedevo da vent'anni. È comparso ieri, mi ha detto che è avvocato e che vuole occuparsi del mio caso.»

«Dov'è stato negli ultimi dieci anni?»

«Stava crescendo, credo. È un ragazzo. Ha ventisei anni, mi pare.»

«E lascerai che a occuparsi del tuo caso sia un ragazzo di ventisei anni?»

Sam si irritò. «In questo particolare momento non ho molto da scegliere.»

«Diavolo, Sam, conosci il diritto molto più di lui.»

«Lo so, ma mi farà comodo avere un vero avvocato che batte mozioni e appelli sul computer e li presenta alle corti competenti, sai. Mi farà comodo avere qualcuno che può correre in tribunale e discutere con i giudici, e di battersi contro lo stato su un piede di parità.»

Gullitt dovette lasciarsi convincere perché non parlò per qualche minuto. Dopo un po' incominciò a stropicciarsi le punte delle dita. E questo indicava che qualcosa lo preoccupava. Sam attese.

«Ho pensato una cosa, Sam. È un'idea che ha continuato a rodermi per tutto il giorno.»

«Cosa?»

«Ecco, da tre anni tu sei lì e io sono qui, vedi, e sei l'amico migliore che ho al mondo. Sei l'unico di cui posso fidarmi, vedi, e non so cosa farò se ti porteranno nella camera a gas. Voglio dire, ti ho sempre avuto a disposizione per controllare il materiale legale, tutta roba che non capirò mai, e mi hai sempre dato buoni consigli e mi hai detto cosa fare. Non posso fidarmi dei miei avvocati di Washington. Non mi telefonano mai, non mi scrivono mai, e io non so come stia andando il mio caso. Voglio dire, non so se mi resta un anno o cinque, e c'è da diventare matto. Se non fosse stato per te, sarei diventato matto. E se non ce la fai?» Le mani sobbalzavano e si tendevano intensamente. Poi smise di parlare e le mani si fermarono.

Sam accese una sigaretta e ne offrì una a Gullitt: era l'unico, nel braccio della morte, con cui era disposto a dividerle. Hank Henshaw, alla sua sinistra, non fumava. Per un po' aspirarono e lanciarono nuvolette di fumo verso la fila delle finestre in alto.

Alla fine Sam rispose: «Non me ne andrò, J.B. Il mio avvocato dice che abbiamo buone speranze».

«Gli credi?»

«Direi di sì. È un ragazzo sveglio.»

«Dev'essere strano avere il nipote come avvocato, no? Non riesco a immaginarlo.» Gullitt aveva trentun anni, era sposato senza figli, e si lamentava spesso dell'amante della moglie. Lei era una donna senza cuore che non gli faceva mai visita e una volta gli aveva scritto una lettera molto breve per dargli la bella notizia che era incinta. Gullitt era rimasto sulle sue per due giorni prima di confessare a Sam che per anni l'aveva picchiata ed era corso dietro ad altre donne. La moglie gli aveva scritto di nuovo dopo un mese per scusarsi. Un amico le aveva prestato i soldi per abortire, aveva spiegato, e tutto sommato non voleva il divorzio. Gullitt non avrebbe potuto essere più felice.

«È abbastanza strano, sì» disse Sam. «Non somiglia a me, ma a sua madre.»

«E così è saltato fuori all'improvviso e ti ha detto che era il tuo nipote perduto?»

«No, non me l'ha detto subito. Abbiamo parlato per un po', e la sua voce mi sembrava familiare. Era la stessa voce di suo padre.»

«Cioè tuo figlio, giusto?»

«Sì. È morto.»

«Tuo figlio è morto?»

«Già.»

Finalmente il Predicatore mandò il volume verde con un altro biglietto che descriveva un sogno magnifico di due notti prima. Da poco tempo aveva acquisito il raro dono spirituale di interpretare i sogni, e non vedeva l'ora di comunicarlo a Sam. Il sogno gli si stava ancora rivelando; dopo averlo ricostruito, lo avrebbe decifrato e districato e l'avrebbe illustrato a Sam. Era un sogno di buon auspicio, questo lo sapeva già.

"Se non altro ha smesso di cantare" si disse Sam mentre finiva di leggere il biglietto e sedeva sulla branda. Il Predicatore era stato anche cantante di gospel e autore di canti, e ogni tanto si sentiva pervaso dallo spirito al punto di cantare a gola spiegata a tutte le ore del giorno e della notte. Aveva una voce tenorile non molto acuta ma di un volume incredibile, e c'erano sempre proteste furiose quando cantava le nuove melodie. Di solito Packer interveniva personalmente per farlo smettere. Sam aveva addirittura minacciato di intraprendere un'azione legale e di affrettare l'esecuzione del ragazzo se non l'avesse piantata; era stata una mossa sadica, e più tardi si era scusato. Il poveretto era pazzo; e se Sam fosse vissuto abbastanza a lungo, aveva già deciso di adottare per lui la strategia dell'infermità mentale che aveva funzionato in California. Avrebbe sostenuto che sarebbe stata una punizione crudele e anomala giustiziare un pazzo. Sam consigliava ai suoi clienti del braccio della morte di comportarsi come pazzi per quanto era possibile.

Si sdraiò sul letto e cominciò a leggere. Il ventilatore agitava leggermente le pagine e faceva circolare l'aria afosa, ma dopo pochi minuti le lenzuola su cui era steso erano già umide. Dormì in quell'umidità fino alle ore precedenti lo spuntar del sole, quando il braccio della morte divenne quasi fresco e le lenzuola quasi asciutte.

17

L'Auburn House non era mai stata una casa; per decenni era stata una bizzarra chiesetta di mattoni gialli con vetrate colorate. Era circondata da una graziosa recinzione di rete metallica in un terreno ombreggiato, a pochi isolati dal centro di Memphis. I mattoni gialli erano coperti di scritte e le finestre istoriate erano state sostituite dal compensato. I fedeli erano fuggiti verso est molti anni prima, lontano dal centro, per rifugiarsi in periferia. Avevano portato via i banchi e i libri dei canti, e perfino il campanile. Una guardia andava avanti e indietro lungo la recinzione, pronta ad aprire il cancello. Accanto c'era un caseggiato cadente, e un isolato più indietro c'era un fatiscente centro di accoglienza federale dal quale provenivano le pazienti dell'Auburn House.

Erano tutte madri minorenni, nate a loro volta da madri minorenni. Generalmente, i padri erano ignoti. L'età media era quindici anni. La più giovane ne aveva undici. Arrivavano dal centro di accoglienza con un bambino in braccio, e qualche volta tenendone un altro per mano. Di solito erano in gruppetti di tre o quattro, e si comportavano come se quelle visite fossero un evento sociale. Arrivavano sole e spaventate. Si radunavano nel vecchio tempio, che ormai era diventato un'anticamera dove erano necessari i documenti. Attendevano con i figli più piccoli mentre quelli un po' più grandicelli giocavano sotto le sedie. Chiacchieravano con le amiche, altre ragazze del centro di accoglienza giunte a piedi all'Auburn House perché le macchine erano poche e loro erano troppo giovani per guidare.

Adam lasciò l'auto in un piccolo parcheggio laterale e chiese indicazioni alla guardia, che lo squadrò attentamente e poi indicò la porta principale dove due ragazze giovanissime tenevano in braccio i bambini e fumavano. Entrò passando in mezzo alle due e accennò un saluto educato; ma quelle si limitarono a guardarlo. All'interno trovò una mezza dozzina di altre madri sedute sulle sedie di plastica, con i bambini che sciamavano intorno. Una giovane donna dietro una scrivania gli indicò una porta e gli disse di prendere il corridoio a sinistra.

La porta del piccolo ufficio di Lee era aperta, e lei stava parlando a una paziente. Sorrise ad Adam: «Sarò da te fra cinque minuti» disse. Aveva in mano qualcosa che sembrava un pannolino. La paziente non aveva con sé un bambino ma era all'ultimo stadio di gravidanza.

Adam proseguì nel corridoio e trovò il gabinetto per gli uomini. Quando uscì, Lee lo aspettava fuori. Si scambiarono un bacio sulle guance. «Come ti sembra la nostra organizzazione?» chiese Lee.

«Cosa fate esattamente?» Si avviarono nello stretto corridoio con la moquette lisa e le pareti scrostate.

«L'Auburn House è un'organizzazione senza fini di lucro e il personale è volontario. Lavoriamo con le giovani madri.»

«Dev'essere deprimente.»

«Dipende dai punti di vista. Benvenuto nel mio ufficio.» Lee indicò la porta ed entrarono. Le pareti erano tappezzate di manifesti colorati: uno mostrava una serie di bambini e il cibo adatto a loro; un altro elencava in parole semplici le malattie più comuni dei neonati; un altro ancora illustrava l'utilità dei preservativi. Adam sedette e scrutò le pareti.

«Tutte le nostre ragazze vengono dai centri di accoglienza, quindi puoi immaginare le istruzioni postnatali che ricevono a casa. Nessuna è sposata. Vivono con le madri, le zie o le nonne. L'Auburn House fu fondata dalle suore vent'anni fa per insegnare alle ragazze come allevare figli sani.»

Adam indicò il poster dei preservativi. «E anche come evitare di aver figli.»

«Sì. Non siamo pianificatori familiari, non vogliamo esserlo; ma non è certo male parlare del controllo delle nascite.»

«Forse dovreste fare di più che parlarne.»

«Forse sì. Il sessanta per cento dei bambini nati l'anno scorso in questa contea erano illegittimi. E il numero cresce ogni anno. E aumentano anche i casi di bambini maltrattati e abbandonati. Storie da spezzare il cuore. Alcuni di quei piccoli non hanno una possibilità al mondo.»

«Chi lo finanzia?»

«È tutto privato. Passiamo metà del nostro tempo cercando di raccogliere fondi. Abbiamo un bilancio molto magro.»

«Ci sono molti consulenti come te?»

«Una dozzina. Qualcuno lavora qualche pomeriggio alla settimana, qualcuno il sabato. Io sono fortunata. Posso permettermi di stare qui a tempo pieno.»

«Quante ore settimanali?»

«Non lo so. Chi tiene il conto? Arrivo verso le dieci e me ne vado quando è già buio.»

«E lo fai gratis?»

«Sì. Nel linguaggio degli avvocati si dice *pro bono*, se non ricordo male.»

«Per gli avvocati è diverso. Svolgiamo un'attività volontaria per giustificare noi stessi e il denaro che guadagniamo: è il nostro piccolo contributo alla società. Continuiamo a fare un pozzo di soldi, capisci? Qui è un'altra cosa.»

«Dà molte soddisfazioni.»

«Come hai trovato l'Auburn House?»

«Non lo so. È passato molto tempo. Ero socia di un club e ci riunivamo una volta al mese per pranzare insieme e discutere sul modo di trovare qualche soldo per i meno fortunati. Un giorno una suora ci parlò dell'Auburn House e l'adottammo come nostra beneficiaria. Poi una cosa portò all'altra.»

«E non ti pagano?»

«Phelps è ricco, Adam. E io passo una buona parte del suo denaro all'Auburn House. Ogni anno organizziamo un gran galà al Peabody per raccogliere fondi: cravatta nera e champagne. Ho convinto Phelps a fare pressioni sui suoi amici banchieri perché vengano con le mogli e sborsino. L'anno scorso abbiamo raccolto più di duecentomila dollari.»

«E dove finiscono?»

«In parte vanno per le spese generali. Abbiamo due dipendenti a tempo pieno. La sede è modesta, ma costa comunque.

Il resto viene speso in provviste per i bambini, medicinali, libri. Non basta mai.»

«E tu dirigi questo posto?»

«No. Paghiamo un amministratore. Io sono soltanto una consulente.»

Adam studiò il poster appeso dietro di lei, con il grande preservativo giallo che serpeggiava innocuo sulla parete. Aveva scoperto dai sondaggi e dagli studi più recenti che gli adolescenti non li usavano, nonostante le campagne televisive, gli slogan lanciati a scuola e gli spot delle rockstar. Non riusciva a pensare a qualcosa di peggio dello stare tutto il giorno in quella stanzetta e discutere di orticarie da pannolino con madri quindicenni.

«Ti ammiro per quello che fai» disse, e guardò il manifesto del cibo per neonati.

Lee annuì ma non rispose. Aveva gli occhi stanchi, ed era pronta per uscire. «Andiamo a mangiare» propose.

«Dove?»

«Non lo so. Qualunque posto va bene.»

«Oggi ho visto Sam. Ho passato due ore con lui.»

Lee si assestò sulla sedia e appoggiò i piedi sulla scrivania. Come al solito, indossava jeans stinti e una camicia con i bottoncini al colletto.

«Sono il suo avvocato.»

«Ha firmato la procura?»

«Sì. L'ha preparata lui, quattro pagine. L'abbiamo firmata tutti e due, quindi adesso tocca a me.»

«Hai paura?»

«Sono terrorizzato. Ma posso farcela. Questo pomeriggio ho parlato con un giornalista del "Memphis Press". Hanno sentito dire che Sam Cayhall è mio nonno.»

«Cosa gli hai detto?»

«Non potevo negarlo, vero? Voleva fare una quantità di domande sulla famiglia, ma gli ho detto ben poco. Gli ho detto che mio padre è morto in California, niente di più. Sono sicuro che adesso comincerà a scavare e troverà dell'altro.»

«E per quel che mi riguarda?»

«Non gli ho detto niente di te, ma si darà da fare. Mi rincresce.»

«Perché?»

«Perché forse riveleranno la tua vera identità. Ti bolleranno come la figlia di Sam Cayhall, assassino, razzista, antisemita, terrorista, membro del Klan, l'uomo più vecchio mai condotto nella camera a gas e ucciso come un animale. Ti costringeranno a lasciare la città.»

«Ho passato di peggio.»

«Cioè?»

«Sono la moglie di Phelps Booth.»

Adam rise e Lee riuscì a sorridere. Una signora di mezza età entrò dalla porta aperta e avvertì che andava a casa. Lee si alzò e presentò il nipote Adam Hall, un avvocato di Chicago venuto a trovarla. La signora pareva abbastanza impressionata quando uscì dall'ufficio e sparì lungo il corridoio.

«Non dovevi farlo» disse Adam.

«Perché?»

«Perché domani il mio nome comparirà sul giornale: Adam Hall, avvocato di Chicago e nipote di Sam Cayhall.»

Lee restò a bocca aperta. Poi scrollò le spalle come se non avesse importanza, ma Adam lesse la paura nei suoi occhi. Uno stupido errore, stava dicendo a se stessa. «Chi se ne frega?» decise poi prendendo la borsa e la cartella. «Andiamo a cercare un ristorante.»

Andarono in un bistrò poco lontano, una trattoria casalinga italiana con tavoli piccoli e poche lampade, in un bungalow riadattato. Sedettero in un angolo buio e ordinarono tè freddo per Lee, acqua minerale per Adam. Quando il cameriere si allontanò, Lee si sporse sul tavolo e mormorò: «Adam, c'è qualcosa che devo dirti».

Adam annuì, in silenzio.

«Sono alcolizzata.»

Adam socchiuse gli occhi e restò immobile. Le ultime due sere avevano bevuto insieme.

«Ormai sono quasi dieci anni» spiegò Lee. La persona più vicina era a cinque metri di distanza, ma lei continuò a protendersi al di sopra del tavolo. «C'erano parecchie ragioni, e probabilmente ne avrai indovinata qualcuna. Mi disintossicai, guarii, e ne rimasi fuori per un anno. Poi ci ricascai. Sono stata in cura tre volte, l'ultima cinque anni fa. Non è facile.»

«Ma ieri sera hai bevuto. E parecchio.»

«Lo so. E anche la sera prima. E oggi ho vuotato tutte le bottiglie e ho buttato via la birra. Non c'è una goccia d'alcol in tutta la casa.»

«Per me va bene così. Spero di non essere io la causa.»

«No, ma ho bisogno del tuo aiuto, capisci? Vivrai in casa mia per un paio di mesi, e passeremo brutti momenti. Ti prego di aiutarmi.»

«Sicuro, Lee. Vorrei che me ne avessi parlato al mio arrivo. Non bevo molto. Posso farne facilmente a meno.»

«L'alcolismo è una strana bestia. A volte riesco a guardare gli altri bere senza che mi faccia effetto. Poi mi basta vedere la pubblicità di una birra per cominciare a sudare. Vedo su una rivista la pubblicità di un vino che mi piaceva, e la smania diventa così intensa da darmi la nausea. È una lotta terribile.»

Il cameriere portò da bere. Adam aveva paura di toccare l'acqua minerale. La versò sul ghiaccio e la rimestò con un cucchiaino. «È un'abitudine di famiglia?» domandò. Era quasi sicuro che fosse così.

«Non credo. Sam beveva un po' quando eravamo bambini ma lo faceva di nascosto. La madre di mia madre era alcolizzata, quindi mia madre non toccava mai quella roba. Non ne vedevo mai, in casa.»

«E a te com'è successo?»

«A poco a poco. Quando me ne andai di casa non vedevo l'ora di provarlo, perché era tabù quando io ed Eddie stavamo crescendo. Poi conobbi Phelps, e veniva da una famiglia di persone che in compagnia bevevano parecchio. Diventò prima un'evasione, poi una stampella.»

«Farò tutto il possibile. Mi dispiace.»

«Non deve dispiacerti. È stato gradevole bere qualcosa con te, ma è ora di smettere, d'accordo? Sono caduta dal carro tre volte, e comincia sempre con l'idea che posso bere un bicchiere o due e tenere la cosa sotto controllo. Una volta andai avanti per un mese limitandomi a un solo bicchiere di vino al giorno. Poi passai a un bicchiere e mezzo, poi a due e a tre. Infine la disintossicazione. Sono alcolizzata, e non ne verrò mai fuori.»

Adam alzò il bicchiere e toccò quello di lei. «Al carro. Viaggeremo insieme.» Bevvero.

Il cameriere era uno studente e si era già fatto un'idea di ciò che avrebbero mangiato. Consigliò i ravioli dello chef perché erano i migliori della città e sarebbero arrivati in tavola entro dieci minuti. Li ordinarono.

«Mi sono chiesto spesso cosa facevi del tuo tempo ma non osavo chiederlo» disse Adam.

«Una volta avevo un lavoro. Dopo che Walt cominciò ad andare a scuola, mi annoiavo; e Phelps mi trovò un posto nell'azienda di un suo amico. Ottimo stipendio, un bell'ufficio. Avevo una segretaria più competente di me. Mi dimisi dopo un anno. Ho sposato un mucchio di soldi, Adam, quindi non devo lavorare. La madre di Phelps inorridiva all'idea che guadagnassi uno stipendio.»

«Cosa fanno tutto il giorno le donne ricche?»

«Portano sulle spalle tutti i fardelli del mondo. Per prima cosa devono assicurarsi che il marito sia andato in ufficio, quindi pianificano la giornata. Devono dare ordini alla servitù e controllarla. Lo shopping si divide almeno in due parti, mattino e pomeriggio: la mattina di solito consiste in diverse telefonate alla Quinta Strada per le cose indispensabili. Lo shopping del pomeriggio, a volte, viene fatto di persona con l'autista che aspetta nel parcheggio, naturalmente. Il pranzo occupa gran parte della giornata perché ci vogliono ore e ore per pianificarlo e almeno due ore per prepararlo. Di solito è un piccolo banchetto cui prendono parte altre anime tormentate. Poi c'è la responsabilità sociale derivante dall'essere ricca. Almeno tre volte la settimana bisogna andare a prendere il tè da un'amica, dove si mangiucchiano biscotti d'importazione e si compiange la sorte dei bambini abbandonati e delle madri drogate. Poi si rientra a casa in fretta per rinfrescarsi e attendere che il marito torni dalle guerre in ufficio. Si beve il primo martini assieme a lui sul bordo della piscina mentre quattro persone preparano la cena.»

«E il sesso?»

«Il marito è troppo stanco. E molto probabilmente ha un'amante.»

«È questo che è successo a Phelps?»

«Credo di sì, anche se non poteva lamentarsi per il sesso. Io avevo avuto un bambino, ero invecchiata, e lui aveva sempre un rifornimento continuo di giovani bionde delle sue banche. Se non vedi il suo ufficio con i tuoi occhi, non puoi crederci. È pieno di donne affascinanti con denti e unghie impeccabili, gonne corte e gambe lunghe. Stanno sedute dietro le scrivanie, parlano al telefono e aspettano i suoi ordini. Phelps ha una piccola camera da letto annessa e una sala per le riunioni. È un porco.»

«E tu rinunciasti alla vita dura di una donna ricca e te ne andasti?»

«Sicuro. Non ero adatta al ruolo di donna ricca, Adam. Lo odiavo. Era stato divertente per un po', ma non riuscivo a integrarmi. Non avevo il gruppo sanguigno adatto. Forse non ci crederai, ma la mia famiglia non era conosciuta nella buona società di Memphis.»

«Vuoi scherzare?»

«Giuro. E per essere una donna ricca "giusta", con un futuro in questa città, devi provenire da una famiglia di ricchi fossili, preferibilmente con un bisnonno che ha fatto fortuna con il cotone. Io non andavo bene.»

«Ma ancora adesso stai al gioco della buona società.»

«No. Facciamo ancora qualche apparizione, ma solo per Phelps. Per lui è importante avere una moglie della sua età con qualche capello grigio, una moglie che fa bella figura in abito da sera e diamanti e sa conversare con i suoi amici noiosissimi. Usciamo insieme tre volte l'anno. Sono una specie di moglie-trofeo stagionata.»

«Pensavo che Phelps preferisse una vera moglie-trofeo, una delle sue bionde.»

«No, la sua famiglia ne soffrirebbe, e c'è di mezzo una montagna di soldi. Phelps cammina sulle uova, quando si tratta della famiglia. Alla morte dei genitori potrà uscire allo scoperto.»

«Mi pareva che i suoi genitori ti odiassero.»

«Certo, mi odiano. È un'ironia che siano loro la ragione per cui siamo ancora sposati. Un divorzio sarebbe scandaloso. Sono ferventi cattolici.»

Adam rise e scosse la testa, sbalordito. «È pazzesco.»

«Sì, ma funziona. Io sono felice. Phelps è felice. Ha le sue ragazzine. Io me la spasso con chi voglio. E nessuno fa domande.»

«E Walt?»

Lee posò il bicchiere di tè sul tavolo e distolse gli occhi. «Cosa vuoi sapere di lui?» chiese senza guardarlo.

«Non ne parli mai.»

«Lo so» disse Lee sottovoce, continuando a fissare qualcosa dalla parte opposta del ristorante.

«Lasciami indovinare. Altri scheletri nell'armadio. Altri segreti.»

Lee lo guardò tristemente, poi scrollò le spalle come per dire: al diavolo.

«Dopotutto è mio primo cugino» insistette Adam. «E per quanto ne so, a meno di altre rivelazioni, è anche l'unico primo cugino che ho.»

«Non ti sarebbe simpatico.»

«No, è ovvio. È in parte Cayhall.»

«No. È tutto Booth. Phelps voleva un figlio maschio, non so perché. E così lo mettemmo al mondo. Phelps, naturalmente, aveva poco tempo da dedicargli. Era sempre troppo occupato con la banca. Lo portava al country club e cercava di insegnargli a giocare a golf, ma era inutile. A Walt lo sport non è mai piaciuto. Una volta andarono a caccia di fagiani in Canada, e quando tornarono a casa non si parlarono per una settimana. Non era una donnicciola, ma non era neppure atletico. Phelps era il tipico atleta della scuola privata: football, rugby, pugilato, tutto quanto. Walt aveva provato a giocare, ma non aveva talento. Phelps continuava a insistere, e Walt si ribellava. Phelps, con la solita mano pesante, lo mandò in collegio. Mio figlio se ne andò di casa a quindici anni.»

«In che università ha studiato?»

«Ha fatto un anno alla Cornell University, e poi ha smesso.»

«Ha smesso?»

«Sì. Dopo il primo anno è andato in Europa, e c'è rimasto.»

Adam la osservava e attendeva il seguito. Bevve un po' d'acqua; stava per parlare quando arrivò il cameriere e mise al centro del tavolo un'abbondante insalata verde.

«Perché è rimasto in Europa?»

«È andato ad Amsterdam e si è innamorato.»

«Di una bella ragazza olandese?»

«Di un bel ragazzo olandese.»

«Capisco.»

Lee s'interessò improvvisamente all'insalata; se ne mise un po' nel piatto e cominciò a tagliarla. Adam la imitò. Per qualche minuto mangiarono in silenzio mentre il ristorante si riempiva e diventava più rumoroso. Due yuppie dall'aria stanca sedettero al tavolo accanto e ordinarono bevande forti.

Adam spalmò il burro su un panino, lo addentò poi chiese: «Come ha reagito Phelps?».

Lee si asciugò gli angoli della bocca. «L'ultimo viaggio che io e Phelps abbiamo fatto insieme è stato ad Amsterdam per trovare nostro figlio. Era lontano da circa due anni. Aveva scritto qualche volta, e ogni tanto mi aveva telefonato, ma poi ogni comunicazione era cessata. Naturalmente eravamo preoccupati. Abbiamo preso l'aereo e ci siamo accampati in un albergo finché non l'abbiamo trovato.»

«Cosa faceva?»

«Il cameriere in un caffè. Portava gli orecchini e i capelli cortissimi. Vestiva in modo stravagante, con quei maledetti zoccoli e i calzettoni di lana. Parlava perfettamente l'olandese. Non volevamo fare una scenata in pubblico, perciò gli abbiamo chiesto di venire nel nostro albergo. È venuto. È stato orribile, semplicemente orribile. Phelps si è comportato da quell'idiota che è, e il danno è stato irreparabile. Siamo tornati a casa. Phelps ha drammaticamente rifatto il testamento e ha revocato il fondo fiduciario in favore di Walt.»

«Non è mai tornato?»

«No, mai. Lo vedo a Parigi una volta all'anno. Arriviamo tutti e due soli: è l'unica condizione. Alloggiamo in un buon albergo e passiamo insieme una settimana. Giriamo per la città, andiamo a pranzo insieme, visitiamo i musei. È il momento più bello dell'anno per me. Ma lui odia Memphis.»

«Mi piacerebbe conoscerlo.»

Lee lo scrutò con attenzione e i suoi occhi si riempirono di lacrime. «Che Dio ti benedica. Se parli sul serio, mi piacerebbe che mi accompagnassi.»

«Certo che parlo sul serio. Non m'importa se è gay. Mi piacerebbe conoscere il mio primo cugino.»

Lei respirò profondamente e sorrise. Il cameriere portò due piatti colmi di ravioli fumanti, posò un lungo pane all'aglio sul tavolo e se ne andò.

«Walt sa di Sam?» chiese Adam mentre infilzava un raviolo con la forchetta.

«No. Non ho mai avuto il coraggio di dirglielo.»

«Sa di me e Carmen? E di Eddie? Sa qualcosa della storia gloriosa della nostra famiglia?»

«Qualcosa sì. Quando era piccolo gli dissi che aveva due cugini in California, ma non venivano mai a Memphis. Naturalmente Phelps gli spiegò che i cugini californiani erano di una classe sociale molto inferiore quindi non meritavano la sua attenzione. Suo padre si preoccupava di farne uno snob, Adam: devi capirlo. Ha frequentato le scuole preparatorie più prestigiose, i country club più eleganti; e la sua famiglia consisteva in un branco di cugini Booth tutti eguali. Tutti insopportabili.»

«Cosa pensano i Booth del fatto di avere un omosessuale in famiglia?»

«Lo odiano, naturalmente. E Walt odia loro.»

«Mi è già simpatico.»

«Non è cattivo. Vuole studiare arte e dipingere. Gli mando denaro di continuo.»

«Sam lo sa di avere un nipote gay?»

«Non credo. Non so chi potrebbe averglielo detto. Non sapeva di avere un nipote eterosessuale fino a due giorni fa.»

«Probabilmente non glielo dirò.»

«Non dirglielo, ti prego. Ha già tante cose cui pensare.»

I ravioli si raffreddarono quanto bastava. Li mangiarono in silenzio. Il cameriere portò ancora tè e acqua minerale. La coppia al tavolo vicino ordinò una bottiglia di vino rosso, e Lee l'adocchiò più di una volta.

Adam si pulì la bocca e riposò un momento. Si sporse sopra il tavolo. «Posso farti una domanda personale?» chiese a voce bassa.

«Mi sembra che tutte le tue domande siano personali.»

«È vero. Quindi, posso farne un'altra?»

«Prego.»

«Ecco, stavo solo pensando... Stasera mi hai detto che sei

alcolizzata, che tuo marito è un porco e tuo figlio è gay. È molto, per un solo pasto. Ma c'è qualcos'altro che dovrei sapere?»

«Lasciami pensare un momento. Sì, anche Phelps è alcolizzato, ma non vuole ammetterlo.»

«Nient'altro?»

«È stato querelato due volte per molestie sessuali.»

«Bene. Lasciamo perdere i Booth. Ci sono altre sorprese dalla parte della nostra famiglia?»

«Non abbiamo neppure intaccato la superficie, Adam.»

«È quel che temevo.»

18

Un temporale fragoroso passò sul Delta prima dell'alba, e lo schianto di un fulmine svegliò Sam. Poi sentì le gocce di pioggia cadere contro le finestre aperte in alto nel corridoio, le sentì scorrere e impregnare il muro sotto le finestre non lontano dalla cella. L'umidità del suo letto era diventata d'un tratto fresca. Forse quel giorno non ci sarebbe stato tanto caldo. Forse la pioggia sarebbe durata a lungo, le nubi avrebbero nascosto il sole, e forse il vento avrebbe spazzato via l'umidità per un giorno o due. Lo sperava sempre quando pioveva; ma un temporale estivo di solito inzuppava il terreno dal quale il sole feroce avrebbe fatto uscire un'afa ancora più soffocante.

Alzò la testa e guardò la pioggia che cadeva dalle finestre e si raccoglieva sul pavimento. L'acqua baluginava nella luce riflessa di una lontana lampadina gialla. A parte quel fioco chiarore, il Braccio era buio. E silenzioso.

Sam amava la pioggia, soprattutto di notte e soprattutto d'estate. Nella sua infinita saggezza, lo stato del Mississippi aveva costruito il suo carcere nel luogo più caldo che era riuscito a trovare. E aveva progettato l'unità di massima sicurezza secondo gli stessi principi adottati per un forno. Le finestre che davano sull'esterno erano inutili, realizzate in quel modo per motivi di sicurezza, ovviamente. I pianificatori di quella piccola filiale dell'inferno avevano inoltre deciso che non ci fosse ventilazione, nessuna possibilità che entrasse la brezza e uscisse l'aria umida. E dopo aver edificato quello che consideravano un istituto di pena modello, avevano deciso di non metterci l'aria condizionata. L'edificio sorgeva orgoglioso in mezzo alla soia e al cotone e assorbiva lo stesso calore e la stessa umidità del terreno. E quando il terreno era asciutto, il Braccio arrostiva come le coltivazioni.

Ma lo stato del Mississippi non poteva comandare alle condizioni meteorologiche, e quando venivano le piogge e rinfrescavano l'aria, Sam sorrideva fra sé e ringraziava il cielo. Dopotutto, a comandare era un essere superiore. Quando pioveva, lo stato era impotente. Una piccola vittoria.

Si alzò e si stirò la schiena. Il letto era un rettangolo di gommapiuma di un metro e ottantacinque per settantacinque centimetri, spesso dieci, chiamato anche materasso. Era appoggiato su un'intelaiatura metallica fissata al pavimento e al muro, ed era coperto da due lenzuoli. Qualche volta, d'inverno, distribuivano le coperte. Il mal di schiena era molto diffuso, ma con l'andar del tempo l'organismo si adattava e c'erano poche lamentele. Il medico della prigione non era considerato un amico dei detenuti del Braccio.

Fece due passi e appoggiò i gomiti alle sbarre. Ascoltò il vento e il tuono e guardò le gocce rimbalzare sulla finestra e spiaccicarsi sul pavimento. Sarebbe stato piacevole attraversare il muro e camminare sull'erba bagnata, girare sotto la pioggia battente, nudo e pazzo, e fradicio, con l'acqua che scorreva dai capelli e dalla barba.

L'orrore del braccio della morte è che muori un poco ogni giorno. L'attesa ti uccide. Vivi in una gabbia e quando ti svegli cancelli un altro giorno e dici a te stesso che ti sei avvicinato di un giorno alla morte.

Sam accese una sigaretta e guardò il fumo salire verso le gocce di pioggia. Nel nostro assurdo sistema giudiziario succedono cose strane. Le corti sentenziano oggi in un modo e l'indomani in un altro. Gli stessi giudici pervengono a conclusioni diverse su questioni molto simili. Una corte ignora per anni una mozione o un appello azzardati, poi un giorno lo accoglie e concede un rinvio. I giudici muoiono e il loro posto viene preso da altri che la pensano diversamente. I presidenti vengono e vanno e nominano i loro amici; così la Corte Suprema tende un po' in una direzione e un po' in quella opposta.

In certi momenti, la morte sarebbe benvenuta. E se avesse dovuto scegliere fra la morte e la vita nel braccio della morte,

Sam avrebbe scelto subito la camera a gas. Ma c'era sempre la speranza, il luccichio di un vago miraggio che qualcosa, nell'immenso labirinto della giungla giudiziaria, potesse far colpo su qualcuno e la condanna venire annullata. Tutti gli ospiti del Braccio sognavano il miracolo di un annullamento, e il sogno li sosteneva da un giorno disperato all'altro.

Sam aveva letto di recente che in America c'erano circa due-milacinquecento condannati a morte; e l'anno prima, 1989, le esecuzioni erano state appena diciotto. Il Mississippi ne aveva giustiziati soltanto quattro dopo il 1977, l'anno in cui Gary Gilmore aveva preteso un plotone d'esecuzione nell'Utah. Quei numeri davano una certa sicurezza e rafforzavano la sua decisione di presentare altri appelli.

Continuò a esalare spire di fumo attraverso le sbarre mentre il temporale passava e la pioggia cessava. Ritirò la colazione al levar del sole e alle sette accese il televisore per il notiziario del mattino. Aveva appena addentato un pezzo di pane tosta-to freddo quando la sua faccia apparve sullo schermo alle spalle di una giornalista di Memphis, che riferì la grande no-vità della giornata, il caso bizzarro di Sam Cayhall e del suo nuovo avvocato. Sembra che sia il nipote del quale non aveva saputo niente per molto tempo, un certo Adam Hall, un gio-vane avvocato del grande studio legale Kravitz & Bane di Chicago, lo stesso che aveva rappresentato Sam negli ultimi sette anni. La foto di Sam risaliva almeno a dieci anni prima; era la stessa che mostravano ogni volta che si faceva il suo no-me alla TV o sui giornali. La foto di Adam era un po' più stra-na. Evidentemente, lui non aveva posato. Qualcuno l'aveva scattata all'aperto a sua insaputa. La giornalista spiegò, con uno sguardo eccitato, che il "Memphis Press" di quella matti-na scriveva che Adam Hall aveva confermato di essere il ni-pote di Sam Cayhall. Fece un breve riassunto del delitto e ri-peté per due volte la data dell'imminente esecuzione. Poi promise ulteriori dettagli in una delle prossime edizioni, forse addirittura in quella di mezzogiorno. Infine passò a fare l'elenco degli omicidi avvenuti durante la notte.

Sam buttò il pane sul pavimento, vicino agli scaffali, e lo fis-sò. Un insetto lo trovò quasi subito, si avvicinò e gli girò intor-no una mezza dozzina di volte prima di decidere che non era il caso di mangiarlo. Il suo avvocato aveva già parlato con la stampa. Cosa insegnavano alla facoltà di legge? Gli spiegavano come si controllavano i media?

«Sam, sei lì?» Era Gullitt.

«Sì, sono qui.»

«Ti ho appena visto su Canale Quattro.»

«Già. L'ho visto anch'io.»

«Sei incavolato?»

«Tutto a posto.»

«Respira a fondo, Sam. Va tutto bene.»

Fra i condannati alla camera a gas si usava spesso, l'espressione "respira a fondo" ed era considerata un tentativo di fare gli spiritosi. Se lo dicevano l'un l'altro in continuazione, di solito a chi si arrabbiava. Quando però erano le guardie a dirlo, non era divertente. Era una violazione dei diritti costituzionali. Era stato citato in più di una causa come esempio del trattamento crudele inflitto nel braccio della morte.

Sam si dichiarò d'accordo con l'insetto e ignorò il resto della colazione. Sorseggiò lentamente il caffè e fissò il pavimento.

Alle nove e mezzo il sergente Packer venne a cercarlo: era la sua ora d'aria. La pioggia si era allontanata e il sole arrostiva il Delta. Packer aveva con sé due guardie e i ferri per le caviglie. Sam indicò le catene e chiese: «A cosa servono?».

«Sicurezza, Sam.»

«Ma devo uscire a giocare, no?»

«No, Sam. Ti portiamo alla biblioteca giuridica. Il tuo avvocato vuole incontrarti là, così potrete parlare in mezzo ai libri di diritto. Voltati.»

Sam si voltò e infilò le mani attraverso l'apertura della porta. Packer lo ammanettò stretto, la porta si aprì e Sam passò nel corridoio. Le guardie si inginocchiarono e gli misero i ferri alle caviglie. Sam chiese a Packer: «E la mia ora d'aria?».

«Be'?»

«Quando ci vado?»

«Più tardi.»

«L'hai detto anche ieri, e invece niente. Mi hai mentito ieri e adesso menti di nuovo. Ti farò causa.»

«Le cause durano molto, Sam. Durano anni.»

«Voglio parlare con il direttore.»

«E sono sicuro che anche lui vuol parlare con te, Sam. Allora, vuoi vedere il tuo avvocato o no?»

«Ho diritto al mio avvocato e ho diritto alla mia ora d'aria.»

«Non rompergli il cazzo, Packer!» gridò Hank Henshaw che era lontano meno di due metri.

«Sei un bugiardo, Packer! Sei un bugiardo!» esclamò J.B. Gullitt dall'altra parte.

«Calma, ragazzi» disse Packer. «Ci pensiamo noi al vecchio Sam.»

«Sicuro, se poteste lo gassereste oggi» strillò Henshaw.

I ferri furono fissati alle caviglie; Sam rientrò scalpicciando nella cella per prendere un fascicolo. Lo strinse al petto e si avviò lungo il corridoio con Packer al fianco e le due guardie dietro.

«Fagliela pagare, Sam» gridò Henshaw mentre si allontanavano.

Ci furono altre grida in favore di Sam e insulti a Packer mentre lasciavano il Raggio. Superarono una serie di porte e uscirono dal Raggio A.

«Il direttore ha detto che questo pomeriggio avrai due ore d'aria, e due ore al giorno finché sarà tutto finito» disse Packer mentre percorrevano lentamente un breve corridoio.

«Finché sarà finito cosa?»

«Questo *thang*.»

«Quale *thang*.»

Packer e quasi tutte le guardie chiamavano *thang* un'esecuzione.

«Sai benissimo cosa intendo» replicò Packer.

«Riferisci al direttore che è un vero tesoro. E chiedigli se avrò due ore anche se questo *thang* non va in porto, d'accordo? E già che ci sei, digli che penso che sia un bugiardo e un figlio di puttana.»

«Lo sa già.»

Si fermarono davanti a una parete di sbarre e attesero che la porta si aprisse. La varcarono e si fermarono di nuovo accanto a due guardie, all'ingresso. Packer prese appunti su un blocco a molla e uscirono. Li attendeva un pullmino bianco. Le guardie presero Sam per le braccia, lo sollevarono, lui e le catene, e lo caricarono dal portello laterale. Packer sedette davanti, a fianco dell'autista.

«C'è l'aria condizionata?» chiese bruscamente Sam all'autista che aveva abbassato il vetro.

«Certo» rispose l'autista mentre si allontanava a marcia indietro dall'entrata dell'Msu.

«Allora accendila, dannazione!»

«Piantala, Sam» disse Packer senza molta convinzione.

«È già uno schifo sudare tutto il giorno in una gabbia senza aria condizionata, ma è da stupidi stare qui a soffocare. Accendila, dannazione! Ho i miei diritti.»

«Respira a fondo, Sam» ribatté Packer con voce strascicata e strizzò l'occhio all'autista.

«Questo ti costerà caro, Packer. Ti pentirai di averlo detto.»

L'autista premette un interruttore e l'aria incominciò a circolare. Il pullmino varcò i due cancelli e si avviò lentamente sulla strada sterrata, allontanandosi dal Braccio.

Anche se era ammanettato e aveva le catene ai piedi, per Sam quella breve sortita era un sollievo. Smise di protestare e ignorò gli altri. La pioggia aveva lasciato pozzanghere nei fossi erbosi sul bordo della strada e aveva lavato le piante di cotone, ormai più alte del ginocchio. Gli steli e le foglie erano di un verde scuro. Sam ricordava di aver raccolto il cotone, quand'era ragazzo, ma scacciò subito quel pensiero. Aveva allenato la mente a dimenticare il passato e nelle rare occasioni in cui si affacciava un ricordo d'infanzia si affrettava a scacciarlo.

Il pullmino avanzava adagio, e gliene era grato. Vide due detenuti che, seduti sotto un albero, guardavano un compagno fare il sollevamento pesi sotto il sole. Erano circondati da una recinzione, ma come doveva essere bello, pensò, stare all'aperto, passeggiare e parlare, oziare e far ginnastica, senza dover mai pensare alla camera a gas, senza doversi mai preoccupare dell'ultimo appello.

La biblioteca giuridica era chiamata "il Rametto" perché era troppo piccola per essere considerata un vero ramo dei servizi di Parchman. La biblioteca giuridica principale era più all'interno nella fattoria, in un altro campo. Il Rametto veniva usato esclusivamente dagli ospiti del braccio della morte. Era annes-

218

so al retro di un edificio dell'amministrazione, aveva un'unica porta ed era privo di finestre. Sam c'era andato molte volte negli ultimi nove anni. Era una stanzetta con una discreta raccolta di giurisprudenza e di verbali di processi recenti. Un tavolo malconcio stava al centro, e le quattro pareti erano occupate da scaffali pieni di libri. Ogni tanto uno spesino si offriva di fare il bibliotecario, ma era difficile trovarne uno che sapesse il fatto suo perciò i libri erano raramente dove avrebbero dovuto essere. Questo irritava Sam alla follia perché ammirava l'ordine e disprezzava gli africani, ed era sicuro che quasi tutti i bibliotecari, se non addirittura tutti, fossero negri, anche se non lo sapeva con assoluta certezza.

Arrivarono alla porta e le due guardie gli tolsero manette e catene.

«Hai due ore» disse Packer.

«Ho tutto il tempo che voglio» ribatté Sam, massaggiandosi i polsi come se le manette glieli avessero spezzati.

«Sicuro, Sam. Ma quando verrò a prenderti, fra due ore, scommetto che caricheremo il tuo culetto sul pullmino.»

Packer aprì la porta e le guardie si piazzarono ai lati. Sam entrò e sbatté la porta. Posò il fascicolo sul tavolo e fissò il suo avvocato.

Adam era in piedi all'estremità opposta del tavolo. Aveva in mano un libro e attendeva il cliente. Aveva sentito le voci fuori e aveva visto Sam entrare senza guardie e senza manette. Gli stava davanti nella tuta rossa e sembrava più piccolo, senza la fitta grata metallica fra loro.

Si studiarono per un momento dai lati opposti del tavolo, nipote e nonno, avvocato e cliente, estraneo ed estraneo. Fu un intervallo impacciato durante il quale cercarono di valutarsi reciprocamente. Nessuno dei due sapeva come comportarsi con l'altro.

«Salve, Sam» disse Adam, andandogli incontro.

«'Giorno. Ho visto le nostre facce alla televisione qualche ora fa.»

«Sì. Hai visto il giornale?»

«Non ancora. Quello arriva più tardi.»

Adam gli passò il quotidiano del mattino facendolo scivolare sul tavolo e Sam lo bloccò. Lo prese con tutte e due le mani, si sedette comodo e se lo accostò a meno di quindici centimetri dal naso. Lo lesse attento e studiò la sua foto e quella di Adam.

Evidentemente Todd Marks aveva passato gran parte della serata in ricerche e telefonate frenetiche. Aveva accertato che un certo Alan Cayhall era nato nel 1964 a Clanton, nella contea di Ford, e che sul certificato di nascita il nome del padre era Edward S. Cayhall. Aveva controllato il certificato di nascita di Edward S. Cayhall e aveva scoperto che il padre era Samuel Lucas Cayhall, lo stesso uomo ora rinchiuso nel braccio della morte. Riferiva che Adam Hall aveva confermato che il suo nome era stato cambiato in California e che Sam Cayhall era suo nonno. Marks non aveva attribuito le notizie direttamente ad Adam, ma era comunque venuto meno all'accordo. Impossibile dubitare che si fossero parlati.

L'articolo citava fonti riservate e spiegava che Eddie e la sua famiglia avevano lasciato Clanton nel 1967, dopo l'arresto di Sam, ed erano fuggiti in California, dove più tardi Eddie si era ucciso. La pista si fermava a questo punto perché evidentemente Marks non aveva avuto il tempo di fare controlli in California. La fonte, o le fonti, riservata non parlava della figlia di Sam che viveva a Memphis, e quindi Lee veniva risparmiata. Il pezzo si sgonfiava verso la fine con una serie di "no-comment" di Baker Cooley, Garner Goodman, Phillip Naifeh, Lucas Mann e un avvocato della procura generale di Jackson. Marks concludeva tuttavia con una nota forte, rievocando in termini sensazionali l'attentato contro l'ufficio di Kramer.

L'articolo era nella prima pagina del "Memphis Press", sopra il sommario. A destra c'era la vecchia foto di Sam, e accanto ce n'era una di Adam, a mezzo busto. Lee gli aveva portato il giornale qualche ora prima mentre era seduto sulla terrazza a guardare l'animazione del fiume al mattino presto. Avevano bevuto caffè e spremuta d'arancia, e letto e riletto il pezzo. Dopo una lunga analisi, Adam aveva concluso che Todd Marks aveva piazzato un fotografo in strada, di fronte al Peabody Hotel; e quando Adam era uscito dopo il loro incontro di ieri, era stato fotografato. L'abito e la cravatta erano quelli del giorno prima.

«Hai parlato con questo buffone?» ringhiò Sam posando il giornale sul tavolo. Adam gli sedette di fronte.

«Ci siamo incontrati.»

«Perché?»

«Perché ha telefonato alla nostra sede di Memphis, ha detto di aver sentito certe voci. Voleva qualche chiarimento. Niente d'importante.»

«Le nostre foto in prima pagina non sarebbero importanti, secondo te?»

«La tua c'è stata altre volte.»

«E la tua?»

«Non ti accorgi che non sono in posa? È stata un'imboscata, non vedi? Ma mi pare di essere venuto abbastanza bene.»

«Sei stato tu a confidargli questi particolari?»

«Sì. Ci siamo accordati: dovevano essere notizie raccolte in giro, non doveva assolutamente citare le mie parole, non doveva usarmi come fonte. È venuto meno all'accordo e con me ha chiuso. Come se non bastasse aveva piazzato un fotografo, perciò è stata la prima e l'ultima volta che ho parlato con il "Memphis Press".»

Sam guardò per un attimo il giornale. Era calmo, e riuscì perfino ad accennare un sorriso. Le sue parole erano posate e lente come al solito. «E hai confermato di essere mio nipote?»

«Sì. Non posso negarlo, ti pare?»

«Vorresti negarlo?»

«Leggi il giornale, Sam. Se avessi voluto negarlo, sarebbe lì in prima pagina?»

Sam si convinse e il suo sorriso si allargò un poco. Si morse il labbro e fissò Adam. Poi prese dalla tasca un pacchetto di sigarette e Adam si guardò intorno per cercare una finestra.

Quando ebbe acceso la prima sigaretta, Sam disse: «Stai alla larga dai giornalisti. Sono stupidi e spietati. Mentono e commettono errori per leggerezza».

«Ma io sono avvocato, Sam. È un istinto innato.»

«Lo so, è difficile, ma cerca di controllarti. Non voglio che succeda più.»

Adam frugò nella cartella, sorrise e tirò fuori alcune carte. «Ho un'idea magnifica sul modo di salvarti la vita.» Si fregò le mani e prese una penna dal taschino. Era venuto il momento di mettersi al lavoro.

«Ti ascolto.»

«Ecco, come puoi immaginare, ho fatto parecchie ricerche.»

«Sei pagato per questo.»

«Sì. E ho trovato una piccola, meravigliosa teoria, un'eccezione nuova che intendo presentare lunedì. La teoria è semplice. Il Mississippi è uno dei cinque stati che usano ancora la camera a gas, giusto?»

«Giusto.»

«E nel 1984 la legislatura del Mississippi ha approvato una legge che riconosce al condannato la scelta fra un'iniezione letale e la camera a gas. Ma la nuova legge si applica solo a chi è stato condannato dopo il 1° luglio 1984. Per te non vale.»

«Esatto. Credo che circa la metà dei detenuti nel Braccio potranno scegliere. Ma passeranno anni.»

«Una delle ragioni per cui la legislatura approvò l'iniezione letale fu rendere più umane le esecuzioni. Ho studiato i lavori preparatori della legge. Ci furono molti dibattiti sui problemi che lo stato aveva incontrato con le esecuzioni nella camera a gas. La teoria è semplice: se si rendono le esecuzioni rapide e indolori, ci sono meno opposizioni costituzionali basate sul fatto che sono crudeli. Le iniezioni letali sollevano meno problemi legali, e quindi è tutto più facile. La nostra eccezione, quindi, sarà questa: siccome lo stato ha adottato le iniezioni letali, ha riconosciuto che la camera a gas è superata. E perché è superata? Perché è un metodo crudele per uccidere.»

Sam continuò a fumare e a riflettere per un minuto, poi annuì lentamente. «Vai avanti» disse.

«Attaccheremo la camera a gas come mezzo per le esecuzioni.»

«Lo limiterai al Mississippi?»

«È probabile. So che ci furono problemi con i primi due, Teddy Doyle Meeks e Maynard Tole.»

Sam sbuffò e lanciò una nuvoletta di fumo attraverso il tavolo. «Problemi? Puoi dirlo forte.»

«Cosa ne sai?»

«Oh, andiamo. Sono morti a meno di cinquanta metri da me. Stiamo chiusi tutto il giorno in cella e pensiamo alla morte. Tutti, nel Braccio, sanno cos'è successo a quei ragazzi.»

«Raccontami.»

Sam si appoggiò sui gomiti, si protese e fissò con occhi vacui il giornale che aveva davanti. «Quella di Meeks fu la prima esecuzione nel Mississippi dopo dieci anni, e non sapevano cosa fare. Era il 1982. Io ero qui da quasi due anni, e fino a quel momento vivevamo in un mondo di sogno. Non pensavamo mai alla camera a gas, al cianuro e all'ultimo pasto. Eravamo condannati a morte ma, diavolo, non ammazzavano nessuno, quindi perché preoccuparsi? Ma quello che successe a Meeks ci diede la sveglia. Uccisero lui, quindi potevano uccidere anche tutti noi.»

«Cosa gli successe?» Adam aveva letto una dozzina di articoli sull'esecuzione di Teddy Doyle Meeks, ma voleva sentirlo da Sam.

«Andò tutto storto. Hai visto la camera?»

«Non ancora.»

«C'è una stanzetta, a lato, dove il boia prepara la soluzione. L'acido solforico è in una cartuccia; lo porta dal suo piccolo laboratorio fino a un tubo che sbocca nel pavimento della camera. Nel caso di Meeks, il boia era ubriaco.»

«Oh, andiamo, Sam.»

«D'accordo, non l'ho visto con i miei occhi. Ma lo sanno tutti che era sbronzo. Siccome è lo stato a nominare un boia ufficiale, il direttore e la sua banda ci pensarono solo quando mancavano poche ore all'esecuzione. Tieni presente una cosa: nessuno credeva che Meeks sarebbe morto. Ci aspettavamo una sospensione all'ultimo momento. Gli era già capitato due volte. Ma la sospensione non ci fu, e così si affannarono all'ultimo momento per rintracciare il boia ufficiale. Lo trovarono. Ubriaco. Era un idraulico, mi pare. Comunque, il suo primo miscuglio non funzionò. Mise la cartuccia nel tubo, tirò una leva e tutti aspettarono che Meeks respirasse a fondo e morisse. Meeks trattenne il respiro finché poté, poi aspirò. Non successe niente. Aspettarono. Meeks aspettò. I testimoni aspettarono. A poco a poco tutti si voltarono verso il boia, e anche lui aspettava e bestemmiava. Tornò nella sua stanzetta e preparò un'altra dose di acido solforico. Poi dovette recuperare dal tubo la cartuccia usata e ci mise dieci minuti. Il direttore, Lucas Mann e gli altri aspettavano, si agitavano e imprecavano contro l'idraulico ubriaco, che finalmente infilò la cartuccia e tirò la leva. Questa volta l'acido solforico finì dove doveva finire, in una bacinella sotto la sedia dov'era legato Meeks. Il boia tirò la seconda leva per far cadere le compresse di cianuro; anche quelle erano sotto la sedia, sopra l'acido solforico. Le compresse caddero, e il gas salì verso Meeks che tratteneva di nuovo il respiro. Si vede il vapore, sai? Quando finalmente aspirò con il naso, incominciò a tremare e sussultare, e continuò per un pezzo. C'è, e non si sa bene perché, un palo metallico dal pavimento al soffitto della camera, direttamente dietro la sedia. Meeks restò fermo e tutti pensarono che fosse morto, ma poi cominciò a battere la testa contro il palo, a batterla e a batterla come un indemoniato. Aveva gli occhi rovesciati, le labbra aperte e la schiuma alla bocca, e batteva la testa contro il palo. Era orribile.»

«Quanto tempo ci mise a morire?»

«E chi lo sa? Secondo il medico del carcere, la morte fu istantanea e indolore. Secondo alcuni testimoni, Meeks sussultò e sbatté la testa per cinque minuti.»

L'esecuzione di Meeks aveva fornito molte munizioni a quanti chiedevano l'abolizione della pena di morte. Non c'era dubbio che avesse sofferto molto, e della sua morte erano state lasciate molte descrizioni. La versione di Sam corrispondeva a quelle dei testimoni oculari.

«Chi te l'ha detto?» chiese Adam.

«Ne parlarono due guardie. Non con me, sia chiaro, ma la voce si sparse in fretta. Ci furono molte proteste, e sarebbero state anche più clamorose se Meeks non fosse stato un essere spregevole. Lo odiavano tutti. E la sua piccola vittima aveva sofferto in modo atroce, quindi era difficile provare compassione per lui.»

«Dov'eri quando fu giustiziato?»

«Nella mia prima cella, Raggio D, il più lontano dalla camera a gas. Quella notte chiusero a chiave tutti i detenuti di Parchman. Successe poco dopo mezzanotte, e questo è abbastanza divertente perché lo stato ha a disposizione un giorno intero per compiere l'esecuzione. La condanna a morte non specifica l'ora esatta, ma soltanto il giorno. E quei bastardi smaniano di sbrigarsela il più presto possibile. Fissano tutte le esecuzioni per un minuto dopo mezzanotte. Così, se c'è una sospensione, i loro avvocati hanno a disposizione l'intera giornata per farla annullare. Buster Moac morì proprio così. Lo legarono alla sedia a mezzanotte, poi squillò il telefono e lo riportarono nella cella d'attesa dove restò a sudare per sei ore mentre gli avvocati correvano da una corte all'altra. Alla fine, mentre sorgeva il sole, lo legarono di nuovo alla sedia per l'ultima volta. Immagino che saprai quali furono le sue ultime parole.»

Adam scosse la testa. «Non ne ho idea.»

«Buster era un mio amico, un tipo di classe. Naifeh gli chiese se aveva qualcosa da dire e lui rispose che sì, aveva qualcosa da dire, effettivamente. Disse che la bistecca dell'ultimo pasto era un po' troppo cruda. Naifeh borbottò che ne avrebbe parlato al cuoco. Poi Buster chiese se il governatore aveva concesso la grazia all'ultimo momento. Naifeh rispose di no. Allora Buster disse: "Bene, di' a quel figlio di puttana che non avrà il mio voto". Sbatterono la porta e lo gassarono.»

Sam aveva l'aria di trovarlo divertente, e Adam si sentì in dovere di accennare una risata. Guardò il blocco per gli appunti mentre Sam accendeva un'altra sigaretta.

Due anni dopo l'esecuzione di Teddy Doyle Meeks, gli appelli di Maynard Tole si esaurirono e venne il momento di usare di nuovo la camera a gas. Tole aveva il patrocinio gratuito di Kravitz & Bane; era assistito da un giovane avvocato, Peter Wiesenberg, con la supervisione di E. Garner Goodman. Wiesenberg e Goodman assistettero all'esecuzione che sotto molti aspetti fu spaventosamente simile a quella di Meeks. Adam non ne aveva parlato con Goodman, ma aveva studiato la pratica e aveva letto le testimonianze di Wiesenberg e Goodman.

«E Maynard Tole?» chiese.

«Era africano, un attivista che aveva ammazzato un mucchio di gente durante una rapina, e naturalmente dava la colpa di tutto al sistema. Si definiva un guerriero africano. Mi aveva minacciato più volte, ma di solito contava balle.»

«In che senso?»

«Diceva le solite stupidaggini. È un'abitudine degli africani. Sono tutti innocenti, capisci? Tutti quanti. Sono qui perché sono neri e il sistema è bianco, e se hanno stuprato e assassinato la colpa è di qualcun altro. È sempre, sempre colpa di un altro.»

«Quindi fosti contento quando morì?»

«Non ho detto questo. Uccidere è sbagliato. È sbagliato che gli africani uccidano, che gli anglosassoni uccidano. Ed è sbagliato che il popolo dello stato del Mississippi uccida i detenuti del braccio della morte. Quello che ho fatto io era sbagliato, quindi come può essere giusto che voi ammazziate me?»

«Tole soffrì?»

«Come Meeks. Trovarono un boia nuovo che l'azzeccò la prima volta. Il gas arrivò a Tole, e lui ebbe le convulsioni, cominciò a sbattere la testa contro il palo proprio come Meeks, ma Tole evidentemente aveva la testa più dura perché continuava a batterla, non la finiva più. Così Naifeh e i suoi si preoccuparono perché quello non voleva morire, e stava diventando un gran brutto pasticcio. Allora fecero allontanare i testimoni dalla loro saletta. Una cosa indecente.»

«Ho letto da qualche parte che ci mise dieci minuti a morire.»

«So soltanto che resistette con tutte le sue forze. Naturalmente il direttore e il medico dichiararono che la morte era stata istantanea e indolore. Tipico. Dopo Tole, però, introdussero una modifica nella procedura. Quando toccò al mio amico Moac, avevano già inventato un bel bloccatesta di cinghie e fibbie, e l'avevano fissato a quel maledetto palo. A Moac, e più tardi a Jumbo Parris, legarono la testa così stretta che non c'era il rischio che potessero sbatterla contro il palo. Una delicatezza, no? Così è tutto più facile per Naifeh e i testimoni che non devono vedere tanta sofferenza.»

«Capisci cosa intendevo dire, Sam? È un modo orribile di morire. Attaccheremo il modo. Troveremo testimoni che parleranno di quelle esecuzioni e cercheremo di convincere un giudice a sentenziare che la camera a gas è incostituzionale.»

«E con questo? Chiediamo l'iniezione letale? Che senso ha? Mi sembra una sciocchezza dire che preferisco non morire nella camera a gas, mentre, diavolo, l'iniezione letale potrebbe andar bene. Mi mettono su una barella e mi riempiono di droghe. Morirò lo stesso, giusto? Proprio non capisco.»

«È vero. Però guadagniamo tempo. Attaccheremo la camera a gas, otterremo una sospensione temporanea e proseguiremo con i ricorsi alle corti superiori. Potremmo bloccare l'esecuzione per anni.»

«È già stato fatto.»

«In che senso è già stato fatto?»

«Texas, 1988. Caso Larson. Furono esposte le stesse argomentazioni, ma senza risultato. La corte sentenziò che le camere a gas esistono da cinquant'anni e che si sono dimostrate efficienti per uccidere in modo umano.»

«Sì, ma c'è una grossa differenza.»

«Quale?»

«Non siamo nel Texas. Meeks e Tole e Moac e Parris non sono stati gassati nel Texas. E fra l'altro il Texas è già passato all'iniezione letale. Hanno buttato via la camera a gas perché hanno trovato un sistema migliore per uccidere. Quasi tutti gli stati che usavano la camera a gas l'hanno sostituita con tecnologie più moderne.»

Sam si alzò e andò fino all'altra estremità del tavolo. «Be', quando toccherà a me, voglio andarmene con la tecnologia più avanzata.» Camminò avanti e indietro lungo il tavolo, tre o quattro volte, e si fermò. «Ci sono cinque metri e mezzo da una parte all'altra di questa stanza. Posso camminare per cinque metri e mezzo senza urtare contro le sbarre. Capisci cosa significa passare ventitré ore al giorno in una cella di un metro e ottanta per tre? Questa è la libertà, gente.» Ricominciò a camminare avanti e indietro, lanciando sbuffi di fumo.

Adam seguiva con lo sguardo la fragile figura che camminava con slancio lungo il tavolo lasciandosi dietro una scia di fumo. Ai piedi nudi calzava un paio di sandali di gomma blu che cigolavano a ogni passo. Si fermò all'improvviso, tolse con uno strattone un libro da uno scaffale, lo buttò con forza sul tavolo e cominciò a sfogliarlo. Dopo pochi minuti di intensa ricerca trovò quel che cercava e impiegò cinque minuti a leggere.

«Ecco qui» borbottò. «Sapevo di averlo già visto.»

«Cos'è?»

«Un caso avvenuto nel 1984 nel North Carolina. L'uomo si chiamava Jimmy Old, ed evidentemente non voleva morire. Dovettero trascinarlo nella camera a gas mentre lui scalciava, piangeva e gridava, e ci misero parecchio per legarlo. Sbatterono la porta e immisero il gas, e lui lasciò cadere il mento sul petto. Poi rovesciò la testa all'indietro e cominciò a sussultare. Si girò verso i testimoni che vedevano soltanto il bianco dei suoi occhi e cominciò a sbavare. La testa non smetteva di ruotare, il corpo tremava, e aveva la schiuma alla bocca. Non finiva più. Uno dei testimoni, un giornalista, vomitò. Il direttore si stancò, come nel caso di Maynard Tole, e chiuse le tende nere in modo che i testimoni non vedessero più niente. Secondo le stime, Jimmy Old impiegò quattordici minuti per morire.»

«Mi sembra una crudeltà.»

Sam chiuse il volume e lo rimise con cura sullo scaffale. Accese una sigaretta e studiò il soffitto. «Quasi tutte le camere a gas furono costruite molto tempo fa dalla Eaton Metal Products di Salt Lake City. Ho letto non so dove che quella del Missouri fu costruita dai detenuti. Ma la nostra piccola camera è della Eaton, e in pratica sono tutte uguali: ottagonali, d'acciaio e con una serie di finestre in modo che la gente possa assistere all'esecuzione. Non c'è molto posto all'interno: soltanto una sedia di legno con tante cinghie. C'è una bacinella di metallo sotto la sedia, e poco più in alto, sopra la bacinella, c'è un sacchetto di compresse di cianuro che il boia comanda con una leva. E controlla anche l'acido solforico che viene introdotto per mezzo di una cartuccia. La cartuccia scorre all'interno di un tubo, arriva alla bacinella, e quando questa si riempie di acido, il boia tira la leva e fa cadere le compresse di cianuro. Si forma il gas che, naturalmente, causa la morte e questa, altrettanto naturalmente, dovrebbe essere rapida e indolore.»

«Non fu ideata per sostituire la sedia elettrica?»

«Sì. Negli anni Venti e Trenta tutti avevano una sedia elettrica, ed era il congegno più meraviglioso che fosse mai stato inventato. Ricordo che quando ero bambino ne avevano una portatile e la trasportavano nelle varie contee. Si fermavano davanti alla prigione locale, facevano uscire i condannati in catene, li mettevano in fila davanti alla roulotte e poi li liquidavano. Era un sistema efficiente per ovviare al sovraffollamento delle prigioni.» Sam scosse la testa con aria incredula. «Comunque non avevano idea di quello che facevano, e circolavano storie orribili sulle sofferenze dei giustiziati. Erano dei condannati a morte, giusto? Non a essere torturati a morte. E non succedeva soltanto nel Mississippi. Molti stati si servivano di quelle vecchie sedie elettriche inefficienti e male attrezzate, con un branco di incapaci che premevano gli interruttori, e c'erano problemi di ogni genere. Legavano un poveraccio, premevano l'interruttore, gli davano una scarica forte ma non abbastanza, e quello arrostiva dentro ma non moriva, e allora aspettavano qualche minuto e gli davano un'altra scossa. Poteva continuare così per un quarto d'ora. Non fissavano a dovere gli elettrodi, e non era raro che dagli occhi e dagli orecchi sprizzassero fiamme e scintille. Ho letto di un tale che aveva ricevuto una scossa di voltaggio insufficiente, e nella testa s'era formato il vapore, e così gli occhi gli schizzarono fuori e il sangue gli scorse sulla faccia. Con l'elettrocuzione la pelle si scalda tanto che per un po' non si può toccare il corpo, così nei primi tempi dovevano lasciare che si raffreddasse prima di poter dichiarare che era morto. Ci furono molti casi di uomini che restavano immobili dopo la prima scarica ma poi riprendevano a respirare. E così gli davano un'altra scossa. Poteva ripetersi anche per quattro o cinque volte. Era spaventoso, e allora un medico militare inventò la camera a gas come sistema più umano per ammazzare la gente. E adesso, come hai detto tu, è diventata obsoleta perché c'è l'iniezione letale.»

Sam aveva trovato un ascoltatore attento. «Quanti uomini sono morti nella camera a gas del Mississippi?» gli chiese Adam.

«Fu usata qui per la prima volta nel 1933, più o meno. Fra quella data e il 1970, uccisero 156 uomini. Nessuna donna. Dopo Furman nel 1972, la camera a gas restò inattiva fino a Teddy Doyle Meeks nel 1982. Da allora l'hanno usata tre volte, per un totale di 160. Io sarò il numero 161.»

Ricominciò a camminare avanti e indietro, molto più lentamente. «È un modo spaventoso e inefficiente per uccidere» disse col tono di un professore che parla agli allievi. «Ed è pericoloso. Pericoloso, naturalmente, per il poveraccio legato alla sedia ma anche per coloro che stanno fuori dalla camera. Quelle dannate scatole sono vecchie, e tutte hanno qualche falla. I sigilli e le guarnizioni marciscono e si sgretolano, e il costo della costruzione di una camera a gas senza falle è proibitivo. Una piccola perdita potrebbe essere fatale per il boia o per chiunque sia lì vicino. Nella piccola stanza adiacente c'è sempre un gruppo di persone: Naifeh, Lucas Mann, un pastore, il medico, un paio di guardie. La stanza ha due porte che sono sempre chiuse durante un'esecuzione. Se un po' di gas filtrasse dentro, probabilmente investirebbe Naifeh o Lucas Mann, che creperebbero lì sul pavimento. Non è una cattiva idea, a pensarci bene.

«Anche i testimoni corrono un grave pericolo, e non se ne rendono conto. Non c'è niente fra loro e la camera a gas tranne una fila di finestre, vecchie anche quelle e probabilmente mal sigillate. Anche loro sono in una stanzetta con la porta chiusa; e se c'è una perdita, anche minima, finiscono gassati.

«Ma il vero pericolo viene dopo. Ti fissano alle costole un filo metallico che passa all'esterno dove un dottore controlla il battito del cuore. Quando il dottore annuncia che il condannato è morto, aprono una valvola nella parte superiore della camera per far evaporare il gas. E quasi tutto evapora. Aspettano un quarto d'ora, poi aprono la porta. L'aria più fresca proveniente dall'esterno svuota sì la camera, ma causa un problema perché si mescola al gas rimasto e condensa su tutto quel che c'è dentro. E diventa una trappola mortale per chi entra. È estremamente pericoloso, e quasi tutti quei buffoni non se ne rendono conto. C'è un residuo di acido prussico su tutto... pareti, finestre, pavimento, soffitto, porta... e, naturalmente, sul morto.

«Spruzzano la camera e il cadavere con l'ammoniaca per neutralizzare il gas rimasto, poi la squadra addetta alla rimozione o come diavolo si chiama entra con le maschere a ossigeno. Lavano una seconda volta il morto con l'ammoniaca o con la candeggina perché il veleno esca dai pori della pelle. Gli tagliano i vestiti mentre è ancora legato alla sedia, li mettono in un sacco e li bruciano. Una volta permettevano al condannato di indossare solo un paio di mutande, perché così il lavoro era più facile. Ma adesso sono tanto gentili che ci permettono di indossare quello che vogliamo. Quindi, se toccherà a me, avrò il problema di scegliere l'abbigliamento.»

Sam sputò sul pavimento a quel pensiero. Imprecò sottovoce e girò intorno all'estremità del tavolo.

«Dove finisce il corpo?» chiese Adam. Si vergognava un po'

ad affrontare un argomento così delicato, ma era ansioso di arrivare fino in fondo.

Sam borbottò un paio di volte, poi mise la sigaretta fra le labbra. «Sai in cosa consiste il mio guardaroba?»

«No.»

«Due di queste ridicole tute rosse, quattro cambi di biancheria e un paio di questi simpatici sandali di gomma da doccia che sembrano avanzati da una svendita di merce danneggiata da un incendio. Mi rifiuto di morire dentro una di queste tute rosse. Ho pensato di esercitare il mio diritto costituzionale e di entrare nudo nella camera a gas. Non sarebbe uno spettacolo? Immagini quelle carogne che m'accompagnano e mi legano sforzandosi di non toccarmi le parti intime? E poi, quando mi legheranno, staccherò la ventosa del monitor cardiaco e la fisserò ai testicoli. Credi che al dottore piacerebbe? E farei in modo che i testimoni mi vedessero il culo nudo. Sì, credo che farò proprio così.»

«Cosa ne fanno del corpo?» chiese di nuovo Adam.

«Be', quando l'hanno lavato e disinfettato a sufficienza lo rivestono con l'uniforme del carcere, lo tolgono dalla sedia e lo infilano dentro un sacco, poi lo mettono su una barella, che viene caricata su un'ambulanza e portata in un'impresa di pompe funebri. A questo punto interviene la famiglia. Quasi tutte le famiglie.»

Adesso Sam voltava le spalle ad Adam, parlava con il muro e si appoggiava a uno scaffale. Rimase a lungo in silenzio, immobile, mentre guardava nell'angolo e pensava ai quattro uomini che aveva conosciuto ed erano finiti nella camera a gas. Nel Braccio c'era una regola non scritta: quando tocca a te, non entri nella camera con la tuta rossa del carcere. Non gli dai la soddisfazione di ucciderti con gli abiti che ti hanno costretto a portare per tanto tempo.

Forse suo fratello, quello che ogni mese gli spediva la scorta di sigarette, gli avrebbe mandato una camicia e un paio di pantaloni. E magari un paio di calzini. E qualunque tipo di scarpa, purché non fossero i maledetti sandali di gomma. Avrebbe preferito andare scalzo, piuttosto che con quelle schifezze.

Si voltò, si avvicinò adagio al punto del tavolo a cui stava

Adam e prese una sedia. «L'idea mi piace» disse a voce bassa e calma. «Vale la pena di tentare.»

«Bene. Mettiamoci al lavoro. Voglio che trovi altri casi come quello di Jimmy Old del North Carolina. Rintracciamo tutte le esecuzioni nella camera a gas pasticciate o orribili di cui si ha notizia. Le includeremo tutte nella nostra causa. Voglio che prepari un elenco delle persone che potrebbero testimoniare sulla morte di Meeks e Tole, e magari anche di Moac e Parris.»

Sam si era alzato di nuovo; prendeva i volumi dagli scaffali borbottando fra sé. Ne ammucchiò dozzine sul tavolo, poi scomparve dietro le pile.

19

I campi ondulati di frumento si estendevano per chilometri, poi salivano quando incominciavano le colline. Le montagne maestose segnavano in lontananza i confini delle campagne. In un'ampia valle più in alto dei campi, con una vista che spaziava per chilometri davanti e le montagne a formare una barriera alle spalle, il complesso nazista occupava più di quaranta ettari. Le recinzioni di filo spinato erano mimetizzate da siepi e cespugli. Anche i poligoni di tiro e i terreni da combattimento erano mimetizzati allo stesso modo per evitare che fossero scoperti dall'alto. Erano visibili solo due baite di tronchi dall'aria innocua, e da fuori sembravano capanne per la pesca. Ma sotto di loro, nelle viscere delle colline, c'erano due pozzi con ascensori che raggiungevano un labirinto di grotte naturali e artificiali. Grandi gallerie, abbastanza ampie da lasciar transitare i cart da campo di golf, si diramavano in tutte le direzioni e collegavano una dozzina di camere diverse. In una c'era una macchina da stampa. In due c'erano armi e munizioni. Tre, piuttosto grandi, erano alloggi, e una piccola biblioteca. La camera più grande, una caverna alta dodici metri, era la sala centrale dove i membri si riunivano in occasione di discorsi, di proiezioni di film, di raduni.

Era un complesso modernissimo, con antenne paraboliche satellitari che passavano ai televisori notizie di tutto il mondo, e computer collegati ad altri complessi analoghi che assicuravano un flusso rapido di informazioni, e fax, telefoni cellulari e tutti gli apparecchi elettronici in voga.

Ogni giorno arrivavano non meno di dieci giornali **che** venivano portati a un tavolo in una stanza accanto alla biblioteca, dove il primo a leggerli era un uomo chiamato Roland. Viveva quasi sempre nel complesso, assieme a parecchi altri membri che si occupavano della manutenzione. Quando i giornali arrivavano dalla città, di solito verso le nove del mattino, Roland riempiva di caffè una grande tazza e cominciava a leggere. Non era un compito noioso. Aveva viaggiato spesso in tutto il mondo, parlava quattro lingue ed era avido di conoscenza. Se un articolo colpiva la sua attenzione, lo segnava e più tardi ne faceva una copia e lo passava all'ufficio computer.

Aveva interessi piuttosto vari. Dava una rapida scorsa alle notizie sportive, e non guardava mai gli annunci pubblicitari. Sfogliava senza curiosità la moda, la vita quotidiana, le notizie sulla buona società e le rubriche collegate. Raccoglieva gli articoli sui gruppi affini al suo: ariani, nazisti, il KKK. Ultimamente aveva trovato molte notizie provenienti dalla Germania e dall'Europa orientale, e si entusiasmava molto per la rinascita del fascismo. Parlava correntemente il tedesco e passava almeno un mese all'anno in quella grande nazione. Teneva d'occhio i politici, preoccupati per i crimini motivati dall'odio e smaniosi di limitare i diritti dei gruppi come il suo. Teneva d'occhio la Corte Suprema. Seguiva i processi contro gli skinhead negli Stati Uniti. Seguiva le tribolazioni del KKK.

Di solito dedicava due ore ogni mattina ad assimilare le ultime notizie e a decidere quali articoli conservare. Era una routine, ma gli piaceva immensamente.

Quella mattina sarebbe stata diversa. Il primo allarme venne da una foto di Sam Cayhall sepolta in fondo alla rubrica di apertura di un quotidiano di San Francisco. L'articolo era di tre soli paragrafi, ma dava la notizia sensazionale che l'uomo più vecchio rinchiuso in un braccio della morte in America sarebbe stato rappresentato dal nipote avvocato. Roland lo lesse tre volte prima di convincersi, poi segnò l'articolo per conservarlo. Dopo un'ora, aveva letto cinque o sei volte la stessa cosa. Due giornali mostravano un'istantanea del giovane Adam Hall apparsa il giorno precedente sulla prima pagina del quotidiano di Memphis.

Roland aveva seguito il caso di Sam Cayhall per molti anni, e per diverse ragioni. Innanzi tutto, era il genere di caso che interessava i loro computer: un vecchio terrorista del Klan degli anni Sessanta rinchiuso nel braccio della morte. Il materiale su Cayhall formava già un pacco alto trenta centimetri. Sebbene non fosse avvocato, Roland condivideva la convinzione prevalente che Sam non aveva più appelli e stava per morire. A Roland andava bene così, ma teneva per sé tale opinione. Per i sostenitori della supremazia bianca Sam era un eroe, e la piccola banda di nazisti di Roland era già stata invitata a partecipare a dimostrazioni prima dell'esecuzione. Non avevano contatti diretti con Cayhall perché non aveva mai risposto alle loro lettere, ma era un simbolo e volevano sfruttare al massimo la sua morte. Il cognome di Roland, Forchin, era di estrazione cajun, della zona intorno a Thibodeaux. Non aveva la tessera della sicurezza sociale, non aveva mai presentato una dichiarazione dei redditi. Per il governo non esisteva. Aveva tre passaporti perfettamente falsificati: uno era tedesco e un altro risultava rilasciato dal governo irlandese. Roland passava i confini e superava i controlli dell'immigrazione senza difficoltà.

Uno degli altri nomi di Roland, noto a lui solo e mai rivelato ad anima viva, era Rollie Wedge. Era fuggito dagli Stati Uniti nel 1967 dopo l'attentato contro l'ufficio di Kramer e per qualche tempo era vissuto nell'Irlanda del Nord. Poi era stato in Libia, a Monaco di Baviera, a Belfast e nella valle della Bekaa, in Libano. Era tornato per poco tempo negli Stati Uniti nel 1967 e nel 1968 per seguire da vicino i due processi di Sam Cayhall. Da allora viaggiava tranquillamente con documenti ineccepibili.

Era tornato altre volte negli Stati Uniti, per breve tempo, e sempre per il caso Cayhall. Ma con il passare del tempo se ne preoccupò meno. Si era insediato nel bunker tre anni prima per diffondere il messaggio del nazismo. Non si considerava più uno del Klan: adesso era fascista, e fiero di esserlo.

Quando finì la lettura mattutina, aveva trovato pezzi su Cayhall in sette dei dieci giornali. Li mise in un vassoio metallico e decise di vedere il sole. Versò altro caffè nella tazza di plastica, salì con un ascensore per circa due metri e mezzo e arrivò a un vestibolo all'interno di un capanno. Era una bella giornata, fresca e soleggiata, senza una nuvola in vista. Si avviò per uno stretto sentiero in salita diretto alle montagne, e dieci minuti più tardi poté guardare la valle sotto di lui. I campi di frumento erano lontani.

Da ventitré anni Roland sognava che Cayhall morisse. Erano accomunati da un segreto, un peso opprimente che sarebbe sparito solo con l'esecuzione di Sam. Lo ammirava molto. Diversamente da Jeremiah Dogan, aveva tenuto fede al giuramento e non aveva mai parlato. Nonostante tre processi, numerosi avvocati, innumerevoli appelli e milioni di indagini, non aveva mai ceduto. Era un uomo d'onore, e Roland lo voleva morto. Oh, certo, era stato costretto a minacciare Cayhall e Dogan durante i primi due processi, ma era passato tanto tempo. Dogan era crollato sotto pressione, aveva parlato e testimoniato contro Sam. E Dogan era morto.

Quel ragazzo lo impensieriva. Come tutti gli altri, Roland aveva perso le tracce del figlio di Sam e della sua famiglia. Sapeva della figlia a Memphis, ma il figlio era scomparso. E adesso ecco un giovane avvocato di un grande, ricco studio legale ebreo, comparso dal nulla e deciso a salvare il nonno. Roland ne sapeva abbastanza sulle esecuzioni per rendersi conto che all'ultimo momento gli avvocati tentano di tutto. Se Sam doveva cedere, l'avrebbe fatto adesso, e l'avrebbe fatto in presenza del nipote.

Buttò un sasso giù per il pendio e lo guardò rimbalzare e sparire. Doveva andare a Memphis.

Per abitudine, da Kravitz & Bane a Chicago il sabato era un giorno di duro lavoro come un altro, ma nella sede di Memphis c'era un'atmosfera un po' più tranquilla. Adam arrivò in ufficio alle nove e trovò al lavoro soltanto altri due avvocati e un paralegale. Si chiuse nel suo ufficio e abbassò le veneziane.

Il giorno prima lui e Sam avevano lavorato per due ore, e prima che Packer tornasse nella biblioteca giuridica con le manette e le catene, avevano invaso il tavolo con dozzine di testi e di blocchi di appunti. Packer aveva atteso con impazienza mentre Sam rimetteva lentamente i libri sugli scaffali.

Adam riesaminò gli appunti. Batté le ricerche nel computer e revisionò per la terza volta la petizione. Ne aveva già faxato una copia a Garner Goodman, che a sua volta l'aveva corretta e ritrasmessa.

Goodman non era convinto che l'istanza venisse considerata con spirito di equità, ma in quella fase del procedimento non c'era niente da perdere. Se per caso ci fosse stata un'udienza sollecita alla corte federale, Goodman era pronto a testimoniare sull'esecuzione di Maynard Tole. Lui e Peter Wiesenberg vi avevano assistito. Anzi, Wiesenberg era stato così nauseato dalla vista di un uomo che veniva gassato, che aveva dato le dimissioni dallo studio e si era dedicato all'insegnamento. Suo nonno era sopravvissuto all'Olocausto, sua nonna no. Goodman aveva promesso di mettersi in contatto con Wiesenberg ed era sicuro che anche lui avrebbe testimoniato.

A mezzogiorno, Adam si stancò di stare in ufficio. Aprì la porta e non sentì nessun rumore a quel piano. Gli altri avvocati erano usciti. Se ne andò anche lui.

Prese la macchina e si diresse verso ovest, attraversò il fiume e arrivò nell'Arkansas, passò davanti alle piazzole dei camion e al cinodromo di West Memphis, e finalmente uscì dalla congestione del traffico e si addentrò nella campagna. Superò i paesetti di Earle, Parkin e Wynne, dove cominciavano le colline. Si fermò a bere una Coca in un negozio di alimentari di paese dove tre vecchi dalle tute scolorite erano seduti sotto il portico a scacciare le mosche e a soffrire il caldo. Abbassò la capotte e ripartì.

Due ore dopo si fermò di nuovo, questa volta nella cittadina di Mountain View per mangiare un panino e chiedere indicazioni. Calico Rock non era molto lontana, gli dissero, bastava seguire il White River. Era una strada incantevole che si snodava fra le colline degli Ozark e attraversava boschi fitti e torrenti di montagna. Il White River serpeggiava sulla sinistra, punteggiato dalle barche dei pescatori di trote.

Calico Rock era una cittadina molto piccola, su un'altura che sovrastava il fiume. Vicino al ponte, sulla riva est, c'erano tre moli per la pesca delle trote. Adam parcheggiò accanto al fiume e si avvicinò al primo, che mostrava la scritta Calico Marina. La costruzione galleggiava su pontoni ed era ancorata alla riva da grosse funi. Accanto al molo era ormeggiata una fila di barche da noleggio. Un distributore solitario esalava l'odore pungente della benzina e della nafta. Un cartello indicava le tariffe per le barche, le guide, l'attrezzatura e le licenze di pesca.

Adam si avventurò sul molo coperto e ammirò il fiume a pochi passi da lui. Un giovane con le mani sporche uscì dalla porta di una stanza sul retro e chiese se poteva essere d'aiuto. Squadrò Adam dalla testa ai piedi, e parve concludere che non poteva essere un pescatore.

«Sto cercando Wyn Lettner.»

Sul taschino della camicia era ricamato il nome Ron, un po' macchiato di grasso. Ron rientrò e gridò: «Signor Lettner!» in direzione di una porta a zanzariera che conduceva in un negozietto. Poi sparì.

Wyn Lettner era un colosso alto poco meno di due metri, ben piantato e molto appesantito. Garner lo aveva descritto come un bevitore di birra, e Adam se ne ricordò subito notando lo stomaco prominente. Era vicino alla settantina, con radi capelli grigi coperti da un berretto dell'Evinrude. Nei fascicoli di Adam c'erano almeno tre foto dell'agente speciale Lettner ricavate dai giornali, e in tutte era il classico G-Man: abito scuro, camicia bianca, cravatta sottile, taglio militaresco dei capelli. E a quei tempi era molto più magro.

«Sì» rispose a gran voce aprendo la porta a zanzariera e togliendosi le briciole dalle labbra. «Son Wyn Lettner.» Aveva la voce profonda e un sorriso simpatico.

Adam tese la mano e disse: «Sono Adam Hall. Lieto di conoscerla».

Lettner gli prese la mano e la strinse con energia. Aveva avambracci massicci e bicipiti muscolosi. «Sì» tuonò. «Cosa posso fare per lei?»

Per fortuna il molo era deserto; c'era soltanto Ron, che non si vedeva ma faceva un gran baccano con qualche attrezzo nella sua stanza. Adam esitò un momento, poi rispose: «Ecco, sono avvocato, e rappresento Sam Cayhall».

Il sorriso si allargò e rivelò due file di solidi denti gialli. «Un lavoro impegnativo, eh?» commentò con una risata, e gli diede una manata sulla schiena.

«Credo di sì» rispose Adam, guardingo, mentre attendeva un altro assalto. «Vorrei parlare di Sam.»

Lettner diventò serio di colpo. Si accarezzò il mento con la mano carnosa e socchiuse gli occhi per studiare Adam. «L'ho letto sui giornali. So che è suo nonno. Per lei dev'essere dura. E diventerà ancora più dura.» Sorrise di nuovo. «Anche per Sam.» Gli brillavano gli occhi come se avesse appena detto una battuta irresistibile e si aspettasse di vedere Adam piegato in due per le risate.

Adam non lo trovò divertente. «A Sam resta meno di un mese, sa» disse. Era certo che Lettner aveva letto anche l'annuncio della data dell'esecuzione.

Una mano pesante gli si posò sulla spalla e lo spinse in direzione del negozio. «Entri, figliolo. Parleremo di Sam. Una birra?»

«No, grazie.» Entrarono in un locale stretto con attrezzature da pesca appese alle pareti e al soffitto, traballanti scaffalature di legno cariche di generi alimentari: cracker, sardine, salsicce in scatola, pane, carne di maiale e fagioli, budini pronti... tutto il necessario per una giornata sul fiume. Un refrigeratore di bibite analcoliche era in un angolo, vicino a una cassetta piena di grilli e a una vasca piena d'acqua e pesciolini.

«Si sieda» disse Lettner, indicando un angolo accanto al registratore di cassa. Adam sedette su una sedia di legno traballante, mentre Lettner frugava in una cassetta frigorifera e tirava fuori una bottiglia. «Davvero non ne vuole?»

«Più tardi, magari.» Erano quasi le cinque.

Lettner svitò il tappo, scolò almeno un terzo della bottiglia alla prima sorsata, schioccò le labbra, quindi sedette su una poltroncina di pelle molto sciupata che doveva essere stata tolta da un furgoncino fuoriserie. «E così fregheranno finalmente il vecchio Sam?» chiese.

«Stanno facendo tutto il possibile.»

«C'è qualche speranza?»

«Non molte. Abbiamo il solito assortimento di appelli dell'ultimo minuto, ma il tempo passa.»

«Sam non è cattivo» disse Lettner con una sfumatura di rammarico, che lavò via con un'altra sorsata. I grilli cantavano commoventi serenate nella loro cassetta e un condizionatore d'aria rumoreggiava sopra la porta. Il pavimento scricchiolava in sordina ogni volta che il fiume spostava il molo.

«Quanto tempo è rimasto nel Mississippi?» chiese Adam.

«Cinque anni. Hoover mi ci mandò dopo la scomparsa dei tre attivisti dei diritti civili. Nel 1964. Formammo un'unità speciale e ci mettemmo al lavoro. Dopo l'attentato contro Kramer, il Klan restò per così dire senza benzina.»

«E lei che responsabilità aveva?»

«Hoover fu molto preciso. Mi disse che doveva infiltrare i nostri nel Klan a tutti i costi. Voleva annientarlo. Per essere sincero, nel Mississippi avevamo tardato un po' a metterci in moto. C'erano parecchie ragioni. Hoover odiava i Kennedy, e quelli non gli davano pace e continuavano a insistere. Così lui tirava indietro. Ma quando sparirono quei tre ragazzi, ci demmo da fare sul serio. Il 1964 fu un anno molto movimentato nel Mississippi.»

«Io sono nato in quell'anno.»

«Già, il giornale ha scritto che è nato a Clanton.»

Adam annuì. «Non l'ho saputo per moltissimo tempo. I miei genitori dicevano che ero nato a Memphis.»

La porta si aprì con un tintinnio e Ron entrò nel negozio. Li guardò, poi contemplò i cracker e le sardine. Loro lo guardarono e aspettavano. Ron lanciò un'occhiata ad Adam come per dire: "Continua pure a parlare. Io non ascolto".

«Cosa vuoi?» gli abbaiò Lettner.

Ron afferrò con la mano sporca una scatoletta di würstel e la mostrò. Lettner fece un cenno di assenso e indicò la porta. Ron si avviò lentamente, soffermandosi a controllare i budini e le patatine fritte.

«È un gran ficcanaso» commentò Lettner quando finalmente Ron se ne andò. «Dunque, parlai diverse volte con Garner Goodman. Fu molti anni fa. Un tipo strano.»

«È il mio capo. È stato lui a darmi il suo nome; ha detto che avrebbe accettato di parlare con me.»

«Parlare di cosa?» chiese Lettner, prima di bere un'altra sorsata.

«Del caso Kramer.»

«Il caso Kramer è chiuso. Restano soltanto Sam e il suo appuntamento con la camera a gas.»

«Lei vuole che venga giustiziato?»

Si sentirono passi e voci e la porta si aprì di nuovo. Entrarono un uomo e un ragazzo e Lettner si alzò. Avevano bisogno di esche e provviste, e per dieci minuti fecero acquisti e parlarono e discussero dove i pesci abboccavano. Lettner tenne nascosta la sua birra sotto il banco finché i clienti rimasero nel negozio.

Adam prese una bibita analcolica dal refrigeratore e uscì. S'incamminò lungo il bordo del molo di legno e si fermò alla pompa di benzina. Due adolescenti in barca lanciavano le lenze vicino al ponte, e Adam fu colpito dal pensiero che non aveva mai pescato in tutta la sua vita. Suo padre non era stato il tipo da hobby e tempo libero. Non era mai riuscito nemmeno a conservarsi un lavoro. In quel momento Adam non riusciva a ricordare esattamente cosa aveva fatto suo padre.

I clienti uscirono e la porta sbatté. Lettner raggiunse con passo pesante la pompa di benzina. «Le piace pescare le trote?» chiese fermandosi ad ammirare il fiume.

«No. Non ho mai pescato.»

«Andiamo a fare un giro. Devo controllare un punto tre chilometri a valle. Là i pesci dovrebbero brulicare.»

Lettner aveva portato la cassetta frigorifera e la posò delicatamente in una barca. Scese dal molo e la barca ondeggiò con violenza mentre si afferrava al motore. «Venga» gridò ad Adam, che studiava il varco di settantacinque centimetri fra sé e l'imbarcazione. «E prenda quella cima» gridò Lettner, indicando una fune sottile fissata a un grappino.

Adam liberò la fune e scese con apprensione nella barca che ondeggiò non appena la toccò con il piede. Scivolò, cadde bocconi e per pochissimo non finì in acqua. Lettner scoppiò a ridere mentre avviava il motore. Ron, naturalmente, aveva assistito alla scena e sogghignava dal molo. Adam era imbarazzato, ma rise come se la cosa fosse divertente. Lettner accese il motore, la prua della barca s'impennò verso l'alto, e partirono.

Adam si afferrò alle maniglie su entrambe le fiancate mentre sfrecciavano sull'acqua e sotto il ponte. Ben presto si lasciarono alle spalle Calico Rock. Il fiume serpeggiava in mezzo a colline pittoresche e attorno a promontori rocciosi. Lettner pilotava con una mano e con l'altra stringeva una birra fresca. Dopo qualche minuto Adam si tranquillizzò un po' e riuscì a prendere una birra dalla cassetta frigorifera senza perdere l'equilibrio. La bottiglia era ghiacciata. La tenne con la destra, mentre con la sinistra si teneva aggrappato alla barca. Lettner borbottava o canticchiava qualcosa alle sue spalle. Il rombo fragoroso del motore impediva di parlare.

Oltrepassarono un piccolo molo per la pesca alle trote dove un gruppo di turisti inequivocabilmente venuti dalla città contavano i pesci e bevevano birra. Incontrarono una flottiglia di gommoni carichi di ragazzi sporchi che fumavano chissà cosa e prendevano il sole. Salutarono a cenni altri pescatori molto indaffarati.

Finalmente la barca rallentò e Lettner la guidò con cautela oltre un'ansa come se potesse vedere i pesci e dovesse piazzarsi in una posizione perfetta. Spense il motore. «Vuole pescare o bere birra?» chiese fissando l'acqua.

«Bere birra.»

«Lo immaginavo.» Lettner dimenticò la sua bottiglia quando prese la canna e lanciò l'amo in un punto verso la riva. Adam lo osservò per qualche secondo e quando non vide nessun risultato immediato, si distese e sporse i piedi sull'acqua. La barca era scomoda.

«Pesca spesso?» chiese.

«Tutti i giorni. Fa parte della mia vita, sa, e del servizio per i clienti. Devo sapere dove i pesci abboccano.»

«Un lavoro faticoso.»

«Qualcuno deve pur farlo.»

«Come mai si è stabilito a Calico Rock?»

«Ebbi un attacco di cuore nel '75 e dovetti lasciare l'Fbi. Avevo una buona pensione e tutto quanto ma, diavolo, a non far niente ci si annoia. Io e mia moglie trovammo questo posto. Il molo era in vendita. Un errore portò a un altro, ed eccomi qui. Mi passi una birra.»

Lanciò di nuovo la lenza mentre Adam gli dava la birra. Nella cassetta frigorifera erano rimaste quattordici bottiglie. La barca andava alla deriva sul fiume. Lettner prese un remo. Con una mano pescava, con l'altra guidava la barca e riusciva anche a tenere in equilibrio la birra fra le ginocchia. La vita di una guida per pescatori.

Rallentarono quando arrivarono sotto alcuni alberi. Per un po' il sole rimase schermato. A guardare Lettner, lanciare la lenza sembrava facile. Faceva schioccare la canna con un agile movimento del polso, e mandava esca e amo esattamente dove voleva. Ma i pesci non abboccavano. Provò a lanciare verso il centro del fiume.

«Sam non è cattivo.» L'aveva già detto una volta.

«Pensa che debba essere giustiziato?»

«Non sta a me decidere, figliolo. Il popolo dello stato vuole la pena di morte, e quindi c'è nei codici. Il popolo ha deciso che Sam era colpevole e poi ha deciso che doveva essere giustiziato, quindi cosa posso fare io?»

«Ma avrà un'opinione.»

«E cosa conta? I miei pensieri non valgono proprio nulla.»

«Perché ha detto che Sam non è cattivo?»

«È una storia lunga.»

«Abbiamo ancora quattordici birre.»

Lettner rise e gli tornò sul volto l'ampio sorriso. Si attaccò alla bottiglia, bevve e guardò a valle, distogliendo gli occhi dalla lenza. «Sam non ci interessava, capisce? Non era impegnato nei crimini peggiori, almeno all'inizio. Quando sparirono gli attivisti dei diritti civili, intervenimmo come furie. Cominciammo a seminare soldi dappertutto, e in poco tempo ci procurammo una quantità di informatori nel Klan. Erano in maggioranza bifolchi ignoranti che non avevano mai avuto un soldo, e noi sfruttavamo la loro fame di denaro. Non avremmo mai trovato quei tre ragazzi se non avessimo distribuito un po' di contanti. Circa trentamila dollari, ricordo, anche se non trattavo direttamente con l'informatore. Be', figliolo, erano sepolti in un argine. Li trovammo, e così facemmo bella figura, capisce? Finalmente avevamo concluso qualcosa. Facemmo parecchi arresti, ma era difficile ottenere verdetti di colpevolezza. Gli episodi di violenza continuarono. Mettevano bombe nelle chiese e nelle case dei negri, e lo facevano così spesso che non riuscivamo a stargli dietro. Era come una guerra. La situazione peggiorò e Hoover si arrabbiò ancora di più, e noi distribuimmo in giro altri soldi... Mi dia retta, figliolo, non le dirò niente che le possa essere utile, capisce?»

«Perché?»

«Di certe cose posso parlare, di altre no.»

«Sam non era solo quando mise la bomba nello studio di Kramer, vero?»

Lettner sorrise di nuovo e guardò la lenza. Teneva la canna sulle ginocchia. «Comunque, fra la fine del '65 e l'inizio del '66 avevamo messo insieme una grossa rete di informatori. Non era molto difficile. Scoprivamo che qualcuno era del Klan, e gli stavamo dietro. La notte lo seguivamo fino a quando rientrava, lampeggiavamo con i fari, parcheggiavamo davanti a casa sua. Di solito si spaventava a morte. Poi lo seguivamo quando andava a lavorare, e a volte parlavamo con il suo principale, mostravamo i distintivi e ci comportavamo come se stessimo per sparare a qualcuno. Andavamo a parlare con i genitori, e anche a loro mostravamo i distintivi, ci presentavamo vestiti di scuro e con i nostri accenti del Nord, e quei poveri campagnoli crollavano. Se il tizio andava in chiesa, una domenica lo seguivamo e il giorno dopo andavamo a parlare con il suo predicatore. Gli dicevamo di aver sentito che il Taldeitali era membro attivo del Klan, e chiedevamo se ne sapeva qualcosa. Ci comportavamo come se far parte del Klan fosse un reato. Se l'uomo aveva figli adolescenti, li seguivamo quando andavano agli appuntamenti, siedevamo dietro di loro al cinema, li sorprendevamo quando fermavano la macchina in un bosco. Era un'autentica persecuzione, ma funzionava. Alla fine chiamavamo il poveraccio o lo sorprendevamo da solo in qualche posto e gli offrivamo un po' di soldi. Gli promettevamo di lasciarlo in pace e la spuntavamo sempre. Di solito erano ridotti con i nervi a pezzi e non vedevano l'ora di collaborare. Qualcuno piangeva, figliolo, mi creda. Piangevano quando si decidevano a confessare i loro peccati.» Lettner rise guardando ancora la lenza, che era sempre immobile.

Adam bevve un sorso di birra. Forse se le avessero bevute tutte a Lettner si sarebbe sciolta la lingua.

«Una volta ci capitò un tale, non lo dimenticherò mai. Lo sorprendemmo a letto con l'amante negra, e questo non era insolito. Voglio dire, andavano in giro a bruciare croci e a sparare contro le case dei negri, poi correvano di nascosto a incontrarsi con le amichette nere. Non ho mai capito perché le negre ci stessero. Comunque, questo tale aveva un piccolo capanno di caccia in mezzo al bosco e lo usava come nido d'amore. Un pomeriggio s'incontrò con l'amica per una sveltina, e quando ebbe finito e aprì la porta per andarsene, lo fotografammo. Fotografammo anche la ragazza. Poi gli tenemmo un discorsetto. Era un diacono o un anziano di una chiesa di campagna, una vera colonna della sua comunità, e noi lo trattammo come un cane. Cacciammo la ragazza e facemmo sedere lui nel capanno, e non passò molto prima che cominciasse a piangere. Diventò uno dei nostri testimoni migliori. Però più tardi finì in prigione.»

«Perché?»

«Ecco, sembra che mentre lui se la spassava con l'amichetta, la moglie facesse lo stesso con un ragazzo negro che lavorava nella loro fattoria. La signora restò incinta, il figlio era mulatto, e così il nostro informatore andò all'ospedale e ammazzò madre e figlio. Passò quindici anni a Parchman.»

«Bene.»

«A quei tempi non ottenevamo molti verdetti di colpevolezza, ma li perseguitavamo al punto che avevano paura di muoversi. La violenza era molto diminuita prima che Dogan decidesse di prendersela con gli ebrei. E questo ci colse di sorpresa, devo ammetterlo. Non avevamo indizi.»

«Perché?»

«Perché si era fatto furbo. Aveva imparato che i suoi finivano per parlare, e così decise di agire con piccole unità autonome.»

«Unità? Formate da più di una persona?»

«Qualcosa del genere.»

«Per esempio Sam e chi altro?»

Lettner sbuffò e ridacchiò nello stesso tempo, poi concluse che i pesci si erano spostati altrove. Posò canna e mulinello nella barca e riaccese il motore. Ripartirono e continuarono a scendere il fiume. Adam lasciò penzolare i piedi, e quasi subito i mocassini e le caviglie nude s'infradiciarono. Beveva la birra a piccoli sorsi. Il sole cominciava finalmente a calare dietro le colline e il fiume era bellissimo.

La sosta successiva fu in un tratto d'acqua calma sotto una rupe dalla quale pendeva una fune. Lettner lanciò l'amo e girò il mulinello, ma senza successo. Poi cominciò a fare domande, cento domande su Adam e la sua famiglia: la fuga all'Ovest, le nuove identità, il suicidio. Spiegò che mentre Sam era in carcere si erano informati sulla famiglia e sapevano che aveva un figlio e che se n'era andato da poco; ma dato che Eddie sembrava innocuo non avevano proseguito le indagini. Avevano preferito tener d'occhio i fratelli e i cugini di Sam. Lettner sembrava molto colpito dalla giovane età di Adam e dal fatto che era cresciuto senza sapere nulla o quasi dei suoi parenti.

Adam fece a sua volta qualche domanda, ma le risposte erano vaghe e si ritorcevano subito in altre domande sul suo passato. Aveva di fronte un uomo che aveva passato venticinque anni a interrogare gli altri.

Il terzo e ultimo posto "caldo" non era lontano da Calico Rock; pescarono fino a quando non venne buio. Dopo la quinta birra, Adam trovò il coraggio di mettere in acqua un amo. Lettner era un istruttore paziente e dopo pochi minuti Adam prese una trota di proporzioni ragguardevoli. Ci fu un breve intermezzo in cui dimenticarono Sam e il Klan e gli altri incubi del passato, e si accontentarono di pescare. Bevevano e pescavano.

La signora Lettner si chiamava Irene. Accolse il marito e l'ospite inatteso con gentilezza e noncuranza. Mentre Ron li portava a casa in macchina, Wyn aveva spiegato che Irene era abituata alle visite impreviste. E senza dubbio sembrò non scomporsi quando i due entrarono barcollando un po' e le consegnarono una filza di trote.

La casa dei Lettner era un cottage sul fiume, un chilometro e mezzo a nord della cittadina. Il portico sul retro era chiuso da una fitta rete metallica a protezione dagli insetti, e da lì si aveva una splendida vista del fiume. Sedettero sulle sedie a dondolo e aprirono altre birre mentre Irene friggeva i pesci.

Per Adam, procurare da mangiare era un'esperienza nuova, e assaporò con grande piacere il pesce che aveva preso. Ha sempre un sapore più buono, gli assicurò Wyn mentre masticava e beveva, quando è roba che hai pescato tu. A metà del pasto Wyn passò allo scotch, ma Adam rifiutò. Avrebbe voluto un comunissimo bicchier d'acqua, ma il machismo gli imponeva di continuare con la birra. Non poteva cedere a quel punto, o Lettner lo avrebbe punito.

Irene beveva vino e parlava del Mississippi. Aveva ricevuto minacce in diverse occasioni, e i figli rifiutavano di andarli a trovare. Erano tutti e due dell'Ohio, e i parenti temevano per la loro sicurezza. Quelli sì che erano tempi, ripeté più volte con tono di rimpianto. Era molto fiera del marito e di ciò che aveva fatto durante la guerra per i diritti civili.

Dopo cena li lasciò soli e scomparve da qualche parte nel cottage. Erano quasi le dieci, e Adam aveva sonno. Wyn si alzò in piedi aggrappandosi a una trave, si scusò e andò in bagno. Quando tornò, reggeva due grossi bicchieri pieni di scotch. Ne porse uno ad Adam e andò a sedere sulla sedia a dondolo.

Bevvero in silenzio dondolandosi per qualche istante, poi Lettner disse, passando al "tu": «E così sei convinto che Sam avesse qualche aiutante».

«Naturalmente.» Adam si rendeva conto di avere la lingua legata e di parlare lentamente. Lettner, invece, si esprimeva in modo normale.

«Come mai sei tanto sicuro?»

Adam abbassò il bicchiere e giurò a se stesso di non bere un altro sorso. «L'Fbi perquisì la casa di Sam dopo l'attentato, giusto?»

«Giusto.»

«Sam era in prigione a Greenville, e otteneste un mandato.»

«C'ero anch'io, figliolo. Ci andammo con una dozzina di agenti, e restammo per tre giorni.»

«Ma non trovaste niente.»

«Puoi ben dirlo.»

«Niente tracce di dinamite. Niente tracce di detonatori, micce, congegni a orologeria. Niente tracce di ordigni o sostanze usate negli attentati. È così?»

«È così. Qual è la tua conclusione?»

«Sam non capiva niente di esplosivi, e non risultava che li avesse mai usati.»

«No, direi invece che li aveva proprio usati. L'attentato contro Kramer fu il sesto, se non ricordo male. Quei pazzi criminali mettevano bombe dappertutto, e non riuscivamo a fermarli. Tu non c'eri, ma io sì. Avevamo perseguitato il Klan e avevamo tanti infiltrati che ormai non osavano muoversi. Poi all'improvviso cominciò un'altra guerra, e le bombe scoppiavano dappertutto. Noi ascoltavamo dove dovevamo ascoltare. Facevamo pressioni. E non avevamo indizi. I nostri informatori non avevano indizi. Era come se all'improvviso un nuovo ramo del Klan avesse invaso il Mississippi senza avvertire quello vecchio.»

«Sapevate di Sam?»

«Il suo nome era nei nostri schedari. Ricordo che il padre aveva fatto parte del Klan, e forse anche un paio di fratelli. Quindi avevamo i loro nomi. Ma sembravano inoffensivi. Vivevano nella parte settentrionale dello stato, in un'area dove non risultava che il Klan avesse commesso gravi violenze. Probabilmente bruciavano qualche croce e sparavano contro qualche casa, niente in confronto a quel che facevano Dogan e la sua banda. Eravamo troppo occupati con gli assassini, non avevamo tempo per indagare su tutti i possibili membri del Klan dello stato.»

«Come spieghi l'improvviso passaggio di Sam all'azione violenta?»

«Non posso spiegarlo. Non era un angioletto, chiaro? Aveva già ucciso.»

«Come?»

«Hai sentito bene. Nei primi anni Cinquanta aveva sparato a uno dei suoi dipendenti negri. E non si era fatto un solo giorno di prigione. Non ne sono certo, ma mi sembra che non fu neppure arrestato.»

«Sei sicuro che sia successo veramente?» chiese Adam.

«Sì. Saltò fuori mentre Sam era in prigione in attesa di giudizio. Indagammo per mesi nella contea di Ford, e ne sentimmo parlare più di una volta. E forse c'era stato anche un altro omicidio. La vittima era un altro negro.»

«Preferirei non saperlo.»

«Domandalo a lui. Vedi se quel vecchio bastardo ha il fegato di ammetterlo davanti a suo nipote.» Lettner bevve un altro sorso. «Era un violento, figliolo, ed era certamente capace di piazzare bombe e di ammazzar gente. Non essere ingenuo.»

«Non sono ingenuo. Sto solo tentando di salvargli la vita.»

«Perché? Ha ucciso due bambini innocenti. Due bambini. Te ne rendi conto?»

«Fu riconosciuto colpevole del duplice omicidio. Ma se quelle morti non erano volute, non è giusto che lo stato lo uccida.»

«Io non credo a queste stronzate. La pena di morte è troppo mite per quella gente. Troppo pulita e asettica. Sanno che stanno per morire, e hanno il tempo di pregare e salutare. Ma le vittime? Quanto tempo hanno avuto per prepararsi,»

«Quindi vuoi che Sam sia giustiziato?»

«Sicuro. Voglio che siano giustiziati tutti.»

«Non hai detto che non era cattivo?»

«Ho mentito. Sam Cayhall è un assassino a sangue freddo. Ed è colpevole. Altrimenti, come spieghi il fatto che gli attentati cessarono appena fu arrestato?»

«Forse loro si erano spaventati, dopo quel che era successo ai Kramer.»

«Loro? Chi diavolo sono questi loro?»

«Sam e il suo complice. E Dogan.»

«D'accordo. Starò al gioco. Supponiamo che Sam avesse un complice.»

«No. Supponiamo che il complice fosse Sam. Supponiamo che l'esperto d'esplosivi fosse l'altro.»

«Esperto? Erano bombe rudimentali, figliolo. Le prime cinque erano candelotti di dinamite legati insieme con una miccia, tutto qui. Accendi un fiammifero, scappi come il vento, e dopo quindici minuti... bum! La bomba di Kramer era dello stesso tipo, e l'unica differenza stava nel fatto che era collegata a una sveglia. Furono fortunati perché non scoppiò mentre ci giocavano.»

«Pensi che fosse stata regolata di proposito per esplodere quando esplose?»

«La giuria ne era sicura. Dogan disse che avevano intenzione di uccidere Marvin Kramer.»

«Allora, perché Sam ronzava lì intorno? Perché era tanto vicino alla bomba da venire investito dalle schegge?»

«Dovresti chiederlo a lui, e sono sicuro che l'hai già fatto. Lui sostiene di aver avuto un complice?»

«No.»

«Allora è semplice. Se il tuo cliente dice di no, cosa diavolo stai cercando?»

«Credo che il mio cliente stia mentendo.»

«Peggio per lui. Se vuol mentire e proteggere qualcuno, perché te la prendi tanto?»

«Perché mi avrebbe mentito?»

Lettner scosse la testa, esasperato, borbottò qualcosa e bevve un altro sorso. «Come diavolo posso saperlo? Non voglio saperlo, chiaro? Non m'interessa se Sam mente o dice la verità. Ma se non è stato sincero con te, che sei suo nipote e suo avvocato, allora merita che lo gassino.»

Adam bevve una lunga sorsata e guardò nel buio. Si sentiva proprio ridicolo a darsi da fare per cercare di dimostrare che il suo cliente gli mentiva. Avrebbe fatto ancora un tentativo, poi avrebbe parlato d'altro. «Non credi ai testimoni che lo videro in compagnia di un'altra persona?»

«No. Ricordo che non erano molto convincenti. L'uomo del locale per camionisti non si fece avanti per molto tempo. L'altro era ubriaco. Non erano attendibili.»

«E credi a Dogan?»

«La giuria gli credette.»

«Non ho chiesto se gli credette la giuria.»

Il respiro di Lettner stava finalmente diventando pesante. Sembrava un po' stordito. «Dogan era pazzo, e Dogan era un genio. Dichiarò che la bomba aveva lo scopo di uccidere, e io gli credo. Tieni presente, Adam, che per poco non avevano spazzato via un'intera famiglia a Vicksburg. Non ricordo come si chiamavano...»

«Pinder. E continui a dire che "loro" avevano fatto questo e quello.»

«Sto al gioco, chiaro? Supponiamo che Sam avesse un complice. Misero la bomba nella casa dei Pinder nel cuore della notte. Poteva morire una famiglia al completo.»

«Sam ha detto di aver piazzato la bomba nel garage in modo che non ci fossero feriti.»

«Te l'ha detto Sam? Ha ammesso di essere stato lui? Allora perché diavolo mi chiedi se aveva un complice? Mi pare che dovresti dare ascolto al tuo cliente. Quel figlio di puttana è colpevole, Adam. Dagli retta.»

Adam bevve un altro sorso. Aveva le palpebre pesanti. Guardò l'orologio ma non riuscì a vederlo. «Parlami delle registrazioni» disse con uno sbadiglio.

«Quali registrazioni?» chiese Lettner sbadigliando a sua volta.

«Le registrazioni dell'Fbi che vennero fatte ascoltare al processo. Quelle in cui Dogan parlava con Wayne Graves a proposito dell'attentato contro Kramer.»

«Avevamo tante registrazioni. E loro avevano tanti bersagli, e Kramer era solo uno dei tanti. Diavolo, avevamo una registrazione di due del Klan che parlavano di far scoppiare una bomba in una sinagoga durante un matrimonio. Volevano sbarrare le porte e immettere gas nelle condutture del riscaldamento in modo da annientare tutta la congregazione. Pazzi delinquenti, figliolo. Non era Dogan, erano due dei suoi idioti che dicevano vaccate, e quindi non gli demmo importanza. Wayne Graves era uno del Klan sul nostro libro paga, e ci aveva permesso di mettere sotto controllo i suoi telefoni. Una sera chiamò Dogan, disse che lo faceva da un telefono pubblico, e parlarono di un attentato a Kramer. Parlarono anche di altri bersagli. Fu molto efficace al processo contro Sam. Ma le registrazioni non ci aiutarono a evitare un solo attentato, e non ci aiutarono a identificare Sam.»

«Non immaginavate che Sam Cayhall fosse coinvolto?»

«Nemmeno per sogno. Se quell'idiota avesse lasciato Greenville quando doveva farlo, con ogni probabilità sarebbe ancora libero.»

«Kramer sapeva di essere un bersaglio?»

«L'avevamo avvertito. Ma era abituato alle minacce. Teneva una guardia giurata davanti casa.» Le parole di Lettner cominciavano a diventare confuse, e il mento si era abbassato di qualche centimetro.

Adam si scusò e, cautamente, si avviò verso il bagno. Quando tornò nel portico, sentì un pesante russare. Lettner si era accasciato sulla sedia a dondolo con il bicchiere in mano. Adam glielo tolse e andò in cerca di un divano.

20

Era una mattina piuttosto calda, ma sembrava addirittura infuocata nel posto del guidatore della jeep residuata dell'Esercito priva di condizionamento e di altre cose indispensabili. Adam sudava, teneva la mano sulla maniglia della portiera e si augurava che si aprisse subito nel caso che gli venisse da vomitare la colazione di Irene.

Si era svegliato sul pavimento accanto a un divano in una stanza che aveva scambiato per il ripostiglio ma che in realtà era la lavanderia a fianco della cucina. E il divano era una panca, aveva spiegato ridendo Lettner, dove si sedeva per togliersi gli stivali. Irene ce l'aveva trovato dopo averlo cercato per tutta la casa, e Adam si era profuso in tante scuse che alla fine tutti e due gli avevano detto di smetterla. Irene aveva insistito per preparare una colazione pesante. Quel giorno della settimana avevano l'abitudine di mangiare maiale, e in casa Lettner era una vera tradizione. Adam si era seduto al tavolo di cucina a tracannare acqua ghiacciata mentre il bacon friggeva, Irene canticchiava e Wyn leggeva il giornale. Irene aveva preparato anche le uova strapazzate e i Bloody Mary.

La vodka gli aveva attutito un po' il mal di testa, ma non era servita a calmargli lo stomaco. Mentre procedevano sobbalzando verso Calico Rock sulle dissestate strade di campagna, Adam aveva il terrore di vomitare.

Anche se Lettner era crollato per primo, quella mattina stava benone e non mostrava postumi della sbronza. Aveva mangiato un piatto colmo di maiale e gallette, e aveva bevuto solo un Bloody Mary. Aveva letto con attenzione il giornale e commentato varie notizie; Adam immaginava che fosse uno di quegli alcolizzati che si ubriacano tutte le sere ma non ne risentono l'indomani.

Il paese era in vista. La strada si appianò e lo stomaco di Adam smise di sussultare. «Scusami per ieri sera» disse Lettner.

«Come?» chiese Adam.

«A proposito di Sam. Sono stato troppo duro. So che è tuo nonno e che sei molto preoccupato. Ho mentito: non voglio che venga giustiziato. Non è cattivo.»

«Glielo riferirò.»

«Già. Sono sicuro che ne sarà entusiasta.»

Entrarono in paese e svoltarono in direzione del ponte. «Un'altra cosa» continuò Lettner. «Abbiamo sempre sospettato che avesse un complice.»

Adam sorrise e guardò dal finestrino. Passarono davanti a una chiesetta: sotto un albero c'era un gruppetto di anziani vestiti dei loro abiti più belli.

«Perché?» chiese Adam.

«Per le ragioni che sai anche tu. Sam non aveva precedenti in fatto di bombe. Non era stato coinvolto nelle attività violente del Klan. I due testimoni, soprattutto il camionista di Cleveland, ci davano da pensare. Il camionista non aveva nessuna ragione di mentire, e sembrava molto sicuro. E Sam non pareva il tipo che lancia una campagna di attentati.»

«Chi è l'uomo?»

«Sinceramente, non lo so.» Si fermarono in riva al fiume e Adam, per prudenza, aprì la portiera. Lettner si appoggiò al volante e inclinò la testa verso di lui. «Dopo il terzo o il quarto attentato, e mi pare che fosse la sinagoga di Jackson, certi ebrei importanti di New York e di Washington si incontrarono con il presidente Johnson, e lui chiamò Hoover. Hoover chiamò me. Andai a Washington, mi incontrai con Hoover e il presidente, e mi fecero un culo così. Tornai nel Mississippi deciso a concludere qualcosa. Facemmo pressione sui nostri informatori. Voglio dire, qualcuno ci andò di mezzo. Tentammo di tutto, ma inutilmente. Le nostre fonti non sapevano chi metteva le bombe. Lo sapeva solo Dogan, ed era ovvio che non lo raccontasse a nessuno. Ma dopo la quinta bomba, e mi pare che fosse un'agenzia immobiliare di Jackson, trovammo qualcosa.»

Lettner aprì la portiera, scese e andò a fermarsi davanti alla jeep. Adam lo raggiunse. Guardarono il fiume che scorreva lento attraverso Calico Rock. «Vuoi una birra? La tengo in fresco nel negozio delle esche.»

«No, grazie. Ho già la nausea.»

«Scherzavo. Comunque, Dogan aveva un'enorme rivendita di auto usate, e uno dei suoi dipendenti era un vecchio negro analfabeta che lavava le macchine e spazzava i pavimenti. L'avevamo già abbordato con prudenza, ma il vecchio era ostile. Poi, all'improvviso, disse a uno dei nostri agenti di aver visto Dogan e un altro uomo mettere qualcosa nel portabagagli di una Pontiac verde un paio di giorni prima. Disse che aveva aspettato e poi aveva aperto il baule e aveva visto la dinamite. Il giorno dopo era venuto a sapere che era in programma un altro attentato. Il vecchio sapeva che l'Fbi stava alle costole di Dogan, e aveva pensato che fosse il caso di avvertirci. L'uomo che aveva aiutato Dogan era uno del Klan, un certo Virgil, un suo dipendente. Andammo a trovare Virgil. Bussai alla porta una mattina alle tre, bussai forte come facevamo sempre a quei tempi, e dopo un po' lui accese la luce e uscì nel portico. Avevo con me otto agenti, e tutti gli cacciammo i distintivi sotto il naso. Si spaventò a morte. Gli dissi che sapevamo che la notte prima aveva consegnato la dinamite a Jackson, e che sarebbe finito in galera per trent'anni. Sentivamo la moglie piangere dietro la porta. Virgil tremava e stava per piangere anche lui. Gli lasciai il mio biglietto da visita con l'ordine di chiamarmi prima di mezzogiorno e minacciai di fargli non so cosa se l'avesse raccontato a Dogan o a qualcun altro. Gli dissi che non l'avremmo perso di vista un solo istante.

«Non credo che sia tornato a dormire. Aveva gli occhi gonfi e rossi quando venne da me qualche ora più tardi. Diventammo amici. Disse che gli attentati non erano opera della solita banda di Dogan. Non sapeva molto, ma ne aveva sentito parlare da Dogan quanto bastava per credere che a fabbricare le bombe fosse un uomo molto giovane di un altro stato. Era comparso all'improvviso e sembrava abilissimo con gli esplosivi. Dogan sceglieva i bersagli, faceva i piani, poi chiamava questo tale che arrivava di nascosto, faceva gli attentati e spariva.»

«Tu gli credesti?»

«Sì, su quasi tutto. Era logico. Doveva essere uno nuovo, perché avevamo infiltrato troppi informatori nel Klan, e ormai conoscevamo virtualmente ogni loro mossa.»

«Cosa successe a Virgil?»

«Passai un po' di tempo con lui, gli diedi un po' di soldi, sai, la solita storia. Bussavano sempre a quattrini. Mi convinsi che non sapeva chi fosse a mettere le bombe. Non avrebbe mai ammesso di essere coinvolto, di aver consegnato le macchine e la dinamite, e non insistemmo. Non era lui quello che ci interessava.»

«Era coinvolto nell'attentato contro Kramer?»

«No. Per quello Dogan si servì di qualcun altro. A volte era come se avesse un sesto senso che gli suggeriva quando confondere le acque e cambiare abitudini.»

«L'individuo indicato da Virgil non corrisponde a Sam Cayhall, vero?» chiese Adam.

«No.»

«E non sospettavate di nessuno?»

«No.»

«Andiamo, Wyn. Vuoi farmi credere che non vi eravate fatti qualche idea?»

«Te lo giuro. Non ne avevamo. Poco dopo l'incontro con Virgil, ci fu l'attentato contro Kramer e tutto finì. Se Sam aveva un complice, questo lo abbandonò.»

«E in seguito l'Fbi non seppe più niente?»

«Niente di niente. Avevamo preso Sam, e sembrava il colpevole perfetto.»

«E naturalmente non vedevate l'ora di chiudere il caso.»

«Certo. Gli attentati cessarono, ricordalo. Non scoppiarono altre bombe dopo l'arresto di Sam. Avevamo preso il nostro uomo. Hoover era soddisfatto. Gli ebrei erano soddisfatti. Il Presidente era soddisfatto. Riuscirono a farlo condannare solo tredici anni più tardi, ma questa è un'altra storia. Fu un sollievo per tutti quando gli attentati finirono.»

«Allora perché Dogan non nominò il vero attentatore quando vuotò il sacco su Sam?»

Erano scesi sulla riva, fin quasi all'acqua. La macchina di Adam era poco lontano. Lettner si schiarì la gola e sputò nel fiume. «Tu testimonieresti contro un terrorista libero come l'aria?»

Adam rifletté per un istante. Nessuno gli aveva mai rivolto quella domanda, a quanto ricordava. Lettner sorrise mostrando i grossi denti ingialliti, poi ridacchiò e si avviò verso il molo. «Andiamo a farci una birra.»

«No, per favore. Devo ripartire.»

Lettner si fermò. Si strinsero la mano e promisero di rivedersi. Adam invitò Lettner a Memphis, e Lettner lo invitò a tornare a Calico Rock per un'altra partita di pesca e un'altra bevuta. Sul momento, l'invito non fu ben accetto. Adam mandò un saluto a Irene, si scusò di nuovo per essersi addormentato nella lavanderia, e ringraziò di nuovo per la chiacchierata.

Poi si lasciò il paesetto alle spalle, e guidò con prudenza fra curve e colline per cercare di non sconvolgersi lo stomaco.

Lee era alle prese con una ricetta di pasta quando Adam entrò nell'appartamento. La tavola era apparecchiata con stoviglie di porcellana, posate d'argento e fiori freschi. Si trattava di cannelloni al forno, ma in cucina le cose non andavano molto bene. Durante la settimana Lee aveva ammesso più volte di essere una pessima cuoca, e lo stava dimostrando. Sui ripiani erano sparse pentole e padelle macchiate di salsa di pomodoro e macchie di salsa di pomodoro chiazzavano il suo grembiule. Lee rise quando si scambiarono un bacio sulle guance e annunciò che c'era una pizza surgelata se proprio fosse finita in un disastro.

«Hai un'aria da far paura» disse, guardandolo negli occhi.

«È stata una notte faticosa.»

«Puzzi di alcol.»

«Ho bevuto due Bloody Mary a colazione. E adesso ne vorrei un altro.»

«Il bar è chiuso.» Lee prese un coltello e affrontò un mucchio di verdure. La sua prima vittima fu uno zucchino. «Cos'hai combinato lassù?»

«Mi sono ubriacato con l'agente dell'Fbi. E mi sono addormentato sul pavimento accanto alla lavatrice.»

«Magnifico!» Lee rischiò di tagliarsi, ritrasse la mano e si esaminò il dito. «Hai visto il giornale di Memphis?»

«No. Dovrei vederlo?»

«Sì. È là.» Indicò con un cenno un angolo del bar.

«Brutte notizie?»

«Leggi.»

Adam prese l'edizione domenicale del "Memphis Press" e sedette a tavola. Nella prima pagina della seconda rubrica si trovò davanti la sua faccia sorridente. Ricordava la foto: era stata fatta quando frequentava il secondo anno di legge all'Università del Michigan. L'articolo occupava metà pagina, e la foto era una delle tante: Sam, ovviamente, Marvin Kramer, Josh e John Kramer, Ruth Kramer, David McAllister, il procuratore generale Steve Roxburgh, Naifeh, Jeremiah Dogan ed Elliot Kramer, il padre di Marvin.

Todd Marks si era dato da fare. Il pezzo incominciava con un riassunto del caso che occupava una colonna intera; poi passava al presente e ricapitolava l'articolo scritto due giorni prima. Aveva scoperto altri dati biografici su Adam: il college a Peppardine, la law school all'Università del Michigan, la direzione della rivista giuridica, l'assunzione presso Kravitz & Bane. Naifeh aveva poco da dire e si limitava ad affermare che l'esecuzione sarebbe avvenuta secondo la legge. McAllister, invece, mostrava grande saggezza. Era vissuto per ventitré anni con l'incubo dei Kramer, dichiarava solennemente, ci aveva pensato ogni giorno da quando era successo. Aveva avuto l'onore e il privilegio di rappresentare l'accusa contro Sam Cayhall e di contribuire a far giustizia, e soltanto l'esecuzione avrebbe potuto chiudere quel capitolo terribile della storia del Mississippi. No, diceva dopo molte riflessioni, non si poteva neppure parlare di clemenza. Non sarebbe stato giusto nei confronti dei piccoli gemelli Kramer. E via su questo tono.

Anche Steve Roxburgh, evidentemente, aveva accettato con piacere di essere intervistato. Era pronto a sventare gli ultimi tentativi di Cayhall e del suo avvocato di far saltare l'esecuzione. Lui e i suoi collaboratori erano disposti a lavorare diciotto ore al giorno per adempiere la volontà del popolo. La vicenda si era trascinata anche troppo, aveva dichiarato più volte, ed era tempo di far giustizia. No, non era preoccupato per gli estremi cavilli legali di Sam Cayhall. Aveva fiducia nelle proprie doti di avvocato, l'avvocato del popolo.

Sam Cayhall aveva rifiutato di rilasciare dichiarazioni, spiegava Marks, e Adam Hall era irreperibile, come se fosse ansioso di parlare ma per il momento introvabile.

I commenti della famiglia delle vittime erano al tempo stesso più interessanti e scoraggianti. Elliot Kramer, che aveva settantasette anni e lavorava ancora, veniva descritto come un uomo energico e sano nonostante i disturbi cardiaci. Era molto amareggiato. Imputava al Klan e a Sam Cayhall non soltanto l'uccisione dei due nipoti ma anche la morte di Marvin. Da ventitré anni attendeva che giustiziassero Sam, e sarebbe stato comunque troppo tardi. Attaccava il sistema giudiziario che permetteva a un individuo riconosciuto colpevole di continuare a vivere per dieci anni dopo che la giuria lo aveva condannato a morte. Non era sicuro di poter assistere all'esecuzione, dovevano deciderlo i suoi medici, ma avrebbe voluto farlo. Voleva essere presente e guardare negli occhi Cayhall quando l'avrebbero legato nella camera a gas.

Ruth Kramer era un po' più moderata. Il tempo aveva rimarginato molte ferite, diceva, e non sapeva che cosa avrebbe provato dopo l'esecuzione. Niente le avrebbe restituito i figli. Non aveva molto da dire a Todd Marks.

Adam piegò il giornale e lo posò accanto alla sedia. Un nodo gli serrava lo stomaco già sconvolto, e le cause erano Steve Roxburgh e David McAllister. Per l'avvocato che doveva salvare la vita a Sam era spaventoso vedere i suoi nemici smaniosi di attaccare la battaglia finale. Lui era un novellino e quei due erano veterani. Roxburgh, in particolare, aveva avuto altre esperienze del genere, e disponeva di uno staff molto preparato che includeva un famoso specialista soprannominato "il dottor Morte", un avvocato abilissimo che adorava le esecuzioni. Adam non aveva niente, tranne una pratica piena di appelli respinti, e la preghiera che avvenisse un miracolo. Era in condizioni di inferiorità e in quel momento si sentiva completamente vulnerabile e disperato.

Lee sedette accanto a lui e posò sul tavolo un caffè. «Mi sembri preoccupato» disse accarezzandogli il braccio.

«Il mio amico, al molo delle trote, non mi è stato d'aiuto.»

«Pare che i Kramer siano sul piede di guerra.»

Adam si massaggiò le tempie e cercò di alleviare il mal di testa. «Ho bisogno di un analgesico.»

«Va bene un Valium?»

«Benissimo.»

«Hai fame?»

«No. Ho mal di stomaco.»

«Meglio così. La cena è saltata. Un piccolo problema con la ricetta. Quindi, pizza surgelata o niente.»

«Preferisco niente. Solo un Valium.»

21

Adam buttò le chiavi nel secchio rosso e lo guardò salire fino a sei metri da terra, dove si fermò e roteò lentamente all'estremità della corda. Si avvicinò al primo cancello che sussultò prima di aprirsi. Arrivò al secondo cancello e attese. Packer uscì dalla porta principale, a trenta metri di distanza, e si stirò e sbadigliò come se si fosse appena svegliato da un sonnellino.

Il secondo cancello si chiuse alle sue spalle. Packer era ad aspettarlo. «Buongiorno» gli disse. Erano quasi le due, l'ora più calda della giornata. Il bollettino meteorologico della radio, la mattina, aveva preannunciato allegramente che per la prima volta in quell'anno la temperatura avrebbe raggiunto i trentotto gradi.

«Salve, sergente» rispose Adam, come se ormai fossero vecchi amici. Si avviarono lungo il viottolo fino alla porticina circondata dalle erbacce. Packer l'aprì e Adam entrò.

«Vado a prendere Sam» disse Packer e sparì senza fretta.

Al di qua della grata le sedie erano sparpagliate. Due erano addirittura rovesciate come se avvocati e visitatori si fossero azzuffati. Adam ne trascinò una vicino al divisorio, lontano il più possibile dal condizionatore.

Prese dalla cartella una copia dell'istanza che aveva depositato quella mattina alle nove. A norma di legge, istanze o ricorsi non potevano essere sottoposti a una corte federale se prima non venivano presentati e respinti da un tribunale statale. L'istanza che attaccava la camera a gas era stata depositata presso la Corte Suprema del Mississippi ai sensi delle leggi statali sul condono successivo alla condanna. Secondo Adam, e secondo Garner Goodman, era una formalità. Goodman aveva lavorato sull'istanza durante il fine settimana; anzi, aveva lavorato tutto il sabato mentre Adam beveva birra e pescava trote con Wyn Lettner.

Sam arrivò come al solito, con i polsi ammanettati dietro la schiena, la faccia inespressiva, la tuta rossa sbottonata fin quasi alla cintola. I peli bianchi del petto erano incollati dal sudore. Come un animale addestrato, voltò le spalle a Packer che gli tolse le manette e uscì. Sam prese subito le sigarette e ne accese una prima di sedersi. «Bentornato» salutò.

«L'ho depositata questa mattina alle nove» disse Adam, e fece passare l'istanza attraverso l'apertura nella grata. «Ho parlato con il cancelliere della Corte Suprema di Jackson: è convinto che la corte deciderà in fretta.»

Sam prese i fogli e guardò Adam. «Puoi starne sicuro. La respingeranno con la più grande soddisfazione.»

«Lo stato dovrà rispondere immediatamente, e in questo momento il procuratore generale sta già correndo.»

«Magnifico! Potremo seguire le ultime novità al telegiornale della sera. Probabilmente ha invitato le telecamere nel suo ufficio mentre preparano la risposta.»

Adam si tolse la giacca e si allentò la cravatta. Lo stanzone era umido, e stava già sudando. «Il nome di Wyn Lettner ti dice qualcosa?»

Sam buttò l'istanza su una sedia libera e aspirò con forza il fumo esalandolo poi verso il soffitto. «Sì. Perché?»

«L'hai incontrato?»

Sam rifletté per un momento prima di rispondere; e come al solito lo fece con parole misurate. «Forse. Non ne sono sicuro. A quel tempo sapevo chi era. Perché?»

«Sono andato a cercarlo sabato. È in pensione e gestisce un molo per la pesca alle trote sul White River. Abbiamo fatto una lunga chiacchierata.»

«Che bello! E cos'hai ottenuto, esattamente?»

«È ancora convinto che assieme a te operasse qualcuno.»

«Ha fatto nomi?»

«No. Non avevano sospetti precisi, o almeno così ha detto. Però un loro informatore, uno dei dipendenti di Dogan, aveva confidato a Lettner che l'altro era uno nuovo, non faceva parte della solita banda. Pensavano che venisse da un altro stato e che fosse molto giovane. Lettner non sapeva altro.»

«E tu ci credi?»

«Io non so a cosa credere.»

«Che differenza fa, arrivati a questo punto?»

«Non lo so. Potrebbe essermi utile per tentare di salvarti la vita. Niente di più. Credo di essere ridotto alla disperazione.»

«E io no?»

«Mi aggrappo alle pagliuzze, Sam. E cerco di colmare le lacune.»

«Quindi ci sono lacune nella mia versione?»

«Sono convinto di sì. Lettner ha detto di aver sempre avuto dubbi perché non hanno trovato neppure l'ombra di esplosivi quando perquisirono casa tua. E non risultava che li avessi mai usati. Ha detto che non sembravi il tipo che si lancia in una propria campagna di attentati.»

«E tu credi a tutto quello che ti ha detto Lettner?»

«Sì. Perché è logico.»

«Lascia che ti faccia una domanda. E se ti dicessi che c'era un altro? Se ti dessi nome, cognome, indirizzo, numero di telefono, gruppo sanguigno e analisi delle urine? Cosa te ne faresti?»

«Comincerei a urlare come un'aquila. Presenterei istanze e appelli a camionate. Metterei in agitazione i media e ti presenterei come un capro espiatorio. Cercherei di sottolineare la tua innocenza nella speranza che qualcuno se ne accorga, qualcuno come un giudice d'appello.»

Sam annuì adagio come se fosse un'idea ridicola, esattamente come aveva previsto. «Non servirebbe a niente, Adam» disse col tono di chi parla a un bambino. «Mi restano tre settimane e mezzo. Conosci la legge. Non possiamo cominciare a gridare che è stato il signor Taldeitali quando nessuno ha mai parlato di lui.»

«Lo so. Ma lo farei comunque.»

«Sarebbe inutile. Rinuncia a cercare il signor Taldeitali.»

«Chi è?»

«Non esiste.»

«Esiste, invece.»

«Perché sei tanto sicuro?»

«Perché voglio credere che tu sia innocente, Sam. Per me è molto importante.»

«Ti ho già detto che sono innocente: la piazzai io quella bomba, ma non avevo intenzione di uccidere nessuno.»

«Ma perché piazzasti la bomba? Perché facesti gli attentati contro la casa dei Pinder, e la sinagoga, e l'agenzia immobiliare? Perché te la prendevi con persone che non avevano nessuna colpa?»

Sam continuò a fumare e guardò il pavimento.

«Perché quest'odio, Sam? Perché ti è così facile? Perché ti avevano insegnato a odiare i negri e gli ebrei e i cattolici e tutti quelli che erano appena un po' diversi da te? Ti sei mai domandato qual è la ragione?»

«No. E non intendo farlo.»

«Allora si tratta soltanto di te. È il tuo carattere, la tua struttura mentale, è come la statura e gli occhi azzurri. Ci sei nato e non puoi cambiare. È qualcosa che ti è stato trasmesso con i geni di tuo padre e di tuo nonno, fedeli membri del Klan, e che porterai con orgoglio nella tomba, giusto?»

«Era un modo di vivere. L'unico che conoscevo.»

«E allora, cosa successe a mio padre? Perché non sei riuscito a contaminarlo?»

Sam buttò la sigaretta sul pavimento, si puntellò sui gomiti e si tese verso Adam. Le rughe agli angoli degli occhi e sulla fronte si accentuarono. La faccia di Adam era accostata all'apertura ma Sam non lo guardava. Fissava la base della grata. «Dunque ci siamo. È venuto il momento di parlare di Eddie.» La voce era più bassa, le parole più lente.

«In che cosa hai sbagliato con lui?»

«Questo, naturalmente, non ha niente a che vedere con la festa che mi stanno preparando. Chiaro? Non ha niente a che fare con istanze e appelli, avvocati e giudici, mozioni e rinvii. Questo è tempo sprecato.»

«Non essere vigliacco, Sam. Dimmi in che cosa hai sbagliato con Eddie. Gli hai insegnato a dire "sporco negro"? Gli hai insegnato a odiare i bambini negri? Cercavi di insegnargli a bruciare croci e a fabbricare bombe? L'hai portato al suo primo linciaggio? Cosa gli facevi, Sam? In che cosa hai sbagliato?»

«Eddie non seppe che facevo parte del Klan se non quando studiava già alle superiori.»

«Perché? Certo non te ne vergognavi. Era un grande motivo d'orgoglio per la famiglia, no?»

«Non ne parlavamo mai.»

«Perché? Rappresentavi la quarta generazione dei Cayhall membri del Klan, con radici che risalivano alla guerra di Secessione o qualcosa di simile. Non me l'hai detto tu?»

«Sì.»

«E allora perché non hai mostrato al piccolo Eddie le foto dell'album di famiglia? Perché, prima che si addormentasse, non gli raccontavi le imprese eroiche dei Cayhall che andavano in giro di notte con la prode faccia coperta da una maschera e incendiavano le baracche dei negri? Sai, le storie di guerra che i padri raccontano ai figli.»

«Te lo ripeto: non ne parlavamo.»

«Bene. Quando crebbe, cercasti di reclutarlo?»

«No. Lui era diverso.»

«Vuoi dire che non sapeva odiare?»

Sam si protese in avanti e tossì: era la tosse profonda e graffiante tipica dei fumatori incalliti. Diventò rosso in faccia e lottò per riprendere fiato. La tosse si accentuò e Sam sputò sul pavimento. Si alzò, si piegò con le mani sui fianchi e continuò a tossire mentre scalpicciava avanti e indietro nel tentativo di smettere.

Finalmente venne una pausa. Si raddrizzò e respirò con rapidità. Deglutì, sputò di nuovo, si rilassò e prese a respirare adagio. La crisi era passata, la faccia arrossata era ridiventata pallida. Sedette di fronte ad Adam, e tirò lunghe boccate dalla sigaretta come se la colpa dell'attacco di tosse fosse da imputare a qualcosa d'altro. Se la prese con calma, respirò a fondo e si schiarì la gola.

«Eddie era un bambino molto tenero» esordì con voce rauca. «Aveva preso dalla madre. Non era una femminuccia. Anzi, era duro quanto gli altri ragazzini.» Un lungo silenzio, un'altra boccata di sigaretta. «Non lontano da casa nostra abitava una famiglia di negri...»

«Non possiamo chiamarli neri, Sam? Te l'ho già chiesto.»

«Perdonami. C'era una famiglia africana. I Lincoln. Lui si

chiamava Joe Lincoln, e aveva lavorato per noi parecchi anni. Aveva una compagna illegittima e una dozzina di figli illegittimi. Uno dei ragazzi aveva l'età di Eddie, ed erano inseparabili. Due grandi amici. Non era un'eccezione, a quei tempi. Giocavi con chi abitava vicino. Anch'io avevo avuto compagni di giochi africani, che tu ci creda o no. Quando Eddie cominciò ad andare a scuola, ci rimase molto male perché lui andava con uno scuolabus e il suo amico africano con un altro. Il ragazzino si chiamava Quince. Quince Lincoln. Non vedevano l'ora di tornare da scuola per giocare nei campi. Ricordo che a Eddie dispiaceva molto perché non potevano andare a scuola insieme. E Quince non poteva passare la notte in casa nostra, come Eddie non poteva passare la notte dai Lincoln. Continuava a chiedermi perché gli africani della contea di Ford erano poveri, vivevano in catapecchie e non avevano bei vestiti, e perché ogni famiglia aveva tanti figli. Ci soffriva davvero, e questo lo rendeva diverso. Con il passare degli anni diventò ancora più solidale verso gli africani. Cercai di parlargli.»

«Naturalmente. Cercasti di raddrizzargli le idee, non è così?»

«Cercai di spiegargli certe cose.»

«Per esempio?»

«Per esempio la necessità di tener separate le razze. Non c'è niente di male nelle scuole eguali ma separate, nelle leggi che proibiscono le unioni miste. Non c'è niente di male nel tenere gli africani al loro posto.»

«Qual è il loro posto?»

«Sotto controllo. Lascia che si scatenino, e guarda cosa succede. Criminalità, droghe, Aids, nascite illegittime, caduta generale dei valori morali della società.»

«E la proliferazione nucleare e le api assassine?»

«Mi hai capito benissimo.»

«E i diritti fondamentali come il diritto di votare, il diritto di usare i gabinetti pubblici, di andare nei ristoranti e negli alberghi, di non essere discriminati negli alloggi, nell'impiego e nello studio?»

«Parli come Eddie.»

«Ne sono lieto.»

«Quando finì le superiori sputava sentenze proprio come

te, e diceva che gli africani erano trattati male. Se ne andò di casa a diciassette anni.»

«Sentivi la sua mancanza?»

«All'inizio no, mi pare. Eravamo impegnati in tante lotte. Sapeva che ero nel Klan e mi odiava. Almeno diceva che mi odiava.»

«Per te, quindi, il Klan era più importante di tuo figlio?»

Sam fissava il pavimento. Adam scribacchiava sul blocco. Il condizionatore sferragliò e poi smorzò il fracasso: per un momento sembrò intenzionato ad arrendersi. «Era un caro ragazzino» disse Sam, con voce pacata. «Andavamo spesso a pescare, era il nostro grande passatempo. Avevo una vecchia barca e passavamo ore e ore sul lago a pescare abramidi e pesci sole e persici. Poi diventò grande. Non gli piacevo più. Si vergognava di me e naturalmente questo mi faceva soffrire. Si aspettava che cambiassi, e io mi aspettavo che aprisse gli occhi come tutti gli altri ragazzi bianchi della sua età. Invece niente. Ci allontanammo l'uno dall'altro quando studiava alle superiori; poi cominciò la manfrina dei diritti civili e da allora non ci fu più speranza.»

«Eddie faceva parte del movimento?»

«No. Non era stupido. Era un simpatizzante ma teneva la bocca chiusa. Se eri del posto non andavi in giro a dire stronzate simili. C'erano già abbastanza ebrei e radicali del Nord ad agitare le acque, non avevano certo bisogno di aiuto.»

«Cosa fece quando se ne andò di casa?»

«Si arruolò nell'esercito. Era il modo più facile per allontanarsi dal paese e dal Mississippi. Rimase via tre anni e quando tornò si portò dietro la moglie. Abitavano a Clanton e li vedevamo di rado. Qualche volta lui parlava con sua madre, ma a me non aveva molto da dire. Era l'inizio degli anni Sessanta, e il movimento africano prendeva piede. C'erano molte riunioni del Klan, parecchia attività, soprattutto più a sud di dove stavamo noi. Eddie manteneva le distanze. Era molto chiuso e non parlava molto.»

«Poi nacqui io.»

«Nascesti più o meno quando sparirono i tre attivisti dei diritti civili. Eddie ebbe la faccia tosta di chiedermi se ero coinvolto anch'io in quella storia.»

«Lo eri?»

«No, diavolo. Per quasi un anno non seppi neppure chi l'aveva fatto.»

«Erano del Klan, no?»

«Sì, del Klan.»

«Fosti contento quando quei ragazzi morirono assassinati?»

«Cosa diavolo c'entra questo con me e con la camera a gas nel 1990?»

«Eddie lo sapeva, quando cominciasti a prendere parte agli attentati?»

«Nella contea di Ford non lo sapeva nessuno. Non eravamo mai stati molto attivi. Come ho detto, quasi tutto succedeva più a sud, intorno a Meridian.»

«E tu non vedevi l'ora di buttarti?»

«Avevano bisogno di aiuto. I federali avevano tanti infiltrati che non ci si poteva più fidare di nessuno. Il movimento per i diritti civili cresceva a valanga. Bisognava fare qualcosa. Non mi vergogno.»

Adam sorrise e scosse la testa. «Ma Eddie si vergognava, non è vero?»

«Eddie non seppe niente fino all'attentato contro Kramer.»

«Perché lo coinvolgesti?»

«Non lo coinvolsi per niente.»

«E invece sì. Telefonasti a tua moglie di chiamare Eddie, andare a Cleveland e portare via la tua macchina. Eddie diventò tuo complice.»

«Ero in prigione, chiaro? Avevo paura. E nessuno l'ha mai scoperto. Non danneggiò nessuno.»

«Forse Eddie non la pensava così.»

«Non so cos'ha pensato Eddie, d'accordo? Quando uscii di prigione era sparito. Eravate spariti tutti. Non lo rividi fino al funerale di sua madre, quando venne e ripartì senza dire una parola a nessuno.» Sam si massaggiò le rughe sulla fronte con la sinistra, poi se la passò fra i capelli grassi. Aveva un'espressione triste e quando lo guardò attraverso l'apertura Adam si accorse che aveva gli occhi umidi. «L'ultima volta che lo vidi, Eddie stava salendo in macchina davanti alla chiesa, dopo il funerale. Aveva fretta. Qualcosa mi diceva che non l'avrei più rivisto. Era venuto perché era morta sua madre, e sapevo che quella era la sua ultima visita a casa. Non aveva altre ragioni per tornare. Io ero sulla gradinata della chiesa, e Lee era con me, e lo guardammo allontanarsi. Stavo per seppellire mia moglie, e vedevo mio figlio sparire per l'ultima volta.»

«Cercasti di rintracciarlo?»

«No. Non proprio. Lee mi disse che aveva un numero di telefono, ma non avevo intenzione di supplicarlo. Era evidente che non voleva aver niente a che fare con me, quindi lo lasciai in pace. Pensavo spesso a te. Ricordo che dicevo a tua nonna che sarebbe stato bello rivederti. Ma non volevo perdere un mucchio di tempo cercando di rintracciarvi.»

«Sarebbe stato difficile trovarci.»

«Sì, l'ho saputo. Ogni tanto Lee parlava con Eddie, e mi riferiva. Sembra che vi spostate di continuo in tutta la California.»

«Cambiai otto scuole in dodici anni.»

«Ma perché? Cosa faceva?»

«Tante cose. Perdeva il posto e dovevamo trasferirci perché non potevamo pagare l'affitto. Poi mamma trovava un lavoro e ci trasferivamo da qualche altra parte. Poi papà si arrabbiava con la mia scuola per qualche ragione imprecisata, e mi teneva a casa.»

«Che genere di lavoro faceva?»

«Per un po' fu impiegato alle poste, finché lo licenziarono. Minacciò di far causa per danni, e per molto tempo combatté una guerra accanita contro il sistema postale. Non trovò un avvocato disposto ad assisterlo; allora cominciò a insultarli per iscritto. Aveva una piccola scrivania con una vecchia macchina per scrivere e tante scatole piene delle sue carte, le cose più preziose che possedeva. Ogni volta che traslocavamo si preoccupava del suo ufficio, come lo chiamava. Non si curava del resto, e non era molto, ma era pronto a difendere il suo ufficio anche con la vita. Ricordo che tante volte, di notte, mentre ero a letto e cercavo di addormentarmi, sentivo quella maledetta macchina ticchettare a tutte le ore. Odiava il governo federale.»

«Era mio figlio.»

«Ma per ragioni differenti, credo. Un anno finì nel mirino del fisco, una cosa che mi è sempre parsa strana perché non guadagnava abbastanza per pagare tre dollari di tasse. Allora dichiarò guerra al Fisco Infernale, come lo chiamava, e continuò per anni. Lo stato della California gli ritirò la patente di guida, una volta, perché non l'aveva rinnovata; e per lui fu una violazione di tutti i suoi diritti umani e civili. La mamma dovette accompagnarlo in macchina per due anni fino a quando si arrese alla burocrazia. Scriveva di continuo lettere al governatore, al Presidente, ai senatori degli Stati Uniti e ai membri del Congresso, a tutti coloro che avevano un ufficio e collaboratori. Piantava grane per questo e per quello, e quando gli rispondevano si vantava di aver ottenuto una vittoria. Conservava tutte le lettere. Una volta attaccò lite con un vicino perché un cane era venuto a far pipì nel nostro portico, e continuarono a urlare per un pezzo, uno al di qua e l'altro al di là della siepe. Più si infuriavano e più i loro amici diventavano potenti; minacciavano di telefonare a pezzi grossi di ogni genere che sarebbero intervenuti subito per vendicarli. Papà si precipitò in casa e uscì dopo pochi secondi con tredici lettere del governatore della California. Le contò a gran voce e le sventolò sotto il naso del vicino, e il poveraccio restò di sale. Fine della discussione. E il cane non venne più a far pipì nel nostro portico. Naturalmente, tutte le lettere gli dicevano, con molto garbo, di andare a quel paese.»

Non si accorsero che alla conclusione dell'aneddoto stavano sorridendo tutti e due.

«Se Eddie non riusciva a conservarsi il posto, come tiravate avanti?» chiese Sam, sbirciando attraverso l'apertura nella grata.

«Non lo so. La mamma lavorava sempre. Era una donna di grandi risorse, e a volte faceva un doppio lavoro. Cassiera in un negozio di alimentari, commessa in una farmacia. Sapeva fare di tutto, e ricordo che un paio di volte trovò ottimi posti di segretaria. A un certo momento papà ottenne l'autorizzazione a vendere assicurazioni sulla vita, e diventò un lavoro part-time stabile. Credo che lo svolgesse bene, perché la situazione migliorò mentre crescevo. Faceva l'orario che voleva e non dipendeva da nessuno. A lui stava bene così, anche se diceva di odiare le compagnie d'assicurazione. A una fece causa perché aveva annullato una polizza o qualcosa di simile, per la verità non l'ho mai capito. E perse. Naturalmente diede tutta la colpa al suo avvocato, e quello commise l'errore di mandargli una lunga lettera piena di affermazioni piuttosto salate. Papà batté a macchina per tre giorni, e quando ebbe terminato il suo capolavoro lo mostrò con orgoglio a mamma. Ventun pagine di sbagli e menzogne da parte dell'avvocato. Mia madre si limitò a scuotere la testa. Ma papà litigò per anni con quel poveraccio.»

«Che tipo di padre era?»

«Non lo so. È una domanda difficile, Sam.»

«Perché?»

«Per il modo in cui morì. Continuai ad avercela con lui per molto tempo dopo la sua morte; non capivo come avesse potuto decidere di abbandonarci, credere che non avessimo più bisogno di lui e che fosse venuto il momento di andarsene. E quando scoprii la verità, provai rancore perché mi aveva mentito per tanti anni, mi aveva cambiato il nome ed era fuggito. Era molto sconcertante per un ragazzo. E lo è ancora.»

«Provi ancora rancore?»

«Non proprio. Tendo a ricordare le cose più belle. È l'unico padre che ho avuto, e quindi non so come valutarlo. Non fumava, non beveva, non giocava, non si drogava, non era un donnaiolo, non picchiava i figli o cose del genere. Faticava a conservare un lavoro, ma non restavamo mai senza mangiare o senza un tetto sulla testa. Lui e la mamma parlavano continuamente di divorzio, però non si decidevano mai. Lei se ne andò diverse volte, e altre volte se ne andò lui. Era distruttivo, ma io e Carmen ci abituammo. Lui aveva le sue giornate nere, o i suoi momenti brutti come li chiamavamo: allora si chiudeva in camera e abbassava le veneziane. La mamma ci chiamava e spiegava che papà non si sentiva bene e non dovevamo far chiasso. Non si poteva accendere né la televisione né la radio. Quando papà era così, lei lo sosteneva; lui restava diversi giorni nella sua camera, poi all'improvviso usciva come se non fosse successo niente. Avevamo imparato a convivere con i brutti momenti di Eddie. Aveva un aspetto normale, si vestiva in modo normale. Era quasi sempre disponibile quando avevamo bisogno di lui. Giocavamo a baseball nel cortile dietro casa e andavamo al luna park. Un paio di volte ci portò a Disneyland. Credo che fosse un brav'uomo, un buon padre anche se aveva questo strano lato oscuro che ogni tanto prendeva il sopravvento.»

«Ma non eravate molto vicini.»

«No. Mi aiutava a fare i compiti e a preparare i programmi per il corso di scienze, e pretendeva ottime pagelle. Parlavamo del sistema solare e dell'ambiente, mai di ragazze, di sesso e di macchine. Mai della famiglia e degli antenati. Non c'era intimità. Non aveva molto calore umano. C'erano momenti in cui avevo bisogno di lui, e invece era chiuso in camera sua.»

Sam si massaggiò gli angoli degli occhi, poi si appoggiò di nuovo sui gomiti, accostò la faccia alla grata e lo fissò. «E la sua morte?» chiese.

«Cosa vuoi sapere?»

«Come successe?»

Adam attese a lungo prima di rispondere. Poteva raccontare quell'avvenimento in diversi modi. Poteva essere crudele, ispirato dall'odio e brutalmente sincero, e distruggere il vecchio. Era una forte tentazione. Doveva fare così, si era detto molte volte. Sam doveva soffrire; doveva sbattergli in faccia la responsabilità del suicidio di Eddie. Adam voleva ferire in profondità quel vecchio delinquente e farlo piangere.

Ma nello stesso tempo voleva raccontare in fretta, sorvolare sugli aspetti dolorosi, per passare poi a qualche altro argomento. Il povero vecchio che stava al di là della grata soffriva già abbastanza. Il governo intendeva ucciderlo fra meno di quattro settimane. Adam sospettava che sulla morte di Eddie sapesse molto più di quanto lasciava capire.

«Stava passando uno dei suoi momenti brutti» disse Adam. Guardava la grata ma evitava Sam. «Era rimasto chiuso in camera sua per due settimane, più a lungo del solito. La mamma continuava a dirci che stava migliorando e che sarebbe uscito entro pochi giorni. Noi le credevamo, perché papà si riprendeva sempre. Lui scelse un giorno in cui sapeva che la mamma era al lavoro e Carmen a casa di un'amica, un giorno in cui sapeva che sarei rincasato per primo. Lo trovai steso sul pavimento della mia camera. Aveva ancora in mano la pistola, una calibro trentotto. Un colpo alla tempia destra. Intorno alla testa c'era un cerchio di sangue. Sedetti sul bordo del letto.»

«Quanti anni avevi?»

«Quasi diciassette. Facevo il terzo anno alle superiori. Avevo ottimi voti. Mi accorsi che papà aveva steso mezza dozzina di asciugamani sul pavimento e ci si era sdraiato sopra. Gli tastai il polso. Era già irrigidito. Il coroner disse che era morto da tre ore. Accanto al corpo c'era una lettera, battuta meticolosamente a macchina su carta bianca. Era indirizzata al "caro Adam". Diceva che mi voleva bene e chiedeva perdono, che dovevo prendermi cura della mamma e di Carmen, e che forse un giorno avrei capito. Poi attirava la mia attenzione su un sacco di plastica per l'immondizia, anche quello sul pavimento, e diceva che dovevo metterci dentro gli asciugamani sporchi, pulire il sangue e chiamare la polizia. Non toccare la pistola, diceva. E sbrigati, prima che rientrino la mamma e Carmen.» Adam si schiarì la gola e fissò il pavimento.

«Feci esattamente quel che mi aveva chiesto e attesi la polizia. Restai solo con lui per un quarto d'ora. Era sul pavimento, e io ero sdraiato sul letto e lo guardavo. Cominciai a piangere e a piangere, e gli chiesi perché e come era possibile, e cosa era successo, e cento altre cose. Il mio papà era lì, l'unico papà che avevo, steso sul pavimento con i jeans sbiaditi e i calzini sporchi e la maglietta dell'Ucla, quella che preferiva. A guardarlo dal collo in giù, poteva sembrare che dormisse, ma aveva un foro nella testa e il sangue si era coagulato nei capelli. Lo odiavo perché si era ucciso, e lo compiangevo perché era morto. Ricordo che gli domandai perché prima non aveva parlato con me. Gli feci molte domande. Poi sentii delle voci e la stanza si riempì di poliziotti. Mi portarono in un posto tranquillo e mi avvolsero in una coperta. Così finì mio padre.»

Sam stava ancora puntellato sui gomiti, ma adesso si copriva gli occhi con una mano. C'erano ancora un paio di cose che Sam voleva dire.

«Dopo il funerale, Lee restò un po' con noi. Mi parlò di te e dei Cayhall. Colmò molte lacune sul conto di mio padre. Rimasi molto colpito da te e dall'attentato contro i Kramer e cominciai a leggere vecchi articoli di riviste e giornali. Ci misi quasi un anno a capire perché papà si era ucciso proprio in quel momento. Si era nascosto nella sua camera durante il tuo processo, e quando finì si uccise.»

Sam abbassò la mano e fissò Adam con gli occhi pieni di lacrime. «Quindi mi ritieni responsabile della sua morte, vero, Adam? È questo che vuoi dire?»

«No. Non ti ritengo interamente responsabile.»

«In che misura, allora? L'ottanta per cento? Il novanta? Hai avuto il tempo di fare i calcoli. In che misura la colpa è mia?»

«Non lo so, Sam. Perché non me lo dici tu?»

Sam si asciugò gli occhi e alzò la voce. «Oh, al diavolo! Mi addosso il cento per cento. Mi assumo tutta la responsabilità per la sua morte, d'accordo? È questo che vuoi?»

«Addossati quel che ti pare.»

«Non usare quel tono! Vuoi aggiungere all'elenco il nome di mio figlio? I gemelli Kramer, il loro padre, e poi Eddie. Ne ho uccisi quattro, giusto? C'è qualcun altro che vuoi affibbiarmi ancora? Sbrigati, figliolo, perché l'orologio continua ad andare avanti.»

«Quanti altri ce ne sono?»

«Quanti cadaveri?»

«Sì, cadaveri. Ho sentito certe voci.»

«E naturalmente ci hai creduto, no? Sembra che tu ci tenga a credere a tutto quello che si dice di orribile sul mio conto.»

«Non ho detto che ci credo.»

Sam si alzò di scatto e si avviò verso il fondo dello stanzone. «Sono stufo di questo colloquio!» gridò da una distanza di dieci metri. «E sono stufo di te! Quasi preferirei che ci fossero ancora quei maledetti avvocati ebrei.»

«Puoi accomodarti» ribatté Adam.

Sam tornò lentamente alla sedia. «Io sono qui che mi preoccupo di salvarmi la pelle, mancano ventitré giorni alla camera a gas, e tu vuoi solo parlare di morti. Continua a cinguettare, vecchio mio, e molto presto potrai parlare anche di me. Voglio che ti muova.»

«Ho presentato un'istanza questa mattina.»

«Benissimo! Allora vattene, maledizione! Vattene fuori dai piedi e piantala di tormentarmi!»

273

22

La porta nella metà dello stanzone dov'era Adam si aprì, e Packer entrò seguito da due uomini. Si capiva subito che erano avvocati: abito scuro, espressione accigliata, cartella piena da scoppiare. Packer indicò le sedie sotto il condizionatore e i due sedettero. Guardò Adam e prestò un'attenzione particolare a Sam, che era ancora in piedi dall'altra parte. «Tutto bene?» chiese ad Adam.

Adam annuì, e Sam tornò a sedere. Packer uscì e i due avvocati cominciarono a tirar fuori con fare efficiente fasci di documenti dalle grosse pratiche. Dopo un minuto si tolsero la giacca.

Passarono cinque minuti senza che Sam pronunciasse una parola. Adam notò le occhiate dei due colleghi: erano nella stessa stanza con l'ospite più famoso del Braccio, il prossimo che sarebbe finito nella camera a gas, e non potevano fare a meno di sbirciare incuriositi Sam Cayhall e il suo legale.

Poi la porta alle spalle di Sam si aprì, ed entrarono due guardie con un robusto ometto ammanettato e incatenato come se potesse scatenarsi da un momento all'altro e uccidere dozzine di persone a mani nude. Lo portarono a sedere di fronte ai suoi avvocati, e cominciarono a liberarlo, ma non del tutto. Le mani restarono ammanettate dietro la schiena. Una delle guardie uscì, ma l'altra si piazzò fra Sam e il detenuto negro.

Sam lanciò un'occhiata al compagno di sventura, un tipo nervoso che evidentemente non era soddisfatto dei suoi avvocati; e neppure gli avvocati sembravano molto entusiasti. Adam li osservò: pochi minuti dopo, i due accostarono le teste e cominciarono a parlare all'unisono attraverso l'apertura mentre il cliente stava combattivamente seduto sulle mani. Le voci erano udibili, ma le parole indecifrabili.

Sam si tese di nuovo in avanti, si appoggiò sui gomiti e con un cenno invitò Adam a fare altrettanto. Le loro facce si accostarono a venticinque centimetri l'una dall'altra, separate dall'apertura.

«Quello è Stockholm Turner» disse Sam, in un bisbiglio.

«Stockholm?»

«Già, ma lo chiamano Stock. Gli africani di campagna hanno un debole per i nomi strani. Dice di avere un fratello che si chiama Denmark e un altro che si chiama Germany. E probabilmente è vero.»

«Cos'ha fatto?» chiese Adam incuriosito.

«Mi pare che abbia rapinato un negozio di liquori. Ha sparato al proprietario. Circa due anni fa fu condannato a morte e cominciò la solita trafila. È arrivato a meno di due ore dalla camera a gas.»

«E cosa successe?»

«I suoi avvocati ottennero una sospensione, e da allora hanno continuato a battersi. Non si può mai sapere, ma è probabile che dopo di me toccherà a lui.»

Guardarono entrambi la parte dello stanzone dove infuriava il colloquio. Stock non stava più seduto sulle mani bensì sull'orlo della sedia, e faceva una scenata ai difensori.

Sam sogghignò, poi ridacchiò e si avvicinò ancora di più alla grata. «La famiglia di Stock è poverissima e non vuole avere a che fare con lui. Non è una cosa insolita, soprattutto con gli africani. Lui riceve raramente posta o visite. È nato a ottanta chilometri da qui, ma il mondo libero lo ha dimenticato. Via via che i suoi appelli venivano respinti, ha cominciato a pensare alla vita e alla morte e a tante cose in generale. Qui, se nessuno reclama il tuo cadavere, lo stato ti seppellisce come un povero in una tomba miserabile. Stock ha cominciato a preoccuparsi di quello che sarebbe successo al suo corpo e a fare un sacco di domande. Packer e altre guardie ne hanno approfittato per convincerlo che lo avrebbero cremato, poi avrebbero lanciato le ceneri dal cielo spargendole su Parchman. Gli hanno detto che, siccome il suo cadavere sarebbe stato pieno di gas, sarebbe bastato accostargli un fiammifero per farlo scoppiare come una bomba. Stock c'è rimasto malissimo. Non riusciva più a dormire e dimagriva. Allora ha cominciato a scrivere alla famiglia e agli amici chiedendo qualche dollaro per poter avere una sepoltura cristiana, come la chiamava. I soldi sono arrivati, un po' alla volta, e lui ha scritto altre lettere, a pastori e a gruppi di attivisti dei diritti civili. Persino i suoi avvocati gli hanno mandato qualcosa.

«Quando hanno revocato la sospensione, Stock aveva quasi quattrocento dollari, ed era pronto a morire. O almeno, così credeva.»

Gli occhi di Sam brillavano, la voce era allegra. Riferiva la storia lentamente, a voce bassa, e si godeva i particolari. Adam si divertiva più per il suo modo di raccontare che per la vicenda.

«Qui c'è una regola molto permissiva che consente visite illimitate nelle settantadue ore che precedono l'esecuzione. Purché non ci siano rischi per la sicurezza, lasciano che il condannato faccia tutto quello che vuole. C'è un piccolo ufficio, nell'amministrazione, con una scrivania e un telefono, e diventa la stanza delle visite. Di solito si riempie di gente di ogni genere, nonne, nipoti, cugini, zie, soprattutto se sono africani. Diavolo, arrivano qui con gli autobus. Tanti parenti che non avevano mai degnato il condannato di un pensiero compaiono all'improvviso per dividere con lui gli ultimi istanti. Diventa quasi un evento sociale, soprattutto per gli africani.

«E c'è anche un'altra regola, sicuramente non scritta, che autorizza un ultimo incontro coniugale con la moglie. Se la moglie non c'è, il direttore, nella sua misericordia infinita, consente un breve incontro con un'amichetta. Un'ultima sveltina prima che lui tiri le cuoia.» Sam lanciò un'occhiata a Stock, poi si accostò ancora di più all'apertura.

«Il vecchio Stock è uno degli inquilini più popolari del Braccio. E così è riuscito a convincere il direttore che aveva sia la moglie sia l'amichetta, e che le signore avrebbero accettato di passare qualche momento con lui prima della sua morte. Contemporaneamente! Insieme, tutti e tre! Il direttore aveva intuito che c'era sotto qualcosa, però tutti hanno simpatia per

Stock e, be', tanto stavano per ammazzarlo, quindi cosa c'era di male? E così Stock era nell'ufficio con la madre e le sorelle e i cugini e le nipoti, un mucchio di africani che in maggioranza non avevano pronunciato mai il suo nome in dieci anni, e lui mangiava bistecca e patate, l'ultimo pasto, mentre tutti piangevano e pregavano e lo commiseravano. Quando mancavano quattro ore, hanno fatto uscire i familiari e li hanno mandati nella cappella. Stock ha aspettato qualche minuto mentre un altro pullmino portava qui al Braccio la moglie e l'amichetta. Sono arrivate con le guardie, che le hanno accompagnate nell'ufficetto dove Stock le aspettava con gli occhi stralunati e prontissimo. Poveraccio, era nel Braccio da dodici anni.

«Be', hanno portato una brandina, e Stock e le sue donne si sono dati da fare. Più tardi le guardie hanno detto che erano due belle donne, e anche molto giovani. Stock stava per attaccare non so se con la moglie o con l'amica, e in fondo non ha importanza, quando ha suonato il telefono. Era il suo avvocato, che piangeva e ansimava e gridava la grande notizia. Il Quinto Distretto aveva concesso una sospensione.

«Stock ha riattaccato. Aveva cose più importanti da fare. È passato qualche minuto, e il telefono ha ricominciato a suonare. Stock ha preso il ricevitore. Era di nuovo il suo avvocato e questa volta era più calmo. Ha spiegato a Stock la manovra legale che gli aveva salvato la vita, almeno per il momento. Stock lo ha ringraziato e poi gli ha chiesto di stare zitto per un'ora.»

Adam lanciò un'altra occhiata verso destra e si chiese quale dei due aveva chiamato Stock mentre stava esercitando il diritto costituzionale all'ultima visita coniugale.

«Ma intanto la procura generale aveva avvertito il direttore, e l'esecuzione era stata rinviata. Per Stock non faceva nessuna differenza. Si comportava come se non dovesse più vedere una donna. La porta della stanza non si può chiudere dall'interno, per ovvie ragioni; e così Naifeh, dopo aver aspettato con pazienza, ha bussato gentilmente alla porta e ha chiesto a Stock di uscire. È ora di tornare in cella, gli ha detto. E Stock ha risposto che aveva bisogno di altri cinque minuti. No, ha detto Naifeh. Per favore, ha insistito Stock, e poi si sono sentiti altri rumori. Allora il direttore ha sogghignato, le guardie hanno sogghignato e per cinque minuti sono rimasti a fissare il pavimento mentre la branda cigolava e sobbalzava nell'ufficetto.

«Alla fine Stock ha aperto la porta ed è uscito pavoneggiandosi come se fosse il campione mondiale dei pesi massimi. Le guardie hanno detto che era più felice per la sua prodezza che per la sospensione della condanna. Hanno allontanato in fretta le donne che, come si è saputo poi, non erano affatto la moglie e l'amichetta.»

«Chi erano?»

«Due prostitute.»

«Prostitute!» esclamò Adam a voce un po' troppo alta, e uno degli avvocati si voltò a guardarlo.

Sam si sporse, così vicino da infilare quasi il naso nell'apertura. «Proprio così, puttane del posto. Aveva organizzato tutto suo fratello. Ricordi i soldi che aveva raccolto per il funerale?»

«Stai scherzando?»

«No, è tutto vero. Quattrocento dollari per le puttane. A prima vista sembra un po' caro, soprattutto per due puttane africane, ma pare che avessero una gran paura di venire nel braccio della morte, e questo è logico. Si sono prese tutti i soldi di Stock. Più tardi lui mi ha detto che non gliene fregava niente di come l'avrebbero sepolto. Ha detto che ne era valsa la pena. Naifeh si è trovato nell'imbarazzo e ha minacciato di proibire le visite coniugali. Ma l'avvocato di Stock, quell'ometto là con i capelli scuri, ha presentato un'istanza e ha ottenuto un decreto che riconosce il diritto a un'ultima sveltina. Credo che Stock quasi non veda l'ora della prossima volta.»

Sam si appoggiò alla spalliera della sedia. Il sorriso gli sparì dal volto. «Per quanto mi riguarda, non ho pensato molto alla mia visita coniugale. È riservata a marito e moglie, lo sai: il termine significa proprio questo. Ma forse il direttore chiuderà un occhio per me. Tu cosa ne dici?»

«Non ci ho pensato.»

«Stavo scherzando. Sono vecchio. Mi accontenterei di un massaggio alla schiena e di qualcosa di forte da bere.»

«E il tuo ultimo pasto?» chiese Adam, sempre a voce bassa e calma.

«Non sei divertente.»

«Credevo che stessimo scherzando.»

«Probabilmente chiederò qualcosa di banale come maiale bollito e piselli. La stessa porcheria che mi hanno dato da mangiare per dieci anni. Magari una fetta di pane tostato in più. Mi dispiacerebbe offrire al cuoco l'occasione di preparare un pasto adatto agli umani del mondo libero.»

«Dev'essere squisito.»

«Oh, lo dividerò con te. Mi sono chiesto spesso perché ti danno da mangiare prima di ammazzarti. E fanno venire il dottore per una visita medica prima dell'esecuzione. Ci pensi? Vogliono essere sicuri che sei in forma per morire. E c'è anche uno strizzacervelli che ti esamina prima dell'esecuzione, e deve preparare un rapporto scritto per il direttore e dichiarare che sei sano di mente quanto basta perché possano gassarti. E hanno nel libro paga un pastore che prega e medita con te e si assicura che la tua anima sia avviata nella direzione giusta. Tutto pagato dai contribuenti dello stato del Mississippi e organizzato da questa brava gente premurosa. Non dimenticare la visita coniugale. Puoi morire con la libidine soddisfatta. Pensano a tutto. Sono molto gentili. Si preoccupano dell'appetito, della salute e del benessere spirituale. All'ultimo momento ti infilano un catetere nel pene e ti tappano il culo perché non sporchi tutto. Ma questo lo fanno nel loro interesse, non nel tuo, perché non vogliono essere costretti a pulirti dopo. Dunque ti fanno mangiar bene, tutto quello che vuoi, e poi ti mettono un tappo. È schifoso, no? Schifoso, schifoso, schifoso, schifoso.»

«Cambiamo argomento.»

Sam finì l'ultima sigaretta e la buttò sul pavimento davanti alla guardia. «No, basta così. Per oggi ne ho avuto abbastanza.»

«D'accordo.»

«E non parliamo più di Eddie, va bene? Non è giusto che tu venga qui e mi sbatta in faccia certe cose.»

«Scusami. Non parliamo più di Eddie.»

«Cerca di pensare a me nelle prossime tre settimane, d'accordo? Basta e avanza per tenerci occupati tutti e due.»

«D'accordo, Sam.»

Greenville si estendeva sgraziata lungo la Highway 82, arrivando da est, con i centri commerciali pieni di negozi che noleggiano video e botteghe di liquori, e le interminabili file di tavole calde, e i motel con tv via cavo e colazione gratis. Il fiume impediva l'avanzata a ovest, e dato che l'82 era l'arteria principale era diventata il territorio preferito dai costruttori.

Negli ultimi venticinque anni Greenville, la sonnolenta cittadina che sorgeva sul fiume e contava quindicimila abitanti, era diventata una città operosa di cinquantamila. Era benestante e votata al progresso. Nel 1990 era la quinta dello stato in ordine di grandezza.

Le vie che conducevano al centro erano alberate e fiancheggiate da vecchie residenze maestose. Il centro era grazioso e pittoresco, ben conservato e in apparenza immutato, pensava Adam, e offriva un netto contrasto con il caos disinvolto lungo l'Highway 82. Parcheggiò in Washington Street pochi minuti dopo le cinque, mentre in centro negozianti e clienti si preparavano a concludere la giornata. Si tolse la cravatta e la lasciò in macchina assieme alla giacca perché la temperatura era ancora alta e non dava segno di abbassarsi.

Percorse tre isolati a piedi e trovò il giardino pubblico con il monumento di bronzo di due bambini in grandezza naturale. Avevano la stessa statura, lo stesso sorriso, gli stessi occhi. Uno correva, l'altro saltellava, e lo scultore li aveva saputi rendere perfettamente. Josh e John Kramer, eternamente immortalati nei loro cinque anni, affidati al tempo in una lega di rame e stagno. Una targa d'ottone diceva semplicemente:

IL 21 APRILE 1967
QUI MORIRONO JOSH E JOHN KRAMER
(2 MARZO 1962 – 21 APRILE 1967)

Il giardino era un quadrato perfetto e occupava il mezzo isolato dove un tempo sorgevano lo studio di Marvin e la vecchia costruzione adiacente. Il terreno era stato di proprietà della famiglia Kramer, e il padre di Marvin l'aveva offerto alla città in memoria dei nipotini. Sam aveva distrutto lo studio e il municipio aveva demolito l'edificio adiacente. Per creare il Kramer Park era stata spesa una somma considerevole e il progetto era stato fatto con molta cura. Era completamente recintato da una cancellata di ferro battuto, e su ogni lato c'era un ingresso. I filari perfetti di querce e aceri seguivano la recinzione, e i cespugli ben tenuti s'incontravano ad angoli precisi bordando aiole di azalee e tulipani. In un angolo, sotto gli alberi, c'era un piccolo anfiteatro, e sul lato opposto un gruppo di bambini negri volava nell'aria sulle altalene di legno.

Era piccolo e colorato, un grazioso giardino in mezzo alle vie e alle costruzioni. Adam passò davanti a due innamorati adolescenti che discutevano seduti su una panchina. Un gruppo di bambini di otto anni pedalava in bicicletta con grande strepito intorno a una fontana. Incrociò un vecchio poliziotto che gli fece un cenno di saluto.

Sedette su una panchina e fissò Josh e John, lontani meno di dieci metri. «Non dimenticare mai le vittime» l'aveva ammonito Lee. «Hanno il diritto di esigere una punizione. L'hanno meritato.»

Ricordava tutti i dettagli macabri rivangati nei processi: l'esperto dell'Fbi che aveva testimoniato sulla bomba e la velocità con cui aveva sventrato l'edificio; l'anatomopatologo che aveva descritto con delicatezza i corpicini e la causa esatta della morte; i vigili del fuoco che avevano cercato di salvarli ma erano arrivati troppo tardi e avevano potuto solo recuperarli. C'erano state numerose foto dello studio e dei bambini, e i giudici avevano permesso che solo poche venissero mostrate alla giuria. McAllister, com'era da immaginare, aveva chiesto di esibire enormi ingrandimenti a colori dei corpi martoriati. Entrambi i giudici avevano opposto un rifiuto.

Adesso Adam era seduto sul terreno che un tempo era stato l'ufficio di Marvin Kramer; chiuse gli occhi e cercò di immaginare il suolo che tremava. Rivide le immagini della sua cassetta, le macerie fumanti e la nube di polvere sospesa sopra la scena. Sentì le voci convulse dei cronisti, le sirene che ululavano in sottofondo.

Quei bambini di bronzo non erano molto più grandi di lui quando suo nonno li aveva uccisi. Avevano cinque anni, lui ne aveva tre, e per qualche ragione inspiegabile confrontò la propria con la loro età. Adesso lui aveva ventisei anni, e loro ne avrebbero avuti ventotto.

Il senso di colpa lo colpì a fondo nello stomaco, lo fece rabbrividire e sudare. Il sole si era nascosto dietro due grosse querce, a ovest, e qualche raggio filtrando fra i rami faceva risplendere i visi dei bambini.

Come aveva potuto Sam fare una cosa simile? Perché Sam Cayhall era suo nonno e non il nonno di qualcun altro? Quando aveva deciso di prendere parte alla guerra santa del Klan contro gli ebrei? Cosa aveva trasformato un innocuo incendiario di croci in un vero terrorista?

Seduto sulla panchina, Adam guardava il monumento e odiava il nonno. Si vergognava di essere venuto nel Mississippi per cercare di aiutare quel vecchio bastardo.

Trovò un Holiday Inn e pagò una stanza. Telefonò a Lee per darle notizie, poi guardò i notiziari della sera della tv di Jackson. Era stata solo un'altra languida giornata estiva, per il Mississippi, e non erano successe molte cose. Sam Cayhall e i suoi recenti tentativi per non morire erano l'argomento più attuale. Ogni stazione riportava i pacati commenti del governatore e del procuratore generale sull'ultima istanza depositata quella mattina dalla difesa. E tutti e due si dichiaravano stanchi e nauseati da quegli appelli interminabili. Ognuno di loro intendeva battersi coraggiosamente fino a che giustizia fosse fatta. Una stazione iniziava il conto alla rovescia: mancavano ventitré giorni all'esecuzione, disse il giornalista, come se indicasse i giorni che restavano per fare gli acquisti prima di Natale. Il numero 23 appariva sovrapposto alla vecchia, sfruttatissima foto di Sam Cayhall.

Adam cenò in un piccolo ristorante del centro. Andò a sedersi in un separé, si gingillò con il roast beef e i piselli, e ascoltò le chiacchiere degli altri clienti. Nessuno parlava di Sam.

All'imbrunire si avviò sui marciapiedi davanti ai negozi e ai grandi magazzini, e pensò a quando Sam si era aggirato per quelle vie, sullo stesso cemento, in attesa che la bomba scoppiasse e domandandosi cos'era andato storto. Si fermò accanto a una cabina telefonica, forse la stessa dalla quale Sam aveva cercato di chiamare per avvertire Kramer.

Il giardino era buio e deserto. L'unica luce proveniva dai lampioni a gas ai lati dell'entrata. Adam sedette ai piedi del monumento, sotto ai bambini, sotto la targa di ottone con i loro nomi e le date di nascita e di morte. Erano stati uccisi proprio in quel luogo, era scritto.

Rimase immobile a lungo, dimentico dell'oscurità, a soppesare elementi imponderabili, a sprecare tempo in inutili riflessioni su ciò che avrebbe potuto accadere. La bomba aveva condizionato la sua vita, questo lo sapeva. L'aveva portato lontano dal Mississippi e depositato in un altro mondo con un altro nome. Aveva trasformato i suoi genitori in profughi che fuggivano dal passato e si nascondevano dal presente. Molto probabilmente aveva ucciso suo padre, anche se nessuno poteva immaginare quale altra sorte avrebbe potuto capitare a Eddie Cayhall. La bomba aveva avuto un ruolo determinante nella sua decisione di diventare avvocato, una vocazione che non aveva mai sentito finché non aveva saputo di Sam. Prima sognava di pilotare aerei.

Adesso la bomba l'aveva ricondotto nel Mississippi per un'impresa carica di sofferenze e quasi priva di speranze. Con ogni probabilità, fra ventitré giorni la bomba avrebbe fatto la sua ultima vittima, e Adam si domandava cosa sarebbe stato di lui, dopo quell'avvenimento.

Cos'altro poteva riservargli ancora la bomba?

23

Nella maggioranza dei casi, gli appelli contro la pena di morte si trascinano per anni a passo di lumaca, anzi, di una lumaca vecchissima. Nessuno ha fretta. Le questioni sono complicate. Le memorie, le istanze, le petizioni e così via sono voluminose e pesanti. I calendari delle corti sono pieni di impegni più urgenti.

Ogni tanto, però, un decreto può arrivare a velocità sbalorditiva. La giustizia può diventare di un'efficienza spaventosa. Soprattutto negli ultimi giorni, quando la data dell'esecuzione è stata fissata e le corti sono stanche di istanze e appelli. Adam si trovò di fronte al suo primo esempio di giustizia fulminea mentre vagava per le vie di Greenville il lunedì pomeriggio.

La Corte Suprema del Mississippi diede un'occhiata alla sua istanza sul condono successivo alla condanna e la respinse verso le cinque del pomeriggio dello stesso giorno. Adam era appena arrivato a Greenville e non ne sapeva nulla. Il rifiuto non fu una sorpresa, ma lo fu la sua rapidità. La Corte trattenne l'istanza per meno di otto ore. E per la verità, aveva avuto a che fare parecchie volte con Sam Cayhall per più di dieci anni.

Quando i casi di condanne a morte giungono agli ultimi giorni, le corti si tengono in contatto. Copie delle istanze e dei decreti vengono trasmesse via fax in modo che le corti superiori sappiano cosa sta per essergli sottoposto. Il decreto della Corte Suprema del Mississippi fu comunicato come di consueto via fax alla corte federale distrettuale di Jackson, che per Adam era il foro competente di grado superiore cui doveva rivolgersi. Fu inviata all'onorevole F. Flynn Slattery, un giudice federale novellino che non aveva mai avuto nulla a che fare con gli appelli di Cayhall.

L'ufficio del giudice Slattery cercò di rintracciare Adam Hall fra le cinque e le sei di lunedì, ma lui era in Kramer Park. Slattery chiamò il procuratore generale dello stato, Steve Roxburgh, e alle otto e mezzo ci fu un breve incontro nello studio del giudice. Il giudice era un maniaco del lavoro, e quello era il suo primo caso di condanna a morte. Studiò l'istanza insieme al suo assistente fino a mezzanotte.

Se lunedì Adam avesse seguito il notiziario della notte, avrebbe scoperto che la sua istanza era già stata respinta dalla Corte Suprema. Invece stava dormendo come un sasso.

Alle sei di martedì mattina prese in mano per puro caso il giornale di Jackson, seppe della decisione della Corte Suprema e apprese che la questione era già arrivata alla corte federale ed era stata assegnata al giudice Slattery, e che sia il procuratore generale sia il governatore si vantavano di aver ottenuto un'altra vittoria. Era strano, pensò, dato che ufficialmente non aveva ancora depositato nulla presso la corte federale. Saltò in macchina e dopo due ore era a Jackson. Alle nove entrò nella corte federale in Capitol Street e parlò con Breck Jefferson, un giovane sempre imbronciato che aveva terminato da poco gli studi di legge ed era l'assistente legale di Slattery. Adam fu invitato a tornare alle undici per un incontro con il giudice.

Adam arrivò all'ufficio di Slattery alle undici in punto, ma si rese subito conto che era in corso una riunione. Al centro dell'ampio ufficio di Slattery c'era un tavolo di mogano lungo e largo, con otto sedie rivestite di pelle nera per lato. Il trono di Slattery era a un'estremità, accanto alla scrivania, e davanti al giudice c'erano cataste di carte, blocchi per appunti e altri oggetti. Il lato alla sua destra era affollato da giovani bianchi vestiti di blu, tutti intruppati lungo il tavolo, mentre un'altra schiera di combattivi guerrieri sedeva alle loro spalle. Quel lato del tavolo era riservato allo stato, e Sua Eccellenza il governatore David McAllister era il più vicino a Slattery. Sua Eccellenza il procuratore generale Steve Roxburgh era stato relegato a metà del tavolo, perché evidentemente aveva perso la battaglia per la scelta della posizione. Ciascuno degli onorevoli pubblici funzionari era accompagnato dalle teste d'uovo degli azzeccagarbugli più fidati, e l'intera squadra di strateghi aveva evidentemente incontrato il giudice e tramato le proprie mosse molto prima dell'arrivo di Adam.

Breck, l'assistente, spalancò la porta, accolse Adam con cortesia e lo invitò a entrare. Mentre Adam si avvicinava al tavolo, nella sala scese un silenzio immediato. Slattery si alzò con una certa riluttanza e si presentò. La sua stretta di mano fu fredda e sbrigativa. «Si sieda» disse in tono poco promettente, indicando con la sinistra le otto sedie di pelle sul lato del tavolo riservato alla difesa. Adam esitò, poi ne scelse una di fronte a una faccia familiare, il procuratore generale Roxburgh. Posò la cartella sul tavolo e sedette. Aveva quattro sedie vuote alla sua destra, verso Slattery, e tre a sinistra. Si sentiva un intruso.

«Immagino che conosca il governatore e il procuratore generale» disse Slattery, come se tutti dovessero conoscerli personalmente.

«No» rispose Adam, e scosse la testa.

«Io sono David McAllister, signor Hall. Lieto di conoscerla» si presentò in fretta il governatore con la tipica cortesia un po' ansiosa del politico, sfoggiando una chiostra di denti perfetti in un sorriso fuggevole.

«Molto lieto» rispose Adam senza muovere le labbra.

«E io sono Steve Roxburgh» disse il procuratore generale.

Adam si limitò a rivolgergli un cenno di saluto. Aveva visto la sua faccia sui giornali.

Roxburgh prese l'iniziativa. Incominciò a parlare e ad additare gli altri. «Questi sono avvocati che fanno parte della mia divisione appelli penali. Kevin Laird, Bart Moody, Morris Henry, Hugh Simms e Joseph Ely. Si occupano di tutti i casi di condanna a morte.» I cinque, obbedienti, abbozzarono un saluto ma non rinunciarono ai cipigli scostanti. Adam contò: erano undici, schierati lungo l'altro lato del tavolo.

McAllister rinunciò a presentare il suo gruppo di replicanti, che dovevano essere tutti sofferenti di emicrania o di emorroidi. Avevano tutti la faccia contratta dallo strazio, o forse dalla gravità delle decisioni da prendere.

«Spero che non siamo stati troppo precipitosi, signor Hall» disse Slattery, mentre inforcava un paio di occhiali da lettura. Aveva passato da poco i quarant'anni ed era uno dei giovani di nomina reaganiana. «Quando prevede di depositare ufficialmente la sua istanza presso questa corte federale?»

«Oggi» rispose Adam. Era innervosito e ancora stupefatto da tanta rapidità. Comunque era uno sviluppo positivo, aveva concluso mentre raggiungeva Jackson. Se c'era una possibilità di un rinvio, Sam l'avrebbe avuto dalla corte federale, non da quella statale.

«Quando può rispondere lo stato?» chiese il giudice a Roxburgh.

«Domani mattina, presumendo che l'istanza sollevi le stesse questioni già sottoposte alla Corte Suprema.»

«Sono le stesse» confermò Adam a Roxburgh. Poi si rivolse a Slattery. «Mi è stato detto di venire qui alle undici. A che ora è cominciata la riunione?»

«È incominciata quando ho deciso che cominciasse, signor Hall» rispose Slattery in tono gelido. «Perché? Per lei è un problema?»

«Sì. È evidente che la riunione è cominciata da un po' e senza di me.»

«Cosa c'è di male? Questo è il mio ufficio, e comincio le riunioni quando voglio.»

«Certo, ma si tratta della mia istanza, e sono stato invitato a presentarmi per discuterla. Sarebbe stato giusto che partecipassi all'intera riunione.»

«Non si fida di me, signor Hall?» Slattery aveva appoggiato i gomiti sul tavolo e si tendeva in avanti. Sembrava divertirsi.

«Non mi fido di nessuno» rispose Adam, guardando Sua Eccellenza in faccia con fermezza.

«Stiamo tentando di fare il possibile per lei, signor Hall. Al suo cliente non rimane molto tempo, e io cerco di darmi da fare. Credevo le facesse piacere vedere che siamo riusciti a organizzare questa riunione con tanta sollecitudine.»

«Grazie» disse Adam, e abbassò gli occhi sul blocco per gli appunti. Ci fu un breve silenzio mentre la tensione si allentava.

Slattery mostrò un foglio. «Presenti la petizione oggi stesso. Domani lo stato depositerà la sua risposta. Io prenderò in considerazione il caso durante il fine settimana e lunedì perverrò a un decreto. Nell'eventualità che intenda tenere un'udienza, ho bisogno di sapere quanto tempo sarà necessario alle due parti per prepararsi. Dunque, signor Hall? Quanto tempo per prepararsi per un'udienza?»

A Sam restavano ventidue giorni. Un'udienza sarebbe stata inevitabilmente frettolosa e sbrigativa, con rapide testimonianze e, come si augurava, una pronta decisione della corte. Allo stress del momento si aggiungeva il fatto che Adam non sapeva quanto avrebbe impiegato, perché non si era mai trovato a occuparsi di un caso come quello. A Chicago aveva partecipato a qualche scaramuccia di importanza secondaria, ma sempre con la supervisione di Emmitt Wycoff. Non era altro che un apprendista, accidenti! Non sapeva neppure con certezza dove fosse l'aula per l'udienza.

E qualcosa gli diceva che gli undici avvoltoi intenti a scrutarlo in quel preciso momento avevano capito benissimo che non sapeva che pesci pigliare. «Potrò essere pronto fra una settimana» rispose con aria impassibile e con tutta la sicurezza di cui era capace.

«Molto bene» disse Slattery come se fosse una risposta sensata. Una settimana era ragionevole. Poi Roxburgh bisbigliò qualcosa a uno dei suoi maghi, e tutti dovettero trovare la cosa divertente. Adam li ignorò.

Slattery scribacchiò qualcosa con una stilografica, poi lo lesse e lo rilesse. Lo passò a Breck, l'assistente, che prese il foglio e corse via. Il giudice squadrò lo schieramento della fanteria giudiziaria alla sua destra, quindi abbassò lo sguardo sul giovane Adam. «Ora, signor Hall, c'è qualcos'altro che vorrei discutere. Come ha detto, l'esecuzione è fissata fra ventidue giorni, e vorrei sapere se questa corte deve aspettarsi altre istanze in favore del signor Cayhall. So che è una richiesta un po' insolita, ma è insolita anche la situazione. Per essere sincero, è la prima volta che mi occupo di un caso con condanna a morte in fase tanto avanzata, e penso sia meglio collaborare.»

In altre parole, Vostro Onore, lei vuole assicurarsi che non ci siano rinvii. Adam rifletté per un secondo. Era effettivamente una richiesta insolita, e anche molto ingiusta. Ma Sam aveva il diritto costituzionale di presentare tutte le istanze che voleva e quando voleva, e Adam non poteva essere vincolato da promesse fatte in quella sede. Decise di comportarsi educatamente. «Non saprei dirlo, Vostro Onore. Per il momento no. Forse la settimana prossima.»

«Senza dubbio presenterà i soliti appelli dell'ultimo minuto» disse Roxburgh, e i bastardi sorridenti che gli stavano intorno guardarono Adam con aria interrogativa.

«Francamente, signor Roxburgh, non sono tenuto a discutere con lei le mie intenzioni. E neppure con la corte, se è per questo.»

«Naturalmente» intervenne McAllister, forse per l'unica ragione che era incapace di restare zitto per più di cinque minuti.

Adam aveva notato l'avvocato seduto alla destra di Roxburgh, un tipo metodico dagli occhi d'acciaio che si staccavano raramente da Adam. Era giovane ma aveva già i capelli grigi; la faccia era ben rasata, l'aspetto impeccabile. Doveva essere un favorito di McAllister, che si era girato più volte verso di lui come per ascoltarne i consigli. Gli altri esponenti della procura generale sembravano adeguarsi ai suoi pensieri e ai suoi movimenti. In uno dei cento articoli che Adam aveva ritagliato e conservato si parlava di un famigerato avvocato della procura soprannominato "dottor Morte", un tipo abilissimo che godeva a spingere verso la conclusione i casi delle condanne capitali. Si chiamava Morris di nome o di cognome, e Adam ricordava vagamente un certo Morris quando McAllister aveva presentato i suoi collaboratori.

Dedusse che doveva essere quello, lo scellerato dottor Morte. Si chiamava Morris Henry.

«Bene, allora si sbrighi a presentarli» disse Slattery in tono esasperato. «Non voglio essere costretto a lavorare ventiquattr'ore su ventiquattro finché procede questa storia.»

«No, signore» disse Adam in tono di ironica comprensione.

Slattery lo guardò irritato per un momento, quindi tornò a esaminare le carte che aveva davanti. «Sta bene, signori. Vi consiglio di restare vicino ai telefoni domenica sera e lunedì mattina. Chiamerò non appena avrò preso una decisione. La riunione è terminata.»

I componenti della coalizione allineata lungo l'altro lato del tavolo si alzarono, presero documenti e pratiche e si misero a parlottare fra loro. Adam era il più vicino alla porta. Rivolse un cenno di saluto a Slattery, mormorò un fiacco «Buongiorno, Vostro Onore» e uscì. Sorrise educatamente alla segretaria. Era già nel corridoio quando qualcuno lo chiamò. Era il governatore, seguito da due collaboratori.

«Possiamo parlare un momento?» chiese McAllister tendendo la mano. Adam la strinse per un secondo.

«A proposito di che cosa?»

«Solo cinque minuti, d'accordo?»

Adam guardò i fedelissimi del governatore in attesa a pochi passi. «Da soli. In privato. E in via riservata» obiettò.

«Certo» rispose McAllister, e indicò una porta a due battenti. Entrarono in una piccola aula vuota con le luci spente. Il governatore aveva le mani libere: era qualcun altro a portargli la cartella. Infilò le mani nelle tasche e si appoggiò a una balaustra. Era snello e ben vestito: abito di buon taglio, elegante cravatta di seta, inevitabile camicia di cotone bianco. Aveva meno di quarant'anni e invecchiava molto bene. Aveva solo una spruzzata di grigio alle basette. «Come sta Sam?» chiese, fingendo vivo interesse.

Adam sbuffò, distolse gli occhi e posò la cartella sul pavimento. «Oh, benone. Gli dirò che ha chiesto di lui. Ne sarà felice.»

«Avevo sentito dire che era in cattive condizioni di salute.»

«Ah, sì? Lei sta cercando di farlo morire. Come può preoccuparsi della sua salute?»

«Così, avevo sentito certe voci.»

«Sam la odia, chiaro? Non è in buona salute, ma può tirare avanti per altre tre settimane.»

«L'odio non è una novità per Sam, lo sa bene.»

«Di cosa vuole parlarmi, esattamente?»

«Volevo solo salutarla. Sono sicuro che presto ci rivedremo.»

«Senta, governatore, la procura del mio cliente mi vieta espressamente di parlare con lei. Ripeto: la odia. È per causa sua se si trova nel braccio della morte. La ritiene responsabile di tutto e se sapesse che ora stiamo parlando, mi revocherebbe la procura.»

«Suo nonno gliela revocherebbe?»

«Sì. Ne sono certo. Quindi, se sul giornale di domani leggerò che ci siamo incontrati e abbiamo parlato di Sam Cayhall, tornerò a Chicago e con ogni probabilità questo manderà all'aria l'esecuzione perché Sam non avrà un avvocato. Non potete ammazzare un uomo senza avvocato.»

«E chi parla?»

«Quindi stia zitto, chiaro?»

«Le do la mia parola. Ma se non possiamo parlare, come facciamo a discutere la richiesta di grazia?»

«Non lo so. Non sono ancora arrivato a quel punto.»

La faccia di McAllister era sempre garbata. Il sorriso accattivante era sempre presente o pronto a riemergere. «Ha pensato alla grazia, vero?»

«Sì. Dato che mancano tre settimane, ho pensato alla grazia. Tutti i detenuti nel braccio della morte sognano la grazia, governatore. È proprio per questo che lei non può concederla. Se grazia un condannato, gli altri cinquanta non le daranno tregua. Cinquanta famiglie la tempesteranno di lettere e telefoneranno di giorno e di notte. Cinquanta avvocati si agiteranno per tentare di arrivare nel suo ufficio. Io e lei sappiamo bene che è impossibile.»

«Non sono sicuro che debba morire.»

Lo disse distogliendo lo sguardo, come se in lui stesse avvenendo un cambiamento, come se gli anni lo avessero maturato attenuando la smania di punire Sam. Adam fece per dire qualcosa, poi si rese conto dell'importanza di quelle parole. Fissò per un attimo il pavimento e concentrò l'attenzione sui mocassini con le nappe del governatore. Il governatore era assorto nei suoi pensieri.

«Nemmeno io sono sicuro che debba morire» disse Adam.

«Cosa le ha detto?»

«A che proposito?»

«Dell'attentato a Kramer.»

«Sostiene di avermi detto tutto.»

«Ma lei ha qualche dubbio?»

«Sì.»

«Anch'io. Ne ho sempre avuti.»

«Perché?»

«Per molte ragioni. Jeremiah Dogan era un bugiardo e aveva il terrore di andare in prigione. Il fisco lo aveva in pugno, ed era convinto che se fosse finito in carcere sarebbe stato violentato, torturato e ucciso da bande di neri. Era il Mago Imperiale, sa. Era anche molto ignorante. Era un terrorista furbo e duro ma non capiva il sistema della giustizia penale. Ho sempre pensato che qualcuno, forse l'Fbi, gli avesse detto che Sam doveva essere giudicato colpevole, altrimenti avrebbero spedito lui in carcere. Niente verdetto di colpevolezza, niente patteggiamento. Fu un testimone molto disponibile. Voleva disperatamente che la giuria condannasse Sam.»

«Quindi mentiva?»

«Non lo so. Può darsi.»

«A proposito di cosa?»

«Ha chiesto a Sam se aveva un complice?»

Adam esitò per un secondo e analizzò la domanda. «Non posso parlare di ciò che abbiamo discusso io e Sam. È coperto dal segreto professionale.»

«Naturalmente. In questo stato c'è molta gente che non vuol vedere giustiziato Sam, anche se non lo dice.» Adesso McAllister scrutava Adam con attenzione.

«Anche lei?»

«Non lo so. Ma se per caso Sam non avesse avuto intenzione di uccidere Marvin Kramer o i due bambini? Certo, era presente sul luogo dell'attentato. Ma se fosse stato qualcun altro a voler uccidere?»

«Allora Sam non sarebbe colpevole come crediamo.»

«Giusto. Non è certo innocente, ma neppure abbastanza colpevole da finire nella camera a gas. E questo mi preoccupa, signor Hall. Posso chiamarla Adam?»

«Certo.»

«Non credo che Sam abbia accennato a un complice.»

«Non posso parlarne. Almeno per ora.»

Il governatore sfilò una mano dalla tasca e porse a Sam un biglietto da visita. «Dietro ci sono due numeri di telefono. Uno è quello del mio ufficio privato. L'altro è quello di casa. Tutte le telefonate resteranno confidenziali, glielo giuro. Qualche volta faccio la scena per le telecamere, Adam, perché rientra nel mio lavoro. Ma può fidarsi di me.»

Adam prese il biglietto e guardò i due numeri scritti a mano. «Non potrei mai perdonarmi se non graziassi un uomo che non merita di morire» disse McAllister avviandosi alla porta. «Mi chiami, ma non aspetti troppo. L'atmosfera si sta già surriscaldando. Ricevo una ventina di telefonate al giorno.»

Gli strizzò l'occhio, sfoggiò ancora una volta i denti scintillanti, e uscì.

Adam sedette su una sedia metallica accostata al muro e guardò il biglietto da visita. C'era un sigillo ufficiale dorato impresso a rilievo. Venti telefonate al giorno. Cosa significava? Chi chiamava voleva Sam morto o graziato?

Molti, in questo stato, non vogliono veder giustiziato Sam, aveva detto McAllister, come se stesse già soppesando i voti che avrebbe perso e quelli che avrebbe potuto guadagnare.

24

Il sorriso della receptionist fu meno pronto del solito quando entrò nell'atrio, e mentre si avviava verso il suo ufficio Adam notò un'atmosfera più tetra fra gli impiegati e gli avvocati. Le voci erano più basse di un'ottava. Tutto sembrava diventato un po' urgente.

Era arrivata Chicago. Succedeva ogni tanto, non sempre per un'ispezione, il più delle volte per occuparsi di un cliente locale o per piccole riunioni burocratiche. Nessuno era mai stato licenziato quando arrivava Chicago. Nessuno era mai stato offeso o maltrattato. Ma si vivevano sempre momenti d'ansia finché Chicago non ripartiva per il Nord.

Adam aprì la porta del suo ufficio e per poco non andò a sbattere contro un preoccupatissimo E. Garner Goodman, completo di papillon verde, camicia bianca inamidata e capelli grigi scompigliati. Camminava avanti e indietro e per caso era accanto alla porta quando si era spalancata. Adam lo fissò per un attimo, gli prese la mano e la strinse.

«Entri, entri» disse Goodman e chiuse la porta. Non aveva ancora sorriso.

«Come mai è qui?» chiese Adam. Lasciò cadere la cartella sul pavimento e raggiunse la scrivania. Si guardarono in faccia.

Goodman si accarezzò la barba grigia ben curata e si assestò il papillon. «È un'emergenza, purtroppo. Potrebbe essere una brutta notizia.»

«Che cosa?»

«Si sieda, si sieda. Ci vorrà un po' di tempo.»

«No, va bene così. Cosa c'è?» Doveva essere qualcosa di orribile se doveva sedersi.

Goodman si gingillò con la cravatta, si accarezzò di nuovo la barba, poi si decise: «Ecco, è successo questa mattina alle nove. La Commissione del personale è formata da quindici soci, quasi tutti giovani. La commissione, naturalmente, ha diverse sottocommissioni, una per le assunzioni, una per la disciplina, una per le controversie e così via. E come può immaginare ce n'è una per i licenziamenti. La sottocommissione per i licenziamenti si è riunita questa mattina, e indovini chi ha orchestrato tutto.»

«Daniel Rosen.»

«Daniel Rosen. Evidentemente si è lavorato la sottocommissione negli ultimi dieci giorni, cercando di mettere insieme i voti sufficienti per farla licenziare.»

Adam sedette accanto al tavolo, e Goodman gli sedette di fronte.

«La sottocommissione è formata da sette membri che si sono riuniti questa mattina su richiesta di Rosen. Erano presenti in cinque, perciò raggiungevano il quorum. Naturalmente Rosen non aveva informato me o altri. Le riunioni per i licenziamenti sono assai riservate, per ovvie ragioni, quindi non era tenuto ad avvertire nessuno.»

«Neppure me?»

«Neppure lei. Era l'unica voce all'ordine del giorno, e la riunione è durata meno di un'ora. Rosen aveva truccato i dadi prima di entrare, ma ha esposto le sue argomentazioni con molto vigore. Ricordi che è stato un protagonista nei tribunali per trent'anni. Mettono a verbale tutte le riunioni in cui si decide un licenziamento, nell'eventualità che poi venga intentata una causa, e anche in questo caso è stato così. Naturalmente Rosen sostiene che lei ha mentito quando ha presentato domanda di assunzione a Kravitz & Bane, che questo mette lo studio di fronte a un conflitto d'interessi, e così via. Aveva le copie di una dozzina di articoli che parlavano di lei e di Sam e della vostra parentela. Ha sostenuto che lei ha causato allo studio un grave imbarazzo. Si era preparato a dovere. Credo che l'abbiamo sottovalutato, lunedì scorso.»

«E poi hanno votato.»

«Quattro a uno per il licenziamento.»

«Bastardi!»

«Lo so. Ho visto altre volte Rosen in situazioni del genere, e sa essere molto persuasivo. Di solito ottiene ciò che vuole. Non può più andare in tribunale, quindi pianta grane in ufficio. Se ne andrà fra meno di sei mesi.»

«In questo momento non è una grande consolazione.»

«C'è qualche speranza. Verso le undici la notizia è finalmente arrivata nel mio ufficio, e per fortuna c'era Emmit Wycoff. Siamo andati da Rosen e ci siamo presi per i capelli, poi ci siamo attaccati al telefono. La conclusione è questa: la Commissione del personale al gran completo si riunirà domattina alle otto per riesaminare il licenziamento. Lei dovrà essere presente.»

«Domattina alle otto!»

«Già. Hanno tutti da fare. Molti devono essere in tribunale alle nove, altri devono raccogliere deposizioni per tutto il giorno. Su quindici membri, saremo fortunati se ci sarà il quorum.»

«Quale percentuale ci vuole?»

«I due terzi. E se non c'è il quorum, per noi potrebbero essere guai.»

«Guai? E questo cosa sarebbe?»

«Potrebbe andare anche peggio. Se domattina non si raggiunge il quorum, lei avrà il diritto di chiedere un riesame entro trenta giorni.»

«Fra trenta giorni Sam sarà morto.»

«Forse no. Comunque, credo che domattina la riunione ci sarà. Io ed Emmitt abbiamo ottenuto da nove membri la promessa che saranno presenti.»

«E i quattro che hanno votato contro di me questa mattina?»

Goodman sogghignò e distolse gli occhi. «Indovini. Rosen si è assicurato che domani siano presenti tutti e quattro.»

Adam batté bruscamente le mani sul piano del tavolo. «Mi dimetto, dannazione!»

«Non può. È stato licenziato.»

«Allora non mi opporrò. Che figli di puttana!»

«Senta, Adam...»

«Figli di puttana!»

Goodman tacque un momento per lasciare che Adam si calmasse. Si assestò il papillon e si controllò la barba. Tamburellò le dita sul tavolo. Poi disse: «Senta, Adam, domattina ci andrà bene, chiaro? Emmitt ne è convinto. E anch'io. Lo studio l'appoggia. Abbiamo fiducia in ciò che sta facendo e, per dirla tutta, abbiamo apprezzato la pubblicità. I giornali di Chicago hanno pubblicato molti pezzi favorevoli».

«Dai quali risulta che lo studio mi sostiene, immagino.»

«Mi ascolti. Domani potremo risolvere tutto. Sarò quasi sempre io a parlare. E in questo momento Wycoff sta facendo pressioni, e anche altri.»

«Rosen non è stupido, signor Goodman. Vuole vincere, ecco tutto. Non gli importa niente di me, di Sam, di lei o di chiunque altro. Vuole semplicemente vincere. È una battaglia e sono pronto a scommettere che in questo momento è al telefono per cercare di assicurarsi altri voti.»

«Allora andiamo a combattere contro quel somaro, d'accordo? Domani partecipiamo alla riunione con l'intenzione di dar battaglia. Facciamo fare a Rosen la figura della carogna. Per la cronaca, Adam, quell'uomo non ha molti amici.»

Adam andò alla finestra e sbirciò fra le stecche della veneziana. Nella zona pedonale il viavai era intenso. Erano quasi le cinque. Aveva circa cinquemila dollari in fondi bilanciati; comportandosi con frugalità e cambiando un po' il tenore di vita, potevano bastare per sei mesi. Aveva uno stipendio di sessantaduemila dollari, e sarebbe stato difficile assicurarsene un altro nell'immediato futuro. Ma non si era mai preoccupato molto per il denaro e non intendeva cominciare ora. Era molto più in ansia per le tre settimane successive. Dopo dieci giorni di carriera come difensore di un condannato a morte, si rendeva conto di avere bisogno d'aiuto.

«Come sarà, alla fine?» chiese dopo un lungo, pesante silenzio.

Goodman si alzò adagio e andò a un'altra finestra. «Una cosa pazzesca. Durante gli ultimi quattro giorni non dormirà molto. Correrà di qua e di là come un matto. Le corti sono imprevedibili. Il sistema è imprevedibile. Si continua a depositare istanze e appelli pur sapendo che sono inutili. La stampa l'assedierà. E soprattutto dovrà trascorrere più tempo che può con il suo cliente. È un compito immane, e dovrà farlo gratis.»

«Quindi avrò bisogno di aiuto.»

«Oh, sì. Non può farcela da solo. Quando fu giustiziato Maynard Tole, avevamo piazzato un avvocato di Jackson nell'ufficio del governatore, uno nella cancelleria della Corte Suprema di Jackson, uno a Washington e due nel braccio della morte. Ecco perché domani deve battersi, Adam. Ha bisogno dello studio e delle sue risorse. Non può farcela da solo. Ci vuole una squadra.»

«È proprio un colpo basso.»

«Lo so. Un anno fa studiava ancora legge, e adesso l'hanno licenziata. Lo so, è doloroso. Ma mi creda, Adam, è stato solo un colpo di fortuna. Non durerà. Fra dieci anni lei sarà socio dello studio e terrorizzerà i giovani appena assunti.»

«Non ci conti.»

«Andiamo a Chicago. Ho i biglietti per il volo delle sette e un quarto. Arriveremo alle otto e mezzo e cercheremo un buon ristorante.»

«Devo andare a prendere qualcosa da mettermi.»

«D'accordo. Ci vediamo all'aeroporto alle sei e mezzo.»

La questione era già stata risolta prima ancora dell'inizio della riunione. Erano presenti undici membri della Commissione del personale, un quorum sufficiente. Si riunirono in una biblioteca chiusa a chiave del sessantesimo piano, intorno a un lungo tavolo con litri di caffè al centro, e si portarono dietro grosse pratiche, registratori portatili e tormentate agende tascabili. Uno portò anche la segretaria che sedette nel corridoio e cominciò a lavorare a pieno ritmo. Erano tutti molto indaffarati, e di lì a un'ora dovevano iniziare un'altra giornata convulsa di riunioni interminabili, discussioni, istruzioni, deposizioni, dibattimenti in tribunale, telefonate e pranzi importanti. Dieci uomini e una donna, tutti poco al di sotto o poco al di sopra dei quarant'anni, tutti soci di Kravitz & Bane, tutti ansiosi di tornare alle rispettive scrivanie sovraccariche.

La questione Adam Hall era una seccatura. Anzi, la Commissione del personale era una seccatura. Non era uno degli organi più piacevoli di cui poteva capitare di far parte, ma erano stati eletti regolarmente e nessuno aveva osato rifiutare. Tutto per il bene dello studio, e viva il gioco di squadra.

Adam era arrivato in ufficio alle sette e mezzo. Era rimasto lontano per otto giorni, la sua assenza più lunga. Emmitt Wycoff aveva passato il suo lavoro a un altro giovane associato. Da Kravitz & Bane non c'era mai scarsità di novellini.

Alle otto si era nascosto in una saletta riunioni mai usata presso la biblioteca del sessantesimo piano. Era nervoso ma cercava di non mostrarlo. Bevve un caffè e lesse i giornali del mattino. Parchman sembrava in capo al mondo. Studiò l'elenco dei quindici membri della Commissione del personale: non ne conosceva neppure uno. Quindici estranei che avrebbero discusso il suo futuro per un'ora, avrebbero votato in fretta e si sarebbero occupati di cose più importanti. Wycoff venne a salutarlo e a scambiare qualche parola pochi minuti prima delle otto. Adam lo ringraziò, si scusò per i problemi che causava, e lo ascoltò mentre Wycoff prometteva una soluzione rapida e soddisfacente.

Garner Goodman aprì la porta cinque minuti dopo le otto. «Sembra che andrà bene» disse, quasi bisbigliando. «In questo momento sono presenti in undici. Abbiamo gli impegni di almeno cinque di loro. Ci sono tre di quelli che hanno votato per Rosen nella sottocommissione, ma forse gli mancheranno un voto o due.»

«C'è anche Rosen?» chiese Adam. Conosceva già la risposta, ma sperava che il vecchio bastardo fosse morto nel sonno.

«Sì, naturalmente. E credo che sia preoccupato. Ieri sera Emmitt ha telefonato fino alle dieci e oltre. Abbiamo i voti necessari, e Rosen lo sa.» Goodman uscì.

Alle otto e un quarto, il presidente dichiarò aperta la riunione e comunicò che c'era il quorum. L'unica voce all'ordine del giorno era il licenziamento di Adam Hall; anzi era l'unica ragione della riunione speciale. Emmitt Wycoff entrò per prima e per dieci minuti spiegò con abilità quanto prezioso fosse Adam come collaboratore. Si era messo a un'estremità del tavolo davanti a una libreria, e parlò con disinvoltura, come se cercasse di convincere una giuria. Almeno la metà degli undici non sentì neppure una parola; continuavano ad esaminare documenti e a fare giochi di prestigio con gli impegni delle loro agende.

Poi parlò Garner Goodman. Riepilogò in fretta il caso di Sam Cayhall e aggiunse sinceramente che, con ogni probabilità, sarebbe stato giustiziato fra tre settimane. Poi parlò a favore di Adam; ammise che forse aveva sbagliato non rivelando la sua parentela con Sam, ma pazienza. Ormai era passato parecchio tempo, e bisognava valutare il presente, un presente ancora più importante quando al cliente restano tre sole settimane di vita.

Nessuno rivolse domande a Wycoff o a Goodman. Evidentemente le avevano riservate per Rosen.

Gli avvocati hanno un'ottima memoria. Se oggi tagli la gola a uno di loro, aspetterà con pazienza per anni fino a quando potrà ricambiare il favore. Daniel Rosen aveva collezionato molti favori del genere negli uffici di Kravitz & Bane, e come socio dirigente ora stava per incassarli. Aveva pestato i piedi a molta gente, ai suoi colleghi, per anni. Era un prepotente, un bugiardo, una carogna. Nei suoi giorni di gloria era stato il cuore e l'anima dello studio, e lo sapeva. Nessuno avrebbe osato sfidarlo. Aveva insultato molti giovani associati e tormentato i soci. Aveva trattato a pesci in faccia le commissioni, ignorato le direttive dello studio, rubato clienti a colleghi di Kravitz & Bane, e adesso che la sua carriera era al tramonto stava per ricevere i favori che aveva fatto.

Aveva iniziato da due minuti la sua esposizione quando fu interrotto per la prima volta da un giovane socio che spesso andava in giro in moto con Emmitt Wycoff. Rosen camminava avanti e indietro, come se tenesse un'arringa ai giurati nei suoi tempi d'oro, e la domanda lo bloccò. Prima che riuscisse a pensare una risposta sarcastica, fu investito da un'altra domanda. E non si era ancora fatto venire in mente una risposta a una delle due, quando gliene piovve addosso una terza. La battaglia era iniziata.

I tre facevano il gioco di squadra con molta efficienza, e si capiva che si erano allenati per l'occasione. Facevano a turno nel punzecchiare Rosen con domande implacabili. Dopo un minuto lui cominciò a imprecare e a scagliare insulti. I tre non persero la calma. Ognuno aveva davanti un blocco con lunghi elenchi di interrogativi.

«Dov'è il conflitto d'interessi, signor Rosen?»

«Un avvocato ha il diritto di difendere un membro della sua famiglia, no, signor Rosen?»

«Il modulo per la richiesta di assunzione chiedeva specificamente al signor Hall se questo studio legale rappresentava un suo parente?»

«Ha qualcosa contro la diffusione delle notizie, signor Rosen?»

«Perché ritiene che la pubblicità sia un fattore negativo?»

«Lei non cercherebbe di aiutare un parente condannato a morte?»

«Cosa pensa della pena capitale, signor Rosen?»

«Sarebbe felice di veder giustiziare Sam Cayhall perché ha ucciso due ebrei?»

«Non pensa di aver teso un'imboscata al signor Hall?»

Non era uno spettacolo piacevole. Daniel Rosen aveva ottenuto alcune delle maggiori vittorie giudiziarie della storia recente di Chicago, e adesso veniva preso a calci in faccia in una polemica insignificante di fronte a una commissione. Non di fronte a una giuria o a un giudice. Una commissione.

L'idea di ritirarsi non gli era mai passata per la mente. Continuò a insistere, alzò la voce e diventò più caustico. Le risposte acide assunsero sfumature personali, e disse diverse malignità sul conto di Adam.

Fu un errore. Altri si buttarono nella mischia, e ben presto Rosen cominciò a sbandare come una preda ferita che stenta a precedere di pochi passi il branco di lupi. Quando si rese conto che non avrebbe mai ottenuto la maggioranza, abbassò la voce e ritrovò la compostezza.

Si riprese abilmente con un sereno riepilogo delle considerazioni etiche e della necessità di evitare ogni apparenza di scorrettezza, due princìpi sacri che gli avvocati apprendono alla facoltà di legge e si buttano in faccia reciprocamente quando polemizzano, ma ignorano del tutto quando gli torna comodo.

Rosen finì di parlare e si precipitò fuori dalla sala, prendendo nota mentalmente di coloro che avevano avuto la sfrontatezza di torchiarlo. Avrebbe schedato i loro nomi non appena fosse tornato alla sua scrivania e un giorno, be', un giorno avrebbe trovato il modo di fargliela pagare.

Fogli, blocchi e apparecchi elettronici sparirono dal tavolo dove rimasero soltanto il caffè e le tazze vuote. Il presidente invitò a esprimere i voti. Rosen ne ebbe cinque, Adam sei, e la

Commissione del personale dichiarò chiusa la seduta e si disperse in gran fretta.

«Sei a cinque,» ripeté Adam guardando le facce sollevate ma serie di Goodman e Wycoff.

«Un'autentica valanga» commentò ironico Wycoff.

«Poteva andar peggio» disse Goodman. «Avrebbe potuto perdere il posto.»

«Perché non sono entusiasta? Un lurido voto in più e per me sarebbe stata la fine.»

«Non è vero» spiegò Wycoff. «I voti erano già decisi prima della riunione. Rosen ha ottenuto forse due voti sinceri, ma gli altri si sono schierati con lui perché sapevano che saremmo stati noi a vincere. Non ha idea delle pressioni che ci sono state ieri sera. E questo è servito a sistemare Rosen. Se ne andrà entro tre mesi.»

«Forse anche prima» aggiunse Goodman. «È una mina vagante, e tutti sono stufi.»

«Me compreso» concluse Adam.

Wycoff lanciò un'occhiata all'orologio. Erano le otto e tre quarti, e alle nove doveva essere in tribunale. «Senta, Adam, devo scappare» disse abbottonandosi la giacca. «Quando torna a Memphis?»

«Oggi, credo.»

«Possiamo andare a pranzo insieme? Mi farebbe piacere parlare con lei.»

«Ma certo.»

Aprì la porta e disse: «Bene. La mia segretaria la chiamerà. Ora devo andare. Arrivederci». E uscì.

Anche Goodman guardò l'orologio. Il suo marciava molto più lentamente di quelli dei veri avvocati dello studio, ma aveva alcuni appuntamenti. «Devo incontrarmi con qualcuno nel mio ufficio. Verrò a pranzo con voi due.»

«Per un solo, lurido voto» ripeté Adam fissando il muro.

«Su, Adam, non faccia così. Era un pericolo inesistente.»

«A me sembra di no.»

«Senta, dobbiamo passare qualche ora insieme prima che riparta. Voglio sapere di Sam. Cominceremo a pranzo.» Aprì la porta e uscì.

Adam rimase seduto al tavolo e scosse la testa.

25

Se Baker Cooley e gli altri avvocati della sede di Memphis sapevano qualcosa dell'improvviso licenziamento di Adam e della pronta revoca, non lo lasciavano capire. Lo trattavano nel solito modo; cioè stavano sulle loro e non mettevano piede nel suo ufficio. Non erano scortesi con lui perché, dopotutto, veniva da Chicago. Gli sorridevano quando erano costretti a farlo, e scambiavano due chiacchiere con lui nei corridoi se era dell'umore adatto. Ma erano specialisti di diritto societario, avevano camicie inamidate e mani delicate, non abituate al sudiciume della difesa penale. Non entravano nelle carceri o nelle guardine per incontrarsi con i clienti, non dovevano discutere con poliziotti, pubblici ministeri e giudici bisbetici. Lavoravano soprattutto dietro le loro scrivanie e intorno ai lucidi tavoli di mogano per le riunioni. Passavano il tempo parlando con clienti che potevano permettersi di pagare centinaia di dollari all'ora per un consiglio, e quando non parlavano con i clienti stavano al telefono o pranzavano con altri avvocati e banchieri e dirigenti di compagnie assicurative.

I giornali avevano detto già quanto bastava per suscitare risentimento nell'ufficio. Quasi tutti gli avvocati trovavano imbarazzo nel vedere il nome del loro studio associato a un personaggio come Sam Cayhall. Molti non sapevano neppure che era stato rappresentato per sette anni dalla sede centrale di Chicago. Adesso gli amici li tempestavano di domande. Altri avvocati facevano commenti ironici. Le mogli si sentivano umiliate ai tè del garden club. I parenti acquisiti dimostravano un interesse improvviso per le loro carriere legali.

Sam Cayhall e il nipote erano diventati una vera spina nel fianco per la sede di Memphis. Ma non potevano farci nulla.

Adam lo intuiva e se ne infischiava. Quello era un ufficio temporaneo, che sarebbe andato bene per altre tre settimane e, si augurava, neppure un giorno di più. Uscì dall'ascensore il venerdì mattina e ignorò la receptionist che si era affrettata a rimettere in ordine un mucchio di riviste. Parlò con Darlene, la sua giovane segretaria, e lei gli porse un messaggio telefonico di Todd Marks del "Memphis Press".

Portò il foglietto rosa in ufficio e lo buttò nel cestino. Appese la giacca a un attaccapanni e incominciò a coprire di carte il tavolo. C'erano pagine di appunti che aveva preso durante i voli di andata e ritorno, istanze molto simili che aveva preso in prestito dagli schedari di Goodman, e dozzine di copie di recenti decreti federali.

Si lasciò assorbire quasi subito in un mondo di teorie legali e di strategie. Chicago era ormai un ricordo che svaniva.

Rollie Wedge entrò nel Brinkley Plaza passando dalla porta principale che si apriva sul mall. Aveva atteso con pazienza, seduto al tavolino di un caffè all'aperto fino a quando la Saab nera era arrivata e aveva svoltato in un vicino garage. Indossava camicia bianca con cravatta, pantaloni millerighe e mocassini, e beveva lentamente un tè freddo mentre osservava Adam procedere lungo il marciapiede ed entrare.

L'atrio era deserto quando Wedge andò a studiare il cartello indicatore. Kravitz & Bane occupava il secondo e il terzo piano. C'erano quattro ascensori identici; ne prese uno e salì al settimo. Immetteva in uno stretto vestibolo. Sulla destra c'era una porta con il nome di una società di gestione di fondi fiduciari scritto in lettere di bronzo, e sulla sinistra si apriva un corridoio fiancheggiato dalle porte di aziende di ogni genere. Accanto alla fontanella dell'acqua ce n'era una che dava sulla scala. Scese con disinvoltura le scale controllando via via le porte. Non incontrò nessuno. Tornò nell'atrio, prese un altro ascensore e salì, solo, al secondo piano. Sorrise alla receptionist che era ancora occupata a sistemare le riviste. Stava per chiedere indicazioni per andare alla società di gestione quando il telefono squillò e la ragazza rispose. Una porta a vetri a due battenti separava la reception dall'accesso agli ascensori. Salì al terzo piano e trovò una porta identica, ma non c'era nessuna receptionist. La porta era bloccata. Sulla parete di destra c'era una tastiera con nove pulsanti numerati per comporre il codice.

Sentì delle voci e riparò sulla scala. La porta non aveva serrature né all'interno né all'esterno. Attese un momento, poi andò a bere una sorsata d'acqua. Si aprì un ascensore: un uomo giovane in pantaloni kaki e blazer blu uscì con una scatola di cartone sotto un braccio e un grosso volume nell'altra mano, e si diresse verso la porta di Kravitz & Bane. Canticchiava e non si accorse che Wedge gli si era accodato. Si fermò, mise in equilibrio il testo giuridico sopra la scatola e liberò la mano destra per battere il codice. Sette, sette, tre, e il quadro emise un "bip" a ogni numero. Wedge era lontano pochi centimetri. Sbirciava da sopra le sue spalle e si imprimeva il codice nella mente.

Il giovane afferrò il libro. Stava per voltarsi quando Wedge lo urtò leggermente ed esclamò: «Oh, accidenti, mi scusi. Non...». Poi indietreggiò di un passo e guardò la scritta sopra la porta. «Questo non è il Riverbend Trust» disse, in tono meravigliato.

«No. È lo studio Kravitz & Bane.»

«Che piano è?» chiese Wedge. Si sentì un ticchettio: la porta si era sbloccata.

«Il terzo. Il Riverbend Trust è al settimo.»

«Mi scusi» ripeté Wedge, con aria imbarazzata, quasi patetica. «Devo essere uscito al piano sbagliato.»

Il giovane aggrottò la fronte, scosse la testa e aprì la porta.

«Mi scusi ancora» disse Wedge per la terza volta, e indietreggiò. La porta si chiuse alle spalle del giovane. Wedge scese con l'ascensore fino all'atrio, e uscì in strada.

Lasciò il centro e per dieci minuti procedette in macchina verso nord-est fino a quando arrivò in un quartiere pieno di alloggi governativi. Entrò nel viale accanto all'Auburn House e fu fermato da una guardia in uniforme. Stava solo svoltando, spiegò Wedge, e si scusò. Mentre tornava sulla strada a marcia indietro, notò la Jaguar bordeaux di Lee parcheggiata fra due utilitarie.

Si diresse verso il fiume e poi di nuovo in centro. Dopo venti minuti parcheggiò davanti a un magazzino di mattoni rossi in disuso sulle alture. Rimase in macchina, si cambiò in fretta e indossò una camicia nocciola con un bordino blu intorno alle maniche corte e il nome Rusty cucito sul taschino. Poi si mosse a piedi, in fretta ma senza farsi notare, girò intorno all'angolo della costruzione e scese un pendio coperto di erbacce. Si fermò fra i cespugli. Un alberello gli offrì un po' d'ombra mentre tratteneva il fiato e si riparava dal sole cocente. Davanti a lui c'era un campetto di erba bermuda, folta e verde e ben curata, e più oltre una schiera di venti condomini di lusso che sorgevano sul ciglio dell'altura. La recinzione di pietra e ferro costituiva un problema fastidioso e Wedge la studiò con pazienza stando al riparo fra i cespugli.

Da una parte del condominio c'era un parcheggio con un cancello chiuso che portava all'unica entrata. Una guardia in uniforme stava nella piccola portineria ad aria condizionata. Si vedevano poche macchine. Erano quasi le dieci. Attraverso il vetro fumé si scorgeva la sagoma della guardia.

Wedge ignorò la recinzione e decise di entrare dal lato dell'altura. Strisciò lungo un filare di bossi, aggrappandosi ai ciuffi d'erba per non scivolare per venticinque metri fino a Riverside Drive. Sgattaiolò sotto i patio di legno: alcuni erano sospesi a un'altezza di tre metri sopra il ripido declivio. Si fermò al settimo condominio e si issò nel patio.

Riposò per qualche istante su una sedia di vimini e giocherellò con un cavo, come se il suo fosse un normale giro di servizio. Nessuno lo osservava. La privacy era molto importante per quei ricconi; la pagavano a caro prezzo, e ogni piccola terrazza era riparata da quella vicina da schermature di legno decorative e piante ricadenti. La camicia zuppa di sudore gli si era incollata alla schiena.

La porta scorrevole di vetro che metteva in comunicazione il patio con la cucina era chiusa a chiave, ovviamente; la serratura era semplice e lo tenne impegnato per quasi un minuto. La scassinò senza lasciare traccia, poi si guardò intorno ancora una volta prima di entrare. Quella era la parte più difficile. Immaginava che ci fosse un sistema d'allarme, probabilmente con monitor a ogni porta e finestra. Dato che in casa non c'era nessuno, era prevedibile che l'impianto fosse in funzione. Il problema era delicato: quanto rumore avrebbe fatto nel momento in cui avesse aperto la porta? Era un allarme silenzioso, oppure una sirena avrebbe incominciato a ululare?

Respirò a fondo, poi fece scorrere adagio la porta. Non si sentirono sirene. Diede un'occhiata veloce al monitor sopra la porta ed entrò.

Il sistema d'allarme avvertì immediatamente Willis, la guardia al cancello, che sentì un "bip" insistente anche se non troppo rumoroso uscire dallo schermo del suo monitor. Guardò la spia rossa che lampeggiava al numero sette, l'abitazione di Lee Booth, e attese che smettesse. La signora Booth faceva scattare per sbaglio l'allarme almeno due volte al mese, all'incirca la media degli altri inquilini. Controllò il blocco a molle e notò che la signora Booth era uscita alle nove e un quarto. Ma ogni tanto qualcuno, di solito un uomo, restava a dormire in casa sua, e adesso c'era il nipote che alloggiava presso di lei. Perciò Willis tenne d'occhio la spia rossa per quarantacinque secondi, finché smise di lampeggiare e restò fissa nella posizione ON.

Non era normale, ma non era il caso di cedere al panico. Quella gente che viveva dietro muri robusti e pagava guardie armate in servizio ventiquattr'ore su ventiquattro, perciò nessuno prendeva sul serio i sistemi d'allarme. Compose subito il numero della signora Booth e non ebbe risposta. Premette un pulsante e mise in funzione una chiamata preregistrata al 911 per chiamare la polizia. Aprì il cassetto delle chiavi e scelse quella del numero sette, poi lasciò la portineria e attraversò svelto il parcheggio per andare a controllare la casa della signora Booth. Aprì la fondina per poter estrarre in fretta la pistola, per ogni evenienza.

Rollie Wedge entrò nella portineria e vide il cassetto delle chiavi aperto. Prese il mazzo dell'Unità 7 e un cartoncino con il codice dell'allarme e le istruzioni, e per maggior sicurezza prese anche le chiavi e i cartoncini delle Unità 8 e 13, per disorientare Willis e la polizia.

Prima andarono al cimitero a rendere omaggio ai morti. Occupava due collinette alla periferia di Clanton; una era piena di lapidi scolpite e piccoli monumenti dove i membri delle famiglie eminenti si erano fatti seppellire insieme nel corso del tempo. I nomi spiccavano incisi nel granito. La seconda collina era riservata alle tombe più nuove, e via via che il tempo era passato le lapidi nel Mississippi erano diventate più piccole. Querce e olmi maestosi ombreggiavano quasi tutto il cimitero. L'erba era tagliata bassa, i cespugli ben curati. Dappertutto c'erano azalee. Clanton attribuiva molta importanza alle sue memorie.

Era un sabato bellissimo, senza nubi e con una brezza leggera che aveva incominciato a soffiare durante la notte e aveva cacciato l'umidità. Le piogge erano durate per un po' di tempo, e le colline erano ammantate di verde e di fiori selvatici. Lee s'inginocchiò accanto alla lapide della madre e posò un piccolo mazzo di fiori sotto il nome. Chiuse gli occhi mentre Adam, in piedi dietro di lei, guardava la tomba. Anna Gates Cayhall, 3 settembre 1922 – 18 settembre 1977. Era morta a cinquantacinque anni, calcolò Adam, quando lui ne aveva tredici e viveva in beata ignoranza nella California meridionale.

Era sepolta sola, sotto una lapide singola, e questo aveva posto qualche problema. Di solito i coniugi venivano sepolti fianco a fianco, almeno nel Sud; il primo che moriva occupava il primo posto sotto una lapide doppia. Ogni volta che andava a far visita al defunto, il coniuge sopravvissuto vedeva il proprio nome già scolpito e in attesa.

«Papà aveva cinquantasei anni quando la mamma morì» spiegò Lee mentre prendeva la mano di Adam e si scostava dalla tomba. «Volevo che la seppellisse in una tomba doppia, dove un giorno avrebbe potuto raggiungerla, ma rifiutò. Forse pensava che gli restavano ancora molti anni da vivere e che poteva risposarsi.»

«Una volta mi hai detto che Sam non le piaceva.»

«Sono sicura che a modo suo lo amava. Vissero insieme per quasi quarant'anni. Ma non erano molto legati. Mentre crescevo, mi accorsi che non le piaceva averlo vicino. Qualche volta si confidava con me. Era una semplice ragazza di campagna che si era sposata molto giovane, aveva avuto tre figli ed era rimasta a casa con loro, e doveva obbedire al marito. A quei tempi non era una cosa insolita. Credo che si sentisse molto frustrata.»

«Forse non voleva avere accanto Sam per tutta l'eternità.»

«Sì, ci ho pensato. Anzi, Eddie voleva che fossero sepolti separati, alle due estremità del cimitero.»

«Aveva ragione.»

«E non scherzava.»

«Cosa sapeva tua madre di Sam e del Klan?»

«Non ne ho idea. Non se ne parlava mai. Ricordo che era molto umiliata quando lui fu arrestato. Andò a stare con Eddie e con voi per qualche tempo perché i giornalisti non la lasciavano in pace.»

«E non assistette a nessuno dei processi.»

«No. Papà non voleva. Lei soffriva di pressione alta, e Sam approfittava di questo pretesto per tenerla lontana.»

Si voltarono e s'incamminarono lungo un vialetto che attraversava la parte vecchia del cimitero. Si tenevano per mano e guardavano di sfuggita le lapidi. Lee indicò un filare d'alberi al di là della strada, su un'altra collina. «Là sono sepolti i negri» disse. «Sotto quegli alberi. È un cimitero piuttosto piccolo.»

«Vuoi scherzare? Anche adesso?»

«Proprio così. Sai, per tenerli al loro posto. Questa gente non sopporterebbe l'idea di un negro sepolto fra gli antenati.»

Adam scosse la testa, incredulo. Salirono la collina e riposarono sotto una quercia. Sotto di loro si estendevano le file delle tombe. La cupola del tribunale della contea di Ford luccicava nel sole a pochi isolati di distanza.

«Quando ero piccola venivo a giocare qui» disse Lee, a voce bassa. Indicò verso destra, a nord. «Il Quattro di Luglio la città organizza i fuochi d'artificio, e il posto dove si vedono meglio è qui, nel cimitero. Laggiù c'è un parco, e li lanciano da là. Noi caricavamo le biciclette e venivamo in città per vedere la parata, nuotare nella piscina comunale e giocare con gli amici. E quando si faceva buio ci radunavamo qui, in mezzo ai morti, e ci sedevamo sulle tombe per vedere i fuochi d'artificio. Gli uomini restavano accanto ai camioncini dove avevano nascosto birra e whiskey, e le donne sedevano sulle coperte imbottite e badavano ai bambini piccoli. Noi correvamo e saltavamo e andavamo in bicicletta.»

«Anche Eddie?»

«Certo. Eddie era un fratellino normale, a volte insopportabile ma un bambino come gli altri. Sento la sua mancanza, sai? Moltissimo. Siamo stati separati per molti anni, ma ogni volta che torno in questa città penso al mio fratellino.»

«Anch'io sento la sua mancanza.»

«Venimmo qui la sera che si diplomò alle superiori. Io ero a Nashville da due anni e tornai perché voleva che assistessi alla cerimonia. Avevamo portato una bottiglia di vino rosso, e credo che quella sia stata la sua prima bevuta. Non lo dimenticherò mai. Ci sedemmo sulla lapide di Emil Jacob e bevemmo, un sorso dopo l'altro, finché la bottiglia non fu vuota.»

«Che anno era?»

«Il 1960, mi pare. Eddie voleva arruolarsi nell'esercito per lasciare Clanton e allontanarsi da Sam. Io non volevo che il mio fratellino andasse sotto le armi, e discutemmo fino allo spuntar del sole.»

«Era molto confuso?»

«Aveva diciotto anni e probabilmente era confuso come la maggior parte dei ragazzi che hanno appena finito le superiori. Aveva il terrore che se fosse rimasto a Clanton gli sarebbe capitato qualcosa; una misteriosa tara genetica sarebbe affiorata e l'avrebbe fatto diventare come Sam. Un altro Cayhall incappucciato. Non vedeva l'ora di scappar via.»

«Ma anche tu te ne andasti appena possibile.»

«Sì. Però ero più dura di Eddie, almeno a diciotto anni. Non sopportavo l'idea che se ne andasse di casa tanto giovane. E così quella notte bevemmo il vino e cercammo di prendere in pugno la vita.»

«Mio padre ci riuscì mai?»

«Ne dubito, Adam. Eravamo tutti e due tormentati da nostro padre e dall'odio che impregnava la sua famiglia. Ci sono cose che mi auguro tu non scopra mai, storie che prego non siano mai raccontate. Io credo di averle rimosse, mentre Eddie non ne fu capace.»

Lee prese di nuovo la mano di Adam. Proseguirono sotto il sole, lungo un viottolo sterrato, verso la parte più nuova del cimitero. Poi lei si fermò e indicò una fila di piccole lapidi. «Qui riposano i tuoi bisnonni, insieme a zie, zii e altri Cayhall.»

Adam ne contò otto. Lesse i nomi e le date e recitò a voce alta le poesie, i versetti biblici e gli addii incisi nel granito.

«Ce ne sono molti altri, nella contea» continuò Lee. «Quasi tutti i Cayhall venivano dalla zona di Karaway, a venticinque chilometri da qui. Erano gente di campagna, e sono sepolti dietro le loro chiesette di campagna.»

«Sei venuta qui per i loro funerali?»

«Per qualcuno, sì. Non è una famiglia molto unita, Adam. Alcuni erano morti da anni prima che io lo sapessi.»

«Perché tua madre non è sepolta qui?»

«Perché non voleva. Sapeva che stava per morire, e scelse lei il posto. Non si era mai considerata una Cayhall. Era una Gates.»

«Aveva ragione.»

Lee strappò un ciuffo di erbacce dalla tomba della nonna e passò le dita sul nome di Lydia Newsome Cayhall, morta nel 1961 a settantadue anni. «La ricordo bene» disse mentre si inginocchiava sull'erba. «Una buona cristiana. Si rivolterebbe nella tomba se sapesse che il suo terzogenito è nel braccio della morte.»

«E quello?» chiese Adam. Indicò la lapide del marito di Lydia, Nathaniel Lucas Cayhall, morto nel 1952 a sessantaquattro anni. L'espressione affettuosa sparì dal volto di Lee. «Era una vecchia carogna» affermò. «Sono sicura che sarebbe orgoglioso di Sam. Nat, lo chiamavano così, fu ucciso a un funerale.»

«A un funerale?»

«Sì. Per tradizione, da queste parti i funerali erano occasioni sociali. Erano preceduti da lunghe veglie, con tante visite e mangiate. E bevute. La vita era dura, nel Sud rurale, e spesso i funerali si trasformavano in risse fra ubriachi. Nat era un tipo molto violento. Attaccò briga con gli uomini sbagliati subito dopo un rito funebre e quelli lo massacrarono a bastonate.»

«Dov'era Sam?»

«In mezzo alla rissa. Fu ferito ma sopravvisse. Io ero bambina e ricordo il funerale di Nat. Sam era all'ospedale e non poté partecipare.»

«E si vendicò?»

«Naturalmente.»

«Come?»

«Non si sono mai trovate le prove; comunque, dopo diversi anni i due uomini che avevano massacrato Nat uscirono dal carcere. Si fecero vedere per qualche tempo da queste parti, poi sparirono. Mesi dopo, uno fu trovato morto nelle vicinanze, nella contea di Milburn. Ucciso a bastonate, ovviamente. Dell'altro non si seppe più nulla. La polizia interrogò Sam e i suoi fratelli, ma non c'erano prove.»

«Credi che sia stato lui?»

«Ne sono sicura. A quei tempi nessuno dava fastidio ai Cayhall. Si sapeva che erano mezzi matti e malvagi come il demonio.»

Lasciarono le tombe di famiglia e proseguirono lungo il sentiero. «Quindi, Adam, la domanda che dobbiamo rivolgerci è: dove seppelliremo Sam?»

«Credo che dovremmo seppellirlo in mezzo ai neri. Gli starebbe bene.»

«E cosa ti fa pensare che lo vorrebbero fra loro?»

«Ottima osservazione.»

«Dai, parliamo sul serio.»

«Io e Sam non siamo ancora arrivati a questo punto.»

«Credi che vorrà essere sepolto qui? Nella contea di Ford?»

«Non lo so. Non ne abbiamo discusso, per ragioni evidenti. C'è ancora speranza.»

«Quanta?»

«Un filo. Abbastanza per continuare a lottare.»

Uscirono a piedi dal cimitero e si avviarono per una strada tranquilla con i marciapiedi consunti e querce antiche. Le case erano vecchie e ben dipinte, con lunghi portici e gatti sdraiati sui gradini. I bambini correvano in bicicletta e skateboard, e i vecchi seduti sui dondoli salutavano a cenni. «Io venivo qui a giocare, Adam» disse Lee mentre giravano senza meta. Teneva le mani affondate nelle tasche dei jeans e aveva gli occhi inumiditi da ricordi tristi che si mescolavano ad altri piacevoli. Guardava ognuna delle case come se le avesse frequentate da bambina e ricordasse le piccole amiche di un tempo. Udiva le risatine, le battute infantili e i litigi.

«Erano tempi felici?» chiese Adam.

«Non lo so. Non abitavamo in città, quindi ci conoscevano come ragazzi di campagna. Avevo sempre sognato una di queste case, con tanti amici intorno e i negozi a pochi isolati di distanza. I ragazzini di città si consideravano un po' superiori a noi, ma non era un grosso problema. Le mie migliori amiche vivevano qui, e io passavo ore a giocare in queste strade, ad arrampicarmi su questi alberi. Erano bei tempi, credo. I ricordi della casa in campagna non sono piacevoli.»

«Per colpa di Sam?»

Una donna anziana con l'abito a fiori e un ampio cappello di paglia stava spazzando i gradini quando si avvicinarono. Li sbirciò, poi restò immobile a fissarli. Lee rallentò e si fermò accanto al vialetto che conduceva alla casa. Guardò la vecchia, e la vecchia guardò lei. «Buongiorno, signora Langston» disse Lee in tono amichevole.

La signora Langston strinse più forte il manico della scopa, si irrigidì e continuò a guardarla.

«Sono Lee Cayhall. Si ricorda di me?» insistette Lee.

Mentre quel cognome, Cayhall, aleggiava sul praticello, Adam si sorprese a guardarsi intorno per vedere se l'aveva udito qualcun altro. Sarebbe stato imbarazzante. Non si capiva se la signora Langston si ricordava di Lee. Fece un cenno educato di saluto, un movimento rapido della testa, piuttosto impacciato come se volesse dire: "Buongiorno, e adesso se ne vada".

«Lieta di averla rivista» la salutò Lee, e s'incamminò di nuovo. La signora Langston salì in fretta i gradini e sparì in casa. «Uscivo con suo figlio quando studiavo alle superiori» continuò Lee, e scrollò la testa con fare incredulo.

«Si è emozionata nel vederti.»

«È sempre stata un po' matta» disse Lee in tono non molto convinto. «O forse ha paura di parlare con una Cayhall. Ha paura di quello che potrebbero dire i vicini.»

«Forse è meglio che rimaniamo in incognito per il resto della giornata. Cosa ne dici?»

«D'accordo.»

Passarono davanti ad altra gente che lavorava nelle aiole e aspettava il postino, ma nessuno disse niente. Lee si coprì gli occhi con gli occhiali da sole. Si aggirarono nel quartiere, avviandosi verso la piazza centrale, e parlarono dei vecchi amici di Lee e di dov'erano adesso. Era rimasta in contatto con due di loro, uno a Clanton e uno nel Texas. Evitarono di parlare della storia della famiglia finché non arrivarono in una strada dove le case con strutture di legno erano più piccole e più vicine l'una all'altra. Si fermarono all'angolo, e Lee indicò qualcosa, più avanti.

«Vedi la terza casa a destra, quella piccola dipinta di marrone?»

«Sì.»

«Voi abitavate là. Potremmo passarci davanti, ma vedo che c'è gente.»

Due bambini giocavano con le pistole sul prato e qualcuno stava seduto sul dondolo, sotto lo stretto portico. Era una casa quadrata, piccola, linda, ideale per una giovane coppia con figli.

Adam aveva quasi tre anni quando Eddie ed Evelyn erano spariti da Clanton e adesso, fermo all'angolo, cercava disperatamente di ricordare qualcosa della casa, ma non ci riusciva.

«A quel tempo era dipinta di bianco e naturalmente gli alberi erano più piccoli. Eddie l'aveva presa in affitto da un'agenzia immobiliare.»

«Era bella?»

«Sì, abbastanza. Erano sposati da poco. Due ragazzini con un figlio. Eddie lavorava in un negozio di ricambi per auto; in seguito fu assunto dal dipartimento autostrade dello stato. Poi trovò un altro lavoro.»

«Mi ricorda qualcosa.»

«Evelyn lavorava part-time in una gioielleria della piazza. Credo che fossero felici. Lei non era di qui, sai, quindi non conosceva molta gente. Stavano molto fra loro.»

Passarono davanti alla casa e uno dei bambini puntò un mitra arancio contro Adam. Il luogo non gli evocava nessun ricordo. Sorrise al bambino e distolse gli occhi. Arrivarono in un'altra strada, in vista della piazza.

Lee era diventata la guida turistica e storica. I nordisti avevano incendiato Clanton nel 1863, quei bastardi, e dopo la guerra di Secessione il generale Clanton, un eroe confederato la cui famiglia era padrona della contea, era tornato a casa senza una gamba, persa sul campo di battaglia di Shiloh, e aveva progettato il nuovo tribunale e le strade circostanti. I suoi disegni originali erano appesi alle pareti ai piani superiori del tribunale. Il generale aveva voluto molta ombra, e perciò aveva piantato le querce in filari perfetti intorno al nuovo tribunale. Era un uomo lungimirante che già vedeva la cittadina risorgere dalle ceneri e prosperare; di conseguenza aveva progettato le strade in un quadrato perfetto intorno al grande prato del tribunale. Lee disse che erano passati accanto alla sua tomba, poco prima, e fra poco gliel'avrebbe mostrata.

C'era una zona pedonale con negozi a nord della cittadina e una fila di grandi empori economici a est, ma gli abitanti della contea di Ford amavano ancora fare la spesa nella piazza il sabato mattina, spiegò Lee mentre camminavano sul marciapiedi, vicino a Washington Street. Il traffico era tranquillo e i pedoni procedevano ancora più lentamente. Le costruzioni erano vecchie e unite una all'altra, piene di studi legali e agenzie di assicurazioni, banche e piccoli ristoranti, negozi di ferramenta e di abbigliamento. Il marciapiede era coperto da tendoni, pensiline e verande degli uffici e dei negozi. C'erano ventilatori cigolanti che giravano stancamente. Si fermarono davanti a un'antica farmacia e Lee si tolse gli occhiali. «Era uno dei ritrovi preferiti» spiegò. «C'era una fontanella di soda con un juke-box e rastrelliere piene di fumetti. Potevi avere un enorme gelato alla ciliegia per cinque cent e ci volevano ore per mangiarlo. E anche di più, se c'erano i ragazzi.»

Sembrava la scena di un film, pensò Adam. Si fermarono

davanti al ferramenta a guardare, chissà perché, badili, zappe e rastrelli appoggiati alla vetrina. Lee osservava la porta malconcia a due battenti, tenuta aperta da mattoni, e pensava a qualche episodio della sua infanzia. Ma lo tenne per sé.

Attraversarono la strada tenendosi per mano e passarono davanti a un gruppo di vecchi che masticavano tabacco e tagliuzzavano pezzi di legno intorno al monumento ai caduti. Lee indicò una statua e spiegò a voce bassa che quello era il generale Clanton, con tutte e due le gambe. Il tribunale era chiuso perché era sabato. Presero due cola a un distributore e le bevvero seduti in un gazebo nel prato. Lee raccontò la vicenda del processo più famoso nella storia della contea di Ford, il processo per omicidio contro Carl Lee Hailey, nel 1984. Era un nero che aveva sparato, uccidendoli, a due bifolchi bianchi che gli avevano violentato la figlioletta. C'erano state marce e manifestazioni di protesta, neri da una parte e Klan dall'altra, e la Guardia Nazionale si era accampata intorno al tribunale per mantenere l'ordine. Lei era venuta apposta da Memphis, un giorno, per assistere allo spettacolo. Hailey era stato assolto da una giuria formata interamente da bianchi.

Adam ricordava il processo. Frequentava il terzo anno a Peppardine, e l'aveva seguito sui giornali perché si svolgeva nella città dov'era nato.

Quando era bambina c'erano pochi svaghi, e ai processi accorreva sempre molta gente. Sam aveva portato Lee ed Eddie, una volta, in quel tribunale per il processo a un tale accusato di aver ucciso un cane da caccia. Era stato giudicato colpevole e condannato a un anno di carcere. La contea si era spaccata in due: i cittadini criticavano la condanna per un reato tanto trascurabile, ma i campagnoli davano molta importanza a un buon cane da caccia. Sam si era compiaciuto perché l'uomo era stato condannato.

Lee voleva mostrargli qualcosa. Girarono intorno al tribunale e raggiunsero l'entrata posteriore, dove c'erano due fontanelle a tre metri l'una dall'altra, in disuso da anni. Una era stata riservata ai bianchi, l'altra ai neri. Ricordava il caso di Rosia Alfie Gatewood, chiamata Miss Allie, la prima nera a bere alla fontana dei bianchi senza essere aggredita. Poco tempo dopo, le tubature erano state staccate.

Trovarono un tavolino libero in un ristorantino affollato che si chiamava semplicemente The Tea Shoppe, sul lato ovest della piazza. Lee raccontò diversi aneddoti, tutti gradevoli e qualcuno divertente, mentre mangiavano hamburger e patatine fritte. Lee non si tolse gli occhiali e Adam notò che osservava la gente.

Lasciarono Clanton dopo aver pranzato ed essere tornati a piedi al cimitero. Adam guidava e Lee forniva le indicazioni fino a quando si immisero su una highway di contea che passava in mezzo a piccole fattorie ordinate con le mucche al pascolo sulle colline. Ogni tanto incontravano qualche località popolata da stracci bianchi, con roulotte cadenti e macchine semisfasciate, e qualche altra di catapecchie ancora abitate da neri poverissimi. Ma la campagna era bella, e la giornata splendida.

Lee diede un'altra indicazione, e svoltarono in una piccola strada asfaltata che si addentrava serpeggiando fra la vegetazione. Si fermarono finalmente davanti a una bianca casa di legno disabitata, con le erbacce nel portico e l'edera che si insinuava nelle finestre. Era a cinquanta metri dalla strada, e il viale ghiaiato che la raggiungeva era rovinato da solchi e impercorribile. Il prato era invaso da erbacce e cardi. La cassetta per le lettere era appena visibile nel fosso a lato della strada.

«La proprietà Cayhall» mormorò Lee. Rimasero a lungo seduti in macchina a guardare la piccola casa squallida.

«Cos'è successo?» chiese finalmente Adam.

«Oh, era una bella casa. Ma poco fortunata. I suoi abitanti erano un fallimento.» Si tolse gli occhiali e si asciugò gli occhi. «Sono vissuta qui per diciotto anni, e non vedevo l'ora di andarmene.»

«Perché fu abbandonata?»

Lei respirò profondamente e cercò di riordinare i ricordi. «Credo che fosse stata pagata interamente molti anni fa, ma papà la ipotecò per pagare gli avvocati dell'ultimo processo. Naturalmente non tornò più e a un certo momento la banca pretese il saldo. Ci sono trentadue ettari di terreno e andò tutto perduto. Non ero più tornata da allora. Avevo chiesto a Phelps di acquistarla, ma lui disse di no. Non potevo dargli torto. E a essere sincera, non la volevo nemmeno io. Più tardi seppi da certi amici di queste parti che era stata affittata diverse volte; alla fine fu abbandonata. Non sapevo neppure se era ancora in piedi.»

«Dove finirono gli effetti personali?»

«Il giorno prima di prendersela, la banca mi permise di venire a portar via quello che volevo. Presi diverse cose: album di fotografie, ricordi, agende, Bibbie, qualche oggetto di valore della mamma. Sono in magazzino a Memphis.»

«Mi piacerebbe vederli.»

«I mobili non valevano niente, non c'era un solo pezzo discreto. Mia madre era morta, mio fratello si era suicidato da poco, mio padre era finito nel braccio della morte, e io non ero nello stato d'animo più adatto per conservare molta roba. Fu un'esperienza terribile, girare per quella casetta sporca e cercare di recuperare qualche oggetto che un giorno avrebbe potuto ispirare un sorriso. Oh diavolo, avrei voluto bruciare tutto. Per poco non lo feci.»

«Non dirai sul serio.»

«E invece sì. Ero qui da un paio d'ore quando decisi di bruciare la maledetta casa con tutto quel che c'era dentro. Succede spesso, no? Trovai una vecchia lanterna a cherosene, la misi sul tavolo di cucina e le parlai mentre mettevo la roba negli scatoloni. Sarebbe stato così facile.»

«Perché non lo facesti?»

«Non lo so. Vorrei averne avuto il coraggio. Ma ricordo che ero preoccupata per la banca che se l'era presa e, be', l'incendio doloso è un reato, no? Risi all'idea di finire in prigione con Sam. Perciò non accesi il fiammifero. Avevo paura di mettermi in un guaio e di finire in prigione.»

In macchina faceva molto caldo e Adam spalancò la portiera. «Voglio dare un'occhiata in giro» disse. Scese. Si avviarono lungo il vialetto ghiaiato e scavalcarono i solchi larghi mezzo metro. Si fermarono davanti al portico e guardarono le assi marce.

«Non voglio entrare» disse Lee in tono fermo, e svincolò la mano. Adam scrutò il portico cadente e decise di non salire. Si avviò lungo la facciata e guardò le finestre rotte dove penetrava l'edera. Prese per il vialetto che girava intorno alla casa e Lee lo seguì.

Il prato sul retro era ombreggiato da vecchie querce e da aceri, e in certi tratti, dove non arrivava il sole, il terreno era spoglio. Si estendeva per duecento metri in un leggero declivio, e si arrestava contro un boschetto. In distanza, la proprietà era circondata dal bosco.

Lee prese di nuovo la mano di Adam, e si incamminarono verso un albero accanto a un capanno di legno che, chissà per quali ragioni, era in condizioni migliori della casa. «Questo era il mio albero» disse Lee, alzando lo sguardo verso i rami. «Il mio noce americano.» La voce tremava leggermente.

«È un albero magnifico.»

«L'ideale per arrampicarsi. Passavo ore lassù, seduta fra i rami, dondolavo i piedi e appoggiavo il mento fra le foglie. In primavera e in estate mi arrampicavo fino a metà altezza, e nessuno riusciva a vedermi. Lassù avevo il mio piccolo mondo.»

Chiuse gli occhi all'improvviso e si coprì la bocca con la mano. Le spalle erano scosse da un tremito. Adam la cinse con un braccio e si sforzò di trovare qualcosa da dire.

«Successe proprio qui» disse Lee dopo un momento. Si morse le labbra e dominò le lacrime. Adam taceva.

«Una volta mi hai chiesto se era vera una certa storia» proseguì lei stringendo i denti mentre si asciugava le guance con il dorso delle mani. «La storia che papà uccise un nero.» Indicò la casa con la testa. Le mani le tremavano tanto che le affondò nelle tasche.

Trascorse un minuto mentre guardavano la casa. Nessuno dei due aveva voglia di parlare. L'unica porta sul retro si apriva su un portichetto quadrato, circondato da una ringhiera. Una brezza leggera scompigliava le fronde sopra di loro, e quello era l'unico suono.

Lee respirò a fondo e disse: «Si chiamava Joe Lincoln, e abitava là, in fondo alla strada, con la sua famiglia». Indicò quel che restava di un sentiero sterrato che costeggiava un campo e spariva nel bosco. «Aveva una dozzina di figli».

«Quince Lincoln?» chiese Adam.

«Sì. Cosa sai di lui?»

«Sam ha fatto il suo nome l'altro giorno mentre parlavamo di Eddie. Ha detto che lui e Eddie erano ottimi amici, da bambini.»

«Non ha accennato al padre di Quince, vero?»

«No.»

«Lo immaginavo. Joe lavorava per noi, e la sua famiglia abitava in una baracca: anche quella era di nostra proprietà. Era un brav'uomo con una famiglia numerosa; come tanti neri poveri, a quel tempo, riuscivano appena a sopravvivere. Conoscevo un paio dei suoi figli, ma non eravamo amici come Quince e Eddie. Un giorno i ragazzi stavano giocando qui sul prato. Era estate e le scuole erano chiuse. Hanno cominciato a discutere per un giocattolo, un soldatino confederato, e Eddie accusò Quince di averglielo rubato. Uno dei soliti litigi fra ragazzini. Mi pare che avessero otto o nove anni. Papà passò di lì per caso, e Eddie corse a dirgli che Quince gli aveva rubato il soldatino. Quince negò con forza. I due ragazzini erano rabbiosi e stavano per scoppiare in lacrime. Sam, secondo le sue abitudini, si infuriò e inveì contro Quince e disse che era un "piccolo sporco negro ladro" e un "bastardo". Sam rivoleva il soldatino. Quince si mise a piangere. Ripeteva che non l'aveva preso lui mentre Eddie continuava ad accusarlo. Sam afferrò il bambino, lo scrollò e lo prese a sculaccioni. Urlava e imprecava e bestemmiava. E Quince, giù a piangere e a supplicare. Sam lo trascinò un paio di volte intorno al prato senza smettere di scrollarlo e picchiarlo. Alla fine Quince si liberò e corse a casa. Eddie rientrò, e papà lo seguì ma dopo un momento uscì dalla porta con un bastone da passeggio e lo posò sotto il portico. Poi sedette sui gradini ad aspettare. Fumava e guardava il viottolo. La casa dei Lincoln non era lontana; e dopo pochi minuti, come prevedibile, Joe arrivò correndo, seguito da Quince. Si avviò alla casa, vide che papà era lì ad aspettarlo e rallentò il passo. Papà girò la testa e gridò: «Eddie! Vieni! Vieni a vedere come bastono questo sporco negro!».

Lee si avviò a passo lento verso la casa e si fermò a pochi metri dal portico. «Quando Joe arrivò più o meno qui, si fermò e guardò in faccia Sam. Disse qualcosa come: "Quince mi ha raccontato che l'ha picchiato, signor Sam". E mio padre rispose più o meno: "Quince è un piccolo sporco negro e un ladro, Joe. Dovresti insegnare ai tuoi figli che non si deve rubare". Cominciarono a litigare: si capiva che sarebbe finita a botte. Sam balzò dal portico e tirò il primo pugno. Ruzzolarono per terra e si azzuffarono come gatti. Joe era più giovane di qualche anno e più forte, ma papà era così furibondo e incattivito che la lotta era alla pari. Si scambiavano pugni in faccia, urlavano e tiravano calci come due animali.» Si interruppe e si guardò intorno, poi indicò la porta sul retro. «A un certo momento Eddie salì sotto il portico per osservare la scena. Quince era a pochi passi e gridava qualcosa a suo padre. Sam corse verso il portico, impugnò il bastone, e la situazione precipitò. Picchiò Joe in faccia e sulla testa fino a che quello cadde in ginocchio, e lo colpì ancora allo stomaco e all'inguine finché l'altro non riuscì più a muoversi. Joe girò la testa verso Quince e gli urlò di andare a prendere la doppietta. Quince corse via. Sam smise di picchiare e disse a Eddie: "Portami il fucile". Eddie restò immobile e papà urlò ancora. Joe era carponi per terra e cercava di riprendersi. Stava per rialzarsi quando Sam lo picchiò ancora e lo stese di nuovo a terra. Eddie entrò in casa e Sam si avvicinò al portico. Quando Eddie uscì dopo pochi secondi con un fucile, papà gli ordinò di rientrare. La porta si chiuse.»

Lee andò a sedere sul bordo del portico. Nascose la faccia fra le mani e pianse a lungo. Adam restò fermo a pochi passi. Fissava il suolo, ascoltava i singhiozzi e si chiedeva com'era possibile che Lee conoscesse i particolari. Quando finalmente lei lo guardò, aveva gli occhi vitrei, le guance macchiate di mascara, il naso che gocciolava. Si asciugò la faccia con le mani e le strofinò sui jeans. «Scusami» mormorò.

«Continua, per favore» la incalzò Adam.

Lee respirò a fondo e si asciugò di nuovo gli occhi. «Joe era là» disse, indicando un punto sull'erba non lontano da Adam. «Ce l'aveva fatta a rialzarsi. Si voltò e vide papà armato di fucile. Guardò verso casa sua, ma Quince non si vedeva; poi si girò di nuovo verso papà che si era fermato qui, sul bordo del portico. Allora il mio caro, dolce papà alzò lentamente il fucile, esitò un secondo, si guardò intorno per vedere se qualcuno lo stava osservando, e premette il grilletto. Così, semplicemente. Joe stramazzò a terra e non si mosse più.»

«E tu lo vedesti con i tuoi occhi?»

«Sì.»

«Dov'eri?»

«Là.» Fece un cenno con la testa. «Sul mio noce americano. Nascosta agli occhi del mondo.»

«Sam non poteva vederti?»

«Non poteva vedermi nessuno. Assistetti a tutta la scena.» Si coprì di nuovo gli occhi e si sforzò di reprimere le lacrime. Adam le sedette accanto.

Lei si schiarì la gola e distolse gli occhi. «Sam rimase a guardare Joe per un momento, pronto a sparare ancora se fosse stato necessario. Ma Joe non si mosse. Era morto. C'era una macchia di sangue sull'erba intorno alla sua testa. La vedevo dall'albero. Ricordo che piantai le unghie nella corteccia per non cadere. Ricordo che avrei voluto piangere ma avevo troppa paura. Non volevo che mio padre mi sentisse. Dopo qualche minuto arrivò Quince. Aveva sentito lo sparo e stava piangendo. Correva come un pazzo e piangeva. Quando vide suo padre steso a terra si mise a urlare come avrebbe fatto qualunque altro bambino. Mio padre alzò di nuovo il fucile, e per un momento ebbi la certezza che avrebbe sparato anche a lui. Ma Quince buttò a terra il fucile e corse accanto al padre. Piangeva e gemeva. Aveva una maglietta chiara che si macchiò di sangue. Sam si chinò a raccogliere la doppietta di Joe ed entrò in casa con tutti e due i fucili.»

Si alzò, mosse qualche passo. «Quince e Joe erano più o meno qui» disse, segnando il punto con il tacco. «Quince teneva la testa del padre contro lo stomaco, c'era sangue dappertutto, e gemeva, gemeva come un animale moribondo.» Lee si voltò a guardare il suo albero. «E io ero lassù, come un uccellino, e piangevo. In quel momento odiavo mio padre.»

«Dov'era Eddie?»

«In casa. Nella sua camera con la porta chiusa a chiave.» Lee indicò una finestra con i vetri rotti e un'anta mancante. «Quella era la sua stanza. Più tardi mi raccontò che aveva guardato fuori quando aveva sentito lo sparo e aveva visto Quince stringere il padre fra le braccia. Pochi minuti dopo arrivò di corsa Ruby Lincoln, seguita da una nidiata di figli. Si buttarono tutti a terra intorno a Quince e Joe, e... Dio, era orribile. Urlavano e piangevano e gridavano a Joe di alzarsi, di non morire.

«Sam entrò in casa e chiamò un'ambulanza. Chiamò anche

322

uno dei suoi fratelli, Albert, e un paio di vicini. Poco dopo c'era una folla sul prato. Sam e i suoi compari erano sotto il portico con i loro fucili e guardavano i familiari di Joe che avevano trascinato il cadavere sotto quell'albero.» Lee indicò una grossa quercia. «L'ambulanza arrivò dopo un'eternità e portò via il morto. Ruby e i figli tornarono a casa, e mio padre e i suoi compari si fecero quattro risate sotto il portico.»

«Quanto rimanesti sull'albero?»

«Non lo so. Appena tutti se ne andarono, scesi e scappai nel bosco. Io e Eddie avevamo un posto preferito in riva a un ruscello, e sapevo che lui sarebbe venuto a cercarmi. E fu così. Era spaventato, senza fiato. Mi parlò della sparatoria e gli dissi che avevo visto tutto. All'inizio non mi credeva, ma gli riferii i particolari. Eravamo terrorizzati. Eddie si frugò in tasca e tirò fuori qualcosa. Era il soldatino confederato che aveva causato la lite con Quince. L'aveva trovato sotto il letto, e aveva concluso che quanto era successo era colpa sua. Giurammo di mantenere il segreto. Lui promise di non dire mai a nessuno che avevo assistito all'omicidio e io promisi di non dire mai a nessuno che aveva ritrovato il soldatino. Lo buttò nel ruscello.»

«E non l'avete mai detto a nessuno?»

Lee scosse la testa, a lungo.

«Sam non è mai venuto a sapere che eri nascosta sull'albero?» chiese Adam.

«No. Non lo dissi neppure alla mamma. Qualche volta io e Eddie ne parlavamo; ma con il passare del tempo seppellimmo il ricordo. Quando tornammo a casa, i nostri genitori stavano litigando furiosamente. Mia madre era isterica, mio padre sembrava impazzito. Credo che l'avesse picchiata. Lei ci afferrò e ci disse di salire in macchina. Stavamo uscendo dal vialetto a marcia indietro quando arrivò lo sceriffo. Girammo per un po'. La mamma era al volante, io e Eddie eravamo dietro e avevamo troppa paura per parlare. Lei non sapeva cosa dire. Immaginavamo che avrebbero arrestato papà, ma quando ci fermammo nel vialetto lui era seduto sotto il portico come se non fosse successo niente.»

«Cosa fece lo sceriffo?»

«Niente. Lui e Sam parlarono per un po'. Sam gli mostrò la

doppietta di Joe e spiegò che aveva sparato per legittima difesa. Uno sporco negro morto in più... cosa contava?»

«Non fu arrestato?»

«No, Adam. Nel Mississippi del 1950 le cose andavano così. Sono sicura che lo sceriffo ci rise sopra, diede una pacca sulle spalle a Sam, gli disse di fare il bravo e se ne andò. Gli permise addirittura di tenere la doppietta di Joe.»

«È incredibile.»

«Noi speravamo che finisse in prigione per qualche anno.»

«Cosa fecero i Lincoln?»

«Cosa potevano fare? Chi li avrebbe ascoltati? Sam proibì a Eddie di vedere Quince, e per essere sicuro che i due ragazzini non si frequentassero, sfrattò i Lincoln.»

«Mio Dio!»

«Gli diede una settimana di tempo per andarsene, e lo sceriffo venne a buttarli fuori. Era uno sfratto legale, spiegò Sam a mia madre. Fu l'unica volta che pensai che forse lo avrebbe piantato. Vorrei che l'avesse fatto.»

«Eddie non rivide più Quince?»

«Molti anni dopo. Quando Eddie prese la patente, andò a cercare i Lincoln. Si erano stabiliti in una piccola comunità dall'altra parte di Clanton, e fu là che li trovò. Si scusò e ripeté cento volte quanto gli dispiaceva. Non ridiventarono amici. Ruby gli chiese di andarsene. Eddie mi raccontò che abitavano in una catapecchia cadente senza l'elettricità.»

Lee raggiunse il noce americano e sedette, appoggiandosi al tronco. Adam la seguì e si appoggiò a sua volta. La guardò e pensò a tutti gli anni che si era portata dentro quel peso. Pensò a suo padre, all'angoscia che lo aveva tormentato, alle cicatrici incancellabili che lo avevano segnato fino alla morte. Adesso Adam aveva una prima spiegazione della distruzione di suo padre, e si chiedeva se un giorno sarebbe stato possibile ricostruire la verità. Pensò a Sam e mentre guardava il portico aveva l'impressione di vedere un uomo più giovane con un fucile fra le mani e l'odio stampato in faccia. Lee singhiozzava piano.

«E Sam cosa fece dopo?»

Lee si sforzò di dominarsi. «In casa ci fu un gran silenzio per una settimana, forse per un mese, non so. Ma mi sembrò che passassero anni prima che qualcuno aprisse bocca a tavola. Eddie stava chiuso a chiave in camera sua. La notte lo sentivo piangere, e mi ripeteva di continuo che odiava suo padre. Desiderava che morisse. Voleva scappare da casa. Si considerava responsabile di tutto. La mamma si preoccupava e passava molto tempo con lui. Quanto a me, credevano che quando era successo fossi nel bosco a giocare. Poco dopo il mio matrimonio con Phelps, cominciai ad andare di nascosto da uno psichiatra. Cercavo di risolvere il problema con la terapia, e volevo che Eddie facesse altrettanto. Ma non mi ascoltava. L'ultima volta che parlai con lui prima che morisse, rievocò quel delitto. Non l'aveva mai superato.»

«E tu l'hai superato?»

«Non ho detto questo. La terapia servì a qualcosa, ma mi domando ancora oggi cosa sarebbe successo se avessi urlato prima che papà premesse il grilletto. Avrebbe ucciso Joe mentre sua figlia lo guardava? Non credo.»

«Suvvia, Lee. È successo quarant'anni fa. Non puoi considerarti responsabile.»

«Eddie dava la colpa a me. E a se stesso. Continuammo ad accusarci l'un l'altra fino a quando crescemmo. Eravamo bambini quando successe e non potevamo rivolgerci ai nostri genitori. Eravamo indifesi.»

Nella mente di Adam turbinavano cento interrogativi sull'uccisione di Joe Lincoln. Era improbabile che Lee ne parlasse ancora, in futuro, e voleva sapere tutto ciò che era successo, ogni piccolo particolare. Dov'era sepolto Joe? Che fine aveva fatto la sua doppietta? Il giornale locale aveva dato notizia della sparatoria? C'era stato un processo istruttorio? Sam ne aveva mai parlato con i figli? Dov'era la madre di Lee durante il litigio? Aveva sentito le grida e lo sparo? Cos'era successo alla famiglia di Joe? Viveva ancora nella contea di Ford?

«Bruciamola, Adam» propose Lee in tono energico mentre si asciugava il viso.

«Non dirai sul serio.»

«Sì, invece! Bruciamo tutto quanto, la casa, il capanno, quest'albero, l'erba. Non ci vorrà molto. Bastano un paio di fiammiferi qua e là. Su, vieni.»

«No, Lee.»

«Vieni.»

Adam si piegò e la prese gentilmente per il braccio. «Andiamo, Lee. Per oggi ne ho sentite abbastanza.»

Non incontrò nessuna resistenza. Anche lei ne aveva avuto abbastanza. L'aiutò a passare fra le erbacce, a girare intorno alla casa, a superare i solchi nel viale. Ritornarono alla macchina.

Lasciarono la vecchia proprietà Cayhall senza una parola. La strada sterrata diventò ghiaiata. Si fermarono all'intersezione con un'highway. Lee indicò a sinistra quindi chiuse gli occhi come se cercasse di addormentarsi. Girarono intorno a Clanton e si fermarono a un emporio presso Holly Springs. Lee disse che voleva una cola, e insistette per scendere a prenderla. Tornò in macchina con una confezione da sei birre e offrì una bottiglia ad Adam. «Come mai?» chiese lui.

«Solo un paio» rispose Lee. «Ho i nervi a pezzi. Ma non lasciare che ne beva più di due, d'accordo? Due e basta.»

«Sarebbe meglio di no.»

«Oh, va bene così» ribatté lei. Aggrottò la fronte e bevve un sorso.

Adam rifiutò la birra e ripartì in fretta. Lee scolò due bottiglie in un quarto d'ora e si addormentò. Adam mise la confezione sul sedile posteriore e si concentrò sulla guida.

Sentiva il bisogno improvviso di lasciare il Mississippi e aveva nostalgia delle luci di Memphis.

27

Esattamente una settimana prima si era svegliato con un tremendo mal di testa e lo stomaco sottosopra ed era stato costretto ad affrontare il bacon grasso e le uova oleose preparate da Irene Lettner. Negli ultimi sette giorni era stato dal giudice Slattery, a Chicago, a Greenville, nella contea di Ford e a Parchman. Aveva conosciuto il governatore e il procuratore generale dello stato. Da sei giorni non parlava con il suo cliente.

Al diavolo il suo cliente. Adam era rimasto seduto nel patio a guardare il traffico fluviale e a bere caffè decaffeinato fino alle due del mattino. Aveva scacciato le zanzare e lottato con le vivide immagini di Quince Lincoln che stringeva a sé il padre morto mentre Sam Cayhall stava sotto il portico ad ammirare il risultato della sua prodezza. Gli sembrava di udire le risate soffocate di Sam e dei suoi compari mentre Ruby Lincoln e i figli si buttavano in ginocchio intorno al corpo e lo trascinavano attraverso il prato sotto l'ombra di un albero. Gli pareva di vedere Sam davanti casa mentre, con i due fucili fra le mani, spiegava allo sceriffo che quel pazzo di uno sporco negro aveva cercato di ucciderlo e lui aveva dovuto difendersi. Lo sceriffo aveva capito subito, naturalmente. Udiva i bisbigli dei bambini tormentati, Lee e Eddie, che incolpavano se stessi e non riuscivano a superare l'orrore per il gesto di Sam. E imprecò contro una società così disposta a ignorare la violenza contro una classe disprezzata.

Aveva dormito un sonno agitato. A un certo punto si era seduto sul bordo del letto e aveva dichiarato a se stesso che Sam poteva trovarsi un altro avvocato, che la pena di morte poteva essere appropriata per certi individui, soprattutto per suo nonno, e che sarebbe tornato subito a Chicago e avrebbe cambiato di nuovo cognome. Ma il sogno si dissolse, e quando si svegliò definitivamente la luce del sole filtrava fra le stecche della veneziana e disegnava linee nettissime sul letto. Contemplò il soffitto e la modanatura lungo le pareti per mezz'ora, e ripensò al viaggio a Clanton. Quel giorno, dato che era domenica, si sarebbe alzato tardi e avrebbe trovato un giornale più voluminoso e un caffè forte. Nel pomeriggio sarebbe andato in ufficio. Al suo cliente restavano diciassette giorni di vita.

Lee aveva finito una terza birra dopo che erano arrivati a casa, poi era andata a letto. Adam l'aveva osservata con attenzione: si aspettava una sbronza isterica o una scivolata improvvisa in uno stato di stordimento alcolico. Invece si era mostrata tranquilla e composta, e durante la notte non si era fatta sentire.

Finì la doccia, non si fece la barba, e andò in cucina dove lo attendeva l'avanzo sciropposo del primo bricco di caffè. Lee era alzata da un po'. La chiamò e andò a cercarla nella sua camera. Controllò in fretta nel patio e girò da una stanza all'altra. Non c'era. Il giornale della domenica era posato sul tavolino del soggiorno.

Adam preparò caffè fresco e pane tostato, e portò la colazione nel patio. Erano quasi le nove e mezzo, e per fortuna il cielo era nuvoloso e la temperatura non era soffocante. Sarebbe stata una giornata adatta per lavorare in ufficio. Lesse il giornale, incominciando dalla rubrica di apertura.

Forse Lee aveva fatto una corsa al supermercato o qualcosa del genere. Forse era andata in chiesa. Non avevano preso l'abitudine di lasciare biglietti per comunicare l'uno all'altro cosa facevano. Ma Lee non aveva parlato di andare da qualche parte, quella mattina.

Adam aveva mangiato una fetta di pane tostato con la marmellata di fragola quando l'appetito lo abbandonò. La prima pagina della cronaca pubblicava un altro pezzo su Sam Cayhall, con la stessa foto di dieci anni prima. Era un breve riepilogo pettegolo degli sviluppi dell'ultima settimana, con una scheda cronologica che elencava le date più importanti del caso. Accanto all'8 agosto 1990 c'era un punto interrogativo. Ci sarebbe stata l'esecuzione? Evidentemente la direzione aveva lasciato a Todd Marks tutto lo spazio che voleva, perché il pezzo non conteneva quasi niente di nuovo. La parte più preoccupante era costituita da alcune affermazioni di un professore di diritto dell'Università del Mississippi, un esperto di questioni costituzionali che si era occupato di molti casi di condanne a morte. Il professore non nascondeva le sue opinioni, e la considerazione finale era che Sam fosse ormai alla fine. Aveva studiato a lungo il caso, anzi l'aveva seguito per molti anni, e riteneva che a Sam non restasse più niente da fare. Spiegò che in molti casi di condanne a morte è possibile un miracolo all'ultimo momento perché il detenuto è stato danneggiato da un'assistenza legale mediocre, per esempio uno come lui, spesso riusciva a tirar fuori un coniglio dal cilindro grazie alla propria genialità e quindi era in grado di sollevare questioni ignorate da avvocati di levatura inferiore. Purtroppo la situazione di Sam era diversa perché era stato ottimamente difeso da certi formidabili avvocati di Chicago.

Gli appelli di Sam erano stati preparati con abilità, ma erano esauriti. Il professore, che evidentemente amava il gioco d'azzardo, scommetteva cinque a uno che l'esecuzione sarebbe avvenuta l'8 agosto. E per le sue opinioni e la scommessa, si era guadagnato una foto sul giornale.

Adam si innervosì di colpo. Aveva letto dozzine di casi di condanne a morte in cui all'ultimo minuto gli avvocati sfoderavano argomentazioni che non avevano presentato prima, e convincevano i giudici ad ascoltarli. La giurisprudenza era piena di esempi di questioni legali che non erano state scoperte e sfruttate finché non era entrato in scena un avvocato nuovo che vedeva la situazione con occhi diversi e otteneva un sospensione. Ma il professore di diritto aveva ragione. Sam era stato fortunato. Anche se disprezzava gli avvocati di Kravitz & Bane, gli avevano assicurato una difesa formidabile. Ormai non restava altro che qualche mozione disperata, gli appelli dell'ultimo momento.

Buttò il giornale sul pavimento e rientrò per prendere un altro caffè. La porta scorrevole emise un "bip", il suono del nuovo sistema antifurto installato il venerdì precedente dopo che quello vecchio era scattato per errore e alcune chiavi erano sparite misteriosamente. Non c'erano segni di effrazione. Il servizio di sicurezza era efficiente e rigoroso. E Willis non sapeva con precisione quante chiavi aveva per ogni unità. La polizia di Memphis era giunta alla conclusione che la porta scorrevole non era stata chiusa a chiave e si era aperta da sé. Adam e Lee non si erano preoccupati.

Urtò inavvertitamente un bicchiere che stava accanto al lavello facendolo cadere e mandandolo in frantumi. Schegge di vetro gli rimbalzarono intorno ai piedi scalzi, e saltellando per evitarle andò nel ripostiglio per prendere una scopa e una paletta. Spazzò scrupolosamente i frammenti senza ferirsi e li versò nella pattumiera sotto il lavello. Qualcosa attirò la sua attenzione. Frugò nel sacco di plastica nera, a tentoni, fra i fondi ancora caldi del caffè e i pezzetti di vetro, finché trovò una bottiglia e la tirò fuori. Era una bottiglia di vodka da mezzo litro, vuota.

La liberò dai fondi di caffè e studiò l'etichetta. La pattumiera era piccola e di solito veniva vuotata a giorni alterni, a volte tutti i giorni. Adesso era piena a metà. La bottiglia non era lì da molto tempo. Aprì il frigo e cercò le tre bottiglie di birra che dovevano essere rimaste dalla confezione da sei. Lee ne aveva bevute due mentre tornavano a Memphis, e una a casa. Adam non ricordava dove avevano messo le altre tre, ma nel frigo non c'erano. Non erano neppure nella pattumiera in cucina, in soggiorno, nei bagni, nelle stanze da letto. Più le cercava e più era deciso a trovarle. Ispezionò la dispensa, lo sgabuzzino delle scope, l'armadio a muro della biancheria, gli armadietti e i pensili della cucina. Frugò nei cassetti. Si sentiva come un ladro ma continuava a cercare perché aveva paura.

Le tre bottiglie erano sotto il letto di Lee, naturalmente vuote, nascoste in una vecchia scatola da scarpe. Tre bottiglie vuote di Heineken riposte con cura, come se dovessero essere spedite in dono. Adam sedette sul pavimento e le esaminò. Erano state vuotate di recente, sul fondo c'era ancora qualche goccia.

Lee doveva pesare sui cinquantotto chili, ed era alta circa un metro e sessantotto. Era snella ma non troppo magra. Il suo organismo non poteva sopportare tanto alcol. Era andata a letto presto, verso le nove, e a un certo momento si era alzata di nascosto per prendere birre e vodka. Adam si appoggiò al muro. La sua mente turbinava. Si era data da fare per nascondere le bottiglie verdi, ma doveva aver previsto che sarebbe stata scoperta. Doveva sapere che Adam le avrebbe cercate. Perché non si era comportata con maggior prudenza con la bottiglia di vodka? Perché l'aveva nascosta nell'immondizia mentre aveva messo sotto il letto le bottiglie di birra?

Si rese conto che stava cercando di seguire il percorso di una mente razionale, non di una stordita dall'ubriachezza. Chiuse gli occhi e appoggiò la testa contro il muro. L'aveva accompagnata nella contea di Ford dove avevano visitato le tombe e rievocato un incubo, e dove Lee aveva comprato un paio di occhiali da sole per nascondersi la faccia. Ormai da due settimane lui aveva cercato di scoprire i segreti di famiglia e proprio il giorno prima se ne era visti sbattere in faccia alcuni. Si era detto che aveva bisogno di sapere. Non era certo del perché, ma sentiva di dover conoscere i motivi per cui la sua famiglia era così strana e violenta e piena d'odio.

E adesso si rendeva conto, per la prima volta, che forse era qualcosa di molto più complicato del disinvolto raccontare storie di famiglia. Forse era doloroso per tutti gli interessati. Forse il suo interesse egoistico per gli scheletri negli armadi era meno importante dell'equilibrio di Lee.

Rimise di nuovo sotto il letto la scatola da scarpe e ributtò la bottiglia di vodka nella pattumiera. Si vestì in fretta e uscì. Chiese alla guardia, al cancello, se aveva visto Lee. Secondo le sue annotazioni, era andata via quasi due ore prima, alle otto e dieci.

Alla Kravitz & Bane di Chicago gli avvocati avevano l'abitudine di passare la domenica in ufficio, ma evidentemente a Memphis la pensavano in modo diverso. Adam aveva la sede tutta per sé. Chiuse comunque la porta a chiave, e ben presto si perse nel complesso mondo legale della procedura dell'*habeas corpus*, cioè del mandato di comparizione, federale.

Ma gli era difficile concentrarsi e ci riusciva solo per brevi intervalli. Era preoccupato per Lee e odiava Sam. Sarebbe stato difficile guardarlo di nuovo in faccia, probabilmente l'indomani, attraverso la grata metallica del Braccio. Era fragile, pallido e avvizzito, e aveva diritto a un po' di commiserazione. L'ultima discussione aveva riguardato Eddie; e quando si era conclusa, Sam gli aveva chiesto di lasciar fuori dal Braccio le questioni di famiglia. Aveva già fin troppe cose da pensare, per il momento. Non era giusto rinfacciare vecchi peccati a chi sta per morire.

Adam non era un biografo né un geneaologista. Non aveva studiato sociologia o psichiatria e, a essere sinceri, al momento non aveva voglia di affrontare altre spedizioni nella storia enigmatica della famiglia Cayhall. Era un avvocato, alle prime armi ma pur sempre un avvocato, e il suo cliente aveva bisogno di lui.

Era il momento di fare l'avvocato e di accantonare il folklore.

Alle undici e mezzo fece il numero di Lee e ascoltò gli squilli del telefono. Lasciò un messaggio alla segreteria telefonica dicendole dov'era e pregandola di chiamarlo. Riprovò all'una, poi alle due. Nessuna risposta. Adam stava preparando un appello quando il telefono suonò.

Ma invece della voce armoniosa di Lee, sentì la voce secca di F. Flynn Slattery. «Signor Hall, sono il giudice Slattery. Ho riflettuto attentamente quella questione, e respingo tutte le istanze, inclusa la richiesta di sospensione dell'esecuzione» disse con un tono che era quasi allegro. «Per molte ragioni, ma non staremo a parlarne. Il mio cancelliere le invierà subito via fax il mio parere, quindi lo riceverà fra un momento.»

«Bene» rispose Adam.

«Dovrà appellarsi al più presto, sa. Le consiglio di farlo domattina.»

«Sto preparando l'appello in questo momento, vostro onore. Anzi, è quasi finito.»

«Bene. Quindi se l'aspettava.»

«Sì, signore. Ho cominciato a preparare l'appello poco dopo aver lasciato il suo ufficio, martedì.» Era una tentazione quasi irresistibile, tirare qualche frecciata a Slattery. Dopotutto, era lontano più di trecento chilometri. Ma era anche un giudice federale. Adam si rendeva conto che un giorno, molto presto, avrebbe potuto aver bisogno di nuovo di Sua Eccellenza.

«Buongiorno, signor Hall.» E Slattery riattaccò.

Adam girò una dozzina di volte intorno al tavolo poi andò

alla finestra a guardare la pioggia leggera che cadeva sul mall. Imprecò silenziosamente contro i giudici federali in genere e Slattery in particolare, poi tornò al computer, fissò a lungo lo schermo in attesa di un'ispirazione.

Batté e lesse, fece ricerche e stampate, guardò dalla finestra e sognò miracoli fino a quando venne buio. Aveva sprecato diverse ore gingillandosi con teorie inconsistenti e una delle ragioni per cui aveva continuato fino alle otto era che voleva lasciare a Lee il tempo di rientrare a casa.

Ma lei non c'era. La guardia disse che non era tornata. Non c'erano messaggi nella segreteria telefonica, a parte il suo. Per cena si preparò del popcorn nel forno a microonde, e guardò due film in cassetta. L'idea di telefonare a Phelps Booth gli ripugnava al punto da farlo quasi rabbrividire.

Pensò di dormire sul divano per sentire Lee se fosse tornata a casa. Ma dopo l'ultimo film salì nella sua camera e chiuse la porta.

28

La spiegazione per la sua scomparsa del giorno prima arrivò lentamente, ma quando Lee ebbe finito sembrava plausibile. Era stata all'ospedale tutto il giorno, disse mentre si aggirava lentamente nella cucina, per stare accanto a una delle sue ragazze dell'Auburn House. La povera bambina aveva appena tredici anni, e quello era il primo parto ma naturalmente ce ne sarebbero stati altri, ed era entrata in travaglio un mese prima. La madre era in prigione e la zia era in giro a spacciar droga, e la poverina non aveva nessun altro cui rivolgersi. Le era rimasta accanto per tutto il parto complicato. Ora madre e figlio stavano bene, e c'era un altro bambino indesiderato nei ghetti di Memphis.

La voce di Lee era rauca, gli occhi rossi e gonfi. Disse che era rientrata pochi minuti dopo l'una, e avrebbe voluto telefonare ma erano rimaste in sala travaglio per sei ore e in sala parto per due. Il St. Peter's Charity Hospital era uno zoo, soprattutto il reparto maternità e, ecco, non aveva potuto telefonare.

Adam era seduto a tavola in pigiama, beveva il caffè e guardava il giornale mentre Lee parlava. Non le aveva chiesto spiegazioni, aveva fatto il possibile per fingere di non essere preoccupato. Lee aveva insistito per preparare la colazione, uova strapazzate e gallette in scatola. Si dava da fare in cucina mentre parlava ed evitava di incontrare il suo sguardo.

«Come si chiama la ragazzina?» chiese Adam in tono serio, come se fosse profondamente interessato al racconto di Lee.

«Oh, Natasha. Natasha Perkins.»

«Ha appena tredici anni?»

«Sì. E la madre ne ha ventinove. Ci credi? A ventinove anni è già nonna.»

Adam scosse la testa. Stava guardando la rubrica del "Memphis Press" che riportava le novità anagrafiche della contea. Licenze di matrimonio. Istanze di divorzio. Nascite. Arresti. Morti. Controllò l'elenco delle nascite del giorno precedente e non trovò traccia della nuova maternità di Natasha Perkins.

Lee finì di azzuffarsi con le gallette in scatola. Le mise su un piatto con le uova, le servì, poi sedette all'estremità opposta della tavola, il più possibile lontano da Adam. «Buon appetito» disse con un sorriso forzato. La sua cucina era sempre fonte di commenti divertiti.

Adam sorrise come se tutto andasse bene. Avevano bisogno di un po' d'allegria, in quel momento, ma non erano capaci di fare gli spiritosi. «I Cubs hanno perso ancora» annunciò mentre pescava dal piatto una forchettata di uova e lanciava un'occhiata al giornale piegato.

«I Cubs perdono sempre, no?»

«Non sempre. Segui il baseball?»

«Lo odio. Phelps mi ha fatta detestare tutti gli sport noti all'umanità.»

Adam sorrise e lesse il giornale. Per qualche minuto mangiarono senza parlare. Il silenzio diventò opprimente. Lee schiacciò un tasto del telecomando, e il televisore sul banco della cucina si accese rumorosamente. Tutti e due si interessarono alle condizioni meteorologiche: di nuovo caldo secco. Lee si gingillava con il cibo, mordicchiava una galletta semicotta e rigirava le uova nel piatto. Adam sospettava che in quel momento avesse lo stomaco sottosopra.

Finì in fretta e portò il piatto al lavello. Tornò a sedere a tavola per continuare la lettura del giornale. Lee fissava la televisione, disposta a tutto pur di non guardare il nipote.

«Forse oggi vado a trovare Sam» disse lui. «Non ci vado da una settimana.»

Lee fissò il centro del tavolo. «Vorrei che sabato non fossimo andati a Clanton» confessò.

«Lo so.»

«Non è stata una buona idea.»

«Mi dispiace, Lee. Ho insistito per andare, e non era una buona idea. Ho insistito su tante cose, e forse ho sbagliato.»

«Non è giusto...»

«Lo so, non è giusto. Ora mi rendo conto che non è semplice scoprire la storia di famiglia.»

«Non è giusto nei confronti di Sam, Adam. È quasi una crudeltà rinfacciargli certe cose quando gli restano appena due settimane da vivere.»

«Hai ragione. Ed è un errore farle rivivere a te.»

«Mi riprenderò.» Lo disse come se in quel momento non stesse affatto bene, ma ci fosse qualche piccola speranza per il futuro.

«Perdonami, Lee. Mi dispiace veramente.»

«Va tutto bene. Cosa farete tu e Sam oggi?»

«Parleremo, soprattutto. La corte federale locale ieri ha respinto la mia istanza, quindi stamattina ci appelleremo. A Sam piace discutere le strategie legali.»

«Digli che penso a lui.»

«Glielo dirò.»

Lee allontanò il piatto e strinse la tazza con entrambe le mani. «E chiedigli se vuole che vada a trovarlo.»

«Lo desideri davvero?» chiese Adam, incapace di nascondere la sorpresa.

«Qualcosa mi dice che dovrei farlo. Non lo vedo da tanti anni.»

«Glielo chiederò.»

«E non parlargli di Joe Lincoln, d'accordo? Non ho mai detto a papà ciò che vidi quel giorno, e non mi perdonerebbe per averlo raccontato a te.»

«Tu e Sam non avete mai parlato di quel delitto?»

«Mai. Lo sapevano tutti. Io e Eddie siamo cresciuti sotto quel peso ma, per essere sincera, non aveva molta importanza per i nostri vicini. Mio padre aveva ammazzato un negro. Era il Mississippi del 1950. In casa nostra non se ne parlò mai.»

«Quindi Sam finirà nella tomba senza che nessuno gli abbia mai rinfacciato quell'uccisione?»

«Cosa ci guadagneresti a farlo? È stato quarant'anni fa.»

«Non so. Forse dirà che è pentito.»

«Credi che lo direbbe proprio a te? Si scuserebbe con te, e questo rimetterebbe tutto a posto? Andiamo, Adam, sei giovane e non puoi capire. Lascia perdere. Non far più soffrire quel vecchio. Ormai sei l'unica luce della sua esistenza patetica.»

«D'accordo, d'accordo.»

«Non hai nessun diritto di tendergli un tranello parlandogli di Joe Lincoln.»

«Hai ragione. Non lo farò. Te lo prometto.»

Lo fissò con gli occhi iniettati di sangue fino a quando Adam girò lo sguardo verso il televisore, poi si scusò in fretta e sparì, passando attraverso il soggiorno. Adam udì la porta del bagno che veniva chiusa a chiave. Si avviò in punta di piedi sulla moquette e si fermò nel corridoio. Restò in ascolto mentre Lee vomitava. Poi sentì lo scroscio dello sciacquone, e salì in camera sua per fare la doccia e cambiarsi.

Alle dieci Adam aveva completato il ricorso per la Corte d'Appello del Quinto Distretto, a New Orleans. Il giudice Slattery aveva già faxato una copia del suo decreto alla cancelleria del Quinto Distretto, e Adam faxò il suo appello poco dopo essere arrivato in ufficio. Poi spedì l'originale per mezzo della Federal Express, in modo che arrivasse l'indomani.

Ebbe anche il primo colloquio con il Cancelliere della Morte, un funzionario della Corte Suprema degli Stati Uniti il cui compito esclusivo è esaminare tutti gli appelli finali dei detenuti nel braccio della morte. Il Cancelliere della Morte spesso lavora ventiquattr'ore su ventiquattro via via che si avvicina il momento di un'esecuzione. E. Garner Goodman aveva messo in guardia Adam contro le macchinazioni del Cancelliere della Morte e del suo ufficio, perciò Adam fece la prima telefonata con una certa riluttanza.

Il cancelliere si chiamava Richard Olander ed era un tipo efficiente che già il lunedì mattina presto aveva un tono esausto. «Lo stavamo aspettando» disse come se il maledetto appello avesse dovuto essere depositato molto tempo prima. Chiese ad Adam se era la sua prima esecuzione.

«Sì, purtroppo. E mi auguro che sia l'ultima.»

«Be', senza dubbio ha scelto una causa persa» commentò il signor Olander; quindi spiegò minuziosamente il modo in cui la Corte si aspettava che venissero trattati gli appelli finali. Ogni ricorso, da quel momento e *fino alla fine*, indipendentemente dal luogo dove veniva presentato o dal contenuto, doveva essere depositato anche presso il suo ufficio: lo annunciò in tono piatto, come se leggesse un manuale. Anzi, avrebbe subito faxato ad Adam una copia della procedura della Corte, che doveva essere seguita scrupolosamente *fino alla fine*. Il suo ufficio era aperto ventiquattr'ore su ventiquattro, ripeté più di una volta, ed era indispensabile che ricevesse copia di tutto, se Adam voleva che il suo assistito venisse preso in esame con equità dalla Corte. Se invece Adam non ci teneva, be', bastava che seguisse la procedura a casaccio, e sarebbe stato il suo assistito a pagare.

Adam promise di attenersi alla procedura. La Corte Suprema si era stancata delle interminabili istanze presentate nei casi di condanna a morte, e voleva avere in mano tutte le mozioni e tutti gli appelli per affrettare i tempi. L'appello di Adam al Quinto Distretto sarebbe stato esaminato dai giudici e dai loro collaboratori molto tempo prima che la Corte ricevesse ufficialmente la documentazione da New Orleans. E questo sarebbe accaduto per tutte le sue istanze dell'ultima ora. Così la Corte avrebbe potuto concedere un rinvio immediato oppure negarlo con tempestività.

Il Cancelliere della Morte era così efficiente e fulmineo che in tempi recenti la Corte si era trovata in imbarazzo per aver respinto un appello prima ancora che venisse effettivamente depositato.

Poi il signor Olander spiegò che il suo ufficio aveva un elenco di tutti i possibili appelli e mozioni dell'ultimo minuto, e lui e i suoi abilissimi collaboratori controllavano ogni caso per accertare se fossero stati effettuati tutti i possibili ricorsi. E se un avvocato ometteva un potenziale appello, gli suggerivano di presentarlo. Adam desiderava una copia dell'elenco?

No, spiegò Adam, ce l'aveva già. E. Garner Goodman aveva scritto un libro sugli appelli dell'ultimo momento.

Benissimo, rispose il signor Olander. Al signor Cayhall restavano sedici giorni, ma naturalmente in sedici giorni possono succedere tante cose. Tuttavia, secondo il suo modesto parere, il signor Cayhall aveva potuto contare su un'ottima assistenza legale e la questione era stata dibattuta in modo esauriente. Sarebbe rimasto sorpreso, disse, se ci fossero stati ulteriori rinvii.

"Tante grazie" pensò Adam.

Il signor Olander e i suoi collaboratori stavano seguendo con la massima attenzione un caso in Texas. L'esecuzione era stata fissata per il giorno prima di quella di Sam ma, secondo lui, c'era una probabilità che si arrivasse a un rinvio. La Florida aveva un'esecuzione in programma due giorni dopo quella del signor Cayhall, la Georgia due per la settimana successiva, ma chi poteva sapere come sarebbe andata? Qualcuno del suo ufficio sarebbe stato a disposizione a tutte le ore, e lui sarebbe rimasto personalmente accanto al telefono durante le dodici ore precedenti l'esecuzione.

"Chiami pure quando vuole" concluse, e mise fine alla conversazione con la promessa laconica di facilitare il più possibile le cose ad Adam e al suo cliente.

Adam sbatté il ricevitore e incominciò a girare avanti e indietro nel suo ufficio. La porta era chiusa a chiave come al solito, e il corridoio era animato dalle chiacchiere vivaci del lunedì mattina. Il giorno prima la sua foto era riapparsa sul giornale e preferiva non farsi vedere. Chiamò l'Auburn House e chiese di Lee Booth, ma non c'era. Telefonò a casa e non ebbe risposta. Chiamò Parchman e disse all'agente di guardia all'entrata che sarebbe arrivato verso l'una.

Andò al computer e trovò una delle ricerche in corso, un condensato riepilogo cronologico del caso di Sam.

La giuria della contea di Lakehead aveva riconosciuto colpevole Sam il 12 febbraio 1981 e due giorni dopo aveva emesso la sentenza di condanna a morte. Sam si era appellato direttamente alla Corte Suprema del Mississippi, avanzando contestazioni di ogni genere a proposito del processo e dell'accusa ma puntando soprattutto sul fatto che il processo si era tenuto quasi quattordici anni dopo l'attentato. Il suo avvocato, Benjamin Keys, aveva sostenuto vigorosamente che a Sam era stato negato un processo sollecito. Inoltre il Quinto Emendamento stabiliva che non si può essere processati due volte per lo stesso reato mentre Sam era al terzo processo. Keys aveva presentato argomenti molto solidi. La Corte Suprema del Mississippi era sempre spaccata su questioni del genere, e il 23 luglio 1983 aveva emesso una sentenza non unanime confermando il verdetto di colpevolezza a carico di Sam. Cinque giudici avevano votato a favore, tre per l'annullamento e uno si era astenuto.

Keys, allora, aveva presentato alla Corte Suprema degli Stati Uniti la petizione per il Certiorari, in pratica un riesame del caso da parte della Corte Suprema stessa. Dato che la Corte accorda il certiorari in un numero ridottissimo di casi, tutti erano rimasti sorpresi quando, il 4 marzo 1983, essa aveva acconsentito a riesaminare il verdetto di colpevolezza. La Corte Suprema degli Stati Uniti si era spaccata più o meno quanto quella del Mississippi sulla questione del doppio processo; ma era pervenuta alla stessa conclusione. Le giurie dei primi due processi contro Sam non avevano raggiunto il verdetto grazie alle disonestà di T. Louis Brazelton, perciò Sam non era protetto dalla clausola del doppio processo contenuta nel Quinto Emendamento. Infatti non era stato assolto da nessuna delle due giurie; non essendo stato pronunciato alcun verdetto, il terzo processo era del tutto costituzionale. Il 21 settembre 1983 la Corte Suprema degli Stati Uniti aveva deciso, per sei voti contro tre, che il verdetto di colpevolezza emesso contro Sam era valido. Keys aveva presentato immediatamente alcune istanze per chiedere una nuova udienza, ma non era servito a nulla.

Sam si era rivolto a Keys perché lo rappresentasse al processo e nell'appello presso la Corte Suprema del Mississippi, se fosse stato necessario. Quando la Corte Suprema degli Stati Uniti riconfermò il verdetto di colpevolezza, Keys lavorava senza essere pagato. Il contratto per la rappresentanza legale era scaduto; perciò aveva scritto a Sam una lunga lettera spiegandogli che era venuto il momento di disporre diversamente. Sam aveva compreso.

Keys aveva scritto inoltre a un suo amico, un avvocato dell'ACLU, che stava a Washington, il quale a sua volta aveva segnalato la cosa all'amico E. Garner Goodman di Kravitz & Bane, a Chicago. La lettera era finita sulla scrivania di Goodman al momento giusto. A Sam restava poco tempo ed era ridotto alla disperazione. Goodman stava cercando un progetto pro bono. Avevano iniziato a scriversi e il 18 dicembre 1983 Wallace Tyner, un socio che seguiva la sezione reati dei colletti bianchi di Kravitz & Bane, aveva presentato un ricorso alla Corte Suprema del Mississippi per chiedere un riesame.

Tyner segnalava molti errori commessi nel processo contro Sam, inclusa l'ammissione fra le prove delle macabre fotografie dei corpi straziati di Josh e John Kramer. Attaccava la scelta dei giurati e sosteneva che McAllister aveva sistematicamente preferito i negri ai bianchi. Tyner affermava che un processo equo era stato impossibile perché il clima sociale del 1981 era molto diverso da quello del 1967, e la sede scelta dal giudice era prevenuta nei confronti del suo assistito. E sollevava di nuovo la questione del doppio processo e del giudizio sollecito. Nel complesso, Wallace Tyner e Garner Goodman avevano sollevato otto questioni separate nel loro ricorso. Tuttavia non avevano sostenuto che Sam era stato danneggiato da una difesa inefficiente, la tesi fondamentale di tutti i condannati a morte. Avrebbero voluto farlo, ma Sam non l'aveva permesso. All'inizio aveva rifiutato di firmare il ricorso perché attaccava Benjamin Keys, al quale era affezionato.

Il 1° giugno 1985 la Corte Suprema del Mississippi aveva respinto tutte le argomentazioni del ricorso. Tyner si era appellato nuovamente alla Corte Suprema degli Stati Uniti, ma il certiorari era stato negato. Allora aveva presentato la prima richiesta di *habea corpus* e di sospensione dell'esecuzione, depositandola presso la corte federale del Mississippi. Come accadeva sempre, la petizione era molto voluminosa e conteneva tutte le questioni già sollevate davanti alla corte dello stato.

Due anni dopo, il 3 maggio 1987, la corte distrettuale aveva respinto l'istanza e Tyner si era appellato al Quinto Distretto, a New Orleans, che a tempo debito aveva confermato la decisione della corte inferiore. Il 20 marzo 1988 Tyner aveva presentato una petizione per una nuova udienza al Quinto Distretto, ma anche quella era stata respinta. Il 3 settembre 1988 Tyner e Goodman si erano di nuovo rivolti alla Corte Suprema richiedendo il certiorari.

La Corte Suprema degli Stati Uniti aveva concesso a Sam l'ultima sospensione il 14 maggio 1989, in seguito alla concessione di certiorari che la stessa Corte aveva deciso per un caso avvenuto in Florida. Tyner aveva sostenuto con successo che il caso della Florida sollevava questioni molto simili, e la Corte Suprema aveva concesso sospensioni in diverse dozzine di altre condanne a morte comminate in tutto il paese.

Nel caso di Sam non erano state presentate altre istanze mentre la Corte Suprema dibatteva quello della Florida. Ma Sam, intanto, aveva cominciato a darsi da fare per liberarsi di Kravitz & Bane. Aveva presentato alcune mozioni rudimentali preparate da lui stesso, e tutte erano state respinte in fretta. Tuttavia era riuscito a ottenere dal Quinto Distretto un'ordinanza che poneva fine al patrocinio gratuito. Il 29 giugno 1990 il Quinto Distretto lo aveva autorizzato a rappresentare se stesso, e Garner Goodman aveva chiuso la pratica intestata a Sam Cayhall. Ma non era rimasta chiusa a lungo.

Il 9 luglio 1990 la Corte Suprema aveva annullato la sospensione dell'esecuzione. Il 10 luglio l'aveva annullata anche il Quinto Distretto, e nello stesso giorno la Corte Suprema del Mississippi aveva fissato la data per l'8 agosto, di lì a quattro settimane.

Dopo nove anni di guerra degli appelli, a Sam restavano sedici giorni da vivere.

29

Nel braccio della morte regnava il silenzio mentre un altro martedì si trascinava verso mezzogiorno. Un assortimento di ventilatori ronzava e sferragliava nelle piccole celle e faceva il possibile per smuovere l'aria che diventava sempre più afosa di minuto in minuto.

I primi telegiornali avevano trasmesso in toni eccitati che Sam Cayhall aveva perso l'ultima battaglia legale. La decisione di Slattery veniva annunciata in tutto lo stato come se fosse l'ultimo chiodo della bara di Sam. Una stazione di Jackson continuava il conto alla rovescia: mancavano solo quindici giorni. Quindici giorni! diceva una scritta in neretto sotto la solita, vecchia foto di Sam. I cronisti con la faccia coperta dal cerone, gli occhi scintillanti e scarse conoscenze legali sentenziavano intrepidi davanti alle telecamere: «Secondo le nostre fonti, tutte le possibilità legali di Sam sono esaurite. Molti ritengono che l'esecuzione avrà luogo l'8 agosto come stabilito». Poi passavano allo sport e alle previsioni del tempo.

Lunedì e martedì c'erano meno chiacchiere, meno grida, meno aquiloni che volavano di cella in cella. Stava per avvenire un'esecuzione.

Il sergente Packer sorrideva fra sé mentre procedeva lungo il Raggio A. Le contestazioni e i mugugni che facevano parte del suo lavoro quotidiano erano quasi spariti. I detenuti pensavano agli appelli e ai loro difensori. Nelle ultime due settimane la richiesta più frequente era stata quella di telefonare all'avvocato.

A Packer non sorrideva la prospettiva di un'altra esecuzione, ma quella tranquillità era piacevole. Sapeva che era temporanea. Se l'indomani Sam avesse ottenuto una sospensione, il chiasso sarebbe ripreso immediatamente.

Si fermò davanti alla cella di Sam. «È l'ora d'aria.»

Sam era seduto sul letto, batteva a macchina e fumava come al solito. «Che ora è?» chiese. Posò la macchina per scrivere e si alzò.

«Le undici.»

Sam voltò le spalle a Packer e infilò i polsi nell'apertura della porta. Packer lo ammanettò. «Esci da solo?» gli chiese.

Sam tornò a voltarsi con le mani dietro la schiena. «No, vuole uscire anche Henshaw.»

«Vado a prenderlo» rispose Packer, e fece un cenno verso l'estremità del Raggio. La porta si aprì, e Sam lo seguì lentamente, passando davanti alle altre celle. I detenuti stavano appoggiati alle sbarre, con le mani e le braccia penzoloni, e seguivano Sam con lo sguardo.

Oltrepassarono altre porte a sbarre lungo altri corridoi, e Packer aprì una porta metallica non verniciata che dava sull'esterno. La luce del sole parve esplodere. Sam detestava quel momento dell'ora d'aria. Uscì sull'erba e chiuse gli occhi mentre Packer gli toglieva le manette, poi li riaprì lentamente e attese che si abituassero allo splendore tormentoso del sole.

Packer rientrò senza dire una parola e Sam restò immobile per un minuto intero mentre le luci gli balenavano negli occhi e la testa martellava. Il caldo non gli dava fastidio perché ci era abituato, ma la luce del sole colpiva come un laser e gli causava un fortissimo mal di testa ogni volta che gli era permesso uscire dalla segreta. Avrebbe potuto permettersi un paio di occhiali da sole economici come quelli di Packer, ma naturalmente sarebbe stato troppo logico. Gli occhiali da sole non figuravano nell'elenco degli oggetti che i detenuti potevano possedere.

Mosse qualche passo malfermo sull'erba tagliata corta e guardò i campi di cotone oltre la recinzione. Il cortile non era altro che un praticello di terra ed erba cintato con due panchine di legno e un tabellone da pallacanestro per gli africani. Guardie e detenuti lo chiamavano il recinto dei tori. Sam l'aveva misurato a passi migliaia di volte, e aveva confrontato i risultati con quelli ottenuti dai compagni. Il cortile era lungo quindici metri e mezzo e largo undici. La recinzione era alta tre metri e coronata da altri quarantacinque centimetri di filo metallico tagliente. Oltre la recinzione si estendeva per una trentina di metri, fino alla recinzione principale, un tratto erboso che i guardiani potevano sorvegliare dalle torri.

Sam si avviò in linea retta a fianco della recinzione, e nel punto in cui finiva svoltò ad angolo retto e continuò la solita routine, contando ogni passo. Quindici metri e mezzo per undici. La sua cella era due metri per tre. La biblioteca giuridica, il Ramoscello, era cinque metri e mezzo per quattro e mezzo. La sua metà dello stanzone per i colloqui era due metri per sei. Gli avevano detto che il locale della camera era quattro metri e mezzo per quattro, e la camera a gas vera e propria un cubo di un metro e venti di lato.

Durante il primo anno di reclusione aveva fatto un po' di jogging intorno al cortile, cercando di sudare e far lavorare il cuore. Aveva anche tirato a canestro ma aveva desistito quando per giorni e giorni non era riuscito a infilarne neppure uno. Alla fine aveva rinunciato a fare esercizio; da anni approfittava di quell'ora semplicemente per godersi la libertà dalla cella. Una volta aveva preso l'abitudine di accostarsi alla recinzione e guardare al di là dei campi, in direzione degli alberi, dove poteva immaginare che fossero tante cose. Libertà. Strade. Partite di pesca. Cibo. Anche sesso, ogni tanto. Gli sembrava quasi di vedere la sua piccola fattoria nella contea di Ford, là, fra due piccole macchie boscose. Sognava il Brasile o l'Argentina o qualche altro rifugio lontano dove avrebbe potuto vivere sotto un nuovo nome.

Poi aveva smesso di fantasticare. Aveva smesso di guardare oltre la recinzione come se un miracolo potesse portarlo via. Camminava e fumava, quasi sempre da solo. La sua attività più movimentata era qualche rara partita a dama.

La porta si aprì di nuovo e uscì Hank Henshaw. Packer gli tolse le manette mentre socchiudeva gli occhi e guardava per terra. Si massaggiò i polsi appena furono liberi, e si stirò le gambe e la schiena. Packer si avvicinò a una panca e vi posò una scatola di cartone sciupata.

I due detenuti lo seguirono con gli occhi finché non lasciò il cortile, poi raggiunsero la panca e sedettero a cavalcioni, con la scatola in mezzo. Sam posò con cura la scacchiera mentre Henshaw contava le pedine.

«Questa volta il rosso tocca a me» disse Sam.

«L'hai avuto l'ultima volta» replicò Henshaw.

«L'ultima volta avevo il nero.»

«No, ce l'avevo io. Adesso mi tocca il rosso.»

«Senti, Hank, mi restano quindici giorni da vivere, e se voglio il rosso, devo avere il rosso.»

Henshaw scrollò le spalle e si arrese. Disposero con meticolosità le pedine.

«La prima mossa tocca a te» disse Henshaw.

«Certo.» Sam spostò una pedina in una casella libera, e la partita incominciò. Il sole di mezzogiorno cuoceva il terreno intorno a loro. In pochi minuti le tute rosse si incollarono alla pelle. Tutti e due portavano sandali di gomma da doccia senza calzini.

Hank Henshaw aveva quarantun anni, era nel Braccio da sette ma probabilmente non sarebbe mai entrato nella camera a gas. Nel corso del processo erano stati commessi due errori cruciali, e Henshaw aveva discrete possibilità di ottenere l'annullamento della sentenza e di uscire dal Braccio.

«Brutte notizie, ieri» commentò mentre Sam rifletteva sulla mossa da fare.

«Sì, sembra che le cose si mettano male, vero?»

«Già. Cosa dice il tuo avvocato?» Nessuno dei due alzava gli occhi dalla scacchiera.

«Dice che abbiamo una possibilità di batterci.»

«Cosa diavolo vuol dire?» chiese Henshaw mentre faceva una mossa.

«Secondo me vuol dire che mi gasseranno ma cadrò combattendo.»

«Il ragazzo sa quello che fa?»

«Oh, sì. È sveglio e intelligente. Ha buon sangue nelle vene.»

«Ma è così giovane.»

«È in gamba. Ottimi studi. Era il secondo della sua classe all'università del Michigan, sai? Dirigeva la rassegna legale.»

«E cosa vuol dire?»

«Vuol dire che è abilissimo. Troverà qualcosa.»

«Parli sul serio, Sam? Credi che ci riuscirà?»

Sam mangiò due pedine nere e Henshaw imprecò. «Fai schifo» disse Sam con un sogghigno. «Quand'è stata l'ultima volta che mi hai battuto?»

«Due settimane fa.»

«Bugiardo. Non mi batti da tre anni.»

Henshaw mosse di nuovo, e Sam gli mangiò un'altra pedina. Dopo cinque minuti la partita finì. Sam aveva vinto ancora. Sgombrarono la scacchiera e ricominciarono.

A mezzogiorno Packer e un'altra guardia arrivarono con le manette e il divertimento finì. Li ricondussero nelle celle. Era l'ora di pranzo. Fagioli, piselli, puré di patate e fette di pane tostato. Sam mangiò meno di un terzo della razione e attese con pazienza che una guardia venisse a prenderlo. Aveva in mano un paio di boxer puliti e una saponetta. Era l'ora del bagno.

La guardia venne a condurre Sam in una piccola doccia in fondo al Raggio. Per ordine della corte, i detenuti nel braccio della morte avevano diritto a cinque docce la settimana anche se non ne avevano bisogno, come ci tenevano a far notare le guardie.

Sam fece la doccia in fretta, si lavò due volte i capelli con il sapone e si sciacquò sotto l'acqua tiepida. La doccia era abbastanza pulita, ma la usavano tutti i quattordici detenuti del Raggio. Sam, quindi, non si tolse i sandali di gomma. Dopo cinque minuti l'acqua smise di scendere, e Sam restò a sgocciolare per qualche minuto e a fissare le pareti di piastrelle ammuffite. Nel Braccio c'erano molte cose che non avrebbe rimpianto.

Venti minuti più tardi fu caricato su un pullmino del carcere e accompagnato alla biblioteca giuridica.

Adam lo aspettava. Si tolse la giacca e si rimboccò le maniche mentre le guardie liberavano Sam dalle manette e uscivano. Si salutarono con una stretta di mano. Sam sedette e accese una sigaretta. «Dove sei stato?» chiese.

«Ho avuto da fare» rispose Adam sedendogli di fronte. «Mercoledì e giovedì sono stato a Chicago per un imprevisto.»

«Qualcosa che mi riguarda?»

«Puoi ben dirlo. Goodman voleva riesaminare il caso, e c'era anche un paio di altre cose.»

«Quindi c'è ancora di mezzo Goodman?»

«Adesso Goodman è il mio superiore, Sam. Devo rendere conto a lui, se voglio conservare il posto. So che lo detesti, ma è molto interessato a te e al tuo caso. Puoi non crederci, ma non vuole vederti finire nella camera a gas.»

«Non lo odio più.»

«Come mai hai cambiato idea?»

«Non lo so. Quando si è tanto vicini alla morte, si riflette molto.»

Adam desiderava sentirsi dire qualcosa di più, ma Sam lasciò cadere l'argomento. Adam lo guardava fumare e si sforzava di non pensare a Joe Lincoln. Si sforzava di non pensare al padre di Sam massacrato di botte in una rissa fra ubriachi a un funerale, e si sforzò di ignorare tutte le altre storie dolorose che Lee gli aveva raccontato nella contea di Ford. Cercava di escludere dalla mente quei pensieri, ma non ci riusciva.

Aveva promesso a Lee di non parlare più degli incubi del passato. «Immagino che avrai saputo della nostra ultima sconfitta» disse mentre estraeva le carte dalla borsa.

«Non ci hanno messo molto, vero?»

«No. È stata una cosa piuttosto rapida, ma ho già presentato appello al Quinto Distretto.»

«Non l'ho mai spuntata con il Quinto Distretto.»

«Lo so. Ma non possiamo sceglierci la corte.»

«Cosa possiamo fare, a questo punto?»

«Parecchie cose. Ho incontrato per caso il governatore martedì scorso dopo una riunione con il giudice federale. Voleva parlarmi a quattr'occhi. Mi ha dato i suoi numeri di telefono privati e mi ha invitato a chiamarlo per parlare del caso. Ha detto che aveva qualche dubbio sull'entità della tua colpevolezza.»

Sam lo guardò male. «Quali dubbi? È per causa sua se sono qui. Non vede l'ora che mi gassino.»

«Forse hai ragione, ma...»

«Mi avevi promesso di non parlare con lui. Hai firmato un accordo con me che ti vieta espressamente ogni contatto con quel buffone.»

«Calmati, Sam. Mi ha fermato mentre stavamo per uscire dal tribunale.»

«Mi sorprende che non abbia convocato una conferenza stampa per parlarne.»

«L'ho minacciato, va bene? Gli ho fatto promettere di non dire niente.»

«Allora sei la prima persona al mondo che è riuscita a far star zitto quel bastardo.»

«È disposto a prendere in considerazione l'idea della grazia.»

«Te l'ha detto lui?»

«Sì.»

«Perché? Non ci credo.»

«Non so perché l'abbia fatto, Sam, e per la verità non m'interessa. Ma che male può fare? Che pericolo c'è a chiedere un'udienza per la grazia? D'accordo, la sua foto appare sui giornali. Le telecamere lo rincorrono più del solito. Se c'è una speranza che ci ascolti, perché dovresti prendertela se ci guadagna un po' di pubblicità?»

«No. La risposta è no. Non ti autorizzo a chiedere un'udienza per la grazia. No, diavolo! Mille volte no! Io lo conosco, Adam. Sta cercando di invischiarti nel suo gioco. È tutta una commedia per il pubblico. Fingerà di tormentarsi fino alla fine e ne approfitterà il più possibile. Calamiterà l'attenzione più di me, anche se nella camera a gas ci andrò io.»

«E allora, che male c'è?»

Sam batté la mano sul tavolo. «Non servirà a niente, Adam. Non cambierà idea.»

Adam prese qualche appunto e lasciò passare un po' di tempo. Sam si assestò sulla sedia e accese un'altra sigaretta. Aveva i capelli ancora bagnati e li ravviò con le dita.

Adam posò la penna sul tavolo e lo guardò in faccia. «Cosa vuoi fare, Sam? Arrenderti? Gettare la spugna? Sei convinto di conoscere bene la legge, e allora spiegami cosa diavolo vuoi fare.»

«Ecco, ci ho pensato.»

«Lo immaginavo.»

«Il ricorso inoltrato al Quinto Distretto va bene, ma non sembra promettente. Come la vedo io, non ci restano molte possibilità.»

«Tranne Benjamin Keys.»

«Giusto. Tranne Keys. Ha fatto un ottimo lavoro per me al processo e in appello, ed era quasi un amico. Mi dispiace attaccarlo.»

«È una cosa normale nei casi di condanne a morte, Sam. Te la prendi sempre con l'avvocato e sostieni che è stato inefficiente. Goodman mi ha detto che intendeva farlo ma che hai rifiutato. Si doveva farlo anni fa.»

«Ha ragione. Ha insistito molto ma io ho detto di no. Credo che sia stato un errore.»

Seduto sull'orlo della sedia, Adam prendeva appunti. «Ho studiato gli atti, e credo che Keys abbia commesso un errore quando non ti chiamò a testimoniare.»

«Volevo parlare alla giuria, sai? Mi pare di avertelo già detto. Dopo la testimonianza di Dogan, ritenevo indispensabile spiegare personalmente ai giurati che avevo messo la bomba ma non avevo intenzione di uccidere. È la verità, Adam. Non volevo uccidere nessuno.»

«Quindi volevi testimoniare ma il tuo avvocato disse di no.»

Sam sorrise e guardò il pavimento. «È questo che vuoi che io dica?»

«Sì.»

«Non ho molte possibilità di scelta, vero?»

«No.»

«D'accordo. Andò proprio così. Io volevo testimoniare, ma il mio avvocato non lo permise.»

«Presenterò l'istanza domattina, per prima cosa.»

«È troppo tardi, vero?»

«Be', senza dubbio è tardi, e la questione doveva essere sollevata molto tempo fa. Ma cos'abbiamo da perdere?»

«Chiamerai Keys per dirglielo?»

«Se avrò tempo. In questo momento, per essere sincero, non mi preoccupo molto per il suo amor proprio.»

«Neanch'io. Vada pure al diavolo. Chi altro possiamo attaccare?»

«L'elenco è piuttosto breve.»

Sam si alzò di scatto e incominciò a girare a passi misurati intorno al tavolo. La stanza era lunga cinque metri e mezzo. Proseguì alle spalle di Adam, lungo le quattro pareti, contando i passi. Si fermò e si appoggiò contro una scaffalatura piena di libri.

Adam finì di scrivere e lo scrutò con attenzione. «Lee vuol sapere se può venire a trovarti» disse.

Sam lo fissò, tornò indietro lentamente e sedette. «Vuole venire?»

«Credo di sì.»

«Dovrò pensarci.»

«Pensaci in fretta.»

«Come sta?»

«Discretamente, mi pare. Ti abbraccia e prega per te, e ti pensa molto in questi giorni.»

«A Memphis sanno che è mia figlia?»

«Non credo. I giornali non ne hanno ancora parlato.»

«Spero che stiano zitti.»

«Sabato scorso siamo andati insieme a Clanton.»

Sam lo guardò con tristezza, poi alzò gli occhi verso il soffitto. «Cos'hai visto?» chiese.

«Molte cose. Lee mi ha mostrato la tomba della nonna, e quelle degli altri Cayhall.»

«Tua nonna non volle essere sepolta con i Cayhall. Lee te l'ha detto?»

«Sì. E mi ha chiesto dove vuoi essere sepolto.»

«Non ho ancora deciso.»

«Certo. Però fammelo sapere quando avrai deciso. Abbiamo passeggiato in città, e Lee mi ha mostrato la casa dove abitavamo. Siamo andati in piazza e ci siamo seduti nel gazebo, sul prato davanti al tribunale. La città era molto animata. C'era parecchia gente nella piazza.»

«Andavamo al cimitero per vedere i fuochi artificiali.»

«Me l'ha raccontato. Abbiamo pranzato al Tea Shoppe, e poi abbiamo fatto una corsa in campagna. Mi ha mostrato la casa dov'è cresciuta.»

«Esiste ancora?»

«Sì. È abbandonata. È in rovina e le erbacce hanno invaso tutto. Abbiamo fatto un giro a piedi. Mi ha raccontato molti episodi della sua infanzia. Ha parlato molto di Eddie.»

«Ha conservato qualche bel ricordo?»

«Non proprio.»

Sam incrociò le braccia e fissò il tavolo. Tacque per un minuto e alla fine chiese: «Ti ha detto del piccolo amico africano di Eddie, Quince Lincoln?».

Adam annuì lentamente. Si guardarono negli occhi. «Sì, me ne ha parlato.»

«E di suo padre Joe?»

«Mi ha raccontato tutto.»

«Le hai creduto?»

«Sì. Perché, non dovrei?»

«È vero. È tutto vero.»

«Lo immaginavo.»

«Cos'hai provato quando te l'ha raccontato? Voglio dire, come hai reagito?»

«Ti ho odiato profondamente.»

«E adesso come ti senti?»

«Diverso.»

Sam si alzò, andò all'estremità del tavolo, si fermò voltando le spalle ad Adam. «È stato quarant'anni fa» borbottò con voce che si udiva appena.

«Non sono venuto per parlarne» disse Adam sentendosi già in colpa.

Sam si voltò e si appoggiò allo scaffale. Incrociò le braccia e fissò il muro. «Mi sono augurato mille volte che non fosse mai successo.»

«Ho promesso a Lee di non parlarne, Sam. Mi dispiace.»

«Joe Lincoln era un brav'uomo. Mi sono domandato tante volte che fine hanno fatto Ruby e Quince e gli altri bambini.»

«Non ci pensare, Sam. Parliamo d'altro.»

«Spero che siano contenti quando morirò.»

30

Adam passò in macchina davanti al posto di controllo dell'entrata principale e la guardia lo salutò con la mano come se ormai fosse un frequentatore abituale. Adam rispose al saluto mentre rallentava e premeva il pulsante di apertura del portabagagli. Quando i visitatori se ne andavano non c'erano moduli da compilare: bastava un'occhiata nel portabagagli per accertare che nessun detenuto avesse scroccato un passaggio. Svoltò sulla highway, si diresse a sud, nella direzione opposta a Memphis, e calcolò che era stata la sua quinta visita a Parchman. Cinque visite in due settimane. Aveva il sospetto che durante i prossimi quindici giorni il carcere sarebbe diventato la sua seconda casa. Un pensiero terribile.

Quella sera non era dell'umore adatto per affrontare Lee. Si sentiva parzialmente responsabile della sua ricaduta nell'alcolismo, ma lei stessa aveva ammesso che per molti anni quello era stato il suo modo di vivere. Era alcolizzata, e se voleva bere, lui non poteva fare niente per impedirlo. Sarebbe tornato l'indomani sera, per preparare il caffè e chiacchierare. Ma quella sera aveva bisogno di un diversivo.

Era metà pomeriggio, il caldo si irradiava dall'asfalto, i campi erano aridi e polverosi, le macchine agricole si muovevano lente, il traffico era scarso e fiacco. Adam si fermò sulla corsia d'emergenza e alzò la capotte. Poi si fermò di nuovo in un negozio cinese di alimentari a Ruleville, comprò una lattina di tè freddo, quindi corse lungo una strada solitaria diretta a Greenville. Aveva un compito da sbrigare, probabilmente sgradevole, ma si sentiva in dovere di farlo. Si augurava di averne il coraggio.

Proseguì lungo le strade secondarie, le piccole strade di contea, e sfrecciò nel Delta come se non avesse una meta. Si perse due volte, ma riuscì a districarsi. Arrivò a Greenville pochi minuti prima delle cinque e girò per il centro in cerca della sua destinazione. Passò due volte accanto a Kramer Park. Trovò la sinagoga, di fronte alla Prima Chiesa Battista. Parcheggiò in fondo a Main Street, in riva al fiume dove un argine rialzato proteggeva la città. Si assestò la cravatta e percorse tre isolati a piedi lungo Washington Street fino a quando arrivò a un vecchio edificio di mattoni con l'insegna "Kramer – Grossisti", appesa a una veranda sopra il marciapiede. La pesante porta di vetro si apriva verso l'interno, e il vecchio pavimento di legno cigolò sotto i suoi passi. La parte anteriore della costruzione era stata conservata intatta, così che somigliava a un antico magazzino al dettaglio, con i banchi a vetri davanti agli ampi scaffali che salivano fino al soffitto. Scaffali e banchi erano pieni di scatole e incarti di prodotti alimentari che si vendevano anni prima ma ormai erano fuori produzione. Un antico registratore di cassa faceva bella mostra di sé. Poi il piccolo museo lasciava il posto al commercio moderno. Il resto dell'enorme edificio era stato rimodernato e dava un'impressione di grande efficienza. Una parete a vetri chiudeva il locale d'ingresso e un ampio corridoio coperto di moquette tagliava la parte centrale e portava senza dubbio agli uffici e alle segreterie. Sul retro, da qualche parte, doveva esserci un magazzino.

Adam ammirò gli oggetti in mostra nei banchi dell'ingresso. Un giovane in jeans si avvicinò e chiese: «Posso esserle utile?».

Adam sorrise. Si sentiva nervoso. «Sì. Vorrei parlare con il signor Elliot Kramer.»

«È un rappresentante?»

«No.»

«Un compratore?»

«No.»

Il giovane teneva in mano una matita e pensava ad altro. «Posso chiederle cosa le serve?»

«Devo vedere il signor Elliot Kramer. C'è?»

«Sta quasi sempre nel magazzino principale, a sud della città.»

Adam si avvicinò di tre passi e gli porse un biglietto da visita. «Mi chiamo Adam Hall e sono un avvocato di Chicago. Devo assolutamente vedere il signor Kramer.»

Il giovane prese il biglietto e lo studiò per qualche secondo. Poi squadrò Adam con aria sospettosa. «Aspetti un momento» disse, e si allontanò.

Adam si appoggiò al banco e ammirò il registratore di cassa. Nel corso delle sue ricerche aveva letto che la famiglia di Marvin Kramer si occupava con successo di commercio nel Delta da molte generazioni. Un antenato era sbarcato da un battello a vapore nel porto di Greenville e aveva deciso di mettere radici. Aveva aperto una piccola merceria, e poi una cosa aveva portato a un'altra. Nel corso dei processi contro Sam, la famiglia Kramer era stata sempre definita agiata.

Dopo venti minuti d'attesa, Adam era deciso ad andarsene e si sentiva sollevato. Aveva provato. Se il signor Kramer non voleva riceverlo, lui non poteva far nulla.

Udì un suono di passi sul pavimento di legno e si voltò. Vide un vecchio con il biglietto da visita in mano. Era alto e magro, con i capelli grigi ondulati, gli occhi scuri pesantemente cerchiati, la faccia scarna ed energica che in quel momento non sorrideva. Stava eretto, senza bisogno di bastone per appoggiarsi o di occhiali per vederci meglio. Guardò Adam con una smorfia ma non disse nulla.

Per un attimo Adam si pentì di non essere andato via cinque minuti prima. Poi si domandò perché era venuto. E decise di tentare comunque. «Buonasera» disse quando si rese conto che il vecchio non avrebbe parlato. «Il signor Elliot Kramer?»

Il signor Kramer annuì, ma lentamente, come se contestasse la domanda.

«Mi chiamo Adam Hall. Sono un avvocato di Chicago. Sam Cayhall è mio nonno, e sono il suo difensore.» Era evidente che il signor Kramer l'aveva già capito, perché le parole di Adam lo lasciarono impassibile. «Vorrei parlarle.»

«Di cosa?» chiese il signor Kramer con voce strascicata.

«Di Sam.»

«Spero che marcisca all'inferno» commentò il signor Kramer, come se fosse già certo della destinazione eterna di Sam. Gli occhi erano di un marrone così scuro da sembrare neri.

Adam fissò il pavimento per evitare il suo sguardo e cercò

di trovare parole che non fossero provocatorie. «Sì, signore» disse ricordando che era nel Profondo Sud, dove la cortesia era molto importante. «Capisco ciò che prova. Non posso darle torto, ma vorrei comunque parlarle per qualche minuto.»

«Sam ha mandato le sue scuse?» chiese il signor Kramer. Il fatto che lo chiamasse semplicemente Sam parve strano ad Adam. Non aveva detto il signor Cayhall o Cayhall, ma Sam, come se fossero due vecchi amici che avevano litigato e si avvicinasse il momento della riconciliazione. Basta che tu dica che sei pentito, Sam, e tutto andrà a posto.

Per un momento Adam pensò di mentire. Poteva calcare la mano, dire che Sam era in preda ai rimorsi in quegli ultimi giorni di vita e invocava disperatamente il perdono. Ma Adam non se la sentiva. «Cambierebbe qualcosa?» domandò.

Con gesti meticolosi, il signor Kramer mise il biglietto da visita nel taschino della camicia, e guardò oltre la finestra, alle spalle di Adam. «No» rispose. «Non cambierebbe niente. Avrebbe dovuto farlo molto tempo fa.» Le sue parole avevano l'accento indolente del Delta, e anche se il significato non era gradito, il suono era molto suadente. Erano parole lente e meditate, pronunciate come se il tempo non significasse nulla. Esprimevano anche gli anni di sofferenza e la sensazione che la vita era cessata da un'eternità.

«No, signor Kramer. Sam non sa che sono venuto, quindi non manda le sue scuse. Sono io a farle.»

Lo sguardo fisso oltre la finestra, nel passato lontano, non deviò. Ma il signor Kramer ascoltava.

Adam continuò: «Mi sento in dovere di dire, per me stesso e per la figlia di Sam, che siamo profondamente addolorati per tutto ciò che è accaduto.»

«Perché Sam non l'ha detto anni fa?»

«Non sono in grado di rispondere.»

«Lo so. Lei è l'avvocato nuovo.»

Ah, potenza della stampa! Naturalmente il signor Kramer aveva letto i giornali come tutti.

«Sì, signore. E sto cercando di salvargli la vita.»

«Perché?»

«Per molte ragioni. I suoi nipoti e suo figlio non torneranno a vivere se Sam Cayhall morirà. Ha sbagliato, ma è sbagliato anche che lo stato lo uccida.»

«Capisco. Crede che non abbia già sentito altre volte questo argomento?»

«No, signore, sono sicuro che li avrà sentiti tutti, li avrà visti tutti. Non riesco neppure a immaginare quello che ha passato. Sto solo tentando di evitare che si ripeta qualcosa del genere.»

«Che altro vuole?»

«Può concedermi cinque minuti?»

«Stiamo parlando da tre minuti, quindi gliene rimangono due.» Il signor Kramer guardò l'orologio come se facesse partire un cronometro, e infilò le dita magre nelle tasche dei pantaloni. Il suo sguardo ritornò alla finestra e alla strada.

«A quanto ha riferito il giornale di Memphis, lei ha detto che voleva essere presente quando avrebbero legato Sam Cayhall nella camera a gas, che voleva guardarlo negli occhi.»

«Sì, è vero. Ma credo che non succederà mai.»

«Perché?»

«Perché abbiamo un sistema penale deplorevole. Lui è stato coccolato e protetto in carcere per quasi dieci anni. I suoi appelli non finiscono mai. Lei presenta ricorsi e fa pressioni anche adesso per salvargli la vita. È un sistema malsano. Non ci aspettiamo più che venga fatta giustizia.»

«Le assicuro che non è affatto coccolato. Il braccio della morte è un posto orribile. Ci sono appena stato.»

«Sì, ma lui è vivo. È vivo, respira, guarda la televisione, legge libri. Parla con lei. Presenta ricorsi. E se e quando si avvicinerà il momento di morire, avrà tutto il tempo per prepararsi. Potrà dire addio a chi vuole. Pregare. I miei nipoti non ebbero il tempo di dire addio a nessuno, signor Hall. Non poterono abbracciare i genitori e dar loro un ultimo bacio. Morirono dilaniati da una bomba mentre giocavano.»

«Lo capisco, signor Kramer. Ma uccidere Sam non li riporterà in vita.»

«Lo so. Ma noi ci sentiremo meglio. Il nostro dolore si placherà. Ho pregato un milione di volte di poter vivere abbastanza a lungo per vederlo morto. Cinque anni fa ho avuto un attacco di cuore. Per due settimane sono stato legato alle macchine, e la sola cosa che mi ha tenuto in vita è stato il desiderio di sopravvivere a Sam Cayhall. Sarò presente, signor Hall, se i medici me lo permetteranno. Sarò presente per vederlo morire, poi tornerò a casa e aspetterò che scada il mio tempo.»

«Mi dispiace che la pensi così.»

«Dispiace anche a me. E vorrei non aver mai sentito nominare Sam Cayhall.»

Adam indietreggiò di un passo e si appoggiò al banco accanto al registratore di cassa. Fissò il pavimento mentre il signor Kramer continuava a guardare oltre la finestra. Il sole calava a ovest, dietro il magazzino, e nel pittoresco piccolo museo cominciava a far buio.

«Ho perduto mio padre a causa di quello che è successo» disse Adam a voce bassa.

«Mi rincresce. Ho letto che è morto suicida poco dopo l'ultimo processo.»

«Anche Sam ha sofferto, signor Kramer. Ha distrutto la propria famiglia come aveva distrutto la sua. E porta il peso di rimorsi più grandi di quanto possiamo immaginare io e lei.»

«Forse sarà meno oppresso quando sarà morto.»

«Sì, forse. Ma perché non smettiamo di uccidere?»

«Cosa pensa che potrei fare?»

«Ho letto da qualche parte che è un vecchio amico del governatore.»

«Perché, questo la riguarda?»

«È vero, no?»

«È uno di qui. Lo conosco da molti anni.»

«Io l'ho conosciuto la settimana scorsa. Ha il potere di concedere la grazia, lo sa?»

«Al suo posto, non ci conterei.»

«Non ci conto. Sono disperato, signor Kramer. A questo punto non ho niente da perdere, tranne mio nonno. Se lei e la sua famiglia siete assolutamente decisi a insistere perché avvenga l'esecuzione, senza dubbio il governatore vi darà ascolto.»

«Sì, ha ragione.»

«E se invece decideste che non volete l'esecuzione, credo che il governatore vi darebbe ascolto anche in questo caso.»

«Quindi sta a me» disse il signor Kramer, e finalmente si mosse. Passò davanti ad Adam e si fermò accanto alla finestra. «Lei non è soltanto disperato, signor Hall. È anche ingenuo.»

«Non lo discuto.»

«Mi fa piacere scoprire che ho tanto potere. Se l'avessi saputo prima, suo nonno sarebbe morto da anni.»

«Non merita di morire, signor Kramer» disse Adam mentre si avviava alla porta. Non si era aspettato di trovare comprensione. Ma era importante che il signor Kramer lo vedesse e si rendesse conto che ci sarebbero state conseguenze anche per altri.

«Non lo meritavano neppure i miei nipoti. E mio figlio.»

Adam aprì la porta. «Le chiedo scusa e la ringrazio per aver parlato con me. Ho una sorella, un cugino e una zia, la figlia di Sam. Volevo solo farle sapere che Sam ha una famiglia. E se morirà, ne soffriremo tutti. Se non sarà giustiziato, non uscirà mai dal carcere. Si spegnerà e morirà presto per cause naturali.»

«Ne soffrirete?»

«Sì, signore. La nostra è una famiglia da compiangere, signor Kramer, una famiglia colpita da molte tragedie. Sto cercando di evitarne un'altra.»

Il signor Kramer si voltò a guardarlo. La sua faccia era priva di espressione. «Allora mi dispiace per lei.»

«Grazie ancora» disse Adam.

«Buongiorno, signore» rispose il vecchio senza sorridere.

Adam uscì e si avviò lungo un viale che conduceva al centro della città. Trovò il giardino pubblico e sedette sulla stessa panchina, poco lontano dal monumento ai due bambini. Ma dopo pochi minuti si stancò dei sensi di colpa e dei rimorsi, e si allontanò.

Andò nello stesso ristorante affollato, a un isolato di distanza, bevve un caffè e si gingillò con una porzione di formaggio alla griglia. Qualcuno stava parlando di Sam Cayhall qualche tavolo più in là, ma non riusciva a capire esattamente cosa veniva detto.

Prese una stanza in un motel e chiamò Lee. Quando gli rispose sembrava sobria, forse un po' sollevata all'idea che quella notte non sarebbe rientrato. Le promise di tornare l'indomani sera. Quando calò la notte, Adam dormiva da mezz'ora.

31

Mercoledì 25 luglio. Mancavano quattordici giorni all'8 agosto.

Adam partì per Memphis prima dell'alba, e alle sette era già chiuso nel suo ufficio. Alle otto aveva parlato tre volte con E. Garner Goodman. A quanto pareva, Goodman era nervoso e soffriva d'insonnia. Discussero a lungo il ricorso basato sulla difesa inefficiente di Keys. La pratica Cayhall era piena di pro-memoria e di ricerche su ciò che era andato male nel corso del processo, ma c'era ben poco che potesse gettare ombre sul comportamento di Benjamin Keys. Era un avvocato formida-bile, e lasciava un margine molto limitato alle critiche. Good-man e Tyner, tuttavia, in passato avrebbero voluto addurre una difesa inefficiente fra le motivazioni della prima fase della guerra degli *habeas corpus*, ma Sam si era opposto. Gli avevano spiegato che la questione veniva sollevata quasi sempre nel primo appello, ma Sam non si era lasciato convincere. Era af-fezionato a Keys e aveva proibito espressamente, per iscritto, qualunque attacco contro di lui.

Ma era successo molti anni prima, quando la camera a gas sembrava troppo lontana per preoccuparsene. Goodman era soddisfatto di sapere che adesso Sam pensava che avrebbe do-vuto testimoniare al processo, ma Keys glielo aveva impedito. Goodman non era certo che fosse vero, ma era disposto a prenderlo in parola.

Goodman e Adam sapevano che la questione avrebbe do-vuto essere sollevata anni prima, e che farlo ora non dava adi-to a molte speranze. Le raccolte di giurisprudenza si ingrossa-vano ogni settimana con i nuovi decreti della Corte Suprema che respingevano ricorsi pur legittimi ma non presentati tempestivamente. Tuttavia le corti prendevano sempre in considerazione quel genere di ricorsi, e Adam era emozionato mentre scriveva e riscriveva la bozza del testo e scambiava fax con Goodman.

Il ricorso sarebbe stato presentato, secondo le norme, presso la corte dello stato. Adam si augurava che venisse respinto in fretta, perché avrebbe potuto rivolgersi immediatamente alla corte federale.

Alle dieci faxò la stesura finale alla cancelleria della Corte Suprema del Mississippi. E ne faxò una copia anche a Breck Jefferson dell'ufficio di Slattery. Non dimenticò la copia per la cancelleria del Quinto Distretto a New Orleans. Poi chiamò la Cancelleria della Morte presso la Corte Suprema, e riferì al signor Olander ciò che stava facendo. Il signor Olander gli consigliò di faxare immediatamente una copia a Washington.

Darlene bussò alla porta, e Adam aprì. C'era una visita per lui alla reception, un certo signor Wyn Lettner. Adam la ringraziò e qualche minuto più tardi uscì nel corridoio e si incontrò con Lettner, che era solo e vestiva come ci si poteva aspettare dal proprietario di un molo per la pesca delle trote: scarpe da barca, berretto da pescatore. Si scambiarono i convenevoli di rito: i pesci abbondavano, Irene stava benissimo, quando sarebbe tornato a Calico Rock?

«Sono in città per affari e ho pensato di venire a parlarti» disse Lettner a voce bassa, voltando le spalle alla receptionist.

«Ma certo» mormorò Adam. «Il mio ufficio è in fondo al corridoio.»

«No. Andiamo a fare due passi.»

Scesero con l'ascensore, uscirono dal palazzo e si avviarono lungo la zona pedonale. Lettner comprò un sacchetto di noccioline tostate da un carretto e ne offrì una manciata ad Adam, che rifiutò. Camminavano lentamente verso il municipio e il palazzo federale. Lettner mangiava le noccioline e ne gettava un po' ai piccioni.

«Come sta Sam?» chiese finalmente.

«Gli restano quattordici giorni. Come ti sentiresti se ti restassero quattordici giorni da vivere?»

«Credo che pregherei.»

«Sam non è ancora arrivato a questo punto, ma non manca molto.»

«L'esecuzione ci sarà davvero?»

«Di sicuro è in programma. Non c'è niente di scritto che possa fermarla.»

Lettner si buttò in bocca una manciata di noccioline. «Be', ti auguro buona fortuna. Da quando sei venuto a parlarmi, ho cominciato a fare il tifo per te e il vecchio Sam.»

«Grazie. Sei venuto a Memphis per farmi gli auguri?»

«Non proprio. Dopo la tua partenza ho pensato molto a Sam e all'attentato contro Kramer. Ho riguardato i miei appunti e i documenti... non ci pensavo da anni. Mi hanno fatto ricordare molte cose. Ho telefonato a qualcuno dei miei ex colleghi e abbiamo parlato della guerra al Klan. Quelli sì che erano tempi emozionanti!»

«Mi rincresce di non esserci stato anch'io.»

«Comunque mi sono venute in mente diverse cose che forse avrei dovuto dirti.»

«Per esempio?»

«La storia di Dogan. Sai che morì un anno dopo aver testimoniato.»

«Sì, me l'ha detto Sam.»

«Dogan e la moglie morirono quando la loro casa saltò in aria. Una perdita di propano nella stufa. La casa si riempì di gas e una scintilla o qualcosa lo fece esplodere. Fu come una bomba, un enorme globo di fuoco. I corpi erano smembrati.»

«Molto triste. Ma che c'entra?»

«Non credemmo all'incidente. I ragazzi della scientifica cercarono di ricostruire la stufa. Era andata distrutta quasi interamente, ma erano convinti che fosse stata manomessa per causare la perdita.»

«E in che modo riguarda Sam?»

«Non lo riguarda.»

«Allora perché ne parliamo?»

«Perché potrebbe riguardare te.»

«Non riesco a seguirti.»

«Dogan aveva un figlio, un ragazzo che nel 1979 si arruolò nell'esercito e fu mandato in Germania. Nell'estate del 1980 Dogan e Sam furono di nuovo rinviati a giudizio dalla corte distrettuale di Greenville, e poco dopo tutti seppero che Dogan aveva accettato di testimoniare contro Sam. La cosa fece molto chiasso. Nell'ottobre del 1980 il figlio di Dogan non rientrò nella caserma in Germania. Era sparito.» Lettner schiacciò alcune nocimoline e buttò i gusci ai piccioni. «Non fu mai ritrovato. L'esercito lo cercò dappertutto. Passarono i mesi. Passò un anno. Dogan morì senza sapere che fine avesse fatto il ragazzo.»

«E che fine aveva fatto?»

«Non lo so. Non è più ricomparso.»

«È morto?»

«Probabilmente. Non ha lasciato tracce.»

«Chi l'avrebbe ucciso?»

«Forse la stessa persona che uccise i genitori.»

«Chi potrebbe essere?»

«Noi avevamo una teoria, ma i sospetti non portavano a nessuno in particolare. A quel tempo pensavamo che il figlio fosse stato sequestrato prima del processo come avvertimento per Dogan. Forse Dogan conosceva qualche segreto.»

«Allora perché fu ucciso dopo il processo?»

Si fermarono sotto un albero e sedettero su una panchina in Court Square. Adam si decise ad accettare qualche nocciolina.

«Chi conosceva i dettagli dell'attentato?» chiese Lettner. «Tutti i dettagli?»

«Sam. Jeremiah Dogan.»

«Esatto. E chi era stato il loro difensore nei primi due processi?»

«Louis Brazelton.»

«Si può ritenere che Brazelton conoscesse quei dettagli?»

«Credo di sì. Faceva parte del Klan, no?»

«Già, era del Klan. E così erano tre: Sam, Dogan e Brazelton. Nessun altro?»

Adam rifletté per qualche secondo. «Forse il complice misterioso.»

«Forse. Dogan è morto. Sam non ha mai parlato. E Brazelton è morto anche lui, molti anni fa.»

«Com'è morto?»

«Un incidente aereo. Grazie al caso Kramer era diventato una specie di eroe, da quelle parti, e aveva sfruttato la fama a tutto vantaggio della sua attività professionale. Gli piaceva volare e quindi comprò un aereo e cominciò a usarlo per spostarsi secondo le necessità della professione. Era diventato un pezzo grosso. Stava tornando dalla costa, una notte, quando l'aereo sparì dagli schermi radar. Trovarono il corpo su un albero. Il tempo era bello. La commissione d'inchiesta concluse che c'era stata un'avaria al motore.»

«Un'altra morte misteriosa.»

«Già. Quindi sono morti tutti tranne Sam, e non gli resta molto da vivere.»

«C'è qualche nesso fra la morte di Dogan e quella di Brazelton?»

«No. Sono avvenute a distanza di anni. Ma la teoria include la possibilità che siano state causate dalla stessa persona.»

«Chi sarebbe?»

«Qualcuno che ci tiene molto al segreto. Potrebbe essere il complice misterioso di Sam, il nostro Signor X.»

«È una teoria molto azzardata.»

«Sì, è vero. E non ci sono prove a sostegno. Ma, come ti ho detto a Calico Rock, abbiamo sempre sospettato che Sam avesse qualcuno che lo aiutava. O forse era Sam che aiutava il Signor X. Comunque, quando Sam perse la testa e si fece prendere, il Signor X sparì. Forse si è dato da fare per eliminare i testimoni.»

«Perché avrebbe ucciso anche la moglie di Dogan?»

«Perché era a letto con il marito quando la casa saltò in aria.»

«E il figlio?»

«Per costringere Dogan a tacere. Tieni presente una cosa: quando Dogan testimoniò, suo figlio era irreperibile già da cinque mesi.»

«Non ho mai letto niente a proposito del figlio.»

«Non se ne sapeva molto. Era successo in Germania. E noi consigliammo a Dogan di non parlarne.»

«Non riesco a capire. Dogan non accusò nessun altro, al processo. Soltanto Sam. Perché mai il Signor X lo avrebbe ucciso?»

«Perché conosceva certi segreti. E anche perché aveva testimoniato contro un altro membro del Klan.»

Adam sgusciò due noccioline e le buttò davanti a un piccione molto grasso. Lettner finì il sacchetto e lanciò un'altra manciata di gusci sul marciapiede accanto a una fontanella. Era quasi mezzogiorno e dozzine di impiegati usciti dagli uffici attraversavano in fretta il parco per riuscire a pranzare in mezz'ora.

«Hai fame?» chiese Lettner dando un'occhiata all'orologio.

«No.»

«Sete? Io ho bisogno di farmi una birra.»

«No. In che modo mi riguarda il Signor X?»

«Sam è l'unico testimone rimasto, e fra due settimane sarà ridotto al silenzio. Se muore senza parlare, il Signor X può vivere in pace. Se non muore fra due settimane, il Signor X continuerà a essere preoccupato. Ma se per caso Sam si decide a parlare, qualcuno potrebbe andarci di mezzo.»

«Io?»

«Sei tu quello che sta cercando di scoprire la verità.»

«Credi che il Signor X sia qui in giro?»

«È possibile. O magari fa il tassista a Montreal. O forse non è mai esistito.»

Adam si guardò alle spalle con un'espressione di paura simulata.

«Lo so, sembra pazzesco» disse Lettner.

«Il Signor X è al sicuro. Sam non parlerà.»

«C'è un pericolo potenziale, Adam. Volevo solo metterti in guardia.»

«Non ho paura. Se Sam mi dicesse il nome del Signor X, lo griderei per strada e presenterei camionate di ricorsi. E non servirebbe a niente. È troppo tardi per sfoderare nuove teorie di colpevolezza e di innocenza.»

«E il governatore?»

«Ne dubito.»

«Bene, ti consiglio di essere prudente.»

«Grazie.»

«Andiamo a farci una birra.»

Devo tenere quest'uomo lontano da Lee, pensò Adam. «Mancano cinque minuti a mezzogiorno. Non comincerai a bere così presto?»

«Oh, a volte comincio a colazione.»

Il Signor X era seduto su una panchina del giardino pubblico, con un giornale davanti alla faccia e i piccioni intorno ai piedi. Era lontano venticinque metri perciò non poteva sentire ciò che dicevano. Gli sembrava di aver riconosciuto, nel vecchio che era con Adam Hill, un agente dell'Fbi la cui foto era apparsa sui giornali anni prima. Lo avrebbe seguito e avrebbe scoperto chi era e dove viveva.

Wedge cominciava a stancarsi di Memphis, e la prospettiva non gli dispiaceva. Il ragazzo lavorava in ufficio, andava a Parchman e dormiva nel condominio, e sembrava che si desse da fare. Wedge seguiva con attenzione le notizie. Nessuno aveva pronunciato il suo nome. Nessuno sapeva niente di lui.

Il biglietto sul banco della cucina indicava la data e l'ora, le sette e un quarto del pomeriggio. Era la scrittura di Lee, che non era mai stata ordinata e adesso era ancora più sciatta. Diceva che era a letto e stava poco bene; forse aveva l'influenza. Lo pregava di non disturbarla. Era andata dal dottore che le aveva consigliato di dormirci sopra. C'era una boccetta di medicine con l'etichetta di una farmacia della zona, accanto a un bicchiere d'acqua semivuoto. La boccetta portava la data di quel giorno.

Adam andò a controllare la pattumiera sotto il lavello. Non c'erano tracce di alcolici.

Tranquillizzato, mise una pizza surgelata nel forno a microonde e andò nel patio a guardare le chiatte che navigavano sul fiume.

32

Il primo aquilone del mattino arrivò poco dopo la colazione, mentre Sam, indossando solamente i boxer, se ne stava appoggiato alle sbarre e fumava. Era del Predicatore, e portava brutte notizie.

Caro Sam,
   il sogno è finito. Il Signore ha operato in me questa notte e mi ha mostrato il resto. Vorrei che non l'avesse fatto. È molto complesso e se vuoi te lo spiegherò tutto. La conclusione è che fra poco sarai con lui. Mi ha raccomandato di dirti di metterti in regola. Ti sta aspettando. Il viaggio sarà penoso, ma la ricompensa ne varrà la pena. Ti amo.

                                                              Fratello Randy

   Bon voyage, mormorò Sam fra sé appallottolando il foglio e gettandolo sul pavimento. Il Predicatore peggiorava in fretta e non c'era modo di aiutarlo. Sam aveva già preparato una serie di mozioni da presentare in un futuro imprecisato, quando Fratello Randy fosse diventato completamente pazzo.
   Vide le mani di Gullitt sporgere attraverso le sbarre della cella accanto.
   «Come va, Sam?» chiese finalmente Gullitt.
   «Dio è in collera con me» rispose Sam.
   «Davvero?»
   «Già. Stanotte il Predicatore ha finito il suo sogno.»
   «Dio sia ringraziato.»
   «Più che altro era un incubo.»
   «Al tuo posto non mi preoccuperei troppo. Quel pazzo

sogna anche da sveglio. Ieri hanno detto che piange da una settimana.»

«Tu lo senti?»

«No, grazie a Dio.»

«Povero ragazzo. Sto preparando certe mozioni per lui, caso mai me ne andassi. Le lascerò a te.»

«Non so cosa farne.»

«Ti lascerò le istruzioni. Bisognerà spedirle al suo avvocato.»

Gullitt fischiettò sommessamente. «Ah, Sam, cosa farò se te ne vai? È un anno che non parlo con l'avvocato.»

«Il tuo avvocato è un imbecille.»

«Allora aiutami a levargli la procura, Sam. Come hai fatto con i tuoi. Aiutami. Io non so come fare.»

«E poi, chi ti difenderà?»

«Tuo nipote. Digli che può occuparsi del mio caso.»

Sam sorrise, poi ridacchiò. Infine rise apertamente all'idea di rastrellare tutti i suoi compagni del Braccio e affidare ad Adam i loro casi disperati.

«Cosa c'è di tanto divertente?» chiese Gullitt.

«Tu. Cosa ti fa pensare che mio nipote accetti?»

«Oh, Sam, andiamo. Parlagli. Dev'essere in gamba, se è tuo nipote.»

«E se mi gassano? Vuoi un avvocato che ha appena perso il suo primo cliente del braccio della morte?»

«Diavolo, ormai non posso fare il difficile.»

«Calmati, J.B. Ti restano molti anni da vivere.»

«Quanti?»

«Almeno cinque, forse di più.»

«Lo giuri?»

«Ti dò la mia parola. Sono pronto a metterlo per iscritto. E se sbaglio, puoi farmi causa per danni.»

«Spiritoso, Sam. Proprio spiritoso.»

Una porta si aprì in fondo al corridoio, e un suono di passi pesanti si avvicinò. Era Packer, e si fermò davanti al numero sei. «'Giorno, Sam» disse.

«'Giorno, Packer.»

«Metti la tuta. Hai visite.»

«Chi è?»

«Qualcuno che ti vuole parlare.»

«Chi è?» ripeté Sam mentre indossava in fretta la tuta rossa. Prese le sigarette. Non gli importava l'identità del visitatore e cosa volesse. Chiunque fosse, era un sollievo poter uscire dalla cella.

«Sbrigati, Sam» lo sollecitò Packer.

«È il mio avvocato?» chiese Sam, e infilò i piedi nei sandali di gomma.

«No.» Packer lo ammanettò attraverso le sbarre e la porta della cella si aprì. Lasciarono il Raggio A e si diressero verso la stanza dove attendevano sempre gli avvocati.

Packer gli tolse le manette e gli chiuse la porta alle spalle. Sam fissò la donna corpulenta seduta al di là della grata. Si massaggiò i polsi per impressionarla e si avvicinò alla sedia di fronte a lei. Non la conosceva. Sedette, accese una sigaretta e la fissò.

La donna si sporse in avanti e disse, nervosamente: «Signor Cayhall, sono la dottoressa Stegall». Infilò un biglietto da visita attraverso l'apertura. «Sono la psichiatra del Dipartimento Istituti di Pena dello stato.»

Sam studiò il biglietto sul ripiano, lo prese e lo esaminò con aria sospettosa. «Qui c'è scritto che si chiama N. Stegall. Dott. N. Stegall.»

«Proprio così.»

«È un nome strano, N. Non avevo mai conosciuti una donna che si chiamasse N.»

Il sorriso ansioso sparì dalle labbra della visitatrice che subito si irrigidì. «È soltanto un'iniziale, chiaro? C'è una ragione.»

«Per cosa sta, quella N?»

«Non la riguarda.»

«Nancy? Nelda? Nona?»

«Se volessi che si sapesse, l'avrei messo sul biglietto da visita, no?»

«Non lo so. Comunque dev'essere qualcosa di orribile. Nick? Ned? Non riesco a immaginare perché si nasconde dietro a un'iniziale.»

«Io non mi nascondo, signor Cayhall.»

«Mi chiami pure S., d'accordo?»

La donna strinse i denti e fece una smorfia. «Sono venuta per aiutarla.»

«È arrivata troppo tardi, N.»

«Mi chiami dottoressa Stegall.»

«Oh, bene. In questo caso lei può chiamarmi avvocato Cayhall.»

«Avvocato Cayhall?»

«Sì, conosco la legge meglio della maggior parte dei buffoni che di solito siedono al suo posto.»

La donna riuscì a sfoderare un vago sorriso di superiorità, poi disse: «Ho il dovere di consultarla in questa fase della procedura per vedere se posso essere utile. Non è tenuto a cooperare, se non vuole.»

«Mille grazie.»

«Se ha bisogno di parlare con me, o se ha bisogno di qualche medicinale, ora o più tardi, basta che me lo faccia sapere.»

«Cosa ne direbbe di un po' di whiskey?»

«Non posso prescriverlo.»

«Perché?»

«Il regolamento del carcere lo vieta.»

«Cosa può prescrivere?»

«Tranquillanti, Valium, sonniferi, cose del genere.»

«Per curare cosa?»

«I nervi.»

«I miei nervi stanno benone.»

«Riesce a dormire?»

Sam rifletté per qualche istante. «Be', per essere sincero, ho qualche difficoltà. Ieri ho dormito a intervalli per non più di dodici ore. Di solito ne dormo quindici o sedici.»

«Dodici ore?»

«Già. Viene spesso qui nel braccio della morte?»

«Non molto spesso.»

«L'avevo immaginato. Se conoscesse bene il mio mestiere, saprebbe che in media dormiamo sedici ore al giorno.»

«Capisco. E che altro potrei imparare?»

«Oh, tante cose. Saprebbe che Randy Dupree sta diventando pazzo a poco a poco e che nessuno se ne interessa. Perché non è venuta a vederlo?»

«Qui ci sono cinquemila detenuti, signor Cayhall. Io...»

«Allora vada. Vada. Vada a occuparsi degli altri. Io sono qui da nove anni e non l'ho mai vista. Adesso che stanno per gassarmi, lei corre con una borsa piena di medicine per calmarmi i nervi, così sarò docile e mite quando mi ammazzeranno. Perché le interessano i miei nervi e quanto dormo? Lavora per lo stato, e lo stato lavora come un matto per giustiziarmi.»

«Io faccio il mio lavoro, signor Cayhall.»

«Il suo lavoro fa schifo, Ned. Si trovi un lavoro vero, e aiuti per davvero la gente. È venuta qui perché mi restano tredici giorni e vuole che me ne vada in pace. È solo un'altra tirapiedi dello stato.»

«Non sono venuta per farmi insultare.»

«Allora si tolga dai coglioni. Se ne vada. Se ne vada e non pecchi più.»

La dottoressa si alzò di scatto e afferrò la borsa. «Ha il mio biglietto da visita. Se ha bisogno di qualcosa, me lo faccia sapere.»

«Non mancherò, Ned. Ma non stia ad aspettare accanto al telefono.» Sam si alzò e andò alla porta. Bussò due volte con il palmo della mano e attese, voltando le spalle alla donna, fino a quando Packer aprì.

Adam stava preparando la cartella per andare a Parchman quando squillò il telefono. Darlene disse che era urgente. E aveva ragione.

L'interlocutore era il cancelliere della Corte d'Appello del Quinto Distretto, a New Orleans, e si mostrò molto cordiale. Disse che il ricorso di Cayhall sulla costituzionalità della camera a gas era arrivato lunedì, era stato sottoposto a un collegio di tre giudici che volevano ascoltare entrambe le parti in causa. Poteva presentarsi a New Orleans l'indomani, venerdì, all'una del pomeriggio, per l'udienza?

Per poco Adam non lasciò cadere il telefono. Domani? Naturalmente, rispose dopo un attimo di esitazione. All'una in punto, raccomandò il cancelliere, quindi spiegò che di solito la corte non teneva udienze nel pomeriggio. Ma data l'urgenza aveva derogato alla consuetudine. Poi chiese ad Adam se si era mai trovato davanti al Quinto Distretto.

Vuoi scherzare? pensò Adam. Un anno fa preparavo l'esame di ammissione all'ordine. Rispose di no, e il cancelliere disse che gli avrebbe faxato subito una copia del regolamento della corte per le udienze. Adam lo ringraziò profusamente e riattaccò.

Sedette sul bordo del tavolo e cercò di riordinare i pensieri. Darlene gli portò il fax, e Adam le chiese di informarsi sui voli per New Orleans.

Aveva colpito l'attenzione della corte con le sue osservazioni? Era una buona notizia oppure una semplice formalità? Nella sua breve carriera di avvocato gli era capitato una sola volta di presentarsi da solo davanti a un giudice per discutere la posizione di un cliente. Ma Emmitt Wycoff gli era seduto vicino per ogni evenienza. E il giudice non era uno sconosciuto. Ed erano nel centro di Chicago, poco lontano dal suo ufficio. Invece l'indomani sarebbe entrato in un'aula sconosciuta, in una città sconosciuta, e avrebbe dovuto sostenere un ricorso dell'ultima ora di fronte a una commissione di giudici che non aveva mai sentito nominare.

Chiamò Garner Goodman per informarlo. Goodman aveva avuto a che fare molte volte con il Quinto Distretto, e mentre lo ascoltava Adam si tranquillizzò. Secondo Goodman la notizia non era né buona né cattiva. La corte era ovviamente interessata alla loro azione legale, ma si trattava di una tesi che era stata dibattuta molte volte. Anche il Texas e la Louisiana avevano sottoposto al Quinto Distretto numerosi ricorsi costituzionali molto simili, negli ultimi anni.

Goodman gli assicurò che poteva farcela. «Basta che sia preparato» disse. «E cerchi di rilassarsi.» Avrebbe fatto il possibile per prendere l'aereo ed essere presente, ma Adam rispose di no. Disse che poteva cavarsela da solo. «Si tenga in contatto» raccomandò Goodman.

Adam parlò con Darlene, poi si chiuse a chiave nel suo ufficio e imparò a memoria il regolamento delle audizioni. Studiò il ricorso che attaccava la camera a gas. Lesse memorie e atti processuali. Telefonò a Parchman e fece avvertire Sam che quel giorno non sarebbe andato da lui.

Lavorò fino a quando venne buio, poi tornò con una certa apprensione al condominio di Lee. Il biglietto era ancora sul banco della cucina, e continuava a proclamare che Lee era a letto con l'influenza. Fece il giro dell'appartamento e non notò segni di movimento o di vita lasciati durante il giorno.

La porta della camera di Lee era socchiusa. Adam bussò e la sospinse. «Lee» chiamò a voce bassa nell'oscurità. «Lee, ti senti bene?»

Ci fu un movimento nel letto, anche se Adam non riuscì a vedere cosa fosse. «Sì, caro. Entra.»

Andò a sedere sul bordo del letto e si sforzò di vederla. L'unica luce era debole e filtrava dal corridoio. Lee si sollevò e si appoggiò ai cuscini. «Sto meglio» disse con voce rauca. «Come va, caro?»

«Bene, Lee. Sono preoccupato per te.»

«Non è il caso. È solo un virus dispettoso.»

Il primo effluvio pungente salì dalle lenzuola e dalle coperte. Adam avrebbe voluto piangere. Era il puzzo della vodka o del gin o del whiskey, o forse una combinazione di tutto. Non vedeva gli occhi di Lee nell'ombra fitta, ma solo il contorno vago della faccia. Aveva addosso una maglietta scura.

«Che medicina hai preso?» le chiese.

«Non lo so. Certe pillole. Il dottore ha detto che durerà qualche giorno e poi passerà in fretta. Mi sento già meglio.»

Adam stava per osservare quanto fosse strana un'influenza a metà luglio, ma lasciò stare. «Te la senti di mangiare qualcosa?»

«Non ho appetito, davvero.»

«Cosa posso fare?»

«Niente, caro. E tu come stai? Che giorno è?»

«Giovedì.»

«Mi sento come se fossi in una grotta da una settimana.»

Adam aveva due possibilità di scelta. Poteva stare al gioco del virus dispettoso e sperare che Lee smettesse di bere prima che la situazione peggiorasse. Oppure poteva affrontarla subito e dirle in faccia che non riusciva a imbrogliarlo. Forse avrebbero litigato, e forse era quel che si deve fare con gli alcolizzati che ci ricadono. Come poteva sapere cosa fare?

«Il tuo medico sa che bevi?» chiese trattenendo il respiro.

Ci fu un lungo silenzio. «Non ho bevuto» rispose Lee con un filo di voce.

«Oh, andiamo. Ho trovato la bottiglia di vodka nella pattumiera. So che le altre tre bottiglie di birra sono sparite sabato scorso. In questo momento puzzi come una distilleria. Non me la fai. Tu bevi, bevi forte, e voglio aiutarti.»

Lee si assestò contro i cuscini e piegò le gambe contro il petto. Rimase immobile a lungo. Adam lanciava ogni tanto un'occhiata alla sua sagoma indistinta. I minuti passavano. L'appartamento era silenzioso come una tomba.

«Come sta il mio caro padre?» mormorò Lee. Le parole erano torpide ma amare.

«Oggi non l'ho visto.»

«Non pensi che a noi andrà meglio quando sarà morto?»

Adam la guardò. «No, Lee, non lo penso. E tu?»

Lei rimase in silenzio, immobile, per almeno un minuto. «Ti fa compassione, vero?» chiese finalmente.

«Sì.»

«Ma fa veramente pena?»

«Sì.»

«Che aspetto ha?»

«È un vecchio con tanti capelli grigi sempre unti, pettinati all'indietro. Ha una corta barba grigia. E tante rughe. È pallidissimo.»

«Com'è vestito?»

«Porta una tuta rossa. Tutti i detenuti del braccio della morte la portano.»

Un'altra lunga pausa mentre Lee rifletteva. Poi disse: «Immagino che sia facile provare compassione per lui».

«Per me lo è.»

«Sai, Adam, io non l'ho mai visto come lo vedi tu. Io vedevo un individuo diverso.»

«E cosa vedevi?»

Si assestò la coperta intorno alle gambe, poi ridivenne immobile. «Disprezzavo mio padre.»

«Lo disprezzi anche adesso?»

«Sì. Moltissimo. Penso che debba morire. Dio sa che lo ha meritato.»

«Perché l'ha meritato?»

Un altro silenzio. Lee si spostò leggermente verso sinistra e prese una tazza o un bicchiere dal comodino. Bevve adagio mentre Adam guardava la sua ombra. Non le chiese cosa beveva.

«Ti parla del passato?»

«Solo quando gli faccio domande. Abbiamo parlato di Eddie ma gli ho promesso che non lo faremo più.»

«Eddie è morto per causa sua. Se ne rende conto?»

«Forse.»

«Gliel'hai detto? Gli hai rimproverato la morte di Eddie?»

«No.»

«Dovevi farlo. Sei troppo clemente con lui. Deve sapere che cos'ha fatto.»

«Credo che lo sappia. Ma l'hai detto tu: non è giusto tormentarlo in questo momento della sua vita.»

«E Joe Lincoln? Gli hai parlato di Joe Lincoln?»

«Ho detto a Sam che siamo andati a vedere la vecchia casa della famiglia. Lui mi ha chiesto se sapevo di Joe Lincoln. Ho risposto di sì.»

«Ha negato?»

«No. Ha mostrato un profondo rimorso.»

«È un bugiardo.»

«No. Credo che fosse sincero.»

Un altro lungo silenzio mentre Lee restava immobile. Poi: «Ti ha parlato del linciaggio?».

Adam chiuse gli occhi e appoggiò i gomiti sulle ginocchia. «No» mormorò.

«Lo immaginavo.»

«Non voglio sentirne parlare, Lee.»

«Oh, sì, invece. Sei arrivato qui con una quantità di interrogativi sulla famiglia e sul tuo passato. Due settimane fa non ti saziavi mai delle tragedie della famiglia Cayhall. Volevi il sangue e le ferite.»

«Ne ho saputo abbastanza» disse Adam.

«Che giorno è?» chiese Lee.

«Giovedì. L'hai già chiesto.»

«Una delle mie ragazze doveva partorire oggi. Il secondo figlio. Non ho telefonato in ufficio. Credo che sia effetto della medicina.»

«E dell'alcol.»

«E va bene, maledizione! Sono alcolizzata. Puoi farmene una colpa? Qualche volta vorrei avere il coraggio di fare come Eddie.»

«Su, Lee. Lascia che ti aiuti.»

«Mi hai già aiutata anche troppo, Adam. Stavo bene ed ero sobria finché non sei arrivato tu.»

«D'accordo. Ho sbagliato. Perdonami. Non mi ero reso conto che...» Adam non riuscì a concludere la frase.

Lee si mosse leggermente e restò a guardarla mentre beveva un altro sorso. Un silenzio pesante li circondò mentre i minuti passavano. Da Lee e dal letto emanava un odore rancido.

«Mia madre me lo raccontò» proseguì lei a voce bassa, quasi in un sussurro. «Disse che ne aveva sentito parlare per anni. Molto tempo prima che si sposassero, sapeva che Sam aveva partecipato al linciaggio di un giovane nero.»

«Lee, ti prego.»

«Io non l'ho mai chiesto a mio padre. Ma Eddie sì. Ne abbiamo parlato di nascosto per anni, e finalmente un giorno Eddie glielo sbatté in faccia. Ci fu una lite tremenda, ma Sam ammise che era vero. Disse che non gli dispiaceva affatto. A quanto pareva il nero aveva violentato una ragazza bianca, ma era una stracciona e molti dubitavano che fosse stato un vero stupro. Almeno, secondo la versione di mia madre. A quel tempo Sam aveva quindici anni. Un gruppo di uomini era andato alla prigione, si erano impadroniti del ragazzo e l'avevano trascinato nel bosco. Il padre di Sam, naturalmente, era il capo della banda, e c'erano anche i suoi fratelli.»

«Basta così, Lee.»

«Lo frustarono, poi lo impiccarono a un albero. E c'era anche il mio caro papà. Non poteva negarlo, vedi, perché qualcuno fotografò la scena.»

«Una foto?»

«Già. Qualche anno dopo fu pubblicata in un libro che descriveva la condizione dei negri nel Profondo Sud. Era il 1947. Mia madre ne conservò una copia per anni. Eddie la trovò in soffitta.»

«E nella foto c'è Sam.»

«Proprio così. Con un sorriso da un orecchio all'altro. C'è il gruppo intorno all'albero, e i piedi del ragazzo nero impiccato penzolano appena sopra le loro teste. Hanno tutti l'aria di divertirsi molto. Un altro negro linciato. Non ci sono nomi, non c'è scritto neppure chi l'ha scattata. L'immagine parla da sé. È presentata come un linciaggio nel Mississippi rurale, 1936.»

«Dov'è il libro?»

«Là, nel cassetto. L'ho conservato in magazzino con altri tesori di famiglia dopo che la banca si prese la casa. Sono andata a prenderlo l'altro giorno. Immaginavo che avresti voluto vederlo.»

«No. Non voglio.»

«Su, coraggio. Volevi sapere della tua famiglia. Bene, ci sono tutti. Il nonno, il bisnonno e un assortimento di Cayhall nel loro periodo d'oro. Colti sul fatto, e tutti orgogliosi.»

«Smetti, Lee.»

«Ci furono altri linciaggi, sai?»

«Sta zitta. Chiaro? Non voglio sentire altro.»

Lee si appoggiò sul fianco e tese la mano verso il comodino. «Cosa bevi, Lee?»

«Sciroppo per la tosse.»

«Balle!» Adam balzò in piedi e, nel buio, si avviò verso il comodino. Lee si affrettò a finire di bere. Adam le tolse il bicchiere di mano e fiutò. «È bourbon.»

«Ce n'è ancora in dispensa. Ti dispiace andarmelo a prendere?»

«No! Hai già bevuto anche troppo.»

«Se lo voglio, lo avrò.»

«No, Lee. Stanotte non berrai altro. Domani ti porterò dal dottore e troveremo il modo di aiutarti.»

«Non ho bisogno di aiuto. Ho bisogno di una pistola.»

Adam posò il bicchiere sulla toeletta e accese una lampada. Lee si riparò gli occhi per qualche secondo, poi lo guardò. Aveva gli occhi gonfi e arrossati, i capelli sporchi e spettinati.

«Non sono un bello spettacolo, eh?» disse con voce impastata, e distolse lo sguardo.

«No. Ma troveremo un modo per aiutarti. Domani.»

«Portami da bere, Adam. Ti prego.»

«No.»

«Allora lasciami in pace. È tutta colpa tua, lo sai bene. Vattene, per piacere. Va' a letto.»

Adam prese un cuscino che era al centro del letto e lo scagliò contro la porta. «Stanotte dormirò qui» esclamò indicando il cuscino. «Chiuderò la porta a chiave e tu non uscirai da questa stanza.»

Lo guardò incupita ma non disse nulla. Adam spense la lampada e la stanza piombò nel buio totale. Fece scattare la serratura e si sdraiò sulla moquette, a ridosso della porta. «E adesso dormi e smaltisci la sbornia, Lee.»

«Va' a letto, Adam. Ti prometto che non uscirò dalla camera.»

«No. Sei ubriaca, e io non mi muovo. Se cercherai di aprire la porta, ti porterò a letto di peso.»

«Che idea romantica!»

«Piantala, Lee. Dormi.»

«Non riesco a dormire.»

«Prova.»

«Parliamo dei Cayhall, d'accordo? Conosco altre storie di linciaggi.»

«Lee, sta' zitta!» urlò Adam, e Lee tacque. Il letto cigolò mentre si girava e si assestava più comodamente. Dopo un quarto d'ora non si mosse più. Dopo mezz'ora Adam cominciò a stare scomodo sul pavimento e a girarsi da una parte e dall'altra.

Dormì a intervalli, e per lunghi periodi rimase a fissare il soffitto e a preoccuparsi per lei e per il Quinto Distretto. A un certo punto si mise a sedere con la schiena contro la porta e puntò lo sguardo in direzione del cassetto. Il libro era davvero là? Provava la tentazione di andarlo a prendere e di nascondersi in bagno per guardare la fotografia. Ma non poteva rischiare di svegliare Lee. E non voleva vedere quella foto.

33

Trovò mezzo litro di bourbon nascosto nella dispensa dietro una scatola di salatini e lo vuotò nel lavello. Fuori era ancora buio. Mancava un'ora al sorgere del sole. Preparò un caffè forte e lo bevve sul divano mentre ripassava le argomentazioni che avrebbe presentato tra qualche ora a New Orleans.

Riesaminò gli appunti sul patio, all'alba, e alle sette andò in cucina a preparare il pane tostato. Lee non si era vista. Non voleva uno scontro con lei, ma era necessario. Aveva molte cose da dire, e Lee doveva scusarsi. Adam spostò rumorosamente piatti e forchette sul banco della cucina, e il rumore crebbe ancora quando accese il televisore per ascoltare il notiziario del mattino.

Ma Lee non si muoveva. Adam fece la doccia, si vestì e andò a girare la maniglia della porta della sua camera. Era bloccata. Lee si era rinserrata nella sua grotta per evitare il dialogo doloroso della mattina dopo. Le scrisse un biglietto per spiegare che sarebbe stato a New Orleans tutto il giorno e anche la notte e che si sarebbero rivisti l'indomani. Scrisse che si scusava, più tardi ne avrebbero parlato. E la supplicò di non bere.

Mise il biglietto sul banco della cucina dove non poteva fare a meno di vederlo, poi lasciò il condominio e andò in macchina all'aeroporto.

Il volo diretto per New Orleans durò cinquantacinque minuti. Bevve un succo di frutta e cercò di rilassarsi perché aveva la schiena indolenzita. Aveva dormito meno di tre ore sul pavimento, e giurò di non farlo mai più. Lee aveva ammesso di essere stata in cura tre volte nel corso degli anni; se non riusciva a tenersi lontana dall'alcol, lui non poteva far nulla per aiutarla. Sarebbe rimasto a Memphis fino alla conclusione di quel caso sciagurato; e se sua zia non riusciva a restare sobria, avrebbe lasciato l'appartamento e si sarebbe trasferito in albergo.

Si impose di non pensare a lei durante le prossime ore. Doveva concentrarsi sulle questioni legali, non sui linciaggi e le fotografie e le orribili vicende del passato, e neppure sulla zia e sui suoi problemi.

L'aereo atterrò a New Orleans, e di colpo la concentrazione di Adam divenne più netta. Elencò mentalmente i nomi di una dozzina di casi recenti di condanne a morte sottoposti al Quinto Distretto e alla Corte Suprema degli Stati Uniti.

La macchina a noleggio che l'attendeva era una Cadillac berlina prenotata da Darlene e messa in conto a Kravitz & Bane. C'era anche l'autista, e mentre Adam si rilassava sul sedile posteriore dovette riconoscere che la vita in un grande studio legale presentava certi vantaggi. Non era mai stato a New Orleans, e la corsa dall'aeroporto avrebbe potuto svolgersi in qualunque altra città: traffico e autostrade. L'autista svoltò in Poydras Street accanto al Superdome; all'improvviso si trovarono in centro e spiegò al passeggero che il Quartiere Francese era a pochi isolati, non lontano dall'albergo di Adam. La macchina si fermò in Camp Street, e Adam scese davanti a un palazzo chiamato semplicemente Corte d'Appello del Quinto Distretto. Era una costruzione imponente, con colonne greche e una lunga gradinata che conduceva all'ingresso.

Trovò la cancelleria al piano terra e chiese della persona con cui aveva parlato, un certo signor Feriday. Il signor Feriday era cortese e spontaneo come lo era stato al telefono. Registrò Adam e gli spiegò alcune delle regole in vigore nella corte. Gli chiese se voleva fare un breve giro del palazzo. Era quasi mezzogiorno e non c'era molta gente, il momento ideale per una visita. Si avviarono verso le aule passando davanti ai vari uffici dei giudici e dei loro collaboratori.

«Il Quinto Distretto ha quindici giudici» spiegò il signor Feriday mentre camminavano sui pavimenti di marmo. «E i loro uffici sono lungo questi corridoi. Al momento la corte ha tre posti vacanti, e le nomine sono ferme a Washington.» I corridoi erano semibui e silenziosi, come se dietro le grandi porte di legno fossero all'opera menti eccelse.

Il signor Feriday entrò nell'aula En Banc, una specie di imponente palcoscenico con quindici sedie disposte a semicerchio. «Quasi tutto il lavoro, qui, viene assegnato a collegi di tre membri. Ma ogni tanto i giudici si riuniscono al completo *en banc*» spiegò a voce bassa, come se provasse soggezione per l'aula maestosa. Il banco era sopraelevato rispetto al resto, perciò gli avvocati dovevano guardare dal basso in alto. L'aula era tutta marmi e legno scuro e tende pesanti, più un lampadario enorme. Era sontuosa ma sobria, vecchissima ma tenuta con ogni cura, e mentre Adam la osservava si sentì assalire dalla paura. Accade raramente che la corte al completo sieda *en banc*, spiegò di nuovo il signor Feriday come se istruisse uno studente del primo anno di legge. Le grandi decisioni sui diritti civili negli anni Sessanta e Settanta erano state prese lì, precisò con orgoglio. Dietro il banco erano appesi i ritratti dei giudici defunti.

Per quanto l'aula fosse bella e maestosa, Adam si augurò di non rivederla più, almeno come avvocato venuto a rappresentare un cliente. Proseguirono lungo il corridoio fino all'Aula Ovest, più piccola della prima ma non meno imponente. Lì esercitavano le loro funzioni le commissioni di tre giudici, spiegò il signor Feriday mentre passavano fra i sedili del settore riservato al pubblico, varcavano la barriera e raggiungevano il podio degli avvocati. Il banco dei giudici era sopraelevato, anche se non era maestoso e lungo come quello della prima aula.

«In pratica tutte le udienze hanno luogo la mattina a partire dalle nove» disse il signor Feriday. «Il suo caso è un po' diverso perché riguarda una condanna a morte che sta per essere eseguita.» Indicò i posti in fondo. «Dovrà trovarsi lì qualche minuto prima dell'una, e l'usciere chiamerà il caso. Allora varcherà la barriera e siederà qui, al tavolo della difesa. Toccherà a lei per primo, e avrà a disposizione venti minuti.»

Adam lo sapeva già, ma quei chiarimenti pratici erano molto cortesi.

Il signor Feriday indicò un oggetto sul podio: sembrava un

semaforo. «Quello è il timer» disse con aria solenne. «Ed è molto importante. Venti minuti, chiaro? Ci sono stati casi terribili di avvocati prolissi che l'hanno ignorato. Uno spettacolo deplorevole. Il verde è acceso quando lei parla. Il giallo si accende quando vuole sapere quanto manca... due minuti, cinque minuti, trenta secondi, quello che è. Quando scatta il rosso deve interrompersi, anche a metà di una frase, e sedersi. È molto semplice. Ha qualche domanda?»

«Chi sono i giudici?»

«McNeely, Robichaux e Judy.» Il signor Feriday lo disse come se Adam li conoscesse di persona tutti e tre. «Là c'è una sala d'attesa, e al secondo piano c'è una biblioteca. Basta che venga qui una decina di minuti prima dell'una. Altre domande?»

«No, signore. Grazie.»

«Se ha bisogno di me, sono nel mio ufficio. Auguri.» Si strinsero la mano. Il signor Feriday uscì e Adam restò in piedi accanto al podio.

All'una meno dieci Adam varcò la massiccia porta di quercia dell'Aula Ovest per la seconda volta, e trovò gli altri avvocati che si preparavano per la battaglia. Nella prima fila dietro la barriera divisoria il procuratore generale Steve Roxburgh e i suoi assistenti stavano discutendo le tattiche da adottare. Ammutolirono all'ingresso di Adam; qualcuno di loro accennò un saluto e si sforzò di sorridere. Adam sedette in solitudine accanto alla corsia centrale e li ignorò.

Lucas Mann era seduto nella metà dell'aula dove stavano Roxburgh e i suoi, ma qualche fila più indietro. Leggeva distrattamente un giornale, e salutò Adam con un gesto quando i loro occhi s'incontrarono. Era piacevole vederlo. Inamidato dalla testa ai piedi negli abiti kaki senza grinze, con una cravatta abbastanza chiassosa da essere visibile di notte. Si capiva a prima vista che non si lasciava intimidire dal Quinto Distretto e dalla sua solennità, ed era altrettanto ovvio che si teneva a distanza da Roxburgh. Era solo l'avvocato del Dipartimento Istituti di Pena, ed era lì per fare il suo lavoro. Se il Quinto Distretto avesse concesso una sospensione e Sam non fosse morto, Lucas Mann ne sarebbe stato contento. Adam rispose al saluto e sorrise.

Roxburgh e il suo gruppo tornarono a parlottare. Morris Henry, il dottor Morte, era al centro e stava spiegando qualcosa a quelle menti inferiori.

Adam respirò a fondo e cercò di rilassarsi. Ma era molto difficile. Gli girava lo stomaco e i piedi fremevano, e continuava a ripetersi che sarebbe stata questione di venti minuti appena. I tre giudici non potevano ucciderlo, potevano solo metterlo in imbarazzo, e anche questo sarebbe durato venti minuti. Poteva sopportare qualunque cosa per venti minuti. Lanciò un'occhiata agli appunti e per calmarsi si sforzò di pensare a Sam: non Sam il razzista, l'assassino, il criminale che aveva partecipato ai linciaggi, ma Sam il suo cliente, il vecchio che si consumava nel braccio della morte e aveva il diritto di morire in pace e con dignità. Sam stava per ottenere venti minuti del tempo prezioso di quella corte, e il suo avvocato doveva sfruttarli al massimo.

Una porta si chiuse chissà dove con un tonfo, e Adam sussultò. L'usciere girò dietro il banco e annunciò che l'onorevole corte era in seduta. Lo seguirono tre figure avvolte in fluenti toghe nere: McNeely, Robichaux e Judy. Ognuno di loro portava varie pratiche e sembrava del tutto privo di spirito e di benevolenza. Sedettero sulle massicce sedie di pelle in alto, dietro il lucido banco di quercia, e girarono lo sguardo sull'aula. Fu chiamata la causa di Sam Cayhall contro lo stato del Mississippi e gli avvocati vennero invitati ad avvicinarsi. Nervosamente, Adam varcò il cancelletto a molla della barriera divisoria seguito da Steve Roxburgh. Gli assistenti procuratori generali presero posto, e altrettanto fecero Lucas Mann e un gruppetto sparuto di spettatori. Quasi tutti, come Adam avrebbe scoperto più tardi, erano giornalisti.

Presiedeva Judy, l'onorevole T. Eileen Judy, una giovane texana. Robichaux era della Louisiana, e si avvicinava alla sessantina. McNeely dimostrava centoventi anni e anche lui era del Texas. Il giudice Judy fece un breve riepilogo del caso, quindi chiese al signor Adam Hall di Chicago se era pronto a procedere. Adam si alzò. Le ginocchia gli tremavano, lo stomaco sobbalzava, la voce era alta e stridula. Disse che sì, era pronto a procedere. Raggiunse il podio al centro dell'aula e alzò lo sguardo verso i tre giudici seduti lassù, dietro il banco.

Si accese la luce verde accanto a lui: doveva incominciare. In aula regnava il silenzio. I giudici lo squadravano severamente dall'alto. Si schiarì la gola, lanciò uno sguardo ai ritratti degli onorevoli defunti appesi alla parete e si avventò in un energico attacco contro la camera a gas quale metodo per eseguire le condanne a morte.

Evitò di guardare i tre negli occhi e per circa cinque minuti poté ripetere ciò che aveva già esposto nel ricorso. Era l'ora dopo il pranzo, nel pieno dell'estate, e i giudici impiegarono qualche minuto per liberarsi dall'inevitabile torpore.

«Signor Hall, mi pare che si limiti a ripetere ciò che ha già esposto nel ricorso» intervenne il giudice Judy in tono piuttosto irritato. «Le assicuro che sappiamo leggere.»

Il signor Hall la prese bene e pensò che quelli erano i suoi venti minuti, e se voleva mettersi le dita nel naso e recitare l'alfabeto dovevano permettergli di farlo. Per venti minuti. Per quanto fosse alle prime armi, aveva già sentito quel commento da un giudice di corte d'appello. Era successo quando studiava legge e seguiva un dibattimento. Era un'osservazione tipica nelle udienze.

«Sì, vostro onore» disse Adam, evitando con cura ogni riferimento al sesso femminile del giudice. Poi passò a discutere gli effetti del cianuro sui ratti di laboratorio, uno studio che non aveva incluso nel ricorso. Gli esperimenti erano stati effettuati un anno prima da alcuni chimici svedesi per provare che gli esseri umani non muoiono istantaneamente quando inalano il veleno. La ricerca era stata finanziata da un'organizzazione europea che mirava a ottenere l'abolizione della pena di morte in America.

I ratti cadevano in convulsioni. I polmoni e il cuore si arrestavano e riprendevano a funzionare in modo irregolare per parecchi minuti. Il gas faceva scoppiare i vasi sanguigni in ogni parte dell'organismo, incluso il cervello. I muscoli fremevano incontrollabilmente, i ratti sbavavano e squittivano.

Il senso dello studio consisteva nel fatto che i ratti non morivano con rapidità, anzi soffrivano moltissimo. I test erano stati svolti con rigore scientifico. Ai piccoli animali erano state somministrate dosi calibrate. In media passavano quasi dieci minuti prima che sopravvenisse la morte. Adam si diffuse nei dettagli, e via via che si accalorava nell'esposizione i suoi nervi si calmarono un po'. I giudici ascoltavano, non solo, ma sembravano apprezzare quel resoconto sull'agonia dei ratti.

Adam aveva scoperto lo studio in una nota di un caso recente avvenuto nel North Carolina. Era stampato in caratteri minutissimi, e non era molto conosciuto.

«Vorrei chiarire una cosa» intervenne Robichaux con voce acuta. «Lei non vuole che il suo cliente muoia nella camera a gas perché è una crudeltà, ma ci sta dicendo che non le dispiacerebbe se venisse giustiziato con un'iniezione letale?»

«No, vostro onore, non è questo che sto dicendo. Non voglio che il mio cliente venga giustiziato e basta.»

«L'iniezione letale è meno atroce?»

«Tutti i metodi sono atroci, ma l'iniezione letale sembra il meno crudele. Non c'è dubbio che la camera a gas è un modo orribile di morire.»

«Peggio che essere dilaniati da una bomba?»

Nell'aula scese un silenzio pesante dopo le parole di Robichaux. Aveva calcato la voce sulla parola "bomba", e Adam si sforzò di trovare una risposta pertinente. McNeely lanciò un'occhiataccia al collega.

Era un colpo basso, e Adam era furioso. Si dominò con uno sforzo e disse in tono fermo: «Stiamo parlando di metodi d'esecuzione, vostro onore, non dei crimini che portano gli uomini nel braccio della morte».

«Perché non vuole parlare del crimine?»

«Perché non è di questo che stiamo discutendo. Perché ho a disposizione soltanto venti minuti, e il mio cliente solo dodici giorni.»

«Forse il suo cliente non avrebbe dovuto piazzare bombe.»

«Certamente. Ma è stato riconosciuto colpevole e adesso lo attende la morte nella camera a gas. Noi affermiamo che la camera a gas è un mezzo crudele per giustiziare un essere umano.»

«E la sedia elettrica?»

«Vale la stessa argomentazione. Ci sono stati casi atroci di persone che hanno sofferto terribilmente sulla sedia prima di morire.»

«E un plotone d'esecuzione?»

«A me sembra crudele.»

«L'impiccagione?»

«Non ne so molto, ma mi sembra altrettanto crudele.»

«Ma l'idea dell'iniezione letale le piacerebbe?»

«Non ho detto che mi piace. Mi pare di aver detto che è meno crudele degli altri metodi.»

Il giudice McNeely intervenne. «Signor Hall, perché il Mississippi è passato dalla camera a gas all'iniezione letale?»

L'argomento era trattato in modo approfondito nel ricorso, e Adam intuì immediatamente che McNeely gli era favorevole. «Ho condensato la storia legislativa della legge nel mio ricorso, vostro onore; fu approvata principalmente per facilitare le esecuzioni. L'assemblea legislativa ammise che era un modo più sereno di morire, e quindi cambiò il metodo per aggirare contestazioni costituzionali come questa.»

«Perciò lo stato ha ammesso effettivamente che c'è un metodo migliore per giustiziare qualcuno?»

«Sì, vostro onore. Ma la legge entrò in vigore soltanto nel 1984, e vale solo per i condannati che sono stati riconosciuti colpevoli in una data successiva. Non vale per Sam Cayhall.»

«Capisco. Lei ci chiede di eliminare la camera a gas come metodo di esecuzione. Cosa succederebbe se lo facessimo? Cosa sarebbe del suo cliente e di quelli che come lui furono riconosciuti colpevoli prima del 1984? Avrebbero una scappatoia? La legge non stabilisce che debbano essere giustiziati con un'iniezione letale.»

Adam aveva previsto la domanda. Sam gliel'aveva già rivolta. «Non sono in grado di rispondere, vostro onore, se non per dire che ho la più grande fiducia nella competenza dell'assemblea legislativa del Mississippi e la ritengo capace e disposta ad approvare una legge nuova riguardante il mio cliente e coloro che si trovano nella stessa situazione.»

In quel momento intervenne il giudice Judy. «Presumendo che questo avvenga, signor hall, cosa sosterrà quando tornerà qui fra tre anni?»

Fortunatamente si accese la luce gialla. Adam aveva un solo minuto. «Mi verrà in mente qualcosa» rispose con un sorriso. «Mi basta avere il tempo.»

«Abbiamo già visto un caso come questo, signor Hall» intervenne Robichaux. «Anzi, è citato nel suo ricorso. Un caso avvenuto nel Texas.»

«Sì, vostro onore. Prego la corte di riconsiderare la sua decisione in proposito. In pratica tutti gli stati con camera a gas e sedia elettrica sono passati all'iniezione letale. La ragione è ovvia.»

Restava qualche secondo, ma Adam decise che era più opportuno fermarsi. Non voleva altre domande. «Grazie» disse, e tornò al suo posto con aria sicura. Era fatta. Non aveva vomitato la colazione, e per un pivello se l'era cavata molto bene. La prossima volta sarebbe stato più facile.

Roxburgh era legnoso e metodico, e molto preparato. Pronunciò qualche battuta sui ratti e sui crimini da loro commessi, ma come tentativo di fare lo spiritoso fu deprimente. McNeely rivolse anche a lui le stesse domande per sapere come mai gli stati si affrettavano ad adottare l'iniezione letale. Roxburgh fu irremovibile e citò un lungo elenco di casi in cui i vari distretti federali avevano confermato la legittimità di camere a gas, sedie elettriche, impiccagioni e plotoni d'esecuzione. La legge era dalla sua parte, e ne approfittava. I suoi venti minuti volarono; poi tornò al suo posto con la stessa prontezza di Adam.

Il giudice Judy pronunciò qualche parola sull'urgenza del caso in esame e promise una decisione entro pochi giorni. Tutti si alzarono all'unisono e i tre giudici sparirono dal banco. L'usciere annunciò che le udienze sarebbero riprese il lunedì mattina.

Adam strinse la mano a Roxburgh e uscì prima che un giornalista riuscisse a fermarlo. Lavorava per un quotidiano di Jackson e aveva qualche domanda da rivolgergli. Adam rispose educatamente che non aveva dichiarazioni da fare. Ripeté la stessa affermazione ad altri due cronisti. Roxburgh, secondo la sua abitudine, aveva qualcosa da dire, e mentre Adam si allontanava i giornalisti lo circondarono e tesero i registratori verso di lui.

Adam non vedeva l'ora di lasciare il palazzo. Uscì nel caldo tropicale e inforcò subito gli occhiali da sole. «Ha già pranzato?» chiese una voce alle sue spalle. Era Lucas Mann, e sfoggiava un paio di occhiali scuri da aviatore. Si strinsero la mano sotto le colonne.

«Non avevo voglia di mangiare» confessò Adam.

«Si è battuto molto bene. È un'esperienza che mette a dura prova i nervi, no?»

«Sì. Come mai è qui?»

«Fa parte del mio lavoro. Il direttore mi ha chiesto di venire ad assistere all'udienza. Aspetteremo la decisione prima di cominciare i preparativi. Andiamo a mangiare.»

L'autista di Adam fermò la macchina accanto al marciapiedi. Salirono.

«Conosce la città?»

«No. È la prima volta che ci vengo.»

«Al Bon Ton Café» disse Man all'autista. «È un magnifico vecchio locale, qui girato l'angolo. Gran bella macchina.»

«I vantaggi di lavorare per uno studio legale ricco.»

Il pranzo cominciò con una novità: ostriche crude sui mezzi gusci. Adam ne aveva sentito parlare, ma non lo avevano mai tentato. Mann gli spiegò come si preparava la salsina ideale con rafano, succo di limone, tabasco e salsa da cocktail, quindi vi immerse la prima ostrica, la posò delicatamente su un cracker e la mangiò in un boccone. La prima ostrica di Adam scivolò dal cracker e cadde sul tavolo, ma la seconda gli finì doverosamente in gola.

«Non la mastichi» raccomandò Mann. «Lasci che vada giù.» Anche le altre dieci andarono giù, ma non abbastanza in fretta secondo Adam che fu contento quando i dodici gusci sul suo piatto restarono vuoti. Bevvero birra Dixie e attesero i gamberetti in salsa remoulade.

«Ho visto che avete addotto l'inefficienza della difesa» disse Mann mentre addentava un cracker.

«Credo che da questo momento ci attaccheremo a tutto.»

«La Corte Suprema non ha sprecato molto tempo.»

«No, infatti. Sembra che si siano stancati di Sam Cayhall. Presenterò oggi il ricorso alla corte distrettuale, ma non mi aspetto che Slattery lo accolga.»

«Non me l'aspetterei neppure io.»

«Che probabilità ho, a dodici giorni?»

«Le probabilità continuano ad assottigliarsi, ma la situazione è sempre imprevedibile. Con ogni verosimiglianza, sono ancora cinquanta e cinquanta, più o meno. Qualche anno fa arrivammo molto vicino all'esecuzione di Stockholm Turner. Sembrava una cosa certa quando mancavano due settimane. Quando ne mancava una sola, non gli restava nient'altro da presentare. Aveva un avvocato discreto, ma ormai tutti gli appelli erano esauriti. Gli servirono l'ultimo pasto e...»

«Ed ebbe la visita di due prostitute.»

«Come lo sa?»

«Me l'ha raccontato Sam.»

«È vero. Ottenne una sospensione all'ultimo minuto, e adesso passeranno molti anni prima che finisca nella camera a gas. Non si può mai sapere.»

«La sua personale sensazione?»

Mann bevve una lunga sorsata di birra e si inclinò all'indietro mentre il cameriere metteva davanti a loro due grandi piatti di gamberetti in salsa remoulade. «Non ho mai sensazioni quando si tratta di un'esecuzione. Può succedere di tutto. Continui a presentare ricorsi e appelli. Diventa una maratona. Non può rassegnarsi. L'avvocato di Jumbo Parris ebbe un collasso quando mancavano dodici ore, ed era all'ospedale quando il suo cliente morì.»

Adam masticò un gamberetto bollito e lo mandò giù con un sorso di birra. «Il governatore vuole che parli con lui. Dovrei farlo?»

«Cosa vuole il suo cliente?»

«Può immaginarlo. Odia il governatore. Mi ha proibito di parlargli.»

«Dovrà comunque chiedere un'udienza per la grazia. È la consuetudine.»

«Conosce bene McAllister?»

«Non troppo bene. È un animale politico con grandi ambizioni e non mi fiderei di lui neppure per un istante. Ma ha il potere di concedere la grazia. Può commutare la condanna a morte. Può comminare l'ergastolo, o liberare Sam. La legge attribuisce al governatore un ampio potere discrezionale. Con ogni probabilità, è la vostra ultima speranza.»

«Che Dio ci aiuti.»

«Com'è la remoulade?» chiese Mann a bocca piena.

«Eccellente.»

Per un po' furono occupati a mangiare. Adam era grato per la compagnia e la chiacchierata, ma aveva deciso di limitarsi a parlare di appelli e strategie. Lucas Mann gli era simpatico, ma non lo era al suo cliente. Come avrebbe detto Sam, Mann lavorava per lo stato, e lo stato lavorava per giustiziarlo.

Un volo del tardo pomeriggio lo avrebbe riportato a Memphis per le sei e mezzo, molto prima che facesse buio. Avrebbe potuto fermarsi un'ora o più in ufficio prima di tornare da Lee. Ma non se la sentiva. Aveva una bella camera in un hotel moderno in riva al fiume, pagato da Kravitz & Bane. Tutte le spese erano coperte. E non aveva mai visto il Quartiere Francese.

Si svegliò alle sei dopo una dormita di tre ore facilitata dalle tre Dixie bevute a pranzo e dalla notte agitata. Era steso di traverso sul letto con le scarpe. Contemplò per mezz'ora il ventilatore appeso al soffitto prima di muoversi. Il sonno era stato pesante.

Lee non rispose al telefono. Lasciò un messaggio alla segreteria e si augurò che non avesse bevuto ancora. E se aveva bevuto, c'era da sperare che si fosse chiusa in camera sua dove non poteva far male a nessuno. Si lavò i denti, si spazzolò i capelli, scese con l'ascensore nell'atrio spazioso dove suonava una banda jazz. Da un bar d'angolo qualcuno offriva a gran voce ostriche nei mezzi gusci per cinque cent.

Uscì nel caldo soffocante, percorse Canal Street fino a Royal Street, svoltò a destra e si perse nella folla dei turisti. Era venerdì sera e il Quartiere si stava animando. Guardò come un allocco i locali di spogliarello tentando disperatamente di sbirciare all'interno. Lo inchiodò una porta che si aprì rivelando una fila di spogliarellisti su un palcoscenico: uomini che sembravano belle donne. Mangiò un involtino primavera acquistato in un chiosco cinese. Girò intorno a un ubriaco che vomitava per la strada. Passò un'ora seduto a un tavolino in un jazz club, ascoltando un'orchestrina fantastica e bevendo una birra da quattro dollari. Quando venne buio, andò a piedi in Jackson Square e guardò i pittori che si allontanavano portando via i cavalletti. I musicisti e i ballerini da strada erano numerosissimi davanti a una vecchia cattedrale, e Adam applaudì uno straordinario quartetto d'archi formato da studenti di Tulane. Dappertutto c'era gente che beveva, mangiava e ballava e si godeva l'atmosfera festosa del Quartiere Francese.

Comprò un gelato alla vaniglia e s'incamminò verso Canal Street. In una notte diversa e in altre circostanze si sarebbe lasciato tentare da uno spogliarello, sedendosi naturalmente in fondo alla sala dove nessuno poteva vederlo, o forse sarebbe entrato in un bar alla moda per cercare qualche bella donna sola.

Ma quella notte, no. Gli ubriachi gli rammentavano Lee, e rimpiangeva di non essere tornato a Memphis. La musica e le risate gli ricordavano Sam che in quel momento stava seduto in un forno umido, fissava le sbarre e contava i giorni, e sperava e forse pregava che il suo avvocato compisse un miracolo. Sam non avrebbe mai visto New Orleans, non avrebbe mai mangiato ostriche o fagioli rossi e riso, non avrebbe mai bevuto una birra ghiacciata o un buon caffè. Non avrebbe sentito suonare il jazz o guardato gli artisti che dipingevano. Non sarebbe mai salito su un aereo, non avrebbe alloggiato in un bell'albergo. Non avrebbe mai pescato o guidato un'automobile o fatto le mille cose che la gente libera considera normali.

Anche se Sam fosse sopravvissuto all'8 agosto, avrebbe continuato a morire giorno per giorno.

Adam lasciò il Quartiere Francese e tornò in fretta all'albergo. Aveva bisogno di riposo. La maratona stava per cominciare.

34

La guardia soprannominata Tiny ammanettò Sam e lo condusse fuori dal Raggio A. Sam stringeva un sacchetto di plastica pieno delle lettere che aveva ricevuto nelle ultime due settimane. Durante gran parte della sua carriera di detenuto nel braccio della morte aveva ricevuto una manciata di lettere ogni mese da parte di sostenitori, uomini del Klan e simpatizzanti: razzisti, antisemiti, fanatici di ogni genere. Per un paio d'anni aveva risposto, ma poi aveva finito per stancarsi. Cosa ci guadagnava? Per qualcuno era un eroe, ma più corrispondeva con gli ammiratori e più quelli davano fuori di testa. C'erano tanti matti, là fuori. A volte pensava che forse era più al sicuro nel Braccio che nel mondo libero.

La corte federale aveva sentenziato che la corrispondenza era un diritto, non un privilegio. Quindi non poteva essere tolta. Ma poteva essere regolamentata. Ogni lettera veniva aperta da un ispettore, a meno che sulla busta non risultasse chiaro che il mittente era un avvocato. Se un detenuto non era sottoposto alla censura postale, le lettere non venivano lette, e a tempo debito venivano consegnate al braccio della morte e distribuite ai destinatari. Anche le scatole e i pacchi venivano aperti e ispezionati.

Per molti fanatici il pensiero di perdere Sam era insopportabile e la sua corrispondenza era cresciuta in modo sensazionale da quando il Quinto Distretto aveva revocato la sospensione. Gli offrivano il loro incrollabile sostegno e le loro preghiere. Qualcuno offriva denaro. Le lettere tendevano a diventare lunghissime con le maledizioni contro ebrei, negri, progressisti e altri cospiratori. Qualcuno si lamentava delle tasse, delle leggi che regolavano il possesso delle armi da fuoco, del debito nazionale. Qualcuno faceva prediche.

Sam era stufo delle lettere. Ne riceveva in media sei al giorno. Le posò sul ripiano non appena gli furono tolte le manette, poi chiese alla guardia di aprire uno sportellino nella grata. La guardia passò il sacchetto ad Adam, uscì e chiuse a chiave la porta.

«Cos'è?» chiese Adam con il sacchetto fra le mani.

«Lettere di ammiratori.» Sam sedette al solito posto e accese una sigaretta.

«Cosa dovrei farne?»

«Leggile. Bruciale. Non m'interessa. Stamattina ho pulito la cella e quella roba mi dava fastidio. Ho saputo che ieri sei andato a New Orleans. Dimmi tutto.»

Adam posò le lettere su una sedia e sedette di fronte a Sam. Fuori c'erano trentanove gradi, e il locale dei colloqui non era molto più fresco. Era sabato e Adam indossava jeans, mocassini e una polo di cotone leggero. «Il Quinto Distretto mi ha telefonato giovedì e mi ha fatto sapere che volevano sentirmi venerdì. Sono andato, li ho abbagliati con il mio genio e questa mattina sono tornato a Memphis in aereo.»

«Quando decideranno?»

«Presto.»

«Un collegio di tre giudici?»

«Sì.»

«Chi sono?»

«Judy, Robichaux e McNeely.»

Sam rifletté sui nomi per un momento. «McNeely è un vecchio guerriero e ci aiuterà. La Judy è una troia conservatrice, oh, scusa, volevo dire una femmina americana conservatrice, di nomina repubblicana. Non credo proprio che ci darà un aiuto. Non conosco Robichaux. Di dov'è?»

«Della Louisiana meridionale.»

«Ah, un cajun-americano.»

«Credo di sì. È un mulo imbecille. Non ci aiuterà.»

«Allora perderemo due a uno. Non hai detto che li hai abbagliati con la tua genialità?»

«Non abbiamo ancora perso.» Per Adam era una sorpresa

sentire Sam parlare con tanta familiarità dei vari giudici. D'altra parte aveva studiato i tribunali e le corti per nove anni.

«Dov'è il ricorso per inefficienza della difesa?» chiese Sam.

«Ancora qui, alla corte distrettuale. È indietro di qualche giorno rispetto all'altro.»

«Presentiamo qualcos'altro, d'accordo?»

«Ci sto lavorando.»

«Sbrigati. Mi restano undici giorni. Nella mia cella c'è un calendario e passo almeno tre ore al giorno a fissarlo. Quando mi sveglio al mattino traccio una grossa croce sulla data del giorno prima. L'8 agosto è segnato con un cerchio. Le croci si avvicinano sempre di più al cerchio, quindi fa qualcosa.»

«Ci sto lavorando, d'accordo? Anzi, sto mettendo a punto una nuova teoria d'attacco.»

«Bravo ragazzo!»

«Credo che possiamo dimostrare che sei mentalmente squilibrato.»

«Ci stavo appunto pensando anch'io.»

«Sei vecchio. Sei senile. La prendi con troppa calma. Dev'esserci qualcosa che non va. Non sei in grado di comprendere la ragione della tua esecuzione.»

«Abbiamo letto gli stessi casi.»

«Goodman conosce un esperto disposto a dire qualunque cosa dietro compenso. Pensiamo di farlo venire qui per esaminarti.»

«Magnifico! Mi strapperò i capelli e rincorrerò le farfalle per la stanza.»

«Credo che potremo puntare sulla tesi dell'incapacità d'intendere e di volere.»

«Sono d'accordo. Su, forza. Presentiamo una montagna di ricorsi.»

«Lo farò lunedì.»

Sam lanciò sbuffi di fumo e rifletté per qualche minuto. Sudavano tutti e due e Adam sentiva il bisogno di un po' d'aria pura. Voleva stare nella sua macchina, con i vetri chiusi e il condizionatore al massimo.

«Quando torni?» chiese Sam.

«Lunedì. Ascolta, non è un argomento piacevole, ma dobbiamo affrontarlo. Un giorno o l'altro morirai. Potrebbe essere l'8 agosto o fra cinque anni. Guardando quanto fumi, non durerai molto.»

«Il fumo non è la mia preoccupazione principale.»

«Lo so. Ma la tua famiglia, io e Lee, dobbiamo dare disposizioni per la sepoltura. Non è possibile provvedere da un giorno all'altro.»

Sam fissò le file dei minuscoli triangoli della grata. Adam scribacchiava su un blocco. Il condizionatore sibilava e sputacchiava ma con scarsi risultati.

«Tua nonna era una persona meravigliosa, Adam. Mi dispiace che tu non l'abbia conosciuta. Meritava qualcuno migliore di me.»

«Lee mi ha condotto a vedere la sua tomba.»

«Le causavo tante sofferenze, e lei le sopportava. Seppellitemi vicino a lei, così, forse, potrò chiederle perdono.»

«Provvederò.»

«Mi raccomando. Come pagherai la tomba?»

«Posso permettermelo, Sam.»

«Non ho neanche un soldo, Adam. Ho perso tutto molti anni fa, per ragioni evidenti. Ho perso la terra e la casa, quindi non ho niente da lasciare.»

«Hai fatto testamento?»

«Sì. L'ho preparato personalmente.»

«Lo guarderemo la settimana prossima.»

«Prometti che verrai lunedì.»

«Te lo prometto, Sam. Posso portarti qualcosa?»

Sam esitò per un attimo. Sembrava quasi imbarazzato. «Sai cosa mi piacerebbe?» chiese con un sorriso infantile.

«Cosa? Chiedi quello che vuoi, Sam.»

«Quando ero bambino, il piacere più grande della mia vita era un Eskimo Pie.»

«Un Eskimo Pie?»

«Sì, è un gelato da passeggio. Gelato alla vaniglia ricoperto di cioccolata. Li ho sempre mangiati fino a quando sono finito qui. Credo che li facciano anche adesso.»

«Un Eskimo Pie?» ripeté Adam.

«Sento ancora il sapore. Il gelato più delizioso del mondo. Immagini come sarebbe buono in questo forno?»

«D'accordo, Sam, ti porterò un Eskimo Pie.»

«Portane più di uno.»

«Ne porterò una dozzina. E li mangeremo qui, mentre sudiamo.»

Il secondo visitatore di Sam, quel giorno, non era atteso. Si fermò al posto di guardia al cancello d'ingresso, e presentò una patente del North Carolina con foto. Spiegò che era il fratello di Sam Cayhall, e gli avevano detto che poteva fargli visita nel braccio della morte quando voleva, da quel momento fino all'esecuzione. Aveva parlato con un certo signor Holland dell'amministrazione, e il signor Holland gli aveva assicurato che per Sam Cayhall le norme per le visite erano attenuate. Poteva venire a trovarlo fra le otto e le cinque, in qualunque giorno della settimana. La guardia entrò nella portineria e fece una telefonata.

Trascorsero cinque minuti mentre il visitatore attendeva paziente nella macchina presa a nolo. La guardia fece altre due telefonate, poi trascrisse sul blocco a molla il numero di targa. Spiegò al visitatore che doveva parcheggiare lì vicino, chiudere a chiave le portiere e attendere presso la postazione. Il visitatore obbedì, e dopo pochi minuti arrivò un pullmino bianco del carcere. Al volante c'era una guardia armata in uniforme che accennò al visitatore di salire a bordo.

Il pullmino fu autorizzato a varcare i due cancelli dell'Msu e andò a fermarsi davanti all'ingresso principale dove attendevano altre due guardie che perquisirono il visitatore sui gradini. Non aveva né pacchi né borse.

«Dove preferisce vedere Sam?» chiese una guardia.

«Non capisco» rispose il visitatore.

«Ecco, normalmente tutte le visite si svolgono qui dietro l'angolo, nella sala dei colloqui, ma adesso Sam può ricevere gli ospiti in una stanza interna. È un ufficetto che utilizziamo quando si avvicina il momento.»

Il visitatore non si aspettava la risposta. «Quale stanza ha un divisorio per tenere i detenuti separati dai visitatori?» chiese in tono nervoso.

«Be', la sala per i colloqui.»

«Allora andiamo là.»

Le guardie si scambiarono un'occhiata. Era una richiesta

strana, da parte di un familiare del detenuto. Ma quando c'era di mezzo Sam, niente poteva sorprenderli.

Lo condussero intorno all'angolo e nello stanzone vuoto delle visite. Sedette vicino alla parte centrale della grata. «Andiamo a chiamare Sam» disse una guardia. «Ci vorranno cinque minuti.»

Sam stava battendo a macchina una lettera quando le guardie si fermarono davanti alla sua cella. «Andiamo, Sam. Hai una visita.»

Sam smise di battere sui tasti e si voltò. Il ventilatore andava al massimo, e il televisore era sintonizzato su una partita di baseball. «Chi è?» chiese seccamente.

«Tuo fratello.»

Sam posò la macchina per scrivere sulla libreria e prese la tuta. «Quale?»

«Non gliel'abbiamo chiesto. È tuo fratello e basta. Adesso vieni.»

Lo ammanettarono e Sam li seguì. Aveva avuto tre fratelli, ma il maggiore era morto giovane per un attacco di cuore, prima che lui finisse in carcere. Donnie, il più giovane, aveva sessantun anni e abitava presso Durham, nel North Carolina. Albert, che ne aveva sessantasette, era in cattive condizioni di salute e viveva nei boschi della contea di Ford. Donnie mandava ogni mese le sigarette, qualche dollaro e qualche breve lettera. Albert non scriveva da sette anni. Una zia nubile aveva scritto fino a quando era morta, nel 1985. Gli altri Cayhall l'avevano dimenticato.

Doveva essere Donnie, si disse. Donnie era l'unico che gli fosse abbastanza affezionato da venirlo a trovare. Non lo vedeva da due anni. Si sentiva sollevato mentre si avvicinavano alla porta dello stanzone dei colloqui. Era una sorpresa piacevole.

Sam varcò la porta e guardò l'uomo seduto al di là dello schermo divisorio. Era una faccia che non riconosceva. Si guardò intorno e si rese conto che quello era l'unico visitatore e che lo stava fissando con fredda calma. Le guardie erano attentissime mentre facevano scattare le manette; perciò Sam sorrise all'uomo e gli fece un cenno con la testa, poi seguì con gli occhi le guardie finché non uscirono e chiusero la porta. Sedette di fronte al visitatore, accese una sigaretta e non disse nulla.

L'uomo aveva qualcosa di familiare, ma non riusciva a identificarlo. Continuarono a scrutarsi attraverso l'apertura nella grata.

«La conosco?» chiese finalmente Sam.

«Sì» rispose l'uomo.

«Da dove viene?»

«Dal passato, Sam. Da Greenville e da Jackson e da Vicksburg. Dalla sinagoga e dall'agenzia immobiliare, dalla casa dei Pinder e dall'ufficio di Marvin Kramer.»

«Wedge?»

L'uomo annuì, e Sam chiuse gli occhi ed esalò una boccata di fumo verso il soffitto. Lasciò cadere la sigaretta e si accasciò sulla sedia. «Dio, speravo che fossi morto.»

«Peccato.»

Sam lo fissò rabbiosamente. «Figlio di puttana» sibilò a denti stretti. «Figlio di puttana. Per ventitré anni ho sperato e sognato che fossi morto. Ti ho ucciso un milione di volte a mani nude, con bastoni e coltelli e con tutte le armi conosciute. Ti ho guardato sanguinare e ti ho sentito urlare per chiedere pietà.»

«Mi dispiace, Sam, ma eccomi qui.»

«Ti odio più di quanto sia mai stato odiato un essere umano. Se avessi una pistola ti spedirei all'inferno. Ti riempirei la testa di piombo e riderei fino alle lacrime. Dio, quanto ti odio.»

«Tratti così tutti i visitatori, Sam?»

«Cosa vuoi, Wedge?»

«Possono sentirci?»

«Non gliene frega niente di quello che diciamo.»

«Ma possono esserci microfoni nascosti.»

«Allora vattene, buffone. Vattene.»

«Fra un momento. Ma prima volevo farti sapere che sono qui e sorveglio tutto da vicino, e sono molto contento che il mio nome non sia stato fatto. Spero che continui così. Sono riuscito a far tacere la gente.»

«Sei molto persuasivo.»

«Comportati da uomo, Sam. Muori con dignità. Eri con me. Eri complice e cospiratore, e secondo la legge sei colpevole quanto me. Certo, io sono libero, ma chi ha mai detto che la vita è giusta? Continua così, porta nella tomba il nostro piccolo segreto, e nessuno ci andrà di mezzo, chiaro?»

«Dove sei stato finora?»

«Dappertutto. Il mio vero nome non è Wedge, Sam, quindi non farti venire certe idee. Non è mai stato Wedge. Neppure Dogan conosceva il mio vero nome. Ero stato chiamato di leva nel 1966 ma non volevo andare in Vietnam. Scappai in Canada e passai alla clandestinità. E ci sono rimasto sempre. Io non esisto, Sam.»

«Dovresti esserci tu, al mio posto.»

«No. Ti sbagli. Non dovrei esserci, e non dovresti esserci neppure tu. Sei stato un idiota a tornare a Greenville. L'Fbi non aveva indizi. Non ci avrebbero mai presi. Ero troppo furbo. Dogan era troppo furbo. Ma tu eri l'anello debole della catena. Sarebbe stato comunque l'ultimo attentato, sai, con i morti e tutto il resto. Era il momento di mollare. Avrei lasciato il paese, e non avrei più messo piede in questi posti miserabili. Tu saresti tornato a casa dai polli e dalle vacche. Chissà cos'avrebbe fatto Dogan. Ma se adesso sei lì, Sam, è perché ti sei comportato da imbecille.»

«E tu sei stato un imbecille a venire qui oggi.»

«Non proprio. Nessuno ti crederebbe se ti mettessi a urlare. Diavolo, tutti ti credono pazzo. Comunque, preferisco che le cose restino come sono. Non ho bisogno di chiasso. Rassegnati all'inevitabile, Sam, e sta' zitto.»

Sam accese meticolosamente un'altra sigaretta e buttò la cenere sul pavimento. «Vattene, Wedge. E non tornare mai più.»

«Puoi contarci. Mi dispiace dovertelo dire, Sam, ma spero che ti gassino.»

Sam si alzò e si avviò verso la porta. Una guardia gli aprì e lo condusse via.

Erano seduti in fondo al cinema e mangiavano popcorn come due adolescenti. Il film era stato un'idea di Adam. Lee aveva passato tre giorni nella sua camera in compagnia del virus, e sabato mattina la sbronza era passata. Adam l'aveva portata a cena in una trattoria familiare dove il servizio era rapido e non c'erano alcolici nel menu. Lee aveva divorato le cialde alle noci con la panna montata.

Il film era un western politicamente corretto con gli indiani nella parte dei buoni e i cowboy in quella dei mascalzoni. Tutti i visi pallidi erano malvagi e finivano ammazzati. Lee bevve due cola grandi. Aveva i capelli puliti e ravviati dietro le orecchie. Gli occhi erano di nuovo limpidi e belli. Il volto era truccato, le ferite della settimana appena trascorsa erano nascoste. Era fresca come sempre, in jeans e camicia di cotone. Ed era sobria.

Avevano parlato pochissimo della notte del giovedì precedente, quando Adam aveva dormito davanti alla porta. Avevano deciso di discuterne più tardi, in un futuro lontano quando Lee sarebbe stata capace di farlo. Per Adam andava bene così. Lee camminava su una corda tesa e barcollava sull'orlo di un'altra caduta nell'abisso nero dell'alcolismo. Adam l'avrebbe protetta dal tormento e dall'angoscia, avrebbe cercato di renderle piacevole la vita. Non avrebbe più parlato di Sam e dei suoi delitti. Non avrebbe più parlato di Eddie. Non avrebbe più parlato della storia della famiglia Cayhall.

Lee era sua zia e le voleva bene. Era fragile e ammalata e aveva bisogno della sua voce energica e delle sue spalle solide.

35

La domenica mattina Phillip Naifeh si svegliò presto con forti dolori al petto, e fu ricoverato d'urgenza all'ospedale di Cleveland. Abitava in una casa moderna nel complesso di Parchman con la donna che era sua moglie da quarantun anni. La corsa in ambulanza durò venti minuti e le sue condizioni si erano stabilizzate quando entrò nel pronto soccorso su una barella.

La moglie attese ansiosamente nel corridoio mentre le infermiere andavano e venivano. Aveva atteso già una volta in quel luogo, tre anni prima, in occasione del primo attacco di cuore. Un giovane dottore dal viso serio le spiegò che era un attacco leggero, che le condizioni erano adesso stazionarie e riposava tranquillo con l'aiuto dei sedativi. L'avrebbero tenuto in osservazione per le prossime ventiquattr'ore, e se le cose fossero andate com'era prevedibile, l'avrebbero dimesso entro una settimana.

Gli fu proibito nel modo più categorico di avvicinarsi a Parchman e di avere a che fare con l'esecuzione di Sam Cayhall. Non poteva neppure telefonare.

Addormentarsi stava diventando una battaglia. Di solito Adam leggeva a letto per circa un'ora, e alla facoltà di legge aveva imparato che le pubblicazioni legali erano indicatissime per favorire il sonno. Adesso, invece, più leggeva e più si preoccupava. Aveva la mente oppressa dagli avvenimenti delle ultime due settimane: le persone incontrate, le cose scoperte, i luoghi dov'era stato. E la sua mente turbinava all'impazzata al pensiero di ciò che sarebbe avvenuto.

Sabato notte dormì un sonno agitato e rimase desto per lunghi intervalli di tempo. Quando finalmente si svegliò definitivamente il sole era già sorto. Erano quasi le otto. Lee aveva accennato alla possibilità di un'altra incursione in cucina. Un tempo era bravissima a preparare uova e salsicce, aveva detto, e chiunque sapeva cavarsela con le gallette in scatola; ma mentre si infilava jeans e maglietta Adam non sentì nessun profumo appetitoso.

In cucina c'era silenzio. Chiamò Lee e intanto esaminava la caffettiera semipiena. La porta della sua camera era aperta, le luci spente. Andò a controllare in tutte le stanze. Non era sul patio a bere il caffè e a leggere il giornale. Fu assalito da una sensazione di malessere che cresceva a mano a mano che trovava una stanza deserta. Corse al parcheggio: la macchina non c'era. Attraversò a piedi scalzi l'asfalto bollente e chiese alla guardia quando era uscita. L'uomo controllò un blocco e disse che se n'era andata quasi due ore prima. Sembrava che stesse bene, spiegò.

Adam trovò su un divano il fascicolo di notizie e pubblicità spesso più di sette centimetri e meglio noto come l'edizione domenicale del "Memphis Press". Era stato lasciato in una pila ordinata aperto alla rubrica della cronaca cittadina. E nella prima pagina della rubrica c'era la faccia di Lee, in una foto scattata a un ballo di beneficenza qualche anno prima. Era un primo piano del signor Phelps Booth e signora, tutti sorrisi per l'obiettivo. Lee era splendida in un abito nero senza spalline. Phelphs era in smoking e cravatta nera. Sembravano una coppia meravigliosamente felice.

L'articolo era un nuovo sfruttamento del caso Cayhall da parte di Todd Marks, e a ogni pezzo la serie diventava sempre più scandalistica. Incominciava in toni abbastanza amichevoli, con un riepilogo settimanale degli avvenimenti imperniati sull'esecuzione. Ricorrevano le stesse opinioni: McAllister, Roxburgh, Lucas Mann, e il deciso "no comment" di Naifeh. Poi il pezzo diventava rapidamente più maligno e smascherava con soddisfazione Lee Cayhall Booth, esponente di spicco della buona società di Memphis, moglie dell'illustre banchiere Phelps Booth della celebre e ricchissima famiglia Booth, volontaria dell'assistenza sociale, zia di Adam Hall e, per quanto potesse sembrare incredibile, figlia del famigerato Sam Cayhall!

L'articolo era scritto come se anche Lee fosse colpevole di un reato terribile. Citava le affermazioni di presunti amici, ovviamente anonimi, che si dichiaravano sconvolti per aver appreso la sua vera identità. Poi parlava della famiglia Booth e della sua ricchezza, e si chiedeva come mai un aristocratico come Phelps avesse potuto abbassarsi a sposare una donna del clan Cayhall. Accennava al figlio Walt, e citava di nuovo fonti anonime che avanzavano ipotesi sul suo rifiuto di tornare a Memphis. Walt non si era mai sposato, riferiva allusivamente l'articolo, e viveva ad Amsterdam.

Peggio ancora, citava un'altra fonte anonima e riferiva un episodio avvenuto qualche anno prima a un pranzo di beneficenza, dove Lee e Phelps Booth erano seduti a un tavolo vicino a Ruth Kramer. Anche l'informatore era presente al pranzo e ricordava con esattezza dov'erano seduti i tre: era un amico di Ruth e conosceva Lee, ed era rimasto sconvolto nello scoprire che Lee era figlia di un simile padre.

Il racconto era accompagnato da una foto più piccola di Ruth Kramer, una donna piacente poco più che cinquantenne.

Dopo la rivelazione sensazionale sul conto di Lee, l'articolo riportava un resoconto dell'udienza che si era svolta venerdì a New Orleans e delle ultime manovre della difesa di Cayhall.

Nel complesso, era un pezzo subdolo e diffamatorio che non approdava a nulla, ma relegava nella seconda pagina le cronache degli omicidi del giorno.

Adam buttò il giornale sul pavimento e bevve un sorso di caffè. Lee si era svegliata in quella calda domenica, sobria e lucida per la prima volta dopo parecchi giorni, probabilmente di umore migliore, e si era seduta sul divano con una tazza di caffè e il giornale. E dopo pochi minuti aveva ricevuto uno schiaffo in faccia e un calcio nello stomaco. Adesso era uscita di nuovo. Dove andava in quei momenti? Dov'era il suo rifugio? Una cosa era certa: stava lontana da Phelps. Forse aveva da qualche parte un amico del cuore che la ospitava e la confortava, ma non era credibile. Adam pregò che Lee non vagasse in macchina per le strade senza una meta e con una bottiglia in mano.

Senza dubbio, quella mattina nelle residenze dei Booth dovevano essere saltati parecchi nervi. Il segreto innominabile era stato scoperto, sbattuto in prima pagina e offerto agli occhi del mondo. Come avrebbero retto all'umiliazione? Figurarsi, un Booth che sposa una stracciona bianca e ha un figlio da lei. E adesso tutti lo sapevano. La famiglia non si sarebbe mai ripresa dal colpo. Madame Booth era certamente angosciata, e con ogni probabilità si era messa a letto.

Peggio per loro, pensò Adam. Fece la doccia, si cambiò, poi abbassò la capotte della Saab. Non si aspettava di vedere la Jaguar marrone di Lee nelle vie deserte di Memphis, ma cominciò comunque a girare. Partì da Front Street, vicino al fiume, e mentre Springsteen urlava dagli altoparlanti procedette a caso verso est, passò davanti agli ospedali in Union Street, fra le case maestose nel cuore della città, e poi si diresse verso i comprensori presso l'Auburn House. Naturalmente non la trovò, ma la corsa in macchina gli distese un po' i nervi. Prima di mezzogiorno il traffico era ridiventato intenso, e Adam andò in ufficio.

Anche l'unico visitatore della domenica era inatteso, per Sam. Si massaggiò i polsi quando gli tolsero le manette e sedette di fronte all'uomo dai capelli grigi, la faccia gioviale e il sorriso caloroso che stava al di là della grata.

«Signor Cayhall, sono Ralph Griffin, il cappellano di Parchman. Sono qui da poco perciò non ci conosciamo.»

Sam annuì. «Lieto di conoscerla.»

«Il piacere è mio. Sono sicuro che conosceva il mio predecessore.»

«Ah, certo, il reverendo Rucker. Dov'è?»

«È andato in pensione.»

«Bene. Non mi è mai stato simpatico. Non credo che ce la farà a entrare in paradiso.»

«Sì, ho sentito dire che non era molto benvoluto.»

«Benvoluto? Qui lo disprezzavano tutti. Non ci fidavamo di lui. Non so perché. Forse perché era favorevole alla pena di morte. Ci pensa? Era stato chiamato da Dio a prendersi cura di noi, ma pensava che dovessimo morire. Diceva che lo affermano le Scritture. Sa, la storia dell'occhio per occhio.»

«L'ho già sentito dire.»

«Lo immagino. Lei che predicatore è? Di quale confessione?»

«Ho ricevuto gli ordini in una chiesa battista, ma adesso non appartengo a una confessione. Credo che probabilmente il Signore sia esasperato da tanti settarismi.»

«È esasperato anche con me, sa.»

«Come mai?»

«Conosce Randy Dupree, che è detenuto qui? In fondo al raggio. Stupro e omicidio.»

«Sì. Ho letto la sua pratica. Una volta era predicatore.»

«E lo chiamano Predicatore, infatti. Da un po' di tempo ha acquisito il dono spirituale dell'interpretazione dei sogni. E poi canta e compie guarigioni. Probabilmente giocherebbe con i serpenti, se glielo permettessero. Sa, prendete i serpenti, dal Vangelo di Marco, capitolo sedici, versetto diciotto. Comunque, ha appena terminato un lungo sogno che è durato più d'un mese, una specie di miniserie, e alla fine gli è stato rivelato che sarò giustiziato e che Dio sta aspettando che mi scarichi la coscienza.»

«Non sarebbe una cattiva idea, sa. Mettere le cose in ordine.»

«Che fretta c'è? Mi restano dieci giorni.»

«Dunque crede in Dio?»

«Sì. Lei crede nella pena di morte?»

«No.»

Sam lo scrutò per qualche istante poi domandò: «Dice sul serio?».

«Uccidere non è giusto, signor Cayhall. Se in effetti si è reso colpevole di questo delitto, ha sbagliato a uccidere. Ma è altrettanto ingiusto che lo stato uccida lei.»

«Alleluia, fratello.»

«Non sono mai stato convinto che Gesù voglia che uccidiamo per punire. Non è questo che ha insegnato. Ha insegnato l'amore e il perdono.»

«È proprio così che interpreto la Bibbia. Come mai l'hanno assunta qui?»

«Ho un cugino nel Senato del Mississippi.»

Sam sorrise e ridacchiò. «Non resterà per molto. È troppo sincero.»

«No. Mio cugino è presidente della Commissione per gli Istituti di Pena, ed è piuttosto potente.»

«Allora preghi perché venga rieletto.»

«Lo faccio ogni mattina. Volevo solo venire a presentarmi. Mi piacerebbe parlare con lei nei prossimi giorni. E pregare con lei, se vuole. Sarebbe la mia prima esecuzione.»

«Anche per me.»

«Ha paura?»

«Sono vecchio, reverendo. Fra quattro mesi compirò settant'anni, se vivrò tanto a lungo. A volte la prospettiva di morire è piacevole. Sarà un sollievo abbandonare questo posto dimenticato da Dio.»

«Però continua a battersi.»

«Certo, anche se ci sono momenti in cui non so perché lo faccio. È come una lunga lotta contro il cancro. Si declina gradualmente e si diventa deboli. Si muore un po' ogni giorno, e si arriva al punto in cui la morte sarebbe benvenuta. Ma nessuno vuole davvero morire. Neppure io.»

«Ho letto cosa sta facendo suo nipote. Dev'essere una consolazione. So che è orgoglioso di lui.»

Sam sorrise e fissò il pavimento.

«Comunque» continuò il reverendo «io sono qui. Vuole che torni domani?»

«Con piacere. Mi lasci riflettere un po', d'accordo?»

«Ma certo. Conosce la procedura, vero? Durante le ultime ore è autorizzato ad avere vicino due sole persone. L'avvocato e il consigliere spirituale. Sarò onorato di stare con lei.»

«Grazie. Può trovare il tempo per parlare con Randy Dupree? Quel povero ragazzo sta perdendo la ragione e ha veramente bisogno d'aiuto.»

«Lo farò domani.»

«Grazie.»

Adam era solo: guardava un film preso a nolo, e teneva il telefono a portata di mano. Lee non si era fatta sentire. Alle dieci fece due chiamate alla Costa Occidentale. La prima fu per sua madre a Portland. Era depressa, ma disse che era contenta di sentirlo. Non chiese di Sam, e Adam non ne parlò. Riferì che lavorava molto, che aveva qualche speranza e che con ogni probabilità sarebbe tornato a Chicago fra un paio di settimane. Sua madre aveva visto qualche notizia sul giornale, e pensava a lui. Lee stava bene, disse Adam.

La seconda chiamata fu per sua sorella Carmen, a Berkeley. Rispose una voce maschile: era un certo Kevin, se Adam non ricordava male, da anni il compagno fisso di Carmen. Lei venne quasi subito al telefono. Sembrava ansiosa di sapere come andavano le cose nel Mississippi. Aveva seguito le notizie, e Adam le prospettò la situazione sotto una luce ottimistica. Carmen si preoccupava per lui, tutto solo laggiù in mezzo ai razzisti e ai mostri del Klan. Adam la rassicurò che non correva pericolo e tutto era tranquillo. La gente era molto cortese e posata. Abitava in casa di Lee e andavano d'accordo. Sorprendentemente, Carmen volle sapere di Sam: che aspetto aveva, come si comportava, se era disposto a parlare di Eddie. Chiese se poteva venire con l'aereo a vedere Sam prima dell'8 agosto: era un incontro che Adam non aveva previsto, e le rispose che ci avrebbe pensato e l'avrebbe chiesto a Sam.

Si addormentò sul divano con la televisione accesa.

Alle tre e mezzo di lunedì mattina lo svegliò il telefono. Una voce che non aveva mai sentito si presentò sbrigativamente come Phelps Booth. «Tu devi essere Adam» disse.

Adam si sollevò a sedere e si sfregò gli occhi. «Sì, sono io.»

«Hai visto Lee?» chiese Phelps. Il suo tono non era calmo ma neppure incalzante.

Adam lanciò un'occhiata all'orologio a muro sopra il televisore. «No. Cos'è successo?»

«Be', è nei guai. La polizia mi ha chiamato circa un'ora fa. L'hanno fermata mentre guidava in stato di ubriachezza ieri sera alle otto e venti, e l'hanno portata in prigione.»

«Oh, no!» esclamò Adam.

«Non è la prima volta. L'hanno portata al distretto, ha rifiutato la prova del palloncino, e l'hanno lasciata cinque ore nella guardina per gli ubriachi. Poi ha dato il mio nome, e così mi hanno chiamato. Sono corso alla prigione, ma lei aveva già pagato la cauzione ed era uscita. Ho pensato che forse ti aveva telefonato.»

«No. Quando mi sono svegliato ieri mattina non era in casa,

e questa è la prima notizia che ho di lei. Chi potrebbe aver chiamato?»

«Chi lo sa? Non mi andrebbe di cominciare a telefonare a tutti i suoi amici a quest'ora di notte. Forse dovremmo aspettare.»

Adam si sentiva a disagio nel venire incluso improvvisamente nella decisione. Quei due erano sposati, bene o male, da quasi trent'anni, e aveva già passato momenti come quello. Possibile che lui sapesse cosa fare? «Non avrà lasciato la prigione in macchina, vero?» chiese timidamente. Era sicuro della risposta.

«Certo che no. Qualcuno è andato a prenderla. E questo solleva un altro problema. Dobbiamo ritirare la sua macchina. È in un parcheggio vicino alla prigione. Ho già pagato le spese della rimozione.»

«Hai la chiave?»

«Sì. Puoi aiutarmi a ritirarla?»

All'improvviso Adam rammentò l'articolo del giornale con la foto di Phelps e Lee sorridenti, e rammentò ciò che aveva immaginato della reazione della famiglia Booth. Era certo che quasi tutto il veleno e la responsabilità erano stati riversati su di lui. Se fosse rimasto a Chicago, tutto questo non sarebbe successo.

«Certo. Basta che tu mi dica...»

«Aspetta davanti alla portineria. Sarò lì fra dieci minuti.»

Adam si lavò i denti e infilò le Nike, poi passò un quarto d'ora a chiacchierare con Willis, il guardiano al cancello. Una Mercedes nera, il modello più lungo della storia, si avvicinò e si fermò. Adam salutò Willis e salì in macchina.

Si strinsero la mano perché così imponeva la buona educazione. Phelps portava una tuta bianca da jogging e un berretto dei Cubs. Guidava adagio nella strada deserta. «Immagino che Lee ti abbia parlato di me» disse senz'ombra di preoccupazione o rincrescimento.

«Sì, mi ha detto qualcosa» rispose prudentemente Adam.

«Be', c'è parecchio da dire, quindi non chiederò di cos'ha parlato.»

Ottima idea, pensò Adam. «Forse è meglio che discutiamo di baseball o qualcosa del genere. Immagino che tu sia tifoso dei Cubs.»

«Sì, da sempre. Anche tu?»

«Sì. È il primo campionato a Chicago, per me. Sono andato una dozzina di volte a Wrigley. Abito abbastanza vicino allo stadio.»

«Davvero? Io ci vado tre o quattro volte l'anno. Ho un amico che ha un posto in tribuna. Ci vado da anni. Chi è il tuo giocatore preferito?»

«Sandberg, direi. E il tuo?»

«Mi piacciono i vecchi assi. Ernie Banks e Ron Santo. Quelli erano i bei tempi del baseball, quando i giocatori erano affezionati alla squadra e avevi la certezza che sarebbero rimasti da un anno all'altro. Adesso non si sa mai. Il gioco mi piace, ma l'avidità l'ha corrotto.»

Ad Adam sembrò strano che Phelps Booth deplorasse l'avidità. «Può darsi, ma sono stati i padroni delle squadre a scrivere il manuale dell'avidità durante i primi cent'anni del baseball. Cosa c'è di male se i giocatori chiedono tutto il denaro che riescono a ottenere?»

«Esiste qualcuno che vale cinque milioni di dollari l'anno?»

«No. Ma le rock star ne guadagnano cinquanta, e allora cosa c'è di male se i giocatori di baseball ne intascano qualche milione? È lo sport-spettacolo. La partita la fanno i giocatori, non i padroni delle squadre. Io vado a Wrigley per vedere i giocatori, non perché l'attuale proprietario è il "Tribune".»

«Sì, però pensa al prezzo dei biglietti. Quindici dollari per una partita.»

«Ma gli spettatori aumentano. Sembra che i tifosi non se la prendono.»

Attraversarono il centro, deserto alle quattro del mattino, e in pochi minuti arrivarono vicino alla prigione. «Ascolta, Adam, non so cosa ti abbia detto Lee del suo problema con l'alcol.»

«Mi ha detto che è alcolizzata.»

«Appunto. È la seconda volta che la fermano per guida in stato di ubriachezza. La prima sono riuscito a evitare che finisse sui giornali, ma ora... non so. Ormai fa notizia, in città. Grazie al cielo non ha investito nessuno.» Phelps fermò la macchina accanto a un parcheggio cintato. «È passata dalle guarigioni alle ricadute una mezza dozzina di volte.»

«Una mezza dozzina? A me ha detto che è stata in cura due volte.»

«Non si può credere agli alcolizzati. A me risulta che siano state almeno cinque le volte negli ultimi quindici anni. Il suo posto preferito è una piccola, elegante casa di cura che si chiama Spring Creek. È su un fiume, qualche chilometro a nord della città, un bel posto tranquillo. Un posto per ricchi. Li circondano di premure e li curano. Vitto ottimo, ginnastica, saune eccetera eccetera. È un posto così simpatico che alla gente piace andarci, credo. Comunque, ho la sensazione che Lee ci andrà prima di sera. Ha certi amici che l'aiuteranno a farsi ricoverare. La conoscono bene, là. Per lei è una specie di seconda casa.»

«Quanto ci resterà?»

«Dipende. Il minimo è una settimana. A volte c'è rimasta anche un mese. Costa duemila dollari al giorno, e naturalmente i conti li mandano a me. Ma non mi dispiace. Sono pronto a pagare qualunque cifra per aiutarla.»

«Io cosa devo fare?»

«Per prima cosa cerchiamo di trovarla. Fra qualche ora le mie segretarie cominceranno a telefonare, e la rintracceremo. A questo punto il suo comportamento è piuttosto prevedibile, e sono sicuro che si presenterà a un centro di disintossicazione, probabilmente Spring Creek. Comincerò a darmi da fare per evitare che la cosa finisca sul giornale. Non sarà facile, tenuto conto di tutto quello che hanno pubblicato di recente.»

«Mi dispiace.»

«Quando l'avremo trovata, dovrai andare a vederla. Portale fiori e cioccolatini. So che hai molto da fare e so cosa si prepara per i prossimi... ehm...»

«Nove giorni.»

«Nove giorni. Giusto. Bene, cerca di vederla. E quando la storia di Parchman sarà finita, ti consiglio di tornare a Chicago e di lasciarla in pace.»

«Lasciarla in pace?»

«Sì. Posso sembrarti brutale, ma è necessario. I suoi molti problemi hanno molte ragioni. Ammetto che una delle ragioni sono io. Ma ci sono tante altre cose che non sai. La sua famiglia è un'altra ragione. Ti adora, ma tu evochi incubi e sofferenze. Non pensare male di me se te lo dico. So che è doloroso, ma è la verità.»

Adam fissò la rete metallica al di là del marciapiede, accanto alla sua portiera.

«Una volta Lee è rimasta sobria per cinque anni» continuò Phelps. «Pensavamo che avrebbe continuato così. Poi Sam fu condannato e Eddie morì. Quando tornò dal funerale, precipitò nel buco nero. Ho pensato molte volte che non ne sarebbe mai uscita. È meglio per lei che tu le stia lontano.»

«Ma le voglio bene.»

«Anche lei te ne vuole. Ma dovrai volerle bene da lontano. Mandale lettere e cartoline da Chicago. Fiori per il compleanno. Telefonale una volta al mese e parla di film e libri, ma evita l'argomento della famiglia.»

«Chi avrà cura di lei?»

«Ha cinquant'anni, Adam, e quasi sempre è molto indipendente. È alcolizzata da quasi vent'anni, e io e te non possiamo far niente per aiutarla. Sa qual è il suo male. Resterà sobria se vorrà restare sobria. Tu non sei un'influenza positiva. E neppure io. Mi dispiace.»

Adam respirò a fondo e strinse la maniglia della portiera. «E a me dispiace, Phelps, se ho causato imbarazzo a te e alla tua famiglia. Non l'ho fatto apposta.»

Phelps sorrise e gli posò una mano sulla spalla. «Forse non ci crederai, ma sotto molti aspetti la mia famiglia è più sfasciata della tua. Ne abbiamo passate di peggio.»

«Questo è difficile crederlo.»

«Ma è vero.» Phelps gli porse un portachiavi e indicò una piccola costruzione all'interno della recinzione. «Presentati lì, e ti porteranno alla macchina.»

Adam aprì la portiera e scese. Si fermò a guardare la Mercedes che ripartiva e spariva in lontananza. E mentre varcava il cancello, non riuscì a liberarsi della sensazione che Phelps Booth amava ancora la moglie.

36

Il tenente colonnello in pensione George Nugent non rimase molto scosso quando seppe che Naifeh aveva avuto un attacco di cuore. Il direttore stava già meglio il lunedì mattina, riposava tranquillo ed era fuori pericolo, e comunque gli mancavano pochi mesi per lasciare il posto. Naifeh era un brav'uomo, ma ormai non era più utile, e tirava avanti solo per rimpolpare la pensione. Nugent stava meditando di proporsi per il suo posto, se fosse riuscito a dare un'adeguata immagine di sé.

Adesso, però, era assillato da una questione più urgente. Mancavano nove giorni all'esecuzione di Cayhall, anzi otto, perché era in programma per un minuto dopo la mezzanotte del mercoledì della settimana seguente, il che significava che mercoledì contava come un giorno intero, anche se ne veniva usato un solo minuto. In realtà l'ultimo giorno sarebbe stato il martedì.

Sulla sua scrivania c'era un taccuino rilegato in pelle con le parole PROTOCOLLO DEL MISSISSIPPI stampate sulla copertina. Era il suo capolavoro, il risultato di due settimane di riorganizzazione meticolosa. Era inorridito di fronte alle misure di sicurezza, alle direttive e ai controlli messi insieme a casaccio da Naifeh per le esecuzioni precedenti. Era un prodigio che fossero riusciti a gassare qualcuno. Ma adesso c'era un piano, uno schema dettagliato e ben congegnato che, secondo lui, includeva tutto. Era spesso cinque centimetri e lungo centottanta pagine, e naturalmente portava la sua impronta.

Lucas Mann entrò nell'ufficio alle otto e un quarto del lunedì mattina. «È in ritardo» scattò Nugent in tono autoritario.

Mann era un semplice avvocato. Nugent era il capo della squadra incaricata dell'esecuzione. Mann si accontentava del suo lavoro. Nugent aveva ambizioni che durante le ultime ventiquattr'ore erano cresciute in misura considerevole.

«E allora?» replicò Mann fermandosi accanto a una sedia di fronte alla scrivania. Come al solito, Nugent indossava pantaloni oliva scuro senza grinze e camicia oliva inamidata sopra una maglietta grigia. Gli stivali erano lucidissimi. Marciò dietro la scrivania. Mann lo detestava.

«Abbiamo otto giorni» disse Nugent, come se fosse l'unico a saperlo.

«Mi pare che siano nove» corresse Mann. Entrambi erano ancora in piedi.

«Il prossimo mercoledì non conta. Ci restano otto giornate lavorative.»

«Come preferisce.»

Nugent sedette, molto impettito. «Due cose. Prima, ecco un manuale che ho preparato per le esecuzioni. Un protocollo. Dalla A alla Z. Completamente organizzato, con indici e rimandi. Vorrei che esaminasse le disposizioni incluse e si assicurasse che siano aggiornate.»

Mann fissò il taccuino nero ma non lo toccò.

«Seconda cosa, vorrei ricevere ogni giorno un rapporto sulla situazione di tutti gli appelli. A quanto mi risulta, finora non ci sono impedimenti legali.»

«È esatto, signore» rispose Mann.

«Vorrei ricevere ogni mattina, come prima cosa, un riepilogo scritto con i relativi aggiornamenti.»

«Allora assuma un avvocato, signore. Lei non è il mio superiore, e che mi venga un accidente se sono disposto a redigere un piccolo promemoria perché possa visionarlo mentre prende il caffè. Se succederà qualcosa glielo farò sapere, ma non mi metterò a compilare scartoffie per lei.»

Ah, le frustrazioni della vita civile! Nugent aveva nostalgia della disciplina militare. Maledetti avvocati. «Sta bene. Le dispiace esaminare il protocollo?»

Mann lo aprì e girò qualche pagina. «Sa, ce la siamo cavata con quattro esecuzioni anche senza questo.»

«Per essere sincero, mi sembra sorprendente.»

«Per essere altrettanto sincero, a me non lo sembra. Siamo diventati molto efficienti, purtroppo.»

«Senta, Lucas, non è una cosa che mi entusiasmi» disse malinconicamente Nugent. «Me l'ha chiesto Phillip. Spero che ci sia una sospensione. Davvero. Ma se non ci sarà, dovremo essere preparati. Voglio che vada tutto liscio.»

Mann accettò quell'evidente menzogna e prese il manuale. Nugent non aveva mai assistito a un'esecuzione e contava le ore, non i giorni. Smaniava di vedere Sam legato alla sedia a respirare il gas.

Lucas salutò con un cenno e uscì. Nel corridoio incontrò Bill Monday, il boia dello stato, che senza dubbio andava da Nugent per una chiacchierata di incoraggiamento.

Adam arrivò al Rametto poco prima delle tre. La giornata era incominciata con il panico per il guaio in cui si era cacciata Lee, e non era migliorata.

Stava bevendo un caffè nel suo ufficio e cercava di procedere con le ricerche nonostante il mal di testa, quando, nel giro di dieci minuti, Darlene gli aveva portato un fax da New Orleans e un altro dalla corte distrettuale. Aveva perso in entrambi i casi. Il Quinto Distretto aveva confermato la decisione della corte federale sul ricorso in cui Adam aveva affermato che la camera a gas era incostituzionale perché crudele e obsoleta, e la corte distrettuale aveva respinto la tesi che la difesa di Benjamin Keys era stata inefficiente. Adam aveva dimenticato di colpo il mal di testa. Dopo meno di un'ora il Cancelliere della Morte, Richard Olander, lo aveva chiamato da Washington per informarsi circa i suoi propositi per presentare appello, e aveva voluto sapere quali altri ricorsi erano previsti dalla difesa. Gli aveva detto che rimanevano appena otto giorni lavorativi, come se Adam avesse bisogno che qualcuno glielo ricordasse. Mezz'ora dopo la telefonata di Olander, un cancelliere dell'ufficio condanne a morte del Quinto Distretto telefonò per chiedergli quando intendeva appellarsi contro la decisione della corte distrettuale.

Adam aveva spiegato ai due cancellieri della morte che avrebbe ultimato gli appelli al più presto, e avrebbe tentato di depositarli prima di sera. Quando ci aveva pensato meglio, si era reso conto che era sfibrante esercitare la professione legale con un pubblico del genere. In quel momento c'erano tribunali e giudici che aspettavano di vedere cos'altro avrebbe fatto. C'erano cancellieri che chiamavano per chiedere che intenzioni aveva. La ragione era ovvia e scoraggiante. A loro non interessava che Adam trovasse o non trovasse l'argomentazione magica per impedire l'esecuzione. Si preoccupavano esclusivamente dell'organizzazione. I cancellieri della morte avevano ricevuto dai superiori l'ordine di stare all'erta via via che passavano i giorni in modo che le corti potessero decidere in fretta, di solito contro il condannato. Quei giudici non amavano leggere istanze alle tre del mattino. Volevano che le copie di tutti i ricorsi dell'ultimo momento fossero sulle loro scrivanie molto prima che gli appelli arrivassero ufficialmente.

Phelps gli aveva telefonato in ufficio poco prima di mezzogiorno per riferirgli che Lee non era stata rintracciata. Aveva controllato tutti i centri di disintossicazione nel raggio di centocinquanta chilometri, ma nessuno aveva ricoverato una certa Lee Booth. La stava ancora cercando, ma era molto impegnato con le riunioni e cose simili.

Sam arrivò alla biblioteca del carcere dopo mezz'ora. Era cupo. Aveva sentito le brutte notizie nel telegiornale di mezzogiorno trasmesso dalla stazione di Jackson che teneva il conto alla rovescia. Appena nove giorni. Sedette al tavolo e fissò Adam. «Dove sono gli Eskimo Pie?» chiese con il tono di un bambino che vuole i cioccolatini.

Adam tese la mano sotto il tavolo e prese un piccolo contenitore termico di polistirolo, lo posò sul piano e l'aprì. «All'entrata volevano confiscarli. Poi i guardiani hanno minacciato di buttarli via. Quindi goditeli.»

Sam ne prese uno, lo ammirò per un lungo istante, quindi tolse con cura l'incarto. Leccò il rivestimento di cioccolata, quindi addentò il gelato e masticò pian piano, a occhi chiusi.

Nel giro di pochi minuti, il primo Eskimo Pie era finito e Sam ne attaccò un secondo. «Brutta giornata» commentò leccando il gelato lungo il bordo.

Adam spinse alcune carte verso di lui. «Ecco le due sentenze. Brevi, pertinenti e ostili. Non hai molti amici in quelle corti, Sam.»

«Lo so. Almeno il resto del mondo mi adora. Non voglio leggere queste stronzate. E adesso cosa facciamo?»

«Dimostreremo che sei troppo pazzo per essere giustiziato, che a causa della tua età avanzata non comprendi pienamente la natura della punizione.»

«Non servirà a niente.»

«Sabato l'idea ti piaceva. Cos'è successo?»

«Non servirà a niente.»

«Perché?»

«Perché non sono pazzo. So bene perché mi giustiziano. Tu stai facendo ciò che gli avvocati sanno fare meglio, cioè inventare teorie strane e trovare esperti fasulli per sostenerle.» Sam addentò il gelato e si leccò le labbra.

«Vuoi che rinunci?» ribatté Adam.

Sam si contemplò le unghie ingiallite. «Forse» rispose, e si passò la lingua su un dito.

Adam sedette accanto a lui, invece che di fronte, come al solito, e lo scrutò con attenzione. «Cos'è successo, Sam?»

«Non lo so. Ho riflettuto.»

«Dimmi.»

«Quando ero molto giovane, il mio migliore amico morì in un incidente d'auto. Aveva ventisei anni, era sposato da poco, aveva un figlio piccolo, una casa nuova e tutta la vita davanti. E morì. Gli sono sopravvissuto per quarantatré anni. Mio fratello maggiore è morto a cinquantasei: gli sono sopravvissuto di tredici. Sono vecchio, Adam. Molto vecchio. Sono stanco. Ho voglia di arrendermi.»

«Oh, andiamo, Sam.»

«Considera i vantaggi. Non sarai più sotto pressione. Non sarai costretto a passare la prossima settimana correndo come un pazzo e presentando ricorsi inutili. Non ti sentirai un fallito quando tutto finirà. Io non passerò i miei ultimi giorni pregando perché succeda un miracolo, e potrò invece mettere in ordine tante cose. Potremo passare più tempo insieme. Farò contenta tanta gente: i Kramer, McAllister, Roxburgh, l'ottanta per cento degli americani che è favorevole alla pena di morte. Sarà un altro momento glorioso per la legge e l'ordine. Potrò andarmene con una certa dignità, anziché far la figura del disperato che ha paura di morire. È una prospettiva molto allettante.»

«Cosa ti è successo, Sam? Sabato scorso eri ancora deciso a lottare contro la depressione.»

«Sono stanco di lottare. Sono vecchio. Ho vissuto a lungo. E se anche riuscissi a salvarmi la pelle? Come mi ritroverei? Non andrei da nessuna parte, Adam. Tu tornerai a Chicago e sprofonderai nella tua carriera. Sono sicuro che verrai qui tutte le volte che potrai. Ci scambieremo lettere e cartoline. Ma dovrò vivere nel Braccio. Tu no. Tu non immagini com'è.»

«Non dobbiamo arrenderci, Sam. Abbiamo ancora una possibilità.»

«Non spetta a te decidere.» Sam terminò il secondo Eskimo Pie e si asciugò la bocca con la manica.

«Non mi piaci quando fai così, Sam. Ti preferisco quando sei incattivito, infuriato, combattivo.»

«Sono stanco, va bene?»

«Non puoi lasciare che ti uccidano. Devi batterti fino alla fine, Sam.»

«Perché?»

«Perché è ingiusto. È moralmente ingiusto che lo stato ti uccida. Ecco perché non possiamo arrenderci.»

«Ma perderemo comunque.»

«Può darsi. E può darsi di no. Ma ti sei battuto per dieci anni, e vuoi arrenderti quando manca una settimana?»

«È finita, Adam. Questa storia è finalmente arrivata al capolinea.»

«Forse. Ma non possiamo cedere. Ti prego, non gettare la spugna. Diavolo, sto facendo progressi. Ho costretto quei buffoni a darsi una mossa.»

Sam gli rivolse un sorriso gentile e un'occhiata di superiorità.

Adam si accostò e gli posò una mano sul braccio. «Ho pensato a diverse strategie nuove» disse, animandosi. «Anzi, domani faremo venire un esperto per esaminarti.»

Sam lo guardò, perplesso. «Che tipo di esperto?»

«Uno psichiatra.»

«Uno psichiatra?»

«Sì. Da Chicago.»

«Ho già parlato con una psichiatra. Non è andata molto bene.»

«Questo è diverso. Lavora per noi e dirà che hai perso le tue facoltà mentali.»

«Allora presumi che ne fossi in possesso quando sono arrivato qui.»

«Sì, è quel che presumiamo. Lo psichiatra ti esaminerà domani e preparerà in fretta un rapporto per dichiarare che sei senile, malato di mente, rimbecillito, e chissà cos'altro ancora.»

«Come fai a sapere che dirà tutte queste cose?»

«Perché lo paghiamo per fargliele dire.»

«Chi lo paga?»

«Kravitz & Bane, gli ebrei americani di Chicago che tu odi tanto, ma che hanno dato il meglio di loro per tenerti in vita. È stata un'idea di Goodman, per la precisione.»

«Dev'essere un grande esperto.»

«A questo punto non possiamo essere schizzinosi. Si sono serviti di lui alcuni avvocati dello studio, e dirà tutto quello che vogliamo. Basta che ti comporti in modo bizzarro quando parli con lui.»

«Non dovrebbe essere troppo difficile.»

«Raccontagli tutte le storie orribili di questo posto. Fa' in modo che gli appaia atroce e deplorevole.»

«Non sarà un problema.»

«Digli che sei peggiorato nel corso degli anni, e quanto è tremendo per un uomo della tua età. Sei il più vecchio, qui dentro, quindi spiegagli in che modo ha influito su di te. Usa la mano pesante. Lo psichiatra preparerà un rapporto convincente, e io correrò a portarlo alla corte federale.»

«Non servirà a niente.»

«Vale la pena di tentare.»

«La Corte Suprema ha permesso allo stato del Texas di giustiziare un ragazzo ritardato.»

«Non siamo nel Texas, Sam. Ogni caso è diverso. Basta che collabori con noi, d'accordo?»

«Noi? Noi chi?»

«Io e Goodman. Hai detto che non lo odi più, quindi ho pensato di farlo partecipare alla festa. No, sul serio, ho bisogno di aiuto. Il lavoro è troppo per un avvocato solo.»

Sam scostò la sedia dal tavolo e si alzò. Si stirò le braccia e le gambe e cominciò a camminare avanti e indietro, contando i passi.

«Domattina presenterò un'istanza di certiorari alla Corte Suprema» disse Adam controllando sul blocco. «Con ogni probabilità non la prenderanno in considerazione, ma la presenterò comunque. E finirò l'appello al Quinto Distretto sull'inefficienza della difesa. Lo psichiatra verrà qui domani pomeriggio. Mercoledì mattina presenterò il ricorso per incapacità d'intendere e di volere.»

«Preferirei andarmene in pace, Adam.»

«Scordatelo, Sam. Non ci arrenderemo. Ieri sera ho parlato con Carmen, e vuol venire a trovarti.»

Sam sedette sull'orlo del tavolo e fissò il pavimento. Gli occhi socchiusi avevano un'espressione triste. Lanciò uno sbuffo di fumo verso il basso. «Perché vuol venire?»

«Non le ho chiesto il perché, e non gliel'ho suggerito io. È stata lei a parlarne. Le ho risposto che l'avrei domandato a te.»

«Non l'ho mai vista.»

«Lo so. È la tua unica nipote, Sam, e vuol venire a vederti.»

«Non voglio che mi veda così» disse Sam, e indicò la tuta rossa.

«Non ci farà caso.»

Sam aprì il contenitore di polistirolo e prese un altro Eskimo Pie. «Ne vuoi uno?» chiese.

«No. Allora cosa rispondi per Carmen?»

«Lascia che ci pensi. E Lee? Ha ancora intenzione di venirmi a trovare?»

«Oh, certo. Non le parlo da un paio di giorni, ma sono certo che lo vuole.»

«Mi pareva che vivessi in casa sua.»

«Infatti. È fuori città.»

«Lasciami riflettere. Per il momento sono contrario. Non vedo Lee da dieci anni e non voglio che mi ricordi come sono adesso. Dille che ci sto pensando ma che per il momento non sono d'accordo.»

«Glielo dirò» promise Adam. Non sapeva se l'avrebbe rivista molto presto. Se era andata a farsi curare, senza dubbio sarebbe rimasta isolata per qualche settimana.

«Sarò contento quando verrà la fine, Adam. Sono veramente stufo di tutto quanto.» Sam addentò il gelato.

«Capisco. Ma non badiamoci per un po'.»

«Perché?»

«Perché? È evidente. Non voglio vivere tutta la mia carriera di avvocato con la consapevolezza di aver perso la mia prima causa.»

«Non è una cattiva ragione.»

«Magnifico! Allora non ci arrendiamo?»

«Credo di no. Fa' pure venire lo psichiatra. Mi comporterò da matto meglio che posso.»

«Così va bene.»

Lucas Mann aspettava Adam all'ingresso del carcere. Erano quasi le cinque, faceva ancora molto caldo e l'aria era afosa. «Ha un minuto?» chiese accostandosi al finestrino della macchina di Adam.

«Credo di sì. Cosa c'è?»

«Parcheggi là. Ci siederemo all'ombra.»

Si avviarono verso un tavolo da picnic accanto al Centro Visitatori, sotto una quercia gigantesca, con l'highway in vista, non molto lontano. «Un paio di cose» esordì Mann. «Come sta Sam? Regge bene?»

«Per quanto ci si può aspettare. Perché?»

«Sono preoccupato, ecco tutto. Oggi abbiamo ricevuto quindici richieste d'interviste. L'atmosfera si sta surriscaldando. La stampa si è messa in marcia.»

«Sam non parlerà.»

«Certi giornalisti vogliono parlare con lei.»

«Non parlo neanch'io.»

«Bene. C'è un modulo che Sam deve firmare per autorizzarci a mandare i giornalisti a quel paese. Ha saputo di Naifeh?»

«Ho visto la notizia sul giornale stamattina.»

«Si riprenderà, ma non può sovrintendere l'esecuzione. C'è un pazzo, George Nugent, il vice di Naifeh, che coordinerà tutto. È un comandante, un militare in pensione, un vero fanatico.»

«Per me non fa nessuna differenza. Non può eseguire la condanna a morte se le corti non lo autorizzano.»

«Certo. Volevo solo farle sapere chi è.»

«Spasimo dalla voglia di conoscerlo.»

«Un'altra cosa. Ho un amico, un vecchio compagno di studi che lavora nell'amministrazione del governatore. Ha telefonato stamattina: sembra che il governatore sia preoccupato per l'esecuzione di Sam. Secondo il mio amico, che senza dubbio è stato imbeccato dal governatore perché mi sollecitasse a parlare con lei, vorrebbero tenere un'udienza per la grazia, preferibilmente fra un paio di giorni.»

«Lei è in buoni rapporti con il governatore?»

«No. Lo disprezzo.»

«Anch'io. E anche il mio cliente.»

«Per questo ha spinto il mio amico a telefonarmi e a fare pressioni su di me. A quanto mi ha detto, il governatore ha seri dubbi sull'opportunità di giustiziare Sam.»

«Lei gli crede?»

«Sì e no. Il governatore si fece una reputazione a spese di Sam Cayhall, e sono sicuro che sta orchestrando il suo piano per i media in vista dei prossimi otto giorni. Ma cosa c'è da perdere?»

«Niente.»

«Non è una cattiva idea.»

«Io sono favorevole. Ma il mio cliente mi ha dato l'ordine preciso di non chiedere l'udienza.»

Mann scrollò le spalle come se non gli importasse molto ciò che faceva Sam. «Spetta a lui decidere. Ha fatto testamento?»

«Sì.»

«E le disposizioni per la sepoltura?»

«Ci sto lavorando. Vuole essere sepolto a Clanton.»

Si avviarono verso il cancello. «Il cadavere verrà portato in un'impresa di pompe funebri a Indianola, poco lontano da qui. E là sarà messo a disposizione della famiglia. Tutte le visite finiranno quattro ore prima dell'esecuzione. Da quel momento Sam potrà avere accanto due sole persone: il suo avvocato e il suo consigliere spirituale. E dovrà anche scegliere i suoi due testimoni, se vuole.»

«Gliene parlerò.»

«Abbiamo bisogno dell'elenco dei visitatori approvati da lui. Di solito sono i familiari e gli amici intimi.»

«Sarà un elenco molto breve.»

«Lo so.»

37

Tutti gli ospiti del Braccio conoscevano la procedura, anche se non era mai stata messa per iscritto. I veterani, incluso Sam, avevano vissuto quattro esecuzioni negli ultimi otto anni, e ogni volta la procedura era stata seguita con piccole variazioni. I veterani parlavano e bisbigliavano fra loro, e di solito non si facevano pregare a fornire descrizioni delle ultime ore ai nuovi detenuti, molti dei quali arrivavano nel Braccio domandandosi come avveniva la cosa. E le guardie si divertivano a parlarne.

L'ultimo pasto doveva essere consumato in una stanzetta vicino alla parte anteriore del Braccio, una stanza che veniva chiamata semplicemente l'ufficio all'ingresso. C'erano una scrivania, alcune sedie, il telefono e il condizionatore d'aria, ed era lì che il condannato passava gran parte delle ultime quarantotto ore. Riceveva gli ultimi visitatori, ascoltava i suoi avvocati spiegare perché le cose non erano andate secondo le previsioni. Era una stanza molto semplice, con le finestre sbarrate. L'ultima visita coniugale si svolgeva lì, se il detenuto se la sentiva. Le guardie e i visitatori attendevano fuori, nel corridoio.

Quella stanza non era stata progettata per le ultime ore, ma quando Teddy Doyle Meeks era stato il primo dopo molti anni a venire giustiziato, nel 1982, si era resa necessaria per molti scopi. Un tempo era stata l'ufficio di un vice, poi di un funzionario. Non aveva altro nome che "ufficio all'ingresso". Il telefono sulla scrivania era l'ultimo che veniva usato dall'avvocato del condannato quando riceveva la comunicazione definitiva che non ci sarebbero state altre sospensioni o altri appelli. Allora tornava al Raggio A, in fondo, dove il cliente attendeva nella Cella d'Osservazione.

La Cella d'Osservazione era come tutte le altre del Raggio A, a otto porte da quella di Sam. Era due metri per tre, con una branda, un lavabo e un gabinetto come quella di Sam e come tutte le altre. Era l'ultima del Raggio, la più vicina alla Cella d'Isolamento, che a sua volta era accanto alla camera a gas. Il giorno prima dell'esecuzione, il detenuto veniva fatto uscire per l'ultima volta dalla sua cella e rinchiuso in quella d'osservazione. Venivano spostati anche i suoi effetti personali, e di solito era un lavoro veloce. Poi aspettava. Seguiva il suo dramma personale alla televisione mentre le stazioni locali parlavano dei suoi appelli dell'ultima ora. L'avvocato attendeva con lui, seduto sul letto nella cella buia e guardava i telegiornali. L'avvocato faceva la spola fra la cella e l'ufficio all'ingresso. Nella cella era ammesso anche un ministro del culto o un consigliere spirituale.

Il Braccio era buio e silenzioso. Qualche detenuto guardava la televisione. Altri si tenevano per mano attraverso le sbarre e pregavano. Altri stavano sdraiati sul letto e si chiedevano quando sarebbe toccato a loro. Le finestre che davano sull'esterno, sopra il corridoio, erano tutte chiuse e sbarrate. Il Braccio era impenetrabile. Ma c'erano voci che volavano fra i raggi, e c'erano le luci che venivano dall'esterno. Per uomini che stanno seduti ore e ore in celle piccolissime, e vedono e sentono tutto, l'animazione di quella insolita attività era snervante.

Alle undici il direttore e la sua squadra entravano nel Raggio A e si fermavano alla Cella d'Osservazione. Ormai la speranza di una sospensione all'ultimo momento era virtualmente tramontata. Il detenuto era seduto sul letto e teneva la mano del suo avvocato e del suo ministro del culto. Il direttore annunciava che era il momento di andare nella Cella d'Isolamento. La porta sferragliava e si apriva e il detenuto usciva nel corridoio. I suoi compagni gli gridavano frasi di incoraggiamento e di sostegno. Molti piangevano. La Cella d'Isolamento è a meno di sei metri dalla Cella d'Osservazione. Il detenuto passava fra due file di robuste guardie armate, le più massicce che il direttore riusciva a trovare. Non c'erano mai tentativi di resistenza. Sarebbero stati inutili.

Il direttore conduceva il detenuto in una stanzetta di tre metri per tre, dove non c'era altro che una branda pieghevole. Il condannato sedeva sul letto, sempre con l'avvocato da un lato e il ministro del culto dall'altro. A questo punto il direttore, per chissà quale motivo, sentiva la necessità di passare qualche momento con il detenuto come se lui fosse l'ultima persona con cui il detenuto voleva parlare. Poi il direttore se ne andava. Nella stanza scendeva il silenzio, interrotto solo da qualche colpo battuto nella stanza accanto. Di solito a questo punto le preghiere terminavano. Mancavano pochi minuti.

Accanto alla Cella d'Isolamento c'era il locale della Camera. Misurava approssimativamente cinque metri per tre e mezzo, con la camera a gas al centro. Mentre il detenuto pregava in isolamento, il boia era al lavoro. Il direttore, l'avvocato del carcere, il medico e un gruppo di guardie facevano i preparativi. C'erano due telefoni a muro per le comunicazioni dell'ultimo minuto. A sinistra c'era una stanzetta dove il boia preparava le soluzioni. Dietro la camera a gas c'era una serie di tre vetrate di quarantacinque centimetri per settantacinque, coperte per il momento da tende nere. Al di là delle vetrate c'era la stanza dei testimoni.

A mezzanotte meno dieci, il medico entrava nella Cella d'Isolamento e fissava uno stetoscopio al petto del condannato. Poi se ne andava ed entrava il direttore per condurre il condannato a vedere la camera a gas.

Il locale della Camera era sempre pieno di gente ansiosa di rendersi utile in attesa di veder morire un uomo. Lo facevano entrare a ritroso nella camera, lo legavano, chiudevano la porta e lo uccidevano.

Era una procedura abbastanza semplice, con qualche variante per i diversi casi. Per esempio, Buster Moac era già sulla sedia, legato per metà, quando era squillato il telefono nella Camera. Era tornato nella Cella d'Isolamento e aveva atteso per sei ore angosciose fino a quando erano tornati a prenderlo. Jumbo Parris era stato il più furbo dei quattro. Era stato un drogato prima di finire nel Braccio, e aveva cominciato a chiedere il Valium allo psichiatra diversi giorni prima dell'esecuzione. Aveva deciso di passare da solo le ultime ore, senza l'avvocato e il ministro, e quando erano andati a prenderlo nella Cella d'Osservazione era intontito. Evidentemente aveva tenuto da parte il Valium. Avevano dovuto trascinarlo nella Cella d'Isolamento dove si era addormentato tranquillamente. Poi l'avevano trascinato nella Camera e l'avevano gassato.

Era una procedura ispirata allo spirito umanitario. Il condannato restava in cella, accanto ai compagni, fino alla fine. In Louisiana viene portato via dal Braccio e chiuso in una piccola costruzione chiamata Casa della Morte. Là passa gli ultimi tre giorni, sotto continuo controllo. In Virginia vengono trasferiti in un'altra città.

Sam era a otto porte dalla Cella d'Osservazione, circa dieci metri. Poi altri sei metri per arrivare alla Cella d'Isolamento, e altri tre e mezzo fino alla camera a gas. Aveva calcolato molte volte che, da un punto al centro del suo letto, era più o meno a diciassette metri e mezzo dalla camera a gas.

Rifece il calcolo martedì mattina mentre tracciava una X sul calendario. Otto giorni. Era buio e c'era afa. Aveva dormito a tratti e aveva passato gran parte della notte seduto davanti al ventilatore. Mancava un'ora alla colazione e al caffè. Per lui sarebbe stato il giorno numero 3477 nel braccio della morte, e il totale non includeva il tempo passato nella prigione della contea a Greenville durante i primi due processi. Gli restavano soltanto otto giorni.

Le lenzuola erano intrise di sudore, e mentre se ne stava sdraiato sul letto e guardava il soffitto, per la milionesima volta pensò alla morte. Quel modo di morire non sarebbe stato troppo orribile. Per ovvie ragioni nessuno conosceva con esattezza gli effetti del gas, ma sicuramente svolgeva in fretta la sua azione. Forse gli avrebbero dato una dose più massiccia e quindi sarebbe morto prima che il suo corpo sussultasse. Forse la prima boccata lo avrebbe stordito. Comunque, non ci sarebbe voluto molto. Aveva visto sua moglie consumarsi e soffrire atrocemente per il cancro. Aveva visto diversi parenti invecchiare e ridursi come vegetali. Senza dubbio quello era un modo migliore per andarsene.

«Sam» bisbigliò J.B. Gullitt. «Sei sveglio?»

Sam andò alla porta e si appoggiò alle sbarre. Riusciva a vedere le mani e gli avambracci di Gullitt. «Sì, sono sveglio. Non riesco a dormire.» Accese la prima sigaretta della giornata.

«Neanch'io. Dimmi che non succederà, Sam.»

«Non succederà.»

«Parli sul serio?»

«Sì, parlo sul serio. Il mio avvocato sta per sparare i grossi calibri. Probabilmente mi farà uscire da qui in un paio di settimane.»

«Allora perché non riesci a dormire?»

«Sono troppo eccitato all'idea di uscire.»

«Gli hai parlato del mio caso?»

«Non ancora. Ha tante cose per la testa. Non appena uscirò, ci metteremo al lavoro sul tuo caso. Sta' tranquillo. E cerca di dormire.»

Gullitt ritirò le mani e gli avambracci. Il suo letto cigolò. Sam scosse la testa, colpito dall'ignoranza del giovane. Finì la sigaretta e la buttò nel corridoio: un'infrazione al regolamento che gli sarebbe costata un rapporto. Come se la cosa lo preoccupasse.

Prese la macchina per scrivere dallo scaffale. Aveva diverse cose da dire, e lettere da preparare. Là fuori, nel mondo, c'era gente cui doveva parlare.

George Nugent entrò nell'Unità di Massima Sicurezza come un generale a cinque stelle e fissò con aria di disapprovazione i capelli e poi gli scarponi opachi di una guardia bianca. «Fatti tagliare i capelli» proruppe. «O ti faccio rapporto. E lucida gli scarponi.»

«Sì, signore» rispose il giovane. Per poco non salutò militarmente.

Nugent girò di scatto la testa e fece un cenno a Packer, che lo precedeva verso il centro del Braccio, al Raggio A. «Numero sei» annunciò Packer mentre la porta si apriva.

«Resti qui» ordinò Nugent. I tacchi risuonavano sul pavimento mentre avanzava e guardava sprezzante in ogni cella. Si fermò davanti a quella di Sam. Sam indossava soltanto i boxer, e la pelle grinzosa era lucida di sudore mentre batteva

426

sui tasti. Lanciò un'occhiata allo sconosciuto che lo scrutava attraverso le sbarre e riprese a lavorare.

«Sam, mi chiamo George Nugent.»

Sam batté qualche altro tasto. Il nome gli era ignoto, ma immaginò che avesse una posizione di un certo rilievo, dato che aveva accesso ai raggi. «Cosa vuole?» chiese senza alzare gli occhi.

«Be', volevo conoscerti.»

«Piacere, e adesso si tolga dai piedi.»

Gullitt ed Henshaw si sporsero improvvisamente fra le sbarre, uno a destra e l'altro a sinistra, a poca distanza da Nugent. Ridacchiavano della risposta di Sam.

Nugent li guardò minaccioso e si schiarì la gola. «Sono un vicesovrintendente e Phillip Naifeh mi ha assegnato il compito di provvedere alla tua esecuzione. Ci sono diverse cose di cui dobbiamo parlare.»

Sam si concentrò sulla lettera che stava scrivendo e imprecò quando batté un tasto sbagliato. Nugent attese. «Se posso avere qualche minuto del tuo tempo prezioso, Sam...»

«Sarà meglio che lo chiami signor Cayhall» intervenne premurosamente Henshaw. «Ha qualche anno più di lei, e per lui è importante.»

«Dove ha preso quegli stivali?» chiese Gullitt guardando i piedi di Nugent.

«Voi due state indietro» intimò severamente Nugent. «Devo parlare con Sam.»

«In questo momento il signor Cayhall è occupato» disse Henshaw. «Forse dovrebbe tornare più tardi. Se vuole, posso prenderle un appuntamento.»

«È uno stronzo di militare?» chiese Gullitt.

Nugent rimase impettito e lanciò occhiate a destra e a sinistra. «Vi ordino di stare indietro, chiaro? Devo parlare con Sam.»

«Noi non prendiamo ordini» rimbeccò Henshaw.

«E cos'ha intenzione di fare?» chiese Gullitt. «Metterci in isolamento? Farci mangiare bacche e radici? Incatenarci al muro? Perché non ci ammazza, già che c'è?»

Sam posò la macchina per scrivere sul letto e si avvicinò alle sbarre. Tirò una lunga boccata dalla sigaretta e soffiò il fumo verso Nugent. «Cosa vuoi?» chiese.

«Ho bisogno di sapere certe cose.»

«Per esempio?»

«Hai fatto testamento?»

«Non è affar tuo. Un testamento è un documento privato, che può essere visto solo se viene autenticato, e viene autenticato solo dopo che l'interessato è morto. Questa è la legge.»

«Che somaro!» esclamò Henshaw.

«Non posso crederci» commentò Gullitt. «Dov'è che Naifeh ha trovato questo idiota?»

«C'è altro?» chiese Sam.

La faccia di Nugent stava cambiando colore. «Dobbiamo sapere cosa fare della tua roba.»

«È scritto nel testamento, grazie.»

«Spero che non farai difficoltà, Sam.»

«Si chiama signor Cayhall» insistette Henshaw.

«Difficoltà?» chiese Sam. «Perché dovrei fare difficoltà? Ho intenzione di collaborare in pieno con lo stato mentre mi ammazza. Sono un buon patriota. Voterei e pagherei le tasse, se potessi. Sono fiero di essere americano, irlandese americano per la precisione, e in questo momento amo ancora moltissimo il mio stato, anche se vuole gassarmi. Sono un prigioniero modello, George. Non creo problemi.»

Packer si divertiva un mondo mentre assisteva alla scena, da in fondo al raggio. Nugent non mollava.

«Ho bisogno di un elenco delle persone che vuoi come testimoni dell'esecuzione» disse. «Puoi indicarne due.»

«Non mi sono ancora arreso, George. Aspettiamo qualche giorno.»

«Sta bene. Ho bisogno anche dell'elenco dei tuoi visitatori per i prossimi giorni.»

«Ecco, nel pomeriggio c'è il dottore che viene da Chicago. È uno psichiatra, parlerà con me e scoprirà quanto sono matto, poi i miei avvocati correranno in tribunale a spiegare che tu, George, non puoi giustiziarmi perché non sono sano di mente. Troverà il tempo per esaminare anche te, se vuoi. Non ci vorrà molto.»

Henshaw e Gullitt sghignazzarono e nel giro di qualche secondo quasi tutti i detenuti del raggio li imitarono fragorosa-mente. Nugent arretrò di un passo e si guardò intorno con una smorfia. «Silenzio!» ordinò, ma le sghignazzate aumenta-rono. Sam continuò a tirare boccate dalla sigaretta e a soffiare il fumo fra le sbarre. Nel baccano si sentivano volare fischi e insulti.

«Tornerò» gridò rabbioso Nugent a Sam.

«Tornerà!» urlò Henshaw, e il chiasso crebbe ancora. Il co-mandante si allontanò con fare tempestoso, e mentre marcia-va svelto verso il fondo del corridoio, nel settore risuonarono grida di «Heil Hitler».

Sam sorrise per un momento mentre il fracasso si smorza-va, poi tornò a sedere sul bordo del letto. Mangiò un boccone di pane tostato, bevve un sorso di caffè freddo e riprese a bat-tere a macchina.

La corsa di quel pomeriggio a Parchman non era particolar-mente gradevole. Garner Goodman era seduto davanti, Adam guidava, e parlavano di strategie e appelli dell'ultimo minuto e di procedure. Goodman contava di tornare a Memphis per il fine settimana e di mettersi a disposizione durante gli ultimi tre giorni. Lo psichiatra era il dottor Swinn, un tipo freddo e cupo, vestito di nero. Aveva capelli folti e scompigliati, occhi scuri nascosti dalle lenti spesse, ed era completamente incapa-ce di parlare del più e del meno. La sua presenza sul sedile po-steriore ispirava un senso di disagio. Non pronunciò una sola parola da Memphis a Parchman.

Adam e Lucas Mann si erano accordati perché la visita si svolgesse nell'ospedale del carcere, che era molto moderno. Il dottor Swinn aveva informato Adam che lui e Goodman non sarebbero stati presenti durante il suo incontro con Sam. E a loro andava bene così. Un pullmino del carcere li attendeva al cancello: prese a bordo il dottor Swinn e lo portò all'ospedale, all'interno della fattoria.

Goodman non vedeva Lucas Mann da diversi anni. Si strin-sero la mano come due vecchi amici e subito cominciarono a rievocare ricordi di altre esecuzioni. Evitarono di parlare di Sam, e Adam ne fu grato.

Lasciarono l'ufficio di Mann, attraversarono un parcheggio

e raggiunsero una piccola costruzione dietro gli uffici amministrativi. Era un ristorante, progettato nello stile di una taverna della zona. Era chiamato Il Posto, e serviva piatti molto semplici agli impiegati degli uffici e ai dipendenti del carcere. Niente alcolici, perché il ristorante si trovava su una proprietà dello stato.

Bevvero tè freddo e parlarono del futuro della pena capitale. Goodman e Mann erano concordi nel riconoscere che presto le esecuzioni sarebbero diventate ancora più frequenti. La Corte Suprema degli Stati Uniti continuava a oscillare verso destra ed era stanca degli appelli interminabili. Lo stesso valeva anche per i gradi inferiori del sistema giudiziario federale. E le giurie rispecchiavano sempre di più l'intolleranza della società verso i crimini violenti. C'era assai meno compassione per i detenuti nel braccio della morte, e un desiderio più intenso di far fuori quei bastardi. Diminuivano gli stanziamenti federali per le associazioni che si opponevano alla pena di morte, ed erano meno numerosi gli avvocati e gli studi legali pronti ad assumersi gli enormi impegni del patrocinio gratuito. La popolazione dei bracci della morte cresceva più in fretta del numero degli avvocati disposti ad accettare casi di reati capitali.

Adam si annoiava della conversazione. Erano tutte cose che aveva letto e sentito cento volte. Si scusò e andò a un telefono a pagamento. Phelps non c'era, rispose una giovane segretaria, ma aveva lasciato un messaggio per lui: nessuna notizia di Lee. Doveva presentarsi in tribunale fra due settimane, e forse sarebbe ricomparsa allora.

Darlene, che faceva gli straordinari e non ne era entusiasta, batté a macchina il rapporto del dottor Swinn mentre Adam e Garner Goodman preparavano il ricorso che l'avrebbe accompagnato. Il rapporto era lungo venti pagine, nella prima stesura, e sembrava una musica in sordina. Swinn era un mercenario, una specie di prostituta pronta a vendere la propria opinione al miglior offerente. Adam odiava quel genere di persone. Girava per gli Stati Uniti come perito professionista, e un giorno diceva bianco e l'indomani diceva nero, a seconda di chi lo pagava di più. Ma per il momento era al loro servizio, ed era molto abile. Sam soffriva di uno stato di senilità avanzata. Le sue facoltà mentali erano degradate al punto che non capiva la natura della punizione. Non possedeva la sanità mentale necessaria per essere giustiziato, perciò l'esecuzione non sarebbe servita a nessuno scopo. Non era un'argomentazione legale completamente nuova, e non si poteva dire che i tribunali l'avessero accolta in passato a braccia aperte. Ma, come Adam si trovava a ripetere ogni giorno, cosa c'era da perdere? Goodman sembrava abbastanza ottimista, soprattutto in considerazione dell'età di Sam. Non ricordava che fosse mai stato giustiziato un uomo oltre la cinquantina.

Lavorarono fin quasi alle undici, inclusa Darlene.

38

Garner Goodman non tornò a Chicago il mercoledì mattina, ma andò a Jackson, Mississippi. Il volo durò trenta minuti, appena il tempo per un caffè e un croissant non del tutto scongelato. Noleggiò una macchina all'aeroporto e andò direttamente al campidoglio, la sede del Congresso dello stato. L'assemblea legislativa non era in seduta, e c'era una quantità di posti liberi per parcheggiare. Come tanti tribunali di contea ricostruiti dopo la guerra di Secessione, il Campidoglio era rivolto a sud, come in segno di sfida. Goodman si fermò ad ammirare il monumento alle donne sudiste, ma dedicò ancora più tempo a studiare le splendide magnolie giapponesi ai piedi della gradinata.

Quattro anni prima, nei giorni e nelle ore precedenti l'esecuzione di Maynard Tole, Goodman aveva compiuto lo stesso viaggio in due occasioni. Allora c'era un altro governatore, un altro cliente e un reato diverso. Tole aveva assassinato più persone in un massacro protrattosi per due giorni, ed era stato molto difficile creare un'atmosfera di compassione verso di lui. Si augurava che Sam Cayhall fosse differente. Era un vecchio che con molta probabilità sarebbe morto comunque entro cinque anni. Il suo delitto era ormai storia antica per la maggior parte dei cittadini del Mississippi. E via di seguito.

Goodman aveva ripassato mentalmente la procedura per tutta la mattinata. Entrò nel Campidoglio e, ancora una volta, si meravigliò della sua bellezza. Era una versione più piccola del Campidoglio di Washington, costruita senza badare a spese nel 1910 grazie ai detenuti usati come manodopera: lo stato aveva utilizzato il ricavato di una causa vinta contro una compagnia ferroviaria per erigere quel monumento a se stesso.

Entrò negli uffici del governatore al primo piano e porse il biglietto da visita alla bella receptionist. Il governatore non c'era quella mattina, disse lei. Aveva un appuntamento? No, spiegò gentilmente Goodman, ma era molto importante. Poteva parlare con il signor Andy Larramore, capo dell'ufficio legale del governatore?

Goodman attese mentre la receptionist faceva varie telefonate. Mezz'ora dopo comparve Larramore. Si presentarono e sparirono in uno stretto corridoio che si snodava attraverso un labirinto di piccoli uffici. Quello di Larramore era ingombro e disorganizzato quanto lui. Era un ometto curvo e senza collo. Teneva il mento lungo ripiegato sul petto e quando parlava gli occhi, il naso e la bocca sembravano strizzarsi tutti insieme. Uno spettacolo orribile. Goodman non riusciva a capire se aveva trent'anni o cinquanta. Doveva essere un genio.

«Questa mattina il governatore parla a un congresso di agenti assicurativi» spiegò Larramore che teneva in mano un programma come se fosse un gioiello. «Poi va a visitare una scuola elementare in centro.»

«Aspetterò» rispose Goodman. «È molto importante, e non mi dispiace attendere.»

Larramore posò il foglio e intrecciò le dita sul piano del tavolo. «Cos'è successo a quel giovanotto, il nipote di Sam?»

«Oh, è ancora l'avvocato titolare. Io sono il direttore del *pro bono* di Kravitz & Bane, e sono qui per assisterlo.»

«Seguiamo la cosa con la massima attenzione» disse Larramore. La faccia si raggrinziva intensamente al centro, poi si rilassava al termine di ogni frase. «Sembra che andrà a finire com'era prevedibile.»

«Succede sempre così» confermò Goodman. «Il governatore fa sul serio quando parla di un'udienza per la grazia?»

«Sono sicuro che prenderà in considerazione l'idea di un'udienza. La concessione della grazia è tutta un'altra cosa. I suoi poteri statutari, come lei senza dubbio sa, sono molto ampi. Può commutare la condanna a morte e liberare il detenuto sulla parola. Oppure può commutarla in ergastolo, o in una pena detentiva minore.»

Goodman annuì e si assestò la cravatta a farfalla. «Crede che potrò vederlo?»

«Dovrebbe rientrare alle undici. Gli parlerò. Con ogni probabilità pranzerà in ufficio, quindi è possibile che abbia un momento libero verso l'una. Lei può esser qui?»

«Sì. È necessario mantenere il segreto. Il nostro cliente è contrario all'incontro.»

«È contrario all'idea della grazia?»

«Ci restano sette giorni, signor Larramore. Non siamo contrari a niente.»

Larramore raggrinzì il naso e scoprì i denti superiori, poi riprese in mano il programma. «Venga all'una. Vedrò cosa posso fare.»

«Grazie.» Chiacchierarono per cinque minuti, poi Larramore fu assediato da una serie di telefonate urgenti. Goodman si scusò e uscì dal Campidoglio. Si fermò di nuovo davanti alle magnolie giapponesi e si tolse la giacca. Erano le nove e mezzo, e aveva la camicia bagnata sotto le ascelle e incollata alla schiena.

Si avviò verso sud, in direzione di Capitol Street che distava quattro isolati ed era considerata la via principale di Jackson. In mezzo ai palazzi e al traffico del centro, la residenza del governatore troneggiava maestosa, fra i prati curatissimi, rivolta verso il Campidoglio. Era una grande casa del periodo prebellico, circondata da cancellate. Un gruppo di contestatori della pena di morte si era radunato sul marciapiede la notte dell'esecuzione di Tole e aveva inveito contro il governatore, che evidentemente non li aveva sentiti. Goodman si fermò. Ricordava la residenza. Lui e Peter Wiesenberg erano entrati in fretta da un cancello a sinistra del viale centrale con l'ultimo ricorso, poche ore prima che Tole venisse gassato. Il governatore stava cenando in compagnia di personaggi importanti, e si era irritato per l'intromissione. Aveva respinto la loro ultima richiesta di grazia e poi, secondo la migliore tradizione del Sud, li aveva invitati a restare a cena.

Avevano rifiutato educatamente. Goodman aveva spiegato a Sua Eccellenza che dovevano affrettarsi a tornare a Parchman per stare vicini al loro cliente mentre moriva. «Siate prudenti» aveva raccomandato il governatore, ed era tornato a tavola.

Goodman si chiedeva quanti contestatori ci sarebbero stati fra qualche giorno, a cantare e pregare e accendere ceri, ad agitare cartelli e a gridare a McAllister di risparmiare il vecchio Sam. Non molti, probabilmente.

Nel quartiere degli affari di Jackson non c'era mai stata scarsità di uffici, e Goodman non faticò a trovare quel che cercava. Un cartello attirò la sua attenzione su un'offerta di affitto al secondo piano di un edificio brutto e sgraziato. Si informò nell'anticamera di una società finanziaria al pianterreno, e un'ora dopo il proprietario arrivò e gli mostrò i locali. Era un appartamento di due stanze, molto malridotto, con la moquette lisa e fori nelle pareti divisorie. Goodman andò alla finestra e guardò la facciata del Campidoglio, a tre isolati di distanza. «Perfetto» disse.

«Trecento dollari al mese più il consumo dell'elettricità. Il gabinetto è in fondo al corridoio. Sei mesi come minimo.»

«A me serve solo per due mesi» rispose Goodman. Si frugò in tasca e mostrò un grosso mazzo di biglietti di banca accuratamente piegati.

Il proprietario adocchiò il denaro e chiese: «Di che affari si occupa?».

«Ricerche di mercato.»

«Da dove viene?»

«Detroit. Pensiamo di aprire una filiale in questo stato, e ci serve un posto per cominciare. Ma solo per due mesi. Pagamento in contanti. Niente di scritto. Ce ne andremo presto e senza far chiasso.»

Il proprietario prese il denaro e consegnò a Goodman due chiavi, una dell'ufficio e l'altra dell'entrata in Congress Street. Si strinsero la mano. L'accordo era concluso.

Goodman uscì e tornò alla macchina che aveva lasciato vicino al Campidoglio. Mentre camminava, rideva fra sé del piano messo a punto. L'idea era stata di Adam, un altro tentativo in una serie di trame disperate per salvare Sam. Non era illegale, la spesa sarebbe stata minima e comunque, chi badava a pochi dollari, a quel punto? Dopotutto era il titolare del *pro-bono* dello studio, fonte di grande orgoglio ed esempio di virtù per i suoi colleghi. Nessuno, neppure Daniel Rosen, avrebbe contestato la spesa di un affitto e di qualche telefono.

Dopo tre settimane come avvocato di un cliente nel braccio della morte, Adam cominciava a rimpiangere la prevedibilità del suo ufficio di Chicago, ammesso che avesse ancora un ufficio. Prima delle dieci di mercoledì aveva terminato un ricorso e l'aveva presentato alla Corte Suprema del Mississippi. Aveva parlato per quattro volte con un cancelliere, poi con l'amministratore della Corte. Aveva parlato per due volte con Richard Olander a Washington a proposito del ricorso che attaccava la camera a gas in base all'*habeas corpus*, e aveva parlato con un cancelliere dell'ufficio condanne a morte del Quinto Distretto di New Orleans a proposito del ricorso basato sull'inefficienza della difesa.

Il ricorso che adduceva l'incapacità mentale di Sam era arrivato a Jackson via fax, l'originale sarebbe partito con la Federal Express, e Adam fu costretto a implorare l'amministratore della Corte perché accelerasse la procedura. Sbrigatevi a respingerlo, disse in pratica, ma non con queste precise parole. Se doveva esserci una sospensione dell'esecuzione, con ogni probabilità sarebbe stata ordinata da un giudice federale.

Ogni nuovo ricorso portava un nuovo, pallido raggio di speranza e, come Adam andava scoprendo rapidamente, anche la possibilità potenziale di un'altra sconfitta. Un ricorso doveva superare quattro ostacoli prima di giungere alla fine: la Corte Suprema del Mississippi, la corte federale distrettuale, il Quinto Distretto e la Corte Suprema degli Stati Uniti. Quindi le probabilità erano tutte contrarie, soprattutto in quella fase degli appelli. Gli argomenti più consistenti di Sam erano stati trattati scrupolosamente da Wallace Tyner e Garner Goodman già anni prima. Adam, adesso, poteva presentare soltanto le briciole.

Il cancelliere del Quinto Distretto dubitava che la corte fosse disposta a concedere un'altra udienza, tanto più che a quanto pareva Adam presentava ogni giorno nuovi ricorsi. Il collegio dei tre giudici, probabilmente, avrebbe preso in considerazione soltanto le memorie scritte. E se avessero voluto sentirlo, l'avrebbero fatto per telefono.

Richard Olander richiamò per dire che la Corte Suprema aveva ricevuto l'istanza di certiorari di Adam, cioè la richiesta di riesaminare il caso, e l'aveva già assegnata. No, non pensava che alla Corte interessasse una discussione orale. Ormai era tardi. Disse inoltre di aver ricevuto via fax una copia del nuovo ricorso basato sull'incapacità mentale; l'avrebbe seguito durante l'iter nelle corti locali. Interessante, commentò. Chiese di nuovo quali altri ricorsi Adam pensava di presentare, ma lui non glielo disse.

L'assistente del giudice Slattery, Breck Jefferson, l'uomo dalla smorfia permanente, telefonò per informarlo che Sua Eccellenza aveva ricevuto via fax una copia del nuovo ricorso presentato alla Corte Suprema del Mississippi; francamente, Sua Eccellenza non gli attribuiva molta importanza, tuttavia l'avrebbe preso in considerazione quando fosse arrivato fino a lui.

Adam ebbe un momento di soddisfazione al pensiero di essere riuscito a far correre contemporaneamente ben quattro corti diverse.

Alle undici Morris Henry, il famigerato Dottor Morte dell'ufficio del procuratore generale, lo chiamò per riferire che avevano ricevuto l'ultima infornata di appelli dal patibolo, come amava chiamarli, e che il signor Roxburgh aveva personalmente incaricato una dozzina di avvocati di produrre le risposte. Henry fu abbastanza gentile al telefono, ma la chiamata aveva raggiunto lo scopo di chiarire la situazione: noi abbiamo una quantità di avvocati, Adam, mentre tu sei solo.

Le istanze ormai venivano prodotte a chili, e avevano invaso il piccolo tavolo per le riunioni. Darlene entrava e usciva di continuo dall'ufficio: faceva copie, riferiva messaggi telefonici, portava il caffè, correggeva gli errori di battitura contenuti nei ricorsi e nelle istanze. Era abituata a occuparsi del campo noiosissimo dei buoni del tesoro governativi, quindi i documenti dettagliati e voluminosi non la intimidivano. Aveva ammesso più di una volta che era un cambiamento emozionante rispetto al solito tran-tran. «Cosa c'è di più eccitante di un'esecuzione imminente?» chiese Adam.

Perfino Baker Cooley riuscì a sottrarsi per un po' agli ultimi aggiornamenti sulle norme bancarie federali e venne a dare un'occhiata.

Phelps telefonò verso le undici e gli chiese se voleva andare a pranzo con lui. Adam non se la sentiva, e si scusò adducendo scadenze pressanti e giudici irritabili. Nessuno dei due aveva notizie di Lee. Phelps disse che era sparita altre volte, mai però per più di due giorni. Era preoccupato e stava pensando di rivolgersi a un investigatore privato. Comunque, si sarebbe tenuto in contatto.

«C'è una giornalista che vuole vederla» disse Darlene, porgendogli il biglietto da visita di Anne L. Piazza, corrispondente di "Newsweek". Era la terza giornalista che contattava l'ufficio, quel mercoledì. «Le dica che non posso» rispose Adam senza il minimo rammarico.

«Gliel'ho già detto, però ho pensato che siccome si tratta di "Newsweek" ci tenesse a saperlo.»

«Non m'interessa chi è. Le dica che neppure il mio cliente ha intenzione di parlare.»

Darlene uscì in fretta mentre squillava il telefono. Era Goodman e chiamava da Jackson per dire che all'una avrebbe visto il governatore. Adam lo aggiornò sulle sue attività e le telefonate.

Alle dodici e mezzo, Darlene venne a portargli un sandwich ordinato al vicino delicatessen. Adam lo mangiò in fretta, poi sonnecchiò su una poltrona mentre il suo computer sfornava un altro ricorso.

Goodman sfogliò una rivista di automobilismo mentre attendeva, solo, nell'anticamera dell'ufficio del governatore. La bella receptionist si faceva la manicure fra una telefonata e l'altra. L'una arrivò e passò senza commenti. Poi l'una e mezzo. Alle due la receptionist, che adesso sfoggiava splendide unghie color pesca, si scusò. Nessun problema, rispose Goodman con un sorriso caloroso. Il bello, quando ci si occupava di *pro-bono*, era che il lavoro non si misurava secondo il tempo. Il successo consisteva nell'aiutare il prossimo, indipendentemente dalle ore conteggiate.

Alle due e un quarto, una giovane donna dall'aria intensa e dal tailleur scuro apparve all'improvviso e si avvicinò. «Signor Goodman, sono Mona Stark, capo dello staff del governatore. Il governatore la riceverà subito.» Sorrise in modo appropriato e Goodman la seguì oltre una serie di porte a due battenti fino a una sala lunga e molto formale con una scrivania a un'estremità e un tavolo per le riunioni all'altra.

McAllister stava in piedi accanto alla finestra. Era senza

giacca, con la cravatta allentata, le maniche rimboccate e l'aria del servitore del popolo oberato di impegni e di lavoro. «Salve, signor Goodman» disse tendendo la mano, e fece balenare i denti.

«Governatore, è un piacere» rispose Goodman. Non aveva con sé la cartella e i soliti accessori degli avvocati. Sembrava che fosse passato di lì per caso e avesse deciso di fermarsi per conoscere il governatore del Mississippi.

«Ha già conosciuto il signor Larramore e la signora Stark?» disse McAllister, indicando i due con la mano.

«Sì, li ho conosciuti. La ringrazio per avermi ricevuto nonostante un preavviso così breve.» Goodman cercò di eguagliare il sorriso abbagliante del governatore, ma era impossibile. Per il momento, era umilmente riconoscente all'idea di trovarsi in quell'importante ufficio.

«Andiamo a sederci» propose il governatore. Si avviò verso il tavolo per le riunioni. Sedettero tutti e quattro ai quattro lati del tavolo. Larramore e Mona impugnarono le penne, pronti a prendere appunti. Goodman tenne le mani vuote davanti a sé.

«Ho saputo che sono stati presentati molti ricorsi in questi ultimi giorni» disse McAllister.

«Sì, signore. Per pura curiosità, si è già trovato di fronte a casi del genere?» chiese Goodman.

«No, per mia fortuna.»

«Ecco, non è insolito. Sono certo che presenteremo istanze fino all'ultimo momento.»

«Posso farle una domanda, signor Goodman?» chiese il governatore in tono sincero.

«Certamente.»

«So che si è occupato di molti casi simili. Quali sono le sue previsioni, a questo punto? Quanto siamo vicini alla fine?»

«Non si può mai sapere. Sam è diverso dalla maggior parte dei detenuti nel braccio della morte perché ha avuto buoni avvocati... prima durante i processi, e poi per i ricorsi in appello.»

«Opera sua, mi pare.»

Goodman sorrise, poi sorrise anche McAllister, e Mona accennò un sorrisetto. Larramore restò curvo sul blocco per gli appunti, con la faccia contratta per la concentrazione.

«Sì, è vero. Quindi le principali istanze di Sam sono già state oggetto di sentenze. Quelle di adesso sono mosse disperate, ma spesso funzionano. Direi che le probabilità sono cinquanta e cinquanta, oggi, a sette giorni dall'esecuzione.»

Mona si affrettò ad annotarlo come se la cosa avesse la massima importanza dal punto di vista legale. Larramore aveva trascritto ogni parola.

McAllister rifletté per qualche secondo. «Sono un po' confuso, signor Goodman. Il suo cliente non sa di questo incontro. Si oppone all'idea di un'udienza per la grazia. Lei vuole che questo colloquio resti segreto. E allora perché siamo qui?»

«Tutto cambia, governatore. Come ho detto, sono stato qui molte volte. Ho visto uomini che contavano i loro ultimi giorni di vita. E questo gioca strani scherzi alla mente. Le persone cambiano. Io, come avvocato, ho il dovere di non lasciare nulla di intentato.»

«Chiede un'udienza?»

«Sì, signore. Un'udienza a porte chiuse.»

«Quando?»

«Andrebbe bene venerdì?»

«Fra due giorni» commentò McAllister guardando fuori da una finestra. Larramore si schiarì la gola e chiese: «Che specie di testimoni pensa di presentare?»

«È una domanda molto acuta. Se avessi qualche nome, li fornirei subito, ma non ne ho. La nostra esposizione sarà breve.»

«Chi testimonierà per lo stato?» chiese McAllister a Larramore che scoprì i denti umidi mentre rifletteva. Goodman distolse gli occhi.

«Sono certo che i familiari delle vittime vorranno dire qualcosa. Di solito viene discusso il reato. E potrebbe essere necessario che venisse qualcuno del carcere per parlare del comportamento di Sam Cayhall durante la detenzione. Sono udienze molto flessibili.»

«Del reato io ne so più di chiunque altro» disse McAllister come se parlasse a se stesso.

«È una situazione strana» confessò Goodman. «Ho preso parte a numerose udienze per la grazia, e di solito il rappresentante della pubblica accusa è il primo testimone contro l'imputato. In questo caso il rappresentante dell'accusa era lei.»

«Perché chiede un'udienza a porte chiuse?»

«Il governatore è sempre stato favorevole alle udienze a porte aperte» intervenne Mona.

«Ecco, è meglio per tutti» spiegò Goodman, con fare professorale. «Ci sarà minor pressione su di lei, governatore, perché non si esporrà e non riceverà una quantità di suggerimenti non richiesti. E noi, naturalmente, preferiremmo un'udienza a porte chiuse.»

«Perché?» domandò McAllister.

«Ecco, signore, per essere sincero non vogliamo che il pubblico veda Ruth Kramer mentre parla dei suoi bambini.» Goodman osservava i tre mentre pronunciava la frase, e i tre gli credettero. La ragione vera era completamente diversa. Adam era convinto che l'unico modo per indurre Sam ad accettare un'udienza per la grazia fosse promettergli che non si sarebbe trasformata in uno spettacolo. Se si fosse svolta a porte chiuse, forse Adam sarebbe riuscito a persuadere Sam che McAllister non avrebbe potuto trasformarla in una specie di comizio.

Goodman conosceva dozzine di persone in tutti gli Stati Uniti che sarebbero venute volentieri a Jackson per testimoniare in favore di Sam. Le aveva sentite sostenere argomentazioni convincenti contro la pena capitale. Suore, preti, pastori, psicologi, assistenti sociali, scrittori, professori e un paio di ex detenuti nel braccio della morte. Il dottor Swinn avrebbe testimoniato che Sam era ridotto in condizioni pietose, e si sarebbe sforzato di convincere il governatore che lo stato si accingeva a uccidere un uomo ormai simile a un vegetale.

In molti stati l'udienza per la grazia era un diritto per il condannato, di solito di fronte al governatore. Nel Mississippi, invece, era discrezionale.

«Mi sembra ragionevole» disse il governatore.

«C'è già un grande interesse» proseguì Goodman, ben sapendo che McAllister aveva le vertigini alla prospettiva dell'imminente frenesia dei media. «Non sarebbe utile a nessuno che l'udienza si svolgesse a porte aperte.»

Mona, la sostenitrice delle porte aperte, aggrottò ancora di più la fronte e si annotò qualcosa in lettere maiuscole. McAllister stava riflettendo.

«Indipendentemente dalle porte aperte o chiuse» disse

«un'udienza del genere non avrebbe senso a meno che lei e il suo assistito non abbiate qualcosa di nuovo da dire. Conosco bene il caso, signor Goodman. Ho sentito l'odore del fumo. Ho visto i corpi straziati. Non posso cambiare idea a meno che non ci sia qualcosa di nuovo.»

«Per esempio?»

«Per esempio un nome. Mi dica il nome del complice di Sam, e acconsentirò all'udienza. Non posso promettere la grazia, sia chiaro, ma soltanto l'udienza. Altrimenti, è tempo sprecato.»

«Crede che ci fosse un complice?» chiese Goodman.

«L'abbiamo sempre sospettato. Lei che ne pensa?»

«Perché è tanto importante?»

«È importante perché spetta a me prendere la decisione finale, signor Goodman. Quando le corti avranno finito e si avvicinerà la mezzanotte di martedì prossimo, io sarò l'unica persona al mondo che potrà fermare tutto. Se davvero Sam merita la pena di morte, per me non sarà un problema lasciare che le cose seguano il loro corso. Ma se non la merita, l'esecuzione dev'essere scongiurata. Sono ancora giovane e non voglio essere ossessionato da questo rimorso per il resto della vita. Voglio prendere la decisione più giusta.»

«Ma se crede che ci fosse un complice, ed è evidente che lo crede, perché non ferma l'esecuzione comunque?»

«Perché voglio essere sicuro. Lei è il suo avvocato da molti anni. Pensa che avesse un complice?»

«Sì. Ho sempre pensato che fossero in due. Non so chi fosse il capo e chi il subordinato, ma Sam aveva qualcuno ad aiutarlo.»

McAllister si tese verso Goodman e lo guardò negli occhi. «Signor Goodman, concederò un'udienza a porte chiuse e prenderò in considerazione l'eventualità della grazia a condizione che Sam mi dica la verità. Non prometto niente, sia chiaro, solo che terremo l'udienza. Altrimenti non c'è niente di nuovo da aggiungere.»

Mona e Larramore scrivevano più in fretta di due stenografi di tribunale.

«Sam sostiene di aver detto la verità.»

«Allora può scordarsi l'udienza. Io ho molto da fare.»

Goodman sospirò, esasperato, ma continuò a sorridere.

«Sta bene, parleremo di nuovo con lui. Possiamo rivederci qui domani?»

Il governatore guardò Mona che consultò un'agenda e cominciò a scuotere la testa come se il giorno successivo fosse irrimediabilmente pieno di discorsi, riunioni e pubblici impegni. «È tutto occupato» disse in tono imperioso.

«Anche l'ora di pranzo?»

Niente da fare. «Deve parlare al congresso della NRA.»

«Perché non telefona a me?» propose Larramore.

«Buona idea» commentò il governatore. Si alzò e si abbottonò i polsini delle maniche.

Anche Goodman si alzò e strinse la mano ai tre. «Chiamerò se ci sarà qualcosa di nuovo. Comunque, chiediamo un'udienza al più presto possibile in ogni caso.»

«La richiesta sarà respinta a meno che Sam non decida di parlare» rispose il governatore.

«Se non le dispiace, presenti la richiesta per iscritto» consigliò Larramore.

«Certamente.»

Lo accompagnarono alla porta; quando fu uscito, McAllister andò a sedersi dietro la scrivania e si sbottonò di nuovo le maniche. Larramore si scusò e tornò nel suo ufficetto in fondo al corridoio.

Mona Stark esaminava un tabulato mentre il governatore guardava le file dei tasti che lampeggiavano sul suo telefono. «Quante di queste chiamate riguardano Sam Cayhall?» chiese. Mona passò l'indice su una colonna.

«Ieri ne sono arrivate ventuno per l'esecuzione di Cayhall. Quattordici erano favorevoli. Cinque dicevano di risparmiarlo. Due erano indecisi.»

«C'è un incremento.»

«Sì, ma il giornale ha pubblicato l'articolo sui tentativi disperati di Sam e ha accennato alla possibilità di un'udienza per la grazia.»

«E i sondaggi?»

«Non ci sono cambiamenti. Il novanta per cento della popolazione bianca dello stato è favorevole alla pena di morte, come pure metà della popolazione nera. In totale, la percentuale è intorno all'ottantaquattro per cento.»

«E la percentuale di quelli che mi approvano?»

«Sessantadue. Ma se grazierà Sam Cayhall, sono sicura che scenderà al di sotto del dieci.»

«Quindi lei è contraria all'idea.»

«Non c'è assolutamente nulla da guadagnare, e molto da perdere. Dimentichi pure i sondaggi e i numeri: se grazierà uno di quei delinquenti, gli altri cinquanta manderanno avvocati e nonne e predicatori a implorare lo stesso favore. Ha già tante preoccupazioni. Sarebbe assurdo.»

«Sì, ha ragione. Dov'è il programma per i media?»

«Sarà pronto fra un'ora.»

«Ho bisogno di vederlo.»

«Nagel gli sta dando gli ultimi ritocchi. Credo che dovrebbe comunque accogliere la richiesta di un'udienza per la grazia. Ma la tenga lunedì. L'annunci domani e lasci che continui a bollire in pentola per tutto il fine settimana.»

«Non dovrà essere a porte chiuse.»

«No, diavolo! Vogliamo vedere Ruth Kramer che piange davanti alle telecamere.»

«Spetta a me decidere. Sam e i suoi avvocati non possono dettare le condizioni. Se la vogliono, dovranno fare a modo mio.»

«Giusto. Ma tenga presente che sarà utile anche a lei. Pensi alla pubblicità.»

Goodman firmò un contratto trimestrale di leasing per quattro telefoni cellulari. Si servì di una delle carte di credito di Kravitz & Bane ed eluse abilmente le domande del giovane e allegro rappresentante. Andò in una biblioteca pubblica in State Street e trovò un tavolo carico di elenchi telefonici. Basandosi sulla voluminosità, scelse quelli delle città più grandi del Mississippi: Laurel, Hattiesburg, Tupelo, Vicksburg, Biloxi e Meridian. Poi prese quelli più smilzi: Tunica, Calhoun City, Bude, Long Beach, West Point. Al banco delle informazioni cambiò un certo numero di banconote in monete da un quarto di dollaro, e passò due ore a copiare pagine degli elenchi.

Lavorava con soddisfazione. Nessuno avrebbe immaginato che l'ometto elegante con i folti capelli grigi e la cravatta a farfalla fosse socio di un grande studio legale di Chicago con segretarie e assistenti ai suoi ordini. Nessuno avrebbe creduto che guadagnava più di quattrocentomila dollari l'anno. E a lui non interessava. E. Garner Goodman era contento del suo lavoro. Stava facendo tutto il possibile per evitare che un altro essere umano venisse ucciso con i crismi della legalità.

Uscì dalla biblioteca, risalì in macchina e arrivò alla facoltà di legge del Mississippi College, a pochi isolati di distanza. Lì c'era il professor John Bryan Glass; insegnava diritto e procedura penale e aveva cominciato a pubblicare dotti articoli contro la pena di morte. Goodman voleva conoscerlo e scoprire se aveva qualche studente molto sveglio disposto a partecipare a una ricerca.

Quel giorno il professore non c'era, ma giovedì aveva una lezione alle nove. Goodman andò a dare un'occhiata alla biblioteca della facoltà, poi uscì. Guidò fino all'Old State Capitol Building, tanto per ammazzare il tempo, e lo visitò. La visita durò mezz'ora, e metà del tempo lo dedicò alla mostra dei diritti civili al pianterreno. Chiese alla commessa del negozio di souvenir dove poteva trovare una camera per la notte, e quella gli consigliò la Millsaps-Bowie House, circa un chilometro e mezzo più avanti. Goodman trovò l'incantevole residenza vittoriana e prese l'ultima camera libera. La casa era stata restaurata in modo ammirevole, con mobili d'epoca. Il maggiordomo gli preparò uno scotch con acqua, e Goodman se lo portò in camera.

39

L'Auburn House apriva alle otto. Una guardia del servizio di sicurezza, un uomo stanco e depresso con l'uniforme malconcia, aprì il cancello e Adam fu il primo a entrare nel parcheggio. Attese dieci minuti in macchina fino a quando un'altra non parcheggiò accanto a lui. Riconobbe la consulente che aveva incontrato nell'ufficio di Lee due settimane prima. La fermò sul marciapiedi mentre stava per entrare da una porta laterale. «Mi scusi» disse. «Ci conosciamo già. Sono Adam Hall, il nipote di Lee. Mi perdoni, ma non ricordo il suo nome.»

La signora teneva con una mano una borsa sciupata e con l'altra un sacchetto marrone con il pranzo. Sorrise. «Joyce Cobb. Mi ricordo di lei. Dov'è Lee?»

«Non lo so, speravo che lei sapesse qualcosa. Non ha avuto sue notizie?»

«No. Non so più niente da martedì.»

«Martedì? Io non la sento da sabato. Le ha parlato martedì?»

«Ha telefonato qui, ma non ha parlato con me. È stato il giorno che il giornale ha pubblicato la notizia che era stata fermata per guida in stato di ubriachezza.»

«Dov'era?»

«Non l'ha detto. Ha chiesto dell'amministratore, ha spiegato che per un po' sarebbe stata via, che aveva bisogno di aiuto, cose del genere. Non ha detto dov'era, né quando aveva intenzione di tornare.»

«E le sue pazienti?»

«Ci pensiamo noi. È sempre una lotta, ma ce la faremo.»

«Lee non può aver dimenticato quelle ragazze. È possibile che abbia parlato con loro questa settimana?»

«Mi ascolti, Adam: molte di quelle ragazze non hanno il telefono. E Lee non metterebbe mai piede in quegli edifici. Ci occupiamo noi delle sue ragazze, e so con certezza che non hanno parlato con lei.»

Adam indietreggiò di un passo e guardò il cancello. «Capisco. Devo trovarla. Sono molto preoccupato.»

«Andrà tutto bene. Lee si è comportata nello stesso modo già una volta, poi tutto si è risolto.» Joyce, adesso, sembrava aver fretta di entrare. «Se sentirò qualcosa, le telefonerò.»

«Sì, la prego. Sono ospite in casa di Lee.»

«Lo so.»

Adam la ringraziò e se ne andò. Alle nove era in ufficio, sepolto fra le carte.

Il colonnello Nugent era seduto a capotavola, in una stanza piena di guardie carcerarie e dipendenti. Il tavolo era situato su una pedana alta trenta centimetri; dietro, alla parete, era appesa una grande lavagna. In un angolo c'era un podio portatile. Le sedie lungo il tavolo, alla sua destra, erano vuote, e le guardie e i dipendenti seduti sulle seggiolette pieghevoli potevano vedere le facce dei personaggi più importanti che stavano a sinistra di Nugent. C'era Morris Henry della procura generale, e aveva davanti un mucchio di documenti. Lucas Mann stava all'altra estremità del tavolo e prendeva appunti. Accanto a Henry c'erano due vice-sovrintendenti, e vicino a Lucas stava un rappresentante dell'ufficio del governatore.

Nugent lanciò un'occhiata all'orologio, quindi cominciò il discorsetto. Consultò gli appunti e si rivolse alle guardie e al personale. «Questa mattina, 15 luglio, le sospensioni sono state revocate dalle varie corti e niente impedisce l'esecuzione. Procederemo come se dovesse avvenire secondo i piani, un minuto dopo la mezzanotte di mercoledì prossimo. Abbiamo sei giorni interi per i preparativi, e intendo che tutto avvenga regolarmente senza intoppi.

«Il detenuto ha almeno tre ricorsi e appelli attualmente all'esame delle varie corti, e com'è ovvio non è possibile prevedere cosa succederà. Siamo in continuo contatto con la procura generale. Anzi, il signor Morris Henry è oggi qui con noi. Secondo la sua opinione, condivisa anche dal signor Lucas Mann, si arriverà alla conclusione. Potrebbe essere concessa una sospensione in qualunque momento, ma sembra molto dubbio. E comunque dobbiamo prepararci. Il detenuto inoltre chiederà probabilmente al governatore un'udienza per la grazia ma, per essere sincero, non si prevede che la ottenga. Da questo momento fino a mercoledì prossimo dobbiamo essere pronti.»

Le parole di Nugent erano chiare ed energiche. Aveva occupato il centro della scena, e si capiva che lo apprezzava molto. Dopo un'occhiata agli appunti, continuò: «Si sta allestendo la camera a gas. È vecchia e non viene usata da due anni e mezzo, quindi dovremo essere molto attenti. Un tecnico della fabbrica arriverà questa mattina e effettuerà i collaudi oggi e questa sera. Durante il fine settimana faremo le prove complete dell'esecuzione, probabilmente domenica notte, nell'ipotesi che non ci siano sospensioni. Ho raccolto gli elenchi dei volontari per la squadra dell'esecuzione, e prenderò una decisione questo pomeriggio.

«Siamo sommersi dalle richieste dei media che vogliono una quantità di cose. Vogliono intervistare il signor Cayhall, il suo avvocato, il nostro avvocato, il direttore, le guardie, altri detenuti nel Braccio, il boia, tutti quanti. Vogliono assistere all'esecuzione. Vogliono fotografare la cella di Cayhall e la camera a gas. Le tipiche stupidaggini dei media. Ma dobbiamo affrontarle. Non dovranno esserci contatti con i rappresentanti della stampa senza la mia approvazione preventiva. E vale per tutti i dipendenti di questa istituzione. Non sono ammesse eccezioni. In maggioranza i giornalisti non sono di qui e si divertono a presentarci come un branco di bifolchi ignoranti. Quindi non parlate con loro. Ripeto, niente eccezioni. Emanerò i comunicati appropriati quando lo riterrò necessario. Siate molto prudenti con quella gente. Sono avvoltoi.

«Inoltre ci aspettiamo guai dall'esterno. Appena una decina di minuti fa, il primo gruppo del Ku Klux Klan si è presentato all'ingresso. Sono stati indirizzati al solito posto fra l'highway e la sede dell'amministrazione, dove si svolgono le proteste. Abbiamo inoltre saputo che altri gruppi del genere arriveranno fra poco, e sembra che intendano continuare a protestare fino alla fine. Li sorveglieremo con attenzione. Hanno diritto di farlo, purché lo facciano pacificamente. Io non ero qui in occasione delle ultime quattro esecuzioni, ma mi è stato riferito che di solito si presentano anche gruppi di sostenitori della pena di morte che scatenano incidenti. Per ovvie ragioni, dobbiamo tenere separati i due gruppi».

Nugent non riusciva più a stare seduto. Si alzò, impettito. Tutti gli occhi erano fissi su di lui. Studiò gli appunti per un attimo.

«Questa esecuzione sarà diversa a causa della notorietà del signor Cayhall. Attirerà la massima attenzione, i media e una quantità di squilibrati. Dovremo comportarci sempre con professionalità, e non tollererò alcuna violazione delle norme di comportamento. Il signor Cayhall e la sua famiglia hanno diritto al rispetto durante questi ultimi giorni. Niente commenti pittoreschi sulla camera a gas o sull'esecuzione. Non lo tollererò. Qualche domanda?»

Nugent si guardò intorno, soddisfatto. Aveva preso in considerazione tutto. Nessuno aveva domande da fare. «Molto bene. Ci riuniremo di nuovo domattina alle nove.» Congedò i presenti e la stanza si vuotò in fretta.

Garner Goodman fermò il professor John Bryan Glass mentre usciva dal suo studio per andare a tenere una lezione. Nessuno dei due pensò più agli studenti, mentre si scambiavano convenevoli nel corridoio. Glass aveva letto tutti i libri di Goodman, e Goodman aveva letto quasi tutti i recenti articoli di Glass contro la pena di morte. Passarono quasi subito al caso Cayhall, e alla richiesta urgente da parte di Goodman di un gruppo di studenti fidati e disposti a collaborare a una ricerca durante il fine settimana. Glass si offrì di aiutarlo, e si diedero appuntamento a pranzo per approfondire la cosa.

A tre isolati dalla facoltà di legge del Mississippi College, Goodman trovò la piccola sede del Southern Capital Defense Group, un'agenzia semifederale che aveva piccole sedi in tutti gli stati della Fascia della Morte. Il direttore era un giovane avvocato nero che aveva studiato a Yale; si chiamava Hez Kerry e aveva rinunciato alle ricchezze dei grandi studi legali per dedicarsi alla lotta per l'abolizione della pena capitale.

Goodman l'aveva incontrato già due volte, in occasione di altrettante conferenze. Anche se il Gruppo di Kerry, come veniva chiamato, non rappresentava direttamente tutti i detenuti condannati a morte, aveva il compito di seguire ogni caso. Hez aveva trentun anni e stava invecchiando in fretta. I capelli grigi testimoniavano lo stress della presenza di quarantasette uomini nel braccio della morte.

A una parete dell'anticamera, sopra la scrivania della segretaria, era appeso un calendarietto, e in alto qualcuno aveva scritto in stampatello: COMPLEANNI NEL BRACCIO DELLA MORTE. Tutti i detenuti ricevevano una cartolina, niente di più. Il bilancio era molto modesto e di solito le cartoline erano acquistate grazie a una colletta in ufficio.

Il gruppo aveva due avvocati che lavoravano sotto la supervisione di Kerry, e un'unica segretaria a tempo pieno. Diversi studenti della facoltà di legge venivano gratis per qualche ora la settimana.

Goodman parlò con Hez Kerry per più di un'ora. Pianificarono i loro movimenti per il martedì successivo: Kerry si sarebbe accampato nella cancelleria della Corte Suprema del Mississippi, Goodman sarebbe rimasto nell'ufficio del governatore. John Bryan Glass si sarebbe piazzato nella sezione staccata del Quinto Distretto presso la corte federale di Jackson. Uno degli ex associati di Kravitz & Bane, che adesso lavorava a Washington, aveva accettato di attendere nell'ufficio del Cancelliere della Morte. Adam sarebbe stato accanto al suo assistito nel Braccio e avrebbe coordinato le telefonate dell'ultimo momento.

Kerry accettò di partecipare durante il fine settimana alla ricerca di mercato proposta da Goodman.

Alle undici, Goodman tornò all'ufficio del governatore, nel Campidoglio dello stato, e consegnò all'avvocato Larramore la richiesta scritta di un'udienza per la grazia. Il governatore non era in ufficio, anzi in quei giorni era molto impegnato; Larramore l'avrebbe visto subito dopo pranzo. Goodman lasciò il numero di telefono della Millsaps-Bowie House, e avvertì che avrebbe chiamato ogni tanto.

Poi raggiunse in macchina il suo nuovo ufficio, che adesso era arredato con i mobili migliori reperibili in affitto per due mesi, ovviamente in contanti. Le sedie pieghevoli provenivano dalla confraternita di una chiesa, stando alle etichette che c'erano sotto i sedili. Anche i tavoli traballanti avevano visto la loro parte di cene improvvisate e ricevimenti nuziali.

Goodman ammirò la piccola tana organizzata in così poco tempo. Sedette e con un nuovo telefono cellulare chiamò la sua segretaria a Chicago, l'ufficio di Adam a Memphis, sua moglie a casa, e la Linea Calda del Governatore.

Alle quattro del pomeriggio di giovedì la Corte Suprema del Mississippi non aveva ancora respinto il ricorso basato sull'infermità mentale di Sam. Erano trascorse quasi trenta ore da quando Adam l'aveva presentato. Aveva insistito nel chiamare il cancelliere della corte. Era stanco di spiegare le cose più ovvie: aveva bisogno di una risposta, per favore. Non pensava affatto che la corte stesse prendendo in seria considerazione la validità della tesi. La corte, secondo lui, tirava in lungo ritardando così il suo ricorso a quella federale. A questo punto, ne era certo, era impossibile che la Corte Suprema dello stato accogliesse l'istanza.

Le cose non andavano in fretta neppure con le corti federali. La Corte Suprema degli Stati Uniti non aveva ancora deciso sulla sua richiesta di prendere in considerazione la tesi che la camera a gas fosse incostituzionale. Il Quinto Distretto dormiva sopra il ricorso basato sull'inefficienza della difesa.

Era giovedì e nulla si muoveva. Le corti se la prendevano comoda come se si trattasse di normalissime cause da depositare, assegnare e mettere in calendario, e poi da rinviare per anni e anni. Aveva bisogno di qualcosa, preferibilmente una sospensione concessa a qualche livello, o almeno una discussione orale oppure un'udienza sul merito, o addirittura un rifiuto per poter passare a un'altra corte.

Adam girava intorno al tavolo del suo ufficio in attesa che squillasse il telefono. Era stanco di camminare avanti e indietro, e il telefono gli dava la nausea. L'ufficio era cosparso dei frammenti di una dozzina di memorie. Il tavolo era coperto da mucchi disordinati di carte. Su uno scaffale era fissata una sfilza di messaggi telefonici gialli e rosa.

All'improvviso odiò quel posto. Aveva bisogno di respirare

aria pura. Disse a Darlene che usciva a fare due passi e se ne andò. Erano quasi le cinque, era ancora chiaro e faceva molto caldo. Andò a piedi fino al Peabody Hotel in Union Street e bevve qualcosa a un tavolo d'angolo, accanto al piano. Era la prima volta che beveva dopo il venerdì precedente a New Orleans; e anche se gradiva il diversivo, era preoccupato per Lee. La cercò fra la folla dei partecipanti al congresso che si accalcavano intorno al banco delle registrazioni. Guardò i tavoli che si riempivano di gente ben vestita e si augurò che Lee comparisse. Dove ci si nasconde quando si hanno cinquant'anni e si cerca di sfuggire alla vita?

Un uomo con la coda di cavallo e gli stivali si fermò, lo fissò, poi gli andò incontro. «Mi scusi, lei è Adam Hall, l'avvocato di Sam Cayhall?»

Adam annuì.

L'uomo sorrise, soddisfatto di averlo riconosciuto, e si avvicinò al tavolo. «Sono Kirk Kleckner del "New York Times".» Gli mise davanti un biglietto da visita. «Sono venuto per l'esecuzione di Cayhall. Anzi, sono appena arrivato. Posso sedermi?»

Adam indicò la sedia vuota di fronte a lui, e Kleckner sedette. «È stata una fortuna trovarla» commentò con un gran sorriso. Era sulla quarantina e aveva l'aria un po' rude del giornalista giramondo: barba in disordine, gilè di cotone senza maniche sopra la camicia di denim, jeans. «L'ho riconosciuta dalle foto che ho studiato durante il volo.»

«Lieto di conoscerla» rispose Adam in tono asciutto.

«Possiamo parlare?»

«Di che cosa?»

«Oh, di tante cose. Ho saputo che il suo cliente non vuole concedere interviste.»

«Vero.»

«E lei?»

«Idem. Possiamo parlare, ma non deve scriverlo.»

«Questo rende tutto più difficile.»

«Per essere sincero, non me ne importa niente. Non mi interessano le difficoltà del suo lavoro.»

«Più che giusto.» Una giovane cameriera in minigonna si fermò per prendere l'ordinazione del giornalista: caffè nero. «Quando ha visto suo nonno per l'ultima volta?»

«Martedì.»

«Quando lo rivedrà?»

«Domani.»

«Come sta?»

«Sopravvive. La pressione cresce, ma finora la regge bene.»

«E lei?»

«Mi diverto come un matto.»

«No, parlo sul serio. Non dorme abbastanza, o cose del genere?»

«Sono stanco. Sì, non dormo abbastanza. Lavoro fino a ore impossibili, corro avanti e indietro dal carcere. I prossimi giorni saranno frenetici.»

«Ho seguito l'esecuzione di Bundy in Florida. Un vero circo. I suoi avvocati passarono giorni e giorni senza dormire.»

«È difficile rilassarsi.»

«Lo farà ancora? So che non è la sua specializzazione, ma prenderebbe in considerazione un altro caso di condanna a morte?»

«Solo se il condannato sarà un altro dei miei parenti. Lei perché segue queste cose?»

«Da anni scrivo articoli sulla pena di morte, ed è affascinante. Mi piacerebbe intervistare il signor Cayhall.»

Adam scosse la testa e finì di bere. «No. Niente da fare. Non parla con nessuno.»

«Glielo chiederà a nome mio?»

«No.»

Arrivò il caffè. Kleckner lo rimescolò con un cucchiaino. Adam teneva d'occhio la gente. «Ieri ho intervistato Benjamin Keys a Washington» disse il giornalista. «Non era sorpreso perché adesso lei sostiene che ha commesso errori durante il processo. Ha detto che lo prevedeva.»

In quel momento, ad Adam non importava nulla di Benjamin Keys e delle sue opinioni. «È normale. Ora devo andare. Lieto di averla conosciuta.»

«Ma volevo parlare di...»

«Senta, è stato già fortunato a pescarmi» disse Adam, e si alzò bruscamente.

«Solo un paio di cose» insistette Kleckner mentre lui si allontanava.

Uscì dal Peabody e raggiunse Front Street vicino al fiume. Incontrò decine di giovani ben vestiti, tipi come lui, che avevano fretta di tornare a casa. Li invidiava: quali che fossero le loro carriere e le pressioni del momento, non dovevano sopportare pesi pari al suo.

Mangiò un sandwich in un delicatessen e prima delle sette tornò in ufficio.

Il coniglio era stato preso in trappola nel bosco di Parchman da due guardie che l'avevano chiamato Sam per l'occasione. Era il tipo detto coda di cotone, marrone, il più grosso dei quattro catturati. Gli altri tre erano già stati mangiati.

La notte di giovedì il coniglio Sam e i suoi custodi, in compagnia del colonnello Nugent e della squadra per l'esecuzione, entrarono nell'Unità di Massima Sicurezza a bordo di pullmini e furgoncini. Passarono lentamente lungo la facciata e intorno ai recinti all'estremità ovest. Parcheggiarono davanti a una costruzione quadrata di mattoni rossi collegata all'angolo sud-occidentale dell'Msu.

Due porte di metallo bianco conducevano all'interno della costruzione. Una, rivolta a sud, si apriva su una stanza di due metri e mezzo per quattro e mezzo, dove stavano i testimoni durante le esecuzioni. Si trovavano di fronte a una serie di tende nere che, aperte, mostravano la parte posteriore della camera a gas, a poche decine di centimetri di distanza.

L'altra porta dava accesso al locale della Camera, una stanza di quattro metri e mezzo per tre e mezzo con il pavimento di cemento dipinto. La camera a gas ottagonale stava al centro. Brillava perché era stata riverniciata di recente con smalto argentato e ne aveva ancora l'odore. Nugent l'aveva ispezionata una settimana prima e aveva ordinato di ridipingerla. La camera della morte, come veniva chiamata a volte, era immacolata e disinfettata. Le tende nere alle vetrate erano chiuse.

Il coniglio Sam fu lasciato sul pianale di un furgoncino mentre una guardia di complessione minuta, all'incirca della statura e del peso di Sam Cayhall, venne accompagnata da due colleghi più imponenti nel locale della Camera. Nugent si pavoneggiava e ispezionava tutto come se fosse il generale Patton: indicava, annuiva, aggrottava la fronte. L'uomo fu spinto gentilmente per primo nella camera a gas, seguito dai due colleghi che lo girarono e lo fecero sedere sulla sedia di legno. Senza una parola o un sorriso, senza un sogghigno o una battuta scherzosa, gli legarono i polsi con le cinghie di cuoio ai braccioli della sedia. Poi le ginocchia e le caviglie. Poi uno gli sollevò la testa di qualche centimetro e la tenne ferma mentre l'altro riusciva ad affibbiare la cinghia intorno alla testa.

Quella cinghia era stata introdotta dopo le esecuzioni di Weeks e Tole, perché avevano agitato la testa e l'avevano battuta contro il palo dietro la sedia. Adam aveva dato un grande risalto a quel particolare nel suo attacco alla camera a gas come mezzo di esecuzione.

Le due guardie uscirono e Nugent fece cenno a un altro membro della squadra che si avvicinò come se volesse dire qualcosa al condannato.

«A questo punto Lucas Mann leggerà la condanna al signor Cayhall» spiegò Nugent come un regista dilettante. «Poi io gli chiederò quali sono le sue ultime parole.» Tese di nuovo la mano, e una delle guardie chiuse la pesante porta della camera a gas e la bloccò.

«Aprite» abbaiò Nugent, e la porta si aprì. L'uomo legato alla sedia fu liberato.

«Andate a prendere il coniglio» ordinò Nugent. Uno degli uomini andò al furgoncino a prendere il coniglio Sam, che stava tranquillo e ignaro nella gabbia di rete metallica maneggiata dalle due guardie appena uscite dalla camera a gas. Lo posarono sulla sedia di legno, poi finsero di legare un uomo inesistente. Polsi, ginocchia, caviglie, testa. Il coniglio era pronto. I due uscirono dalla Camera.

«Compresse di cianuro» ordinò Nugent, e un altro della squadra entrò nella camera con un grosso barattolo di plastica. Versò le compresse di cianuro in un bacile sotto la sedia, poi uscì in fretta. La porta fu chiusa e sbarrata, poi Nugent fece un segnale al boia, che collocò una cartuccia di acido solforico in un tubo che finiva nel pavimento della camera. Azionò una leva, si sentì un tintinnio, e la cartuccia raggiunse il bacile sotto la sedia.

Nugent si accostò a una delle vetrate e osservò con attenzione, imitato dagli altri. Le commessure delle vetrate erano state spalmate di vaselina per evitare che il gas filtrasse.

Il gas velenoso si liberò lentamente, e una nebbiolina di vapori visibili salì verso l'alto. In un primo momento il coniglio non reagì al vapore che permeava la sua piccola cella, ma ben presto ne fu investito. Si irrigidì, spiccò qualche saltello urtando contro le pareti della gabbia, poi fu assalito da convulsioni violente, sobbalzò e sussultò e si contorse frenetico. Dopo meno di un minuto rimase immobile.

Nugent guardò l'orologio e sorrise. «Cambiate l'aria» ordinò. Nel tetto della Camera si aprì uno sfiatatoio che fece uscire il gas.

La porta che conduceva dal locale della Camera all'esterno fu aperta, e quasi tutti i componenti della squadra uscirono a respirare una boccata d'aria pura o a fumare. Dovevano passare almeno quindici minuti prima che fosse possibile aprire la Camera e portar via il coniglio. Poi dovevano innaffiarla con le pompe e pulirla. Nugent era ancora nell'edificio a controllare tutto, perciò gli altri fumavano e si facevano due risate.

A meno di diciotto metri di distanza, le finestre del corridoio del Raggio A erano aperte. Sam poteva udire le voci. Erano le dieci passate e le luci erano spente, ma in ogni cella del raggio due braccia sporgevano fra le sbarre mentre quattordici uomini ascoltavano in un silenzio cupo.

Un detenuto nel braccio della morte vive per ventitré ore al giorno in una cella di due metri per tre. Sente tutto: il suono di un paio di stivali nuovi nel corridoio, il tono e l'accento di una voce sconosciuta, il ronzio lontano di una falciatrice o di una sarchiatrice. E può sentire quando si apre e si chiude la porta del locale della Camera. Può sentire le risatine soddisfatte e boriose dei membri della squadra per l'esecuzione.

Sam si appoggiò sugli avambracci e guardò le finestre del corridoio. Là fuori si stavano allenando per lui.

40

Fra il bordo occidentale della Highway 49 e il prato degli uffici amministrativi di Parchman, lontano cinquanta metri, c'era una fascia erbosa di terreno pianeggiante che un tempo era un tratto di ferrovia. Là venivano raccolti e sorvegliati, a ogni esecuzione, i contestatori della pena di morte. Si presentavano invariabilmente in piccoli gruppi, persone impegnate che sedevano sulle sedie pieghevoli e brandivano cartelli fatti in casa. La notte accendevano candele e durante le ultime ore cantavano inni. E continuavano a cantare inni, recitavano preghiere e piangevano quando veniva dato l'annuncio della morte del condannato.

C'era stata una svolta durante le ore precedenti l'esecuzione di Teddy Doyle Meeks, stupratore e uccisore di bambini. La protesta austera e quasi solenne era stata rovinata dall'arrivo di macchine cariche di studenti universitari che erano comparsi inaspettatamente e si erano divertiti un mondo a invocare giustizia. Avevano bevuto birra e suonato a tutto volume. Avevano scandito slogan e infastidito gli scandalizzati contestatori. La situazione era precipitata mentre le due fazioni si scambiavano insulti. Gli agenti del carcere erano intervenuti per ristabilire l'ordine.

Poi era toccato a Maynard Tole, e quando si era pianificata la sua esecuzione, si era deciso di destinare un altro tratto di terreno, sul lato opposto della highway, ai sostenitori della pena di morte. Il servizio di sicurezza era stato rinforzato per garantire la tranquillità.

Quando Adam arrivò il venerdì mattina, contò sette membri del Ku Klux Klan in tunica bianca. Tre stavano tentando una protesta sincronizzata, una specie di passeggiata lungo il bordo della fascia erbosa vicino alla highway con i cartelli appesi alle spalle. Gli altri quattro stavano montando una grande pensilina colorata. A terra erano sparsi pali metallici e corde e, accanto a diverse sedie a sdraio, due frigo portatili. Era evidente che intendevano accamparsi per parecchio tempo.

Adam li guardò mentre rallentava davanti al cancello di Parchman. Fermò la macchina e perse il senso del tempo mentre osservava i seguaci del Klan. Ecco dunque la sua eredità, ecco le sue radici. Quelli erano i confratelli di suo nonno e dei parenti e degli antenati di suo nonno. Fra loro c'era qualcuno che era stato filmato e inserito da Adam nella videocassetta su Sam Cayhall? Li aveva già visti?

D'istinto, aprì la portiera e scese. La giacca e la cartella rimasero sul sedile posteriore. Si avviò a passo lento verso i dimostranti e si fermò accanto ai frigo portatili. I cartelli invocavano la libertà per Sam Cayhall, prigioniero politico. Gassate i veri criminali, ma liberate Sam. Tuttavia Adam non si sentiva confortato dalle loro richieste.

«Cosa vuole?» gli chiese uno con un cartello appeso al petto. Gli altri sei interruppero ciò che stavano facendo e si voltarono a guardare.

«Non lo so» rispose sinceramente Adam.

«Allora cosa guarda?»

«Non lo so.»

Altri tre raggiunsero il primo e si avvicinarono ad Adam. Le tuniche erano identiche, bianche, di tessuto molto leggero, con le croci rosse e altri simboli. Erano quasi le nove e già sudavano. «Chi diavolo è?»

«Il nipote di Sam.»

Si avvicinarono anche i rimanenti tre. Tutti e sette squadravano Adam da una distanza di un metro e mezzo, non più. «Quindi è dalla nostra parte» disse uno in tono di sollievo.

«No. Non sono uno di voi.»

«È vero. Sta con quel branco di ebrei di Chicago» disse un altro chiarendo la situazione. Il commento sembrò scuoterli.

«Perché siete qui?» chiese Adam.

«Cerchiamo di salvare Sam. A quanto pare, lei non ci riuscirà.»

«È per causa vostra se è qui.»

Un giovane con la faccia rossa e la fronte rigata di sudore prese l'iniziativa e si avvicinò ancora di più. «No. È per causa sua che siamo qui noi. Io non ero ancora nato quando Sam uccise quegli ebrei, quindi non può dare la colpa a me. Siamo qui per protestare contro la sua esecuzione. È stato perseguito per ragioni politiche.»

«Non sarebbe qui se non fosse stato per il Klan. Dove sono le vostre maschere? Credevo che vi nascondeste sempre la faccia.»

Il gruppo fremette ed esitò incerto sul comportamento da tenere. Dopotutto, quello era il nipote di Sam Cayhall, il loro idolo, il campione. Era l'avvocato che cercava di salvare un simbolo prezioso.

«Perché non ve ne andate?» chiese Adam. «Sam non vi vuole qui.»

«Perché non va al diavolo?» lo minacciò il giovane.

«Che eloquenza! Andatevene, d'accordo? Per voi, Sam vale molto più morto che vivo. Lasciatelo morire in pace, e avrete un magnifico martire.»

«Non ce ne andremo. Resteremo qui fino alla fine.»

«E se lui vi chiedesse di andarvene? Ve ne andreste?»

«No» affermò il giovane, e girò la testa per guardare gli altri che sembravano decisi a non muoversi. «Abbiamo intenzione di fare molto chiasso.»

«Benissimo. Così i giornali pubblicheranno le vostre foto. È questo che vi interessa, no? I pagliacci da circo con i costumi ridicoli attirano sempre l'attenzione.»

Adam sentì dietro di sé un rumore di portiere che sbattevano, e quando si voltò a guardare vide una troupe televisiva scendere in fretta da un furgoncino parcheggiato a fianco della sua Saab.

«Bene, bene» disse a quelli del Klan. «Sorridete, ragazzi. È il vostro grande momento.»

«Vada all'inferno» scattò esasperato il giovane. Adam voltò loro le spalle e si avviò verso la sua macchina. Una cronista seguita da un cameraman gli corse incontro.

«Lei è Adam Hall?» chiese senza fiato. «L'avvocato di Cayhall?»

«Sì» rispose Adam senza fermarsi.

«Possiamo scambiare qualche parola?»

«No. Ma quei ragazzi non vedono l'ora di parlare» disse Adam, e indicò alle proprie spalle. La cronista continuò a camminare al suo fianco mentre il cameraman trafficava con l'equipaggiamento. Adam aprì la portiera della macchina, salì, la sbatté e accese il motore.

Louise, la guardia al cancello, gli consegnò un cartellino numerato da mettere sul cruscotto, e gli accennò di passare. Ormai era un visitatore abituale.

Packer eseguì in fretta la perquisizione obbligatoria appena dentro la porta d'accesso al Braccio. «Cos'ha lì dentro?» chiese, indicando il piccolo contenitore termico che Adam teneva nella sinistra.

«Eskimo Pie, sergente. Ne vuole uno?»

«Mi faccia vedere» Adam consegnò il contenitore e Packer sollevò il coperchio il tempo sufficiente per contare mezza dozzina di Eskimo Pie ancora sotto uno strato di ghiaccio.

Restituì la confezione e indicò la porta dell'ufficio all'ingresso, a pochi passi da lui. «D'ora in avanti vi incontrerete qui» spiegò. Entrarono nella stanza.

«Perché?» chiese Adam mentre si guardava intorno. C'erano una scrivania metallica con un telefono, tre sedie e due schedari chiusi a chiave.

«Qui si fa così. Ammorbidiamo un po' il regolamento quando si avvicina il gran giorno. Sam riceverà qui le visite. E senza limiti di tempo.»

«Che gentilezza!» Adam posò la cartella sulla scrivania e prese il telefono. Packer uscì per andare da Sam.

La gentile impiegata della cancelleria di Jackson informò Adam che la Corte Suprema del Mississippi aveva respinto pochi minuti prima il ricorso basato sull'incapacità d'intendere e di volere. La ringraziò, disse che l'aveva previsto e che la corte avrebbe potuto decidere un giorno prima, quindi la pregò di faxare la sentenza al suo ufficio di Memphis e all'ufficio di Lucas Mann a Parchman. Chiamò Darlene a Memphis e le disse di faxare il nuovo ricorso alla corte federale distrettuale, nonché al Quinto Distretto e all'ufficio di Richard Olander alla Corte Suprema di Washington. Chiamò il signor Olander per informarlo dell'arrivo imminente del ricorso, e si sentì dire che la Corte Suprema degli Stati Uniti aveva appena negato il certiorari chiesto da Adam in base all'incostituzionalità della camera a gas.

Sam entrò nell'ufficio senza le manette mentre Adam era al telefono. Si strinsero la mano in fretta, e Sam sedette. Invece di accendere una sigaretta, aprì il contenitore, prese un Eskimo Pie e lo mangiò mentre ascoltava Adam parlare con Olander. «La Corte Suprema degli Stati Uniti ha appena respinto la richiesta di certiorari» mormorò Adam coprendo il microfono con la mano.

Sam sorrise in modo strano e studiò alcune buste che aveva portato.

«Anche la Corte Suprema del Mississippi ha respinto il nostro ricorso» spiegò Adam mentre componeva un altro numero. «Ma era prevedibile. Ora lo stiamo presentando alla corte federale.» Chiamò il Quinto Distretto per informarsi della situazione dell'istanza basata sull'inefficienza della difesa. Il cancelliere, da New Orleans, rispose che quella mattina non si era tenuta alcuna seduta. Adam riattaccò e sedette sul bordo della scrivania.

«Il Quinto Distretto sta ancora dormendo sul ricorso per inefficienza della difesa» riferì a Sam, che conosceva la legge e la procedura e assimilava tutto come un avvocato esperto. «Nel complesso, la giornata non inizia bene.»

«Stamattina la stazione televisiva di Jackson ha detto che ho chiesto al governatore un'udienza per la grazia» disse Sam fra un morso e l'altro. «Non può essere vero. Io non l'ho approvato.»

«Sta' calmo, Sam. È ordinaria amministrazione.»

«Ordinaria amministrazione un corno! Credevo che fossimo d'accordo. Hanno addirittura intervistato McAllister, e ha detto che decidere su un'udienza per la grazia è per lui un grave problema di coscienza. Ti avevo avvertito.»

«McAllister è l'ultimo dei nostri problemi, Sam. La richiesta è stata una semplice formalità. Non siamo tenuti a partecipare.»

Sam scosse la testa, esasperato. Adam l'osservò con attenzione. Non era veramente in collera, e in fondo non gli importava nulla di ciò che aveva fatto Adam. Era rassegnato, quasi sconfitto. La protesta era stata un riflesso istintivo. Una settimana prima avrebbe fatto una sfuriata.

«Sai, questa notte hanno fatto le prove. Hanno messo in ordine la camera a gas, hanno ammazzato un ratto o qualche altro animale, tutto ha funzionato perfettamente e adesso sono eccitati all'idea dell'esecuzione. Ci credi? Hanno fatto una prova generale per me. Che bastardi!»

«Mi dispiace, Sam.»

«Sai che odore ha il gas di cianuro?»

«No.»

«Cannella. Era nell'aria, stanotte. Quegli idioti non si sono neppure preoccupati di chiudere le finestre del nostro raggio, e l'ho sentito.»

Adam non sapeva se era vero o no. Sapeva che la camera a gas veniva ventilata per parecchi minuti dopo un'esecuzione e che il gas si disperdeva nell'aria. Di certo non poteva penetrare nei raggi. Forse Sam aveva sentito parlare del gas dalle guardie. Forse faceva parte delle leggende carcerarie. Sedette sul bordo della scrivania e fece dondolare i piedi mentre guardava il patetico vecchio con le braccia scarne e i capelli untuosi. Era un peccato atroce uccidere un uomo anziano come Sam Cayhall. I suoi crimini erano stati commessi una generazione prima. Aveva sofferto ed era morto innumerevoli volte nella cella di due metri per tre. Che cosa avrebbe guadagnato lo stato uccidendolo?

Adam aveva tante cose da pensare, soprattutto il loro ultimo, affannoso tentativo. «Mi dispiace, Sam» ripeté con autentica pietà. «Ma dobbiamo parlare di diverse cose.»

«C'era qualcuno del Klan là fuori, stamattina? Ieri la televisione li ha mostrati.»

«Sì. Pochi minuti fa ne ho contati sette. Tutti in alta uniforme, ma senza cappucci.»

«Mi vestivo così anch'io, sai?» disse Sam, con l'aria del veterano che si pavoneggia davanti ai bambini.

«Lo so bene, Sam, e proprio per questo adesso sei nel braccio della morte con il tuo avvocato e conti le ore che mancano al momento in cui ti leghino nella camera a gas. Dovresti odiare quegli imbecilli là fuori.»

«Non li odio. Ma non hanno il diritto di stare qui. Mi hanno abbandonato. Fu Dogan a farmi finire dentro, e quando testimoniò contro di me era Imperial Wizard del Mississippi. Non mi diedero un soldo per pagarmi l'avvocato. Si dimenticarono di me.»

«E cosa ti aspettavi da un branco di delinquenti? Lealtà?»

«Io sono stato leale.»

«E guarda un po' dove sei. Dovresti rinnegare quelli del Klan e dirgli di andarsene, di stare lontani dalla tua esecuzione.»

Sam giocherellò con le buste, poi le posò con gesti meticolosi su una sedia.»

«Gli ho detto di andar via» disse Adam.

«Quando?»

«Pochi minuti fa. Ho parlato con loro. Se ne fregano di te, ma sfruttano la tua esecuzione perché sarai un martire meraviglioso, e faranno raduni per onorarti e parleranno di te per anni. Scandiranno il tuo nome quando bruceranno le croci, e faranno pellegrinaggi sulla tua tomba. Ti vogliono morto, Sam. Gli serve per le pubbliche relazioni.»

«Li hai affrontati?» chiese Sam, con una sfumatura divertita e orgogliosa nella voce.

«Certo! Non è stata poi una grande impresa. Che mi dici di Carmen? Se viene, deve organizzarsi per il viaggio.»

Sam sbuffò con aria pensierosa. «Mi piacerebbe vederla, ma dovrai avvertirla del mio aspetto. Non voglio che rimanga sconvolta.»

«Hai un ottimo aspetto, Sam.»

«Tante grazie. E Lee?»

«Lee?»

«Come sta? Qui riceviamo i giornali. L'ho vista su quello di Memphis domenica scorsa, e martedì ho letto che è stata fermata mentre guidava in stato di ubriachezza. Non è in prigione, vero?»

«No. È in clinica a disintossicarsi» rispose Adam come se lo sapesse con certezza.

«Può venire a trovarmi?»

«Vuoi che venga?»

«Credo di sì. Magari lunedì. Aspettiamo e vediamo.»

«Non è un problema» disse Adam, e si chiese come avrebbe potuto trovarla. «Gliene parlerò durante il fine settimana.»

Sam gli porse una delle buste. Non era chiusa. «Consegna questa all'amministrazione. È l'elenco dei visitatori approvati da me, a partire da questo momento. Su, aprila.»

Adam lesse l'elenco. C'erano quattro nomi: Adam, Lee, Carmen e Donnie Cayhall. «Non è molto lungo.»

«Ho tanti parenti, ma non voglio che vengano. Non sono mai venuti a trovarmi in nove anni, e non tollero che si trascinino qui all'ultimo minuto per dirmi addio. Possono risparmiarsi il disturbo per il funerale.»

«Ricevo una quantità di richieste di interviste da parte dei giornalisti.»

«Lascia perdere.»

«È quello che ho risposto. Ma c'è una richiesta che forse può interessarti. C'è un certo Wendall Sherman, uno scrittore piuttosto noto che ha pubblicato quattro o cinque libri e ha vinto diversi premi. Non ho letto niente di suo, ma mi sono informato. È una persona seria. Ieri ho parlato con lui per telefono, e vuole venire qui a registrare la tua storia. Mi è sembrato sincero e ha detto che la registrazione potrebbe richiedere diverse ore. Oggi arriverà a Memphis in aereo, nell'eventualità che tu dica di sì.»

«Perché vuole registrare quello che potrei dire?»

«Vuole scrivere un libro su di te.»

«Un romanzo?»

«Non credo. È disposto a pagare cinquantamila dollari in anticipo, più in seguito una percentuale sui diritti d'autore.»

«Magnifico! Così incasserò cinquantamila dollari pochi giorni prima di morire. Cosa dovrei farne?»

«Io mi limito a riferirti la proposta.»

«Digli che vada al diavolo. Non m'interessa.»

«D'accordo.»

«Voglio che prepari un contratto con cui assegnerò a te tutti i diritti sulla storia della mia vita. Quando sarò morto, ne farai quel che diavolo vuoi.»

«Non sarebbe una cattiva idea registrare tutto.»

«Vuoi dire...»

«Dettare tutto sul nastro. Posso procurarti un registratore. Te ne stai in cella e parli della tua vita.»

«Che noia!» Sam finì l'Eskimo Pie e buttò il bastoncino nel cestino.

«Dipende dal punto di vista. In questo momento la situazione sembra piuttosto eccitante.»

«Già, hai ragione. La vita è stata noiosa, ma la fine è sensazionale.»

«Secondo me può diventare un bestseller.»

«Ci penserò.»

Sam si alzò di scatto, e lasciò i sandali di gomma sotto la sedia. Attraversò l'ufficio a grandi passi, misurando e fumando. «Quattro per cinque» mormorò fra sé. Poi rifece le misurazioni.

Adam prendeva appunti sul blocco cercando di ignorare quella figura rossa che si muoveva a grandi passi lungo le pareti. Finalmente Sam si fermò e si appoggiò a uno schedario. «Voglio che tu mi faccia un favore» disse con gli occhi fissi alla parete di fronte. Aveva abbassato la voce e respirava lentamente.

«Ti ascolto» rispose Adam.

Sam si avvicinò di un passo alla sedia e prese una busta, la passò ad Adam e tornò ad appoggiarsi allo schedario. La busta era girata, e Adam non poteva vedere il nome del destinatario.

«Voglio che tu la consegni» disse Sam.

«A chi?»

«A Quince Lincoln.»

Adam la posò sulla scrivania e osservò Sam con attenzione. Ma era perduto in un altro mondo. Gli occhi socchiusi fissavano privi di espressione il muro di fronte. «Ci ho messo una settimana a scriverla» disse con voce quasi rauca. «Ma sono quarant'anni che ci penso.»

«Cosa c'è scritto?» chiese Adam.

«Chiedo perdono. Mi sono portato dentro il rimorso per tanti anni, Adam. Joe Lincoln era un brav'uomo e un buon padre. Persi la testa e lo uccisi senza una ragione. E prima di sparargli, sapevo che avrei potuto farla franca. Mi sono sempre vergognato. Davvero. Ormai non posso far niente, se non chiedere perdono.»

«Sono sicuro che per i Lincoln sarà importante.»

«Può darsi. Nella lettera gli chiedo perdono, e mi pare che sia un comportamento da cristiano. Quando morirò, voglio almeno avere la consolazione di aver cercato di dire che mi dispiace.»

«Sai dove potrei trovarlo?»

«Questa è la cosa più difficile. Ho saputo tramite i miei che i Lincoln stanno ancora nella contea di Ford. Ruby, la vedova, probabilmente è ancora viva. Ho paura che dovrai andare a Clanton a informarti. Hanno uno sceriffo africano, quindi comincia da lui. È facile che conosca tutti gli africani della contea.»

«E se trovo Quince?»

«Gli dici chi sei. Gli consegni la lettera. Gli spieghi che sono morto con molti rimorsi. Puoi farlo?»

«Certo. Non so quando.»

«Aspetta che sia morto. Avrai tutto il tempo, quando la storia sarà finita.»

Sam si avvicinò di nuovo alla sedia, e questa volta prese due buste. Le porse ad Adam e cominciò a camminare adagio, avanti e indietro. Su una era battuto a macchina il nome di Ruth Kramer, senza indirizzo; sull'altra c'era il nome di Elliot Kramer. «Queste sono per i Kramer. Consegnale, ma dopo l'esecuzione.»

«Perché?»

«Perché non ho secondi fini. Non devono credere che lo faccio per ispirare compassione nelle ultime ore di vita.»

Adam mise le lettere per i Kramer accanto a quella per Quince Lincoln: tre lettere, tre morti. Quante altre lettere avrebbe scritto durante il fine settimana? Quante altre vittime c'erano?

«Sei sicuro che stai per morire, no, Sam?»

Sam si fermò accanto alla porta e rifletté per un momento. «Le probabilità sono contro di noi. Sto cercando di prepararmi.»

«Abbiamo ancora una speranza.»

«Sì, certo. Ma io mi preparo per ogni eventualità. Ho fatto male a molta gente, Adam, e non sempre mi sono fermato a rifletterci. Ma quando hai un appuntamento con la morte, pensi ai danni che hai causato.»

Adam prese le tre buste e le guardò. «Ce ne sono altre?»

Sam fece una smorfia e guardò il pavimento. «È tutto, per ora.»

Il venerdì mattina il giornale di Jackson pubblicò in prima pagina un articolo sulla richiesta di udienza per la grazia da parte di Sam. Il pezzo includeva una bella foto del governatore David McAllister, una brutta foto di Sam e una quantità di commenti interessati di Mona Stark, capo dello staff del governatore, la quale spiegava come il suo superiore fosse ossessionato dalla decisione che doveva prendere.

Poiché era un vero uomo del popolo, un autentico servitore di tutto il Mississippi, McAllister aveva installato una dispendiosa Linea Calda telefonica poco dopo essere stato eletto. Il numero verde figurava sui manifesti affissi in tutto lo stato, e gli elettori erano bombardati da continue pubblicità che li sollecitavano a servirsi della Linea Calda del Popolo. Chiamate il governatore. Le vostre opinioni gli stanno a cuore. Il massimo della democrazia. I centralinisti sono sempre a disposizione.

E poiché aveva più ambizioni che rigore morale, McAllister e il suo staff controllavano ogni giorno la provenienza delle telefonate. Non era un condottiero, era un seguace. Spendeva molto nei sondaggi, e si era dimostrato molto abile nello scoprire con discrezione i problemi che preoccupavano la gente, per poi balzare alla testa dei cortei.

Goodman e Adam lo sospettavano. McAllister sembrava troppo ossessionato dal proprio destino per farsi promotore di iniziative. Era uno che contava i voti senza ritegno: e loro avevano deciso di dargli qualcosa da contare.

Goodman lesse l'articolo molto presto, mentre beveva il caffè e mangiava un po' di frutta; alle sette e mezzo aveva già telefonato al professor John Bryan Glass e a Hez Kerry. Alle otto, tre studenti di Glass bevevano il caffè nei bicchieri di carta nello squallido ufficio provvisorio. La ricerca di mercato stava per cominciare.

Goodman spiegò il piano e la necessità di tenerlo segreto. Non infrangevano nessuna legge, dichiarò; si limitavano a manipolare la pubblica opinione. I telefoni cellulari erano sui tavoli, accanto ai fogli pieni di numeri telefonici che Goodman aveva copiato il mercoledì. Gli studenti erano un po' preoccupati, ma impazienti di cominciare. Erano pagati bene, e il professor Glass aveva promesso di tenerne conto al momento di dare i voti. Goodman mostrò la tattica da adottare facendo la prima telefonata. Compose il numero.

«Linea Calda del Popolo» rispose una voce cordiale.

«Buongiorno. Chiamo per l'articolo sul giornale di stamattina, quello su Sam Cayhall» disse lentamente Goodman, imitando meglio che poteva l'accento del Sud. L'imitazione lasciava molto a desiderare e gli studenti si divertivano.

«Lei si chiama?»

«Sì, sono Ned Lancaster di Biloxi, Mississippi» rispose Goodman, leggendo il nome sull'elenco. «Ho votato per il governatore, un uomo eccezionale» aggiunse per buona misura.

«E cosa pensa di Sam Cayhall?»

«Non credo che sia il caso di giustiziarlo. È vecchio e ha sofferto molto. Vorrei che il governatore lo graziasse. E che lo lasciasse morire in pace, là a Parchman.»

«Bene, riferirò la sua telefonata al governatore.»

«Grazie.»

Goodman premette un tasto del telefono e si inchinò agli spettatori. «È facilissimo. Cominciamo.»

Lo studente bianco scelse un numero telefonico. La sua conversazione si svolse più o meno così: «Pronto, sono Lester Crosby di Bude, Mississippi. Telefono per l'esecuzione di Sam Cayhall. Sì, signora. Il mio numero? 227-9084. Sì, è esatto, Bude, Mississippi, qua nella contea di Franklin. Giusto. Be', non credo che sia giusto mandare Sam Cayhall nella camera a gas. Sono contrario. Credo che il governatore dovrebbe intervenire e fermare tutto. Sì, signora, è esatto. Grazie.» Sorrise a Goodman, che stava facendo un altro numero.

La studentessa bianca era di mezza età. Veniva da una cittadina agricola dello stato, e aveva l'accento caratteristico. «Pronto, è l'ufficio del governatore? Bene. Ho chiamato per l'articolo su Cayhall che è uscito sul giornale di oggi. Susan Barnes, Decatur, Mississippi. Sì, giusto. Ecco, è vecchio e probabilmente morirà fra pochi anni. Che utilità ne avrebbe lo stato a ucciderlo adesso? Offrirgli una possibilità? Come? Sì, voglio che il governatore lo impedisca. Ho votato per lui e penso che sia un brav'uomo. Sì. Grazie a lei.»

Lo studente nero era sulla trentina. Informò la centralinista della Linea Calda che era un nero del Mississippi, ostile alle idee di Sam Cayhall e del Klan, ma contrario all'esecuzione. «Il governo non ha il diritto di decidere se uno deve vivere o morire» affermò. Non approvava la pena di morte in nessun caso.

E continuò così. Le telefonate fioccavano da ogni parte dello stato, una dopo l'altra, da parte di persone diverse che avevano motivi diversi per chiedere l'annullamento dell'esecuzione. Gli studenti diedero via libera all'immaginazione, si avventurarono in un assortimento di accenti e in ragionamenti originali. Ogni tanto trovavano occupato, e si divertivano a scoprire che avevano intasato la Linea Calda. A causa del suo accento più asciutto, Goodman aveva scelto il ruolo del forestiero, una specie di abolizionista itinerante della pena di morte che chiamava da ogni parte del paese esibendo una straordinaria serie di false origini etniche e di località bizzarre.

Goodman temeva che McAllister fosse paranoico al punto di accertare la provenienza delle telefonate alla sua Linea Calda, ma aveva concluso che i centralinisti dovevano essere troppo indaffarati.

E infatti lo erano. In un altro quartiere della città, John Bryan Glass annullò una lezione e si chiuse a chiave nel suo studio. Poi si divertì moltissimo a fare un bel numero di telefonate sotto una quantità di nomi diversi. Non lontano da lui, anche Hez Kerry e uno degli avvocati del suo staff bombardavano la Linea Calda con messaggi molto simili.

Adam si precipitò a Memphis. Darlene era nel suo ufficio e tentava invano di dare una parvenza d'ordine alla montagna di documenti. Indicò un mucchio accanto al computer. «La sentenza che respinge la richiesta di certiorari è la prima, poi c'è quella della Corte Suprema del Mississippi. C'è la petizione per l'*habeas corpus* da presentare alla corte federale distrettuale. Ho già spedito tutto via fax.»

Adam si tolse la giacca e la buttò su una sedia. Guardò la

sfilza dei foglietti rosa con i messaggi telefonici attaccati a uno scaffale. «Chi sono?»

«Giornalisti, scrittori, bla-bla-bla. Un paio sono avvocati che offrono la loro collaborazione. Uno è di Garner Goodman, da Jackson. Dice che la ricerca di mercato va bene e non è il caso di chiamarlo. Cos'è questa ricerca di mercato?»

«Non me lo chieda. Ci sono notizie del Quinto Distretto?»

«No.»

Adam respirò a fondo e si assestò sulla poltroncina.

«Vuole qualcosa per pranzo?» chiese Darlene.

«Un sandwich, se non le spiace. Può lavorare anche domani e domenica?»

«Certo.»

«Ho bisogno che rimanga qui tutto il fine settimana, accanto al telefono e al fax. Mi dispiace.»

«A me no. Vado a prendere un sandwich.»

Darlene uscì e chiuse la porta. Adam chiamò da Lee, ma non ebbe risposta. Chiamò l'Auburn House, ma nessuno aveva notizie. Chiamò Phelps Booth, che era in riunione con il consiglio di amministrazione. Chiamò Carmen a Berkeley e le disse di organizzarsi per arrivare a Memphis in aereo la domenica.

Guardò i messaggi telefonici e decise che nessuno meritava risposta.

All'una, Mona Stark parlò ai giornalisti in attesa davanti all'ufficio del governatore in Campidoglio. Annunciò che, dopo aver molto riflettuto, il governatore aveva deciso di concedere l'udienza per la grazia lunedì mattina alle dieci. In quell'occasione avrebbe ascoltato le argomentazioni e gli appelli e avrebbe preso una decisione imparziale. Era una responsabilità tremenda, spiegò, avere il potere di vita o di morte. Ma David McAllister avrebbe fatto ciò che era giusto.

41

Packer entrò nella cella alle cinque e mezzo del sabato mattina e non portò le manette. Sam lo aspettava. Lasciarono il Raggio A senza far rumore. Passarono dalla cucina dove gli spesini stavano preparando uova e bacon. Sam non aveva mai visto la cucina. Camminava lentamente, contava i passi e valutava le dimensioni. Packer aprì una porta e gli accennò di sbrigarsi a seguirlo. Uscirono nell'oscurità. Sam si fermò e guardò la costruzione squadrata di mattoni rossi sulla sua destra, il piccolo edificio che ospitava la camera a gas. Packer lo tirò per il gomito. Proseguirono insieme verso l'estremità est del braccio della morte, dov'era in attesa un'altra guardia, che porse a Sam una tazza di caffè e lo guidò oltre un cancello, in un cortile per la ricreazione simile a quelli all'estremità ovest. Era recintato, e c'erano un tabellone per il basket e due panche. Packer disse che sarebbe tornato fra un'ora, e se ne andò con la guardia.

Sam rimase fermo a lungo a bere il caffè bollente e osservare il paesaggio. La sua prima cella era stata nel Raggio D, nell'ala ovest, ed era venuto molte volte in quel cortile. Ne conosceva le dimensioni esatte: quindici metri e mezzo per undici. Vide sulla torre la guardia che lo sorvegliava seduta sotto una lampada. Al di là delle recinzioni e dei filari di cotone scorgeva le luci di altri edifici. Si avviò a passo lento verso una panca e sedette.

Erano stati davvero gentili ad accogliere la sua richiesta di veder sorgere il sole per l'ultima volta. Non vedeva un'aurora da nove anni, e all'inizio Nugent aveva detto di no. Poi era intervenuto Packer, e aveva spiegato al colonnello che si poteva fare, non c'era nessun rischio per la sicurezza e poi, diavolo!, quell'uomo doveva morire fra cinque giorni. Packer era pronto ad assumersi la responsabilità.

Sam fissava il cielo a oriente, dove una sfumatura arancio si affacciava fra le nubi sparse. Durante i primi tempi nel braccio della morte, quando i suoi appelli erano stati presentati da poco e l'esito era ancora incerto, aveva trascorso lunghe ore a ricordare la splendida normalità della vita quotidiana, le piccole cose come una doccia calda tutti i giorni, la compagnia del cane, un po' di miele in più sulle focacce. Allora credeva di poter tornare un giorno a caccia di scoiattoli e quaglie o a pesca di persici e abramidi, a sedersi sotto il portico e guardar sorgere il sole, a bere il caffè in città e andare dove voleva con il suo vecchio camioncino. In quelle fantasticherie, la sua aspirazione era prendere l'aereo per la California e andare a trovare i nipoti. Non aveva mai volato.

Ma i sogni di libertà si erano spenti da molto tempo, scacciati dalla monotonia della vita in una cella, distrutti dalle decisioni inflessibili di molti giudici.

Era la sua ultima aurora, ne era convinto. Troppa gente lo voleva morto. La camera a gas non veniva usata abbastanza. Era giunto il momento di un'esecuzione, che diamine!, e toccava a lui.

Il cielo si rischiarò e le nubi si dispersero. Anche se era costretto ad ammirare il magnifico spettacolo naturale attraverso una rete metallica, provava comunque una grande soddisfazione. Ancora pochi giorni e le recinzioni sarebbero sparite. Le sbarre e il filo metallico tagliente e le celle del carcere sarebbero rimasti per qualcun altro.

Due giornalisti fumavano e bevevano il caffè del distributore automatico mentre attendevano accanto all'ingresso meridionale del Campidoglio, il sabato mattina. Si era sparsa la voce che il governatore avrebbe passato la giornata in ufficio a occuparsi del caso Cayhall.

Alle sette e mezzo, la Lincoln nera si fermò accanto al marciapiede, e McAllister scese in fretta. Due guardie del corpo ben vestite lo scortarono alla porta mentre Mona Stark lo seguiva a pochi passi.

«Governatore, ha intenzione di assistere all'esecuzione?» chiese in gran fretta il primo giornalista. McAllister sorrise e alzò le mani come se desiderasse fermarsi a parlare ma fosse condizionato da una situazione troppo critica. Poi vide la macchina fotografica che l'altro cronista portava al collo.

«Non ho ancora preso una decisione» rispose, soffermandosi per un secondo.

«Ruth Kramer testimonierà all'udienza di lunedì?»

La macchina fotografica era pronta a scattare. «Non posso dirlo, al momento» rispose il governatore rivolgendo un sorriso all'obiettivo. «Scusatemi, ragazzi, ma ora non posso parlare.»

Entrò, prese l'ascensore e salì nel suo ufficio al primo piano. Le guardie del corpo si piazzarono nel vestibolo e si mimetizzarono dietro i giornali del mattino.

L'avvocato Larramore lo aspettava con gli aggiornamenti. Spiegò al governatore e alla signora Stark che non c'erano stati cambiamenti nei vari ricorsi e appelli presentati da Cayhall, a partire dalle cinque del pomeriggio precedente. Durante la notte non era successo nulla. Gli appelli erano sempre più disperati, e le varie corti li avrebbero respinti più rapidamente, secondo la sua opinione. Aveva già parlato con Morris Henry della procura generale, e secondo il giudizio del Dottor Morte ormai c'erano ottanta probabilità su cento che l'esecuzione avesse luogo.

«E l'udienza per la grazia di lunedì prossimo? Gli avvocati di Cayhall si sono fatti sentire?» chiese McAllister.

«No. Ho chiesto a Garner Goodman di venire qui stamattina alle nove. Ho pensato che fosse il caso di parlarne con lui. Se ha bisogno di me, sono nel mio ufficio.»

Larramore si scusò. La signora Stark era occupata nel solito rito mattutino: dava una scorsa ai vari quotidiani pubblicati nello stato e li sistemava sul tavolo per le riunioni. Il caso Cayhall era nella prima pagina di otto giornali su nove. Quel sabato mattina l'annuncio dell'udienza per la grazia aveva un particolare risalto. Tre giornali pubblicavano la stessa foto dell'Associated Press che mostrava gli uomini del Klan mentre arrostivano nell'ozio sotto il sole rabbioso di agosto davanti a Parchman.

McAllister si tolse la giacca, si rimboccò le maniche e cominciò a guardare i giornali. «Si faccia dare le percentuali» disse laconicamente.

Mona uscì e tornò meno di un minuto dopo. Aveva in mano un tabulato di computer che evidentemente conteneva notizie spiacevoli.

«Cosa dicono?» chiese il governatore.

«Le telefonate si sono interrotte ieri sera intorno alle nove. L'ultima è stata alle nove e sette. Il totale della giornata è di quattrocentottantasei, e almeno il novanta per cento si è espresso con energia contro l'esecuzione.»

«Il novanta per cento» esclamò incredulo McAllister. Ma non era molto sconvolto. Il giorno prima, verso mezzogiorno, i centralinisti della Linea Calda avevano segnalato un numero eccezionale di telefonate, e all'una Mona aveva esaminato i tabulati. Avevano passato gran parte del pomeriggio a studiare i numeri e a mettere a punto la prossima mossa. Il governatore aveva dormito pochissimo.

«Chi è questa gente?» chiese, guardando dalla finestra.

«Suoi elettori. Arrivano chiamate da tutto lo stato. I nomi e i numeri sembrano autentici.»

«Qual era il primato precedente?»

«Non so. Mi pare che ne abbiamo ricevuto un centinaio in un giorno quando i membri della legislatura si sono autoconcessi un altro aumento di stipendio. Ma non si era mai visto niente del genere.»

«Il novanta per cento» mormorò McAllister.

«E c'è dell'altro. Sono arrivate moltissime telefonate anche a vari numeri di questo ufficio. La mia segretaria ne ha annotate almeno una dozzina.»

«Tutte favorevoli a Sam, giusto?»

«Sì, tutte contrarie all'esecuzione. Ho parlato con qualcuno dei nostri, e ieri sono stati tutti tempestati di chiamate. Ah, ieri sera Roxburgh mi ha telefonato a casa per dirmi che anche il suo ufficio è stato assediato da chiamate di gente che chiedeva di risparmiare Cayhall.»

«Bene. Voglio che sudi anche lui.»

«Chiudiamo la Linea Calda?»

«Quanti centralinisti lavorano il sabato e la domenica?»

«Uno solo.»

«No. La lasci in funzione. Vediamo cosa succede oggi e domani.» Il governatore andò a un'altra finestra e si allentò la cravatta. «Quando comincia il sondaggio?»

«Questo pomeriggio alle tre.»

«Sono impaziente di vedere i numeri.»

«Potrebbero essere altrettanto negativi.»

«Il novanta per cento» ripeté McAllister, e scosse la testa.

«Più del novanta per cento» lo corresse Mona.

La centrale operativa dell'alto comando era ingombra di scatole per la pizza e lattine di birra, testimonianze di una lunga giornata dedicata alle ricerche di mercato. Un vassoio di ciambelle fresche e una fila di alti bicchieri di carta pieni di caffè attendevano i ricercatori, due dei quali erano appena arrivati con i giornali. Garner Goodman era alla finestra, armato di un binocolo nuovo; sorvegliava il Campidoglio a quattro isolati di distanza e prestava un'attenzione particolare alle finestre dell'ufficio del governatore. Il giorno prima, durante un momento di stanca, era andato in cerca di una libreria. Aveva visto il binocolo nella vetrina di un negozio di pelletteria, e per tutto il pomeriggio si erano divertiti a cercare di spiare il governatore intento a meditare e a chiedersi da dove arrivavano quelle maledette telefonate.

Gli studenti divorarono le ciambelle e i giornali. Ci fu una breve ma intensa discussione su alcune evidenti carenze procedurali nelle leggi sugli appelli del Mississippi. Il terzo componente del turno, una matricola che veniva da New Orleans, arrivò alle otto, e cominciarono le chiamate.

Fu subito evidente che la Linea Calda era meno efficiente del giorno prima. Era difficile parlare con un centralinista. Ma non era un problema. Si servirono di altri numeri: il centralino della residenza del governatore, le linee dei piccoli uffici regionali che lui aveva istituito, con la massima pubblicità, in tutto lo stato per poter restare in contatto con il popolo.

E il popolo telefonava.

Goodman lasciò l'ufficio e si avviò lungo Congress Street in direzione del Campidoglio. Udì i rumori di prova di un alto-parlante, poi vide gli uomini del Klan. Si stavano organizzando, almeno una dozzina in alta uniforme, intorno al monumento alle donne confederate davanti alla scalinata del Campidoglio. Goodman passò loro accanto, e ne salutò uno: così, al suo ritorno a Chicago, avrebbe potuto raccontare di aver parlato con un autentico "klucker".

I due giornalisti che avevano atteso al varco il governatore stavano adesso sulla gradinata e osservavano la scena. Una troupe televisiva locale arrivò mentre Goodman entrava nel Campidoglio.

Il governatore era troppo occupato per riceverlo, spiegò Mona Stark con aria solenne, ma il signor Larramore avrebbe potuto dedicargli qualche minuto. Sembrava un po' agitata, e per Goodman era una grande soddisfazione. La seguì nell'ufficio di Larramore. L'avvocato era al telefono, e Goodman si augurò che fosse una delle sue chiamate. Sedette ubbidiente. Mona li lasciò e chiuse la porta.

«Buongiorno» lo salutò Larramore mentre riattaccava.

Goodman rispose con un cenno educato e disse: «Grazie per l'udienza. Non ci aspettavamo che il governatore la concedesse, dopo quanto aveva detto ieri.»

«È sotto pressione. Come tutti noi. Il suo cliente è disposto a parlare del complice?»

«No. Non ci sono stati cambiamenti.»

Larramore si passò le dita fra i capelli appiccicosi e scosse la testa, esasperato. «Allora che scopo ha un'udienza per la grazia? Il governatore sarà irremovibile, signor Goodman.»

«Stiamo cercando di convincere Sam, capisce? Gli stiamo parlando. Contiamo di arrivare all'udienza di lunedì. Forse Sam cambierà idea.»

Il telefono squillò e Larramore sollevò il ricevitore con uno scatto irritato. «No, non è l'ufficio del governatore. Chi parla?» Annotò un nome e un numero di telefono. «Questo è il servizio legale del governatore.» Chiuse gli occhi e scosse la testa. «Sì, sì, sono sicuro che ha votato per lui.» Poi ascoltò per qualche istante. «Grazie, signor Hurt. Riferirò al governatore la sua chiamata. Sì, grazie.»

Posò il ricevitore. «Dunque il signor Gilbert Hurt di Dumas,

Mississippi, è contrario all'esecuzione» disse. Fissò l'apparecchio con aria sbalordita. «I telefoni sono impazziti.»

«Molte telefonate, eh?» chiese Goodman in tono di comprensione.

«Una cosa da non credere.»

«Favorevoli o contrarie?»

«Circa cinquanta e cinquanta» rispose Larramore. Riprese il telefono e compose il numero del signor Gilbert Hurt di Dumas, Mississippi. Non rispose nessuno. «Strano» disse e riattaccò. «Mi ha appena chiamato, ha lasciato un numero autentico e adesso non risponde.»

«Sarà uscito. Riprovi più tardi.» Goodman si augurò che Larramore non trovasse il tempo di riprovare. Nella prima ora della ricerca di mercato, il giorno precedente, aveva introdotto una piccola variante tecnica. Aveva raccomandato ai suoi telefonisti di controllare prima i numeri di telefono, per assicurarsi che nessuno rispondesse. Questo avrebbe impedito a tipi curiosi come Larramore o qualche centralinista ficcanaso della Linea Calda di richiamare per parlare con il vero utente. Era molto probabile che quello fosse favorevole alla pena di morte. La variante rallentava un po' la ricerca di mercato, ma Goodman si sentiva più sicuro.

«Sto elaborando un abbozzo per l'udienza» disse Larramore. «Per ogni eventualità. Probabilmente si terrà nell'aula della Commissione Metodi e Risorse dell'Assemblea legislativa, in fondo al corridoio.»

«Si svolgerà a porte chiuse?»

«No. È un problema?»

«Ci restano quattro giorni, signor Larramore, e tutto è un problema. Ma per l'udienza spetta al governatore decidere. Gli siamo grati per averla concessa.»

«Ho i suoi numeri di telefono. Mi terrò in contatto.»

«Non lascerò Jackson se non quando sarà tutto finito.»

Si strinsero la mano in fretta e Goodman uscì dall'ufficio. Andò a sedere per mezz'ora sulla gradinata e guardò i manifestanti del Klan che si organizzavano attirando i curiosi.

42

Anche se in gioventù aveva portato la tunica bianca e il cappuccio a punta, Donnie Cayhall si tenne a distanza dai ranghi dei seguaci del Klan che pattugliavano la fascia erbosa presso il cancello principale di Parchman. Il servizio di sicurezza era rigoroso, con guardie armate a sorvegliare i manifestanti. Accanto al baldacchino dove si radunavano quelli del KKK c'era un gruppetto di skinhead in camicia bruna con cartelli invocanti la libertà per Sam Cayhall.

Donnie osservò lo spettacolo per un momento, quindi seguì le indicazioni di una guardia e parcheggiò la macchina sul bordo della highway. Il suo nome venne controllato al posto di guardia, e dopo pochi minuti un pullmino del carcere venne a prenderlo. Suo fratello era a Parchman da nove anni, e Donnie aveva cercato di andarlo a trovare almeno una volta l'anno. Ma l'ultima visita era avvenuta due anni prima, e si vergognava di ammetterlo.

Donnie Cayhall aveva sessantun anni, ed era il più giovane dei quattro fratelli. Tutti avevano seguito gli insegnamenti del padre ed erano entrati nel Klan ancora adolescenti. Era stata una decisione molto semplice, presa senza pensarci troppo e data per scontata dall'intera famiglia. Più tardi si era arruolato, aveva combattuto in Corea e girato il mondo. In quel periodo gli era passata la voglia di portare la tunica e di bruciare croci. Nel 1961 aveva lasciato il Mississippi ed era andato a lavorare per una fabbrica di mobili nel North Carolina. Adesso viveva a Durham.

Ogni mese, per nove anni, aveva spedito a Sam un pacco di

sigarette e una piccola somma. Aveva scritto qualche lettera, ma né lui né Sam erano interessati alla corrispondenza. A Durham erano pochissimi a sapere che aveva un fratello nel braccio della morte.

Lo perquisirono appena varcò la porta principale e lo accompagnarono nell'ufficio all'ingresso. Sam fu fatto entrare dopo qualche minuto, e rimasero soli. Donnie lo abbracciò a lungo, e quando si staccarono tutti e due avevano gli occhi umidi. Avevano all'incirca la stessa statura e corporatura, ma Sam sembrava più vecchio di vent'anni. Sedette sul bordo della scrivania mentre Donnie accostava una sedia.

Entrambi accesero una sigaretta e guardarono nel vuoto.

«Qualche buona notizia?» chiese finalmente Donnie. Ma conosceva già la risposta.

«No. Niente. Le corti respingono tutto. Lo faranno, Donnie. Mi uccideranno. Mi condurranno in quella camera e mi gasseranno come un animale.»

Donnie lasciò cadere la testa sul petto. «Mi dispiace, Sam.»

«Dispiace anche a me, però, accidenti, sarò contento quando sarà finita.»

«Non parlare così.»

«Dico sul serio. Sono stanco di vivere in una gabbia. Sono vecchio ed è venuto il mio momento.»

«Ma non meriti di morire, Sam.»

«Questa è la cosa più difficile, sai? Non è il fatto che morirò: dobbiamo morire tutti. Ma non sopporto l'idea che quegli stronzi la spuntino. Vinceranno loro. E il premio sarà legarmi alla sedia e guardarmi mentre soffoco. È nauseante.»

«Il tuo avvocato non può fare qualcosa?»

«Sta tentando di tutto, ma sembra che non ci siano speranze. Voglio fartelo conoscere.»

«Ho visto la sua foto sul giornale. Non somiglia ai nostri.»

«È fortunato. Somiglia di più a sua madre.»

«È in gamba?»

Sam riuscì a sorridere. «Sì, è formidabile. E soffre sinceramente per questa storia.»

«Oggi viene?»

«È probabile. Non si è fatto sentire. È ospite di Lee a Memphis» disse Sam in tono orgoglioso. Per causa sua, sua figlia e suo nipote si erano riavvicinati e abitavano pacificamente insieme.

«Questa mattina ho parlato con Albert» disse Donnie. «Dice che è troppo malato per venire.»

«Bene. Non voglio che venga. E non voglio che vengano neppure i suoi figli e i suoi nipoti.»

«Vorrebbe venire a renderti omaggio, ma non può.»

«Digli che si risparmi per il funerale.»

«Andiamo, Sam.»

«Senti, nessuno piangerà per me quando sarò morto. E prima di allora, non voglio dimostrazioni di falsa pietà.» Sam tacque un momento. «Ho bisogno che tu mi faccia un favore, Donnie. Costerà un po'.»

«Ma certo. Quello che vuoi.»

Sam tirò la stoffa della tuta rossa intorno alla vita. «Vedi questa cosa maledetta? L'ho portata tutti i giorni per quasi dieci anni. Lo stato del Mississippi si aspetta che ce l'abbia addosso quando mi ucciderà. Ma ho il diritto di indossare quello che voglio. Per me sarebbe importante morire vestito in modo decente.»

Donnie fu sopraffatto dall'emozione. Cercò di parlare, ma non trovò le parole. Aveva gli occhi umidi e le labbra trementi. Annuì e riuscì a dire soltanto: «Certo, Sam».

«Conosci quei pantaloni da lavoro che chiamano Dickies? Li ho portati per anni. Un po' come i pantaloni kaki.»

Donnie continuava ad annuire.

«Ne vorrei un paio, con una camicia bianca, una vera camicia con i bottoni. Taglia piccola, trentadue. Un paio di calzini bianchi e scarpe da poco prezzo. Diavolo, le metterò una volta sola, no? Vai al Wal-Mart o in qualche altro posto e forse potrai comprare tutto per meno di trenta dollari. Ti dispiace?»

Donnie si asciugò gli occhi e si sforzò di sorridere. «No, certo, Sam.»

«Sarò elegante, non ti pare?»

«Dove vuoi essere sepolto?»

«A Clanton, vicino ad Anna. Sono sicuro che questo disturberà il suo riposo. Adam darà le disposizioni.»

«Cos'altro posso fare?»

«Niente. Basta che mi procuri i vestiti.»

«Lo farò oggi stesso.»

«Sei l'unica persona al mondo che ha fatto qualcosa per me in tutti questi anni, sai? La zia Barb mi scrisse per anni prima di morire, ma le sue lettere erano sempre secche e formali, e pensavo che me le mandasse per poterlo raccontare ai vicini.»

«Chi diavolo era la zia Barb?»

«La madre di Hubert Cain. Non sono neppure sicuro che fosse una nostra parente. Quasi non la conoscevo quando arrivai qui, e poi cominciò a scrivere quelle orribili lettere. Era straziata all'idea che uno della sua famiglia fosse rinchiuso a Parchman.»

«Riposi in pace.»

Adam ridacchiò, e ricordò una vecchia storia della sua infanzia. La raccontò con entusiasmo, e pochi minuti dopo i due fratelli ridevano rumorosamente. A Donnie venne in mente un'altra storia, e continuarono così per un'ora.

Quando Adam arrivò, nel tardo pomeriggio di sabato, Donnie era andato via da qualche ora. Fu accompagnato nell'ufficio all'ingresso e mise diverse carte sulla scrivania. Sam, senza le manette, venne fatto entrare, e la porta fu chiusa dietro di loro. Aveva portato altre buste e Adam le notò subito.

«Altri incarichi per me?» chiese in tono sospettoso.

«Sì, ma possono aspettare finché sarà tutto finito.»

«Per chi sono?»

«Una per la famiglia Pinder di Vicksburg... gli misi una bomba sotto la casa. Una per la sinagoga di Jackson. Una per l'agenzia immobiliare di quell'ebreo, sempre a Jackson. Forse ce ne saranno altre. Non c'è fretta, perché so che al momento hai da fare. Ma quando non ci sarò più, vorrei che provvedessi a consegnarle.»

«Cosa dicono?»

«Cosa pensi che possano dire?»

«Non lo so. Che chiedi perdono, immagino.»

«Bravo. Mi pento dei miei peccati e chiedo perdono.»

«Perché lo fai?»

Sam si fermò e si appoggiò a uno schedario. «Perché sto seduto tutto il giorno in una gabbia. Perché ho una macchina per scrivere e carta in abbondanza. Mi annoio, vedi, quindi ho voglia di scrivere. Perché ho una coscienza, anche se non è gran che, e più mi avvicino alla morte e più provo rimorso per ciò che ho fatto.»

«Scusami. Le consegnerò.» Adam cerchiò qualcosa sul suo elenco. «Ci restano due appelli. Il Quinto Distretto sta dormendo sopra il ricorso per inefficienza della difesa. Mi aspettavo che prendessero una decisione, ma tacciono da due giorni. Alla corte distrettuale, invece, c'è il ricorso per l'incapacità mentale.»

«È tutto inutile, Adam.»

«Può darsi, ma non mi arrendo. Se sarà necessario presenterò un'altra dozzina di ricorsi.»

«Io non firmerò niente. Non puoi presentarli se non li firmo.»

«E invece posso. Un sistema c'è.»

«Allora ti tolgo la procura.»

«Non puoi, Sam. Sono tuo nipote.»

«Secondo il nostro accordo scritto posso toglierti la procura quando voglio.»

«È un documento impugnabile, stilato da un avvocato discreto, ma contiene lacune fondamentali.»

Sam sbuffò e ricominciò a camminare avanti e indietro sulla fila di mattonelle. Mosse una dozzina di passi di fronte ad Adam, che era il suo avvocato adesso, domani, e per il resto della sua vita. Sapeva che non poteva togliergli la procura.

«Lunedì ci sarà l'udienza per la grazia» proseguì Adam fissando il blocco degli appunti in attesa della sfuriata. Ma Sam la prese bene e non rallentò il passo.

«Che scopo ha l'udienza per la grazia?» chiese.

«Chiedere clemenza.»

«A chi?»

«Al governatore.»

«E tu pensi che il governatore prenderà in considerazione la possibilità di accordarmi la grazia?»

«Cosa abbiamo da perdere?»

«Rispondi alla domanda e non fare il furbo. Con tutti i tuoi studi, la tua esperienza e la tua abilità forense, ti aspetti davvero che il governatore sia disposto a mostrarsi clemente nei miei confronti?»

«Può darsi che lo faccia.»

«Può darsi un cazzo. Sei uno stupido.»

«Grazie, Sam.»

«Prego.» Sam gli si fermò di fronte e gli puntò contro l'indice nodoso. «Te l'ho detto fin dal primo momento che, siccome sono il tuo cliente e ho diritto a un certo rispetto per le mie decisioni, non voglio aver niente a che fare con David McAllister. Non chiederò clemenza a quel buffone. Non gli chiederò la grazia. Non voglio avere nessun contatto con lui. Questa è la mia volontà, e te l'avevo spiegata in modo molto chiaro, giovanotto, già il primo giorno. Ma te ne sei infischiato e hai fatto quel che diavolo hai voluto. Tu sei l'avvocato, niente di più e niente di meno. Io, invece, sono il cliente: non so cosa ti abbiano insegnato alla tua elegante facoltà di legge, ma spetta a me prendere le decisioni.»

Si avvicinò a una sedia e prese un'altra busta. La porse ad Adam e disse: «Questa è una lettera al governatore per chiedergli di disdire l'udienza di lunedì. Se rifiuti di farla disdire, farò copie della lettera e le distribuirò alla stampa. Causerà parecchio imbarazzo a te, a Garner Goodman e al governatore. È chiaro?».

«Chiarissimo.»

Sam mise di nuovo la busta sulla sedia e accese una sigaretta.

Adam cerchiò qualcos'altro sul suo elenco. «Carmen arriverà lunedì. Quanto a Lee, non sono sicuro.»

Sam sedette. Non guardò Adam. «È ancora in clinica per disintossicarsi?»

«Sì, e non so bene quando la dimetteranno. Vuoi che venga a trovarti?»

«Lasciami pensare.»

«Pensa in fretta, d'accordo?»

«Strano. Proprio strano. Oggi è venuto qui mio fratello Donnie. È il mio fratello più giovane, sai? Vuole conoscerti.»

«Era nel Klan?»

«Che razza di domanda è?»

«È una domanda semplice, e basta un sì o un no.»

«Sì. Era nel Klan.»

«Allora non voglio conoscerlo.»

«È una brava persona.»

«Ti credo sulla parola.»

«È mio fratello, Adam. Voglio che tu lo conosca.»

«Non ho nessuna voglia di conoscere altri Cayhall, Sam, soprattutto quelli che portavano tunica e cappuccio.»

«Oh, ma davvero? Tre settimane fa volevi sapere tutto della famiglia. Non ne avevi mai abbastanza.»

«Mi arrendo, va bene? Adesso ne so abbastanza.»

«C'è molto di più.»

«Basta, per favore. Risparmiami.»

Sam borbottò e sorrise soddisfatto. Adam abbassò lo sguardo sul blocco per gli appunti e proseguì: «Ti farà piacere sapere che a quelli del Klan, là fuori, si sono aggiunti anche nazisti, ariani, skinhead e altri gruppi specialisti in odio. Sono allineati lungo l'highway e sventolano cartelli alle macchine che passano. Naturalmente i cartelli chiedono la liberazione di Sam Cayhall, il loro eroe. È un vero circo».

«L'ho visto alla televisione.»

«E stanno anche marciando intorno al Campidoglio, a Jackson.»

«È colpa mia?»

«No. È la tua esecuzione. Ormai sei un simbolo e stai per diventare un martire.»

«Cosa dovrei fare?»

«Niente. Vai avanti così, muori, e saranno tutti contenti.»

«Non ti sembra di essere un vero stronzo, oggi?»

«Scusa, Sam. Risento della pressione.»

«Getta la spugna. Io l'ho fatto. Te lo consiglio.»

«Scordatelo. Ho costretto quei buffoni a correre, Sam. E non ho ancora cominciato a combattere.»

«Sì, hai presentato tre ricorsi, e sono stati respinti in totale da sette corti. Zero a sette. Preferisco non pensare a quello che succederà quando ti metterai in moto sul serio.» Sam lo disse con un sorriso malizioso, e colpì nel segno. Adam rise, e tutti e due respirarono un po' più agevolmente. «Ho un'idea grandiosa: una causa per danni quando non ci sarai più» propose Adam, fingendo di accalorarsi.

«Quando non ci sarò più?»

«Proprio così. Li citeremo in giudizio per morte ingiusta. Chiameremo in causa McAllister, Nugent, Roxburgh, lo stato del Mississippi. Chiameremo in causa tutti.»

«Non è mai stato fatto» commentò Sam. Si accarezzava la barba come se fosse immerso in pensieri profondi.

«Lo so bene. È un'idea tutta mia. Forse non vinceremo un soldo, ma pensa quanto mi divertirò a tormentare quei bastardi per i prossimi cinque anni.»

«Hai il mio permesso. Fagli causa!»

I sorrisi si dileguarono lentamente e il buonumore svanì. Adam trovò qualche altra annotazione nell'elenco. «Ancora un paio di cose. Lucas Mann mi ha pregato di chiederti cos'hai deciso per i tuoi testimoni. Hai il diritto di scegliere due persone, caso mai si arrivasse a questo punto.»

«Donnie non se la sente. E non gli permetterò di assistere. Non mi viene in mente nessun altro che possa aver voglia di vedere la scena. Cedi i miei due posti alla stampa. So che quegli avvoltoi stanno volando in cerchio.»

«Benissimo. A proposito di stampa, ho ricevuto almeno trenta richieste di interviste, in pratica da tutti i quotidiani e i rotocalchi più importanti.»

«No.»

«D'accordo. Ricordi che l'ultima volta abbiamo parlato di uno scrittore, Wendall Sherman? Quello che vuole registrare su nastro la tua storia e...»

«Certo. Per cinquantamila dollari.»

«Adesso ne offre centomila. Il suo editore anticiperà la somma. Vuole registrare tutto, assistere all'esecuzione, fare una ricerca approfondita e scrivere un libro sull'argomento.»

«No.»

«D'accordo.»

«Non voglio passare i prossimi tre giorni a parlare della mia vita. Non voglio che uno sconosciuto vada a ficcare il naso nella contea di Ford. E in questo momento non ho un particolare bisogno di centomila dollari.»

«Per me va bene. Una volta hai accennato ai vestiti che vuoi indossare...»

«Ci pensa Donnie.»

«Bene. Andiamo avanti. Se non verrà concessa una sospensione, potrai avere al tuo fianco due persone finché non ti metteranno nella Camera. Devi compilare un modulo per designarle.»

«Sono sempre l'avvocato e il ministro del culto, giusto?»

«Sì.»

«Tu e Ralph Griffin, immagino.»

Adam scrisse i nomi sul modulo. «Chi è Ralph Griffin?»

«Il nuovo pastore del carcere. È contrario alla pena di morte, ci pensi? Il suo predecessore era convinto che fosse giusto gassarci tutti... nel nome di Gesù, naturalmente.»

Adam passò il modulo a Sam. «Firma.»

Sam scribacchiò il suo nome e restituì il foglio.

«Hai diritto a un'ultima visita coniugale.»

Sam rise di gusto. «Andiamo, figliolo. Sono vecchio.»

«È nell'elenco. L'altro giorno Lucas Mann mi ha suggerito di parlartene.»

«D'accordo. Me ne hai parlato.»

«Ho un altro modulo per i tuoi effetti personali. A chi andranno?»

«Vuoi dire la mia eredità?»

«In un certo senso.»

«Ma tutto questo è morboso, Adam! Perché lo facciamo adesso?»

«Sono avvocato, Sam. Gli avvocati sono pagati per occuparsi dei dettagli. Sono solo scartoffie burocratiche.»

«Vuoi la mia roba?»

Adam rifletté un momento. Non voleva offendere Sam, ma non riusciva a immaginare cos'avrebbe fatto di pochi indumenti vecchi e lisi, libri sciupati, un televisore portatile e un paio di sandali di gomma. «Volentieri» rispose.

«Allora è tutta tua. Prendila e bruciala.»

«Firma qui» disse Adam, mettendogli davanti il modulo. Sam firmò, poi si alzò di scatto e riprese a camminare avanti e indietro. «Voglio farti conoscere Donnie.»

«Va bene. Come vuoi» rispose Adam, e rimise nella cartella il blocco e i moduli. I dettagli erano stati ultimati e la cartella sembrava molto più pesante.

«Tornerò domattina» disse.

«Portami qualche buona notizia, d'accordo?»

Il colonnello Nugent marciava lungo il bordo dell'highway seguito da una dozzina di guardie armate. Squadrò minacciosamente gli uomini del Klan, che secondo l'ultimo conteggio erano ventisei, e fece una smorfia ai dieci nazisti in camicia bruna. Si fermò a guardare il gruppo di skinhead che stava accanto ai nazisti. Girò intorno alla fascia erbosa riservata ai contestatori, e si soffermò per un momento a parlare con due suore cattoliche sedute sotto un grande ombrello, lontane il più possibile dagli altri dimostranti. La temperatura era di trentotto gradi e le suore arrostivano nonostante l'ombra. Bevevano acqua ghiacciata e tenevano i cartelli appoggiati sulle ginocchia, rivolti verso l'highway.

Le suore gli chiesero chi era e cosa voleva. Nugent spiegò che faceva le veci del direttore del carcere, e voleva assicurarsi che la manifestazione si svolgesse nel massimo ordine.

Le suore lo invitarono ad andarsene.

43

Forse perché era domenica, forse perché pioveva, Adam bevve il caffè del mattino provando una serenità inaspettata. Era ancora buio e il delicato ticchettio della tiepida pioggia estiva sul patio era quasi ipnotico. Si fermò davanti alla porta aperta e ascoltò la pioggia. Era troppo presto perché ci fosse traffico in Riverside Drive, sotto di lui. Non c'erano rimorchiatori sul fiume. Era tutto silenzioso e tranquillo.

E non c'era molto da fare, quel giorno, il terzo prima dell'esecuzione. Intendeva andare in ufficio e preparare un ricorso dell'ultimo momento. La motivazione era così ridicola che Adam si sentiva quasi imbarazzato all'idea di presentarla. Poi voleva andare a Parchman e rimanere un po' con Sam.

Era improbabile che qualche corte si muovesse la domenica. Avrebbero potuto farlo, perché i cancellieri della morte e i loro collaboratori erano a disposizione nell'imminenza di un'esecuzione. Ma venerdì e sabato erano passati senza che venisse comunicata qualche decisione, e Adam si aspettava per quel giorno la stessa inattività. L'indomani, secondo la sua inesperta opinione, sarebbe stato molto diverso.

Il lunedì sarebbe stato frenetico. E martedì, previsto come l'ultimo giorno di vita di Sam, sarebbe stato un incubo di tensioni.

Ma quella domenica mattina era straordinariamente calma. Aveva dormito quasi sette ore, un primato per gli ultimi tempi. Aveva la mente lucida, il polso normale, il respiro rilassato. I pensieri erano composti e ordinati.

Sfogliò il giornale della domenica, diede un'occhiata ai titoli ma non lesse nessun articolo. Ce n'erano almeno due sull'esecuzione di Sam Cayhall, uno con altre foto dell'animazione che cresceva davanti all'entrata del carcere. La pioggia cessò quando sorse il sole e Adam rimase per un'ora su una sedia a dondolo bagnata, a sfogliare le riviste di architettura di Lee. Dopo un paio d'ore di pace e tranquillità cominciò ad annoiarsi e decise di entrare in azione.

C'era qualcosa che aveva lasciato in sospeso nella camera di Lee, qualcosa che aveva cercato di dimenticare senza riuscirci. Da dieci giorni infuriava nella sua anima una battaglia silenziosa per il libro nel cassetto. Lee era ubriaca quando gli aveva parlato della foto del linciaggio, ma non si era trattato del discorso delirante di un'alcolizzata. Adam sapeva che il libro esisteva. Era un libro vero, con la foto vera di un giovane nero impiccato, e sotto i suoi piedi c'era un gruppo di bianchi che si offrivano orgogliosi all'obiettivo, sicuri di non essere perseguiti. Adam aveva costruito mentalmente la foto, disposto le facce, schizzato l'albero, disegnato la corda, e aveva aggiunto una didascalia. Ma c'erano alcune cose che non sapeva e non riusciva a visualizzare. La faccia del morto era visibile? Aveva le scarpe o era scalzo? E Sam, giovanissimo, era riconoscibile? Quante facce di bianchi c'erano nella foto? E che età avevano? C'erano donne? Armi? Sangue? Lee aveva detto che il nero era stato frustato. La frusta era nella foto? Da giorni immaginava la fotografia, ed era venuto il momento di cercare finalmente il libro. Non poteva più attendere. Se Lee tornava rimessa in sesto, forse avrebbe spostato il libro, l'avrebbe nascosto di nuovo. Adam intendeva passare lì le prossime due o tre notti, ma una telefonata poteva cambiare tutto. Poteva essere costretto a precipitarsi a Jackson o a dormire in macchina a Parchman. Le cose più normali come pranzare cenare e dormire diventavano imprevedibili quando il cliente aveva meno di una settimana da vivere.

Era il momento ideale e decise che era pronto ad affrontare la gentaglia di un linciaggio. Andò all'ingresso e guardò nel parcheggio, per assicurarsi che Lee non fosse tornata. Poi si chiuse a chiave nella camera da letto e aprì il primo cassetto. Era pieno di biancheria, e si sentì imbarazzato per quell'intrusione.

Il libro era nel terzo cassetto, sopra una maglietta stinta. Era grosso, rilegato in tela verde: *I negri del Sud e la Grande Depressione*. Edito nel 1947 dalla Toffler Press di Pittsburgh. Adam lo prese e sedette sul bordo del letto. Le pagine erano immacolate come se il volume non fosse mai stato maneggiato o letto. E chi mai poteva leggere un libro del genere nel Profondo Sud? Se era da decenni nelle mani della famiglia Cayhall, Adam era sicuro che nessuno l'aveva mai letto. Ne studiò la rilegatura e si chiese per quale serie di circostanze era arrivato fino ai Cayhall.

C'erano tre sezioni fotografiche. La prima era una serie di foto di casupole e baracche dove i neri erano costretti a vivere nelle piantagioni. C'erano gruppi familiari sotto i portici, con dozzine di bambini, e le inevitabili immagini dei lavoratori agricoli chini nei campi per raccogliere il cotone.

La seconda sezione era al centro del libro, e occupava venti pagine. C'erano due linciaggi. Il primo era orribile, con due incappucciati del Klan che brandivano i fucili e posavano per l'obiettivo. Un nero straziato dalle percosse pendeva da una corda alle loro spalle, con gli occhi semiaperti, la faccia tumefatta e sanguinante. Linciaggio del KKK, Mississippi centrale, 1939, spiegava la didascalia, come se quei riti potessero venire definiti semplicemente secondo la località e l'anno.

Guardò la foto inorridito, poi girò la pagina e trovò il secondo linciaggio, in tono minore rispetto al primo. Il corpo senza vita appeso alla corda era visibile solo dal petto in giù. La camicia era strappata, forse dalla frusta, se era stata usata davvero. Il nero era magrissimo, con i pantaloni abbondanti stretti intorno alla vita. Era scalzo. Non si vedevano macchie di sangue.

La corda era legata a un ramo basso, sullo sfondo. L'albero era imponente, con rami e tronco massicci.

Un gruppo festoso era raccolto sotto i piedi penzolanti. Uomini, donne e ragazzi avevano assunto pose buffonesche per il fotografo: alcuni esibivano un'aria di esagerata collera mascolina, con cipiglio austero, occhi irosi, labbra strette, come se avessero il potere illimitato di proteggere le loro donne dalle violenze di quei negri; altri sorridevano e sembravano ridacchiare, soprattutto le donne, due delle quali molto carine; un bambino impugnava una pistola e la puntava minacciosamente verso l'obiettivo; un giovane aveva in mano una bottiglia di liquore, girata quanto bastava per mostrare l'etichetta. Molti componenti del gruppo sembravano felici di quanto era accaduto. Adam contò diciassette persone, e tutte guardavano la macchina fotografica senza vergogna o preoccupazione, senza la consapevolezza che era stata compiuta un'ingiustizia. Non correvano il rischio di essere perseguiti. Avevano appena ucciso un altro essere umano, ed era evidente che l'aveva fatto senza paura delle conseguenze.

Era una festa. Era notte, faceva caldo, c'erano liquori e belle donne. Senza dubbio avevano portato cesti pieni di roba da mangiare e stavano per stendere a terra i trapuntini e fare un picnic sotto l'albero.

Linciaggio nel Mississippi rurale, 1936, diceva la didascalia.

Sam era in prima fila, chino e con un ginocchio a terra fra altri due giovani, e tutti e tre posavano con impegno. Aveva quindici o sedici anni, la faccia magra era contratta in un'espressione che voleva essere minacciosa: labbra strette, sopracciglia aggrottate, mento sollevato. Aveva la baldanza del ragazzo ansioso di emulare la realtà più matura che lo circonda.

Era facile individuarlo perché qualcuno aveva tracciato, con inchiostro blu ormai sbiadito, una linea che attraversava la foto e arrivava al margine, dove il nome Sam Cayhall era scritto in lettere maiuscole. La linea passava sui corpi e sulle facce degli altri e si fermava accanto all'orecchio sinistro di Sam. Eddie. Doveva essere stato Eddie. Lee aveva detto che era stato Eddie a trovare il libro in soffitta, e ad Adam sembrava di vedere suo padre nascondersi nell'oscurità, piangere sulla fotografia e identificare Sam con la freccia accusatrice.

Lee aveva anche detto che il padre di Sam era stato il capo di quella piccola banda, ma Adam non riusciva a distinguerlo. Forse non c'era riuscito neppure Eddie, perché non c'erano altri segni. Nella foto apparivano almeno sette uomini abbastanza vecchi per essere il padre di Sam. Quanti dei presenti erano Cayhall? Lee aveva detto che c'erano anche i fratelli di Sam, e forse uno dei più giovani gli somigliava, ma era impossibile esserne certi.

Studiò gli occhi limpidi e belli del nonno e si sentì stringere il cuore. Era soltanto un ragazzo, nato e cresciuto in una famiglia dove l'odio per i neri e per gli altri era un modo di vivere. Fino a che punto si poteva rimproverarlo? Bastava guardare coloro che gli stavano intorno, il padre, i parenti, gli amici e i vicini, tutti probabilmente onesti, lavoratori, poveri, sorpresi alla conclusione di una cerimonia crudele ma abbastanza comune nella loro società. Sam non aveva potuto fare altro. Era l'unico mondo che conosceva.

Sarebbe mai riuscito Adam a comporre insieme passato e presente? Come poteva giudicare con imparzialità quella gente e la loro impresa orribile quando, se fosse nato quarant'anni prima, anche lui sarebbe stato lì in mezzo, a meno di un capriccio del destino?

Mentre studiava le facce, si sentì sopraffare da una inattesa sensazione di conforto. Sam aveva partecipato volontariamente, ma era solo uno dei tanti ed era colpevole solo in parte. Erano stati certo i più anziani, quelli con la faccia dura, a istigare il linciaggio, e gli altri li avevano seguiti. Guardando la foto, era inconcepibile pensare che Sam e i suoi compagni più giovani avessero dato il via all'atto brutale. Sam non aveva fatto nulla per evitarlo. Ma forse non aveva fatto neppure nulla per incoraggiarlo.

La scena poneva cento interrogativi senza risposta. Chi era il fotografo e come mai si era trovato sul posto? Chi era il giovane nero? Dov'erano i suoi familiari, sua madre? Come l'avevano catturato? Era stato imprigionato e poi consegnato agli scalmanati dalle autorità? Che cosa avevano fatto del cadavere quando tutto era finito? La presunta vittima dello stupro era una delle giovani donne sorridenti? Suo padre e i suoi fratelli erano lì con gli altri?

Sam aveva dunque partecipato a un linciaggio a quell'età: cosa ci si poteva aspettare che facesse, una volta adulto? Quante volte quella gente si era riunita per festeggiare nello stesso modo, nel Mississippi rurale?

In nome di Dio, com'era possibile che Sam Cayhall diventasse diverso da quello che era diventato? Non ne aveva mai avuto la possibilità.

Sam attendeva paziente nell'ufficio all'ingresso e beveva caffè preparato con una caffettiera diversa. Era forte e aromatico, tutt'altra cosa dalla broda acquosa che servivano ogni mattina ai detenuti. Packer l'aveva portato in un grande bicchiere di carta. Sam era seduto sulla scrivania, con i piedi su una sedia.

La porta si aprì ed entrò il colonnello Nugent, seguito da Packer. La porta si chiuse. Sam si impettì e salutò militarmente.

«Buongiorno, Sam» disse Nugent. «Come va?»

«Magnificamente. E tu?»

«Tiro avanti.»

«Già, so che hai tante cose da pensare. Dev'essere difficile per te cercare di organizzare un'esecuzione e assicurarti che tutto vada liscio. Un lavoro faticoso. Ti faccio tanto di cappello.»

Nugent ignorò il tono sarcastico. «Ho bisogno di parlarti di diverse cose. Adesso i tuoi avvocati dicono che sei matto, e ho voluto vedere con i miei occhi come stai.»

«Mi sento come un re.»

«Be', senza dubbio hai un ottimo aspetto.»

«Grazie. Anche tu. Bellissimi stivali.»

Gli stivali neri da combattimento erano lucidissimi, come al solito. Packer li guardò e sogghignò.

«Sì» disse Nugent. Sedette su una sedia e consultò un foglio. «La psichiatra ha detto che non collabori.»

«Chi? N?»

«La dottoressa Stegall.»

«La culona con il nome incompleto? Ho parlato con lei una volta sola.»

«È vero che non hai collaborato?»

«Lo spero. Sono qui da nove anni, e quella si decide a comparire quando ho un piede nella fossa, per vedere come sto. Voleva solo darmi qualche droga per assicurarsi che sia intontito a dovere quando verrete a prendermi voi buffoni. Così il vostro compito e più facile, no?»

«La dottoressa cercava solo di aiutarti.»

«Allora che Dio la benedica. Portale le mie scuse. Non succederà più. E metti una nota di biasimo nella mia scheda.»

«Dobbiamo parlare del tuo ultimo pasto.»

«Perché è venuto anche Packer?»

493

Nugent lanciò un'occhiata a Packer, poi tornò a Sam. «Perché questa è la procedura.»

«È qui per proteggerti, vero? Hai paura di me. Hai paura di restare solo con me, no, Nugent? Ho settant'anni, sono debole come uno straccio o quasi spacciato dalle sigarette, e tu hai paura di me, un assassino.»

«Neppure per idea.»

«Se volessi, Nugent, ti farei fare il giro dell'ufficio a pedate.»

«Sono terrorizzato. Senti, Sam, parliamo di cose serie. Cosa vuoi per l'ultimo pasto?»

«È domenica. Il mio ultimo pasto è in programma per martedì notte. Perché vieni a rompere?»

«Dobbiamo prepararci. Puoi chiedere tutto ciò che vuoi, nei limiti del ragionevole.»

«Chi cucinerà?»

«Prepareranno tutto qui, nella cucina.»

«Oh, magnifico! Gli stessi chef raffinati che per nove anni mi hanno fatto mangiare broda per porci. Che modo di andarsene!»

«Cosa vorresti, Sam? Sto cercando di essere ragionevole.»

«Andrebbe bene pane tostato e carote? Mi dispiacerebbe complicargli la vita chiedendo qualcosa di nuovo.»

«Va bene, Sam. Quando avrai deciso, dillo a Packer, e lui informerà la cucina.»

«Non ci sarà l'ultimo pasto, Nugent. Domani il mio avvocato entrerà in scena con l'artiglieria pesante. E voi buffoni prenderete una batosta memorabile.»

«Spero che tu abbia ragione.»

«Sei un bugiardo figlio di puttana. Non vedi l'ora di condurmi nella camera a gas e di legarmi alla sedia. Fremi al pensiero di chiedermi cosa ho da dire, e di far segno a uno dei tuoi tirapiedi perché chiuda la porta. E quando sarà tutto finito, ti presenterai alla stampa con la faccia triste e annuncerai: "Alle ore dodici e quindici di stamattina otto agosto Sam Cayhall è stato giustiziato nella camera a gas qui a Parchman, in ottemperanza all'ordine della corte distrettuale della contea di Lakehead, Mississippi". Sarà la tua ora di gloria, Nugent. Non contare balle.»

Il colonnello non alzò gli occhi dal foglio. «Abbiamo bisogno del tuo elenco dei testimoni.»

«Parlane con il mio avvocato.»

«E dobbiamo sapere cosa fare della tua roba.»

«Parlane con il mio avvocato.»

«D'accordo. Abbiamo ricevuto dalla stampa molte richieste di interviste.»

«Parlane con il mio avvocato.»

Nugent si alzò di scatto e si precipitò fuori dall'ufficio. Packer tenne aperta la porta, attese qualche secondo, poi disse con calma: «Tieni duro, Sam, c'è qualcun altro che ti vuole vedere».

Sam sorrise e gli strizzò l'occhio. «Allora portami un altro caffè, eh, Packer?»

Packer prese la tazza e la riportò poco dopo, assieme al giornale di Jackson. Sam stava leggendo gli articoli che parlavano della sua esecuzione quando il cappellano, Ralph Griffin, bussò ed entrò.

Sam posò il giornale sulla scrivania e alzò gli occhi verso di lui. Griffin portava mocassini bianchi, jeans scoloriti e camicia nera con il colletto bianco rigido.«'Giorno, reverendo» disse Sam, e bevve un sorso di caffè.

«Come va, Sam?» chiese Griffin. Accostò una sedia alla scrivania e sedette.

«In questo momento ho il cuore pieno d'odio» rispose Sam con aria solenne.

«Mi dispiace. Odio per chi?»

«Il colonnello Nugent. Ma passerà.»

«Ha pregato, Sam?»

«Non proprio.»

«Perché?»

«Che fretta c'è? Ho ancora oggi, domani e martedì. Immagino che io e lei pregheremo molto, martedì sera.»

«Se vuole. Sta a lei decidere. Io sarò a disposizione.»

«Voglio che stia con me fino all'ultimo momento, reverendo, se non le dispiace. Lei e il mio avvocato. Sarete autorizzati a starmi vicino fino all'ultimo momento.»

«Sarà un onore.»

«Grazie.»

«Per che cosa vuole pregare, Sam?»

Sam bevve un lungo sorso di caffè. «Ecco, per prima cosa vorrei sapere se, quando lascerò questo mondo, tutte le cose brutte che ho fatto saranno perdonate.»

«I suoi peccati?»

«Sì.»

«Dio vuole che gli confessiamo i nostri peccati e chiediamo perdono.»

«Tutti? Uno per uno?»

«Sì. Quelli che riusciamo a ricordare.»

«Allora sarà meglio incominciare subito. Ci vorrà un po' di tempo.»

«Come vuole. Per cos'altro vorrebbe pregare?»

«Per la mia famiglia, o quel che ne resta. Sarà molto doloroso per mio nipote e mio fratello, forse anche per mia figlia. Non ci saranno molte lacrime per me, sa?, ma vorrei che trovassero conforto. E vorrei dire una preghiera per i miei amici del braccio della morte. Ci resteranno molto male.»

«Qualcun altro?»

«Sì. Voglio dire una preghiera per i Kramer, soprattutto per Ruth.»

«I familiari delle vittime?»

«Sì. E anche per i Lincoln.»

«Chi sono i Lincoln?»

«È una storia lunga. Altre vittime.»

«È un'ottima cosa, Sam. Deve togliersi questo peso dal cuore, purificare la sua anima.»

«Ci vorrebbero anni per purificare la mia anima, reverendo.»

«Altre vittime?»

Sam posò la tazza sulla scrivania e si fregò le mani. Cercò lo sguardo gentile e fiducioso di Ralph Griffin. «E se ci fossero altre vittime?» chiese.

«Morti?»

Sam annuì molto lentamente.

«Persone che lei ha ucciso?»

Sam continuò ad annuire.

Griffin respirò a fondo e rifletté per un momento. «Ecco, Sam, se devo essere sincero, io non vorrei morire senza aver confessato questi peccati e aver chiesto perdono a Dio.»

Sam annuì di nuovo.

«Quanti?» chiese Griffin.

Sam scese dalla scrivania e calzò i sandali di gomma. Accese una sigaretta e cominciò a camminare avanti e indietro alle spalle di Griffin, che cambiò posizione per vederlo e ascoltarlo.

«C'è stato Joe Lincoln, ma ho già scritto una lettera ai suoi familiari per chiedere perdono.»

«L'ha ucciso lei?»

«Sì. Era un africano. Viveva nella nostra proprietà. Mi è sempre dispiaciuto. Successe intorno al 1950.»

Sam si fermò e si appoggiò a uno schedario. Parlò rivolto al pavimento, con espressione assente. «E poi ci sono stati due uomini, due bianchi, che uccisero mio padre a un funerale, molti anni fa. Passarono un po' di tempo in prigione e quando uscirono io e i miei fratelli aspettammo con pazienza. Li ammazzammo tutti e due, ma per essere sincero non ci è mai dispiaciuto di averlo fatto. Erano mascalzoni e avevano ucciso nostro padre.»

«Uccidere è sempre ingiusto, Sam. In questo momento c'è chi si sta battendo contro la sua uccisione legale.»

«Lo so.»

«Siete stati scoperti?»

«No. Il vecchio sceriffo sospettava di noi ma non poté provare niente. Eravamo stati troppo prudenti. E poi quelli erano due delinquenti, e di loro non fregava niente a nessuno.»

«Questa non è una giustificazione.»

«Lo so. Ho sempre pensato che avevano meritato la loro fine, ma poi sono stato spedito qui. La vita ha un significato nuovo quando si è nel braccio della morte. Si capisce quanto è preziosa. Adesso mi dispiace di aver ammazzato quei ragazzi. Mi dispiace veramente.»

«Nessun altro?»

Sam percorse l'intera lunghezza dell'ufficio contando i passi, poi tornò allo schedario. Griffin attendeva. In quel momento il tempo non contava.

«Ci sono stati un paio di linciaggi, molti anni fa» proseguì Sam, che non trovava la forza di guardare Griffin negli occhi.

«Due?»

«Mi pare. Forse tre. No, sì, sono stati tre, ma al tempo del primo ero piccolo e non feci altro che guardare, nascosto fra i cespugli. Era un linciaggio del Klan, ed era coinvolto mio padre, e io e mio fratello Albert ci eravamo nascosti nel bosco per vederlo. Quindi non conta, vero?»

«No.»

Sam appoggiò le spalle al muro. Chiuse gli occhi e abbassò la testa. «Il secondo è stato un linciaggio in piena regola. Io avevo una quindicina d'anni, mi pare, e facevo parte del gruppo. Una ragazza era stata stuprata da un africano, o almeno così ha detto lei. La sua reputazione lasciava molto a desiderare, e due anni dopo ebbe un bambino che era africano per metà. Chissà! Comunque ha accusato il ragazzo, noi l'abbiamo preso, portato nel bosco e linciato. Io ero colpevole come tutti gli altri.»

«Dio la perdonerà, Sam.»

«È sicuro?»

«Sicurissimo.»

«Quanti omicidi mi perdonerà?»

«Tutti. Se gli chiederà perdono con animo sincero, cancellerà tutto. Lo dicono le Scritture.»

«È troppo bello per essere vero.»

«E l'altro linciaggio?»

Sam cominciò a scuotere la testa, a occhi chiusi. «Di quello non posso parlare, reverendo» disse con un respiro profondo.

«Non è a me che deve parlarne, Sam, ma a Dio.»

«Non so se posso parlarne con qualcuno.»

«Ma certo che può. Chiuda gli occhi, una notte tra ora e martedì, mentre è in cella, e confessi a Dio tutte le sue azioni. La perdonerà.»

«Non mi sembra giusto, vede. Si ammazza qualcuno, e poi Dio perdona in pochi minuti. Così. È troppo facile.»

«È necessario essere veramente pentiti.»

«Oh, lo sono. Lo giuro.»

«Dio perdona, Sam, gli uomini no. Rispondiamo a Dio delle nostre azioni, ma rispondiamo anche alle leggi dell'uomo. Dio la perdonerà, ma lei subirà le conseguenze secondo i dettami del governo.»

«Al diavolo il governo! Sono pronto ad andarmene comunque.»

«Bene, assicuriamoci che sia pronto veramente, d'accordo?»

Sam si avvicinò alla scrivania e sedette sull'angolo, accanto a Griffin. «Mi stia vicino, reverendo. Avrò bisogno di aiuto. Ci sono molte cose brutte sepolte nella mia anima. Forse ci vorrà un po' di tempo per dissotterrarle.»

«Non sarà difficile, Sam, se è veramente pronto.»

Sam gli batté la mano sul ginocchio. «Basta che mi rimanga vicino, d'accordo?»

44

L'ufficio all'ingresso era invaso dal fumo azzurrognolo quando entrò Adam. Sam fumava seduto sulla scrivania e leggeva nel giornale della domenica gli articoli che parlavano di lui. Sul piano erano sparse tre tazze vuote e parecchi incarti di dolciumi. «Hai fatto come se fossi a casa tua, vero?» chiese Adam notando il disordine.

«Certo. È uno dei vantaggi assicurati dall'imminenza dell'esecuzione, da queste parti. Ti trasferiscono in questo elegante appartamentino per ricevere gli ultimi ospiti. È tutto il giorno che sono qui.»

«Hai avuto molti ospiti?»

«Non li chiamerei proprio così. La giornata è cominciata con Nugent, e ha rovinato l'atmosfera. Il cappellano è venuto a vedere se avevo pregato. Credo che fosse piuttosto depresso quando è uscito. Poi è venuto il dottore per assicurarsi che sia in buona salute, quanto basta per ammazzarmi. Poi mio fratello Donnie mi ha fatto una breve visita. Voglio proprio che tu lo conosca. Dimmi che hai portato qualche buona notizia.»

Adam scosse la testa e sedette. «No. Da ieri non è cambiato niente. Le corti hanno staccato per il fine settimana.»

«Ma lo sanno che contano anche i sabati e le domeniche? E che nei fine settimana per me l'orologio non si ferma?»

«Potrebbe essere un buon segno. Forse stanno prendendo in considerazione i miei geniali appelli.»

«Sì, forse, ma è più probabile che le Loro Eccellenze siano nelle case sul lago e bere birra e cuocere braciole. Non credi?»

«Già, forse hai ragione. Cosa dice il giornale?»

«La solita zuppa su di me e sul mio crimine brutale, foto dei dimostranti, dichiarazioni di McAllister. Niente di nuovo. Non ho mai visto tanta agitazione.»

«Sei l'uomo del momento, Sam. Wendall Sherman e il suo editore hanno alzato l'offerta a centocinquantamila dollari, ma vogliono una risposta per stasera alle sei. Sherman è a Memphis e aspetta con i suoi registratori, e non vede l'ora di venire qui. Dice che avrà bisogno almeno di due giorni interi per registrare la tua storia.»

«Magnifico! E cosa dovrei fare di tutti quei soldi?»

«Lasciali ai tuoi amati nipoti.»

«Parli sul serio? Li spenderesti? Io accetto se tu li spendi.»

«No, stavo scherzando. Non voglio quei soldi e Carmen non ne ha bisogno. Non potrei spenderli e sentirmi la coscienza a posto.»

«Bene. Perché l'ultima cosa che voglio fare di qui a martedì notte è stare in compagnia di un estraneo a parlare del passato. Non m'interessa la somma che può offrire. Preferisco che non si scrivano libri sulla mia vita.»

«Gli ho già detto che può scordarselo.»

«Bravo.» Sam si alzò e cominciò a camminare avanti e indietro. Adam prese il suo posto sul bordo della scrivania e lesse le pagine sportive del giornale di Memphis.

«Sarò contento quando tutto sarà finito, Adam» confessò Sam senza fermarsi. «Non sopporto l'attesa. Giuro, vorrei che fosse per questa notte.» Era diventato di colpo nervoso e irritabile. La voce era dura, più acuta.

Adam posò il giornale. «Vinceremo, Sam. Fidati di me.»

«Vinceremo? Che cosa?» scattò Sam, furioso. «Otterremo un rinvio? Bell'affare! Cosa ci guadagneremmo? Sei mesi? Un anno? Sai cosa significa? Significa che prima o poi tutto questo si ripeterà. Sarà lo stesso, maledetto rituale... contare i giorni, perdere il sonno, preparare le strategie dell'ultimo momento, ascoltare Nugent o qualche altro imbecille, parlare con la psichiatra, confessarsi con il cappellano, prendere una pacca sulla schiena e venire in questo stanzino perché sono speciale.» Gli si fermò di fronte e lo fissò cupo. Aveva un'espressione collerica, gli occhi umidi e colmi d'amarezza. «Sono stufo, Adam! Ascoltami! Questo è peggio della morte.»

«Non possiamo arrenderci, Sam.»

«Non possiamo? E cosa c'entri tu? Si tratta della mia pelle, non della tua! Se otterrò una sospensione, tornerai nel tuo lussuoso ufficio di Chicago e continuerai la tua vita. Sarai un eroe perché avrai salvato il tuo cliente. Pubblicheranno la tua foto su qualche rivista legale. Il giovane astro nascente che si è imposto nel Mississippi. E fra l'altro ha salvato il nonno, uno sciagurato del Klan. Ma il tuo cliente, intanto, viene riportato nella sua gabbia e ricomincia a contare i giorni.» Sam scagliò la sigaretta sul pavimento e afferrò Adam per le spalle. «Guardami, figliolo. Non me la sento di ricominciare. Voglio che tu fermi tutto. Lascia perdere. Chiama le corti e di' che ritiriamo tutti i ricorsi e gli appelli. Sono vecchio. Ti prego, lasciami morire con dignità.»

Gli tremavano le mani e respirava affannosamente. Adam scrutò i luminosi occhi azzurri circondati da rughe profonde e vide una lacrima scendere da un angolo delle palpebre e scorrere lentamente sulla guancia fino a sparire nella barba grigia.

Per la prima volta, Adam sentiva l'odore del nonno. L'aroma forte della nicotina si mescolava all'afrore del sudore asciutto e formava un sentore sgradevole. Ma non era ripugnante come lo sarebbe stato se fosse venuto da una persona che aveva a disposizione sapone e acqua calda, aria condizionata e deodoranti. Dopo che lo ebbe respirato per la seconda volta, Adam non provò più fastidio.

«Non voglio che tu muoia, Sam.»

Sam gli strinse più forte le spalle. «Perché?» chiese.

«Perché ti ho appena ritrovato. Sei mio nonno.»

Sam rimase immobile per un secondo, poi si rilassò. Lasciò Adam e indietreggiò d'un passo. «Mi dispiace che tu mi abbia trovato così» disse asciugandosi gli occhi.

«Non devi scusarti.»

«E invece sì. Mi dispiace di non essere un nonno migliore. Guardami» disse, abbassando lo sguardo. «Un vecchio disgraziato con una ridicola tuta rossa. Un assassino che sta per essere gassato come un animale. E guardati. Un giovane con ottimi studi e un futuro brillante. In che cosa ho sbagliato? Cosa mi è successo? Ho passato la vita a odiare la gente, e guarda cosa ci ho guadagnato. Tu, tu non odi nessuno. E guarda quanta strada farai. Abbiamo lo stesso sangue nelle vene. Perché sono qui?»

Si sedette adagio su una sedia, appoggiò i gomiti sulle ginocchia e si coprì gli occhi. Per molto tempo nessuno dei due si mosse o parlò. Ogni tanto si sentiva nel corridoio la voce di una guardia, ma nell'ufficio c'era silenzio.

«Sai, Adam, preferirei non morire in un modo così spaventoso» disse Sam con voce rauca, premendosi i pugni contro le tempie e continuando a fissare il pavimento. «Ma la morte in sé non mi preoccupa, ormai. Sapevo da molto tempo che sarei morto qui, e la mia paura più grande era morire senza sapere se a qualcuno sarebbe dispiaciuto. È un pensiero tremendo, sai. Morire senza che interessi a nessuno. Nessuno che piange e si rattrista e si mostra addolorato al funerale. Ho fatto un sogno in cui vedevo il mio cadavere in una bara di legno economica, all'impresa delle pompe funebri di Clanton, e con me nella stanza non c'era anima viva. Nello stesso sogno, il predicatore ridacchiava per tutto il servizio funebre perché eravamo noi due soli nella cappella, e tutti i banchi erano vuoti. Ma adesso è diverso. So che a qualcuno dispiacerà. So che sarai triste quando morirò e so che sarai presente quando mi seppelliranno, per assicurarti che sia fatto tutto a dovere. Sono veramente pronto ad andarmene, Adam. Sono pronto.»

«D'accordo, Sam. Rispetto le tue idee. E ti prometto che sarò qui fino alla fine, e mi addolorerò e quando sarà finita mi assicurerò che tu venga sepolto decorosamente. E nessuno ti farà brutti scherzi, Sam, finché ci sarò io. Ma ti prego di vedere la situazione dal mio punto di vista. Devo fare il possibile perché sono giovane e ho davanti a me tutta la vita. Non costringermi ad andarmene di qui con la consapevolezza che avrei potuto fare di più. Non sarebbe giusto nei miei confronti.»

Sam incrociò le braccia sul petto e lo guardò. Era pallido e calmo e aveva ancora gli occhi umidi. «Facciamo così» disse con voce bassa e sofferente. «Io sono pronto per andarmene. Passerò domani e martedì facendo gli ultimi preparativi. Darò per certo che debba succedere alla mezzanotte di martedì, e mi preparerò. Tu continua come se fosse un gioco. Se riesci a vincere, meglio per te. Se perdi, io sarò pronto comunque.»

«Allora collaborerai?»

«No. Niente udienza per la grazia. Basta ricorsi o appelli. Ne hai a sufficienza in circolazione per tenerti occupato. Ce ne sono ancora due. Non firmerò nient'altro.»

Sam si alzò, traballando un po' sulle ginocchia malferme. Andò ad appoggiarsi alla porta. «E Lee?» chiese a voce bassa mentre prendeva le sigarette.

«È ancora in cura» mentì Adam. Provava la tentazione di dire la verità. Gli sembrava puerile mentire a Sam nelle ultime ore della sua vita, ma sperava ancora di trovarla prima di martedì. «Vuoi vederla?»

«Credo di sì. Può uscire dalla clinica?»

«Penso che sia difficile, ma tenterò. Sta peggio di quanto credevo all'inizio.»

«È alcolizzata?»

«Sì.»

«Tutto qui? Niente droghe?»

«Solo alcol. Mi ha detto che ha questo problema da molti anni. Le cure disintossicanti non sono una novità.»

«Che Dio la benedica. I miei figli non hanno mai avuto una possibilità al mondo.»

«È una brava persona. Ha passato brutti momenti con il matrimonio. Suo figlio se n'è andato giovanissimo da casa e non è più tornato.»

«Walt, giusto?»

«Giusto» rispose Adam. Era una famiglia disastrata. Sam, il nonno, non era neppure certo del nome del terzo nipote.

«Quanti anni ha?»

«Non sono sicuro. Credo all'incirca la mia età.»

«Sa di me?»

«Non lo so. Se n'è andato da molti anni. Vive ad Amsterdam.»

Sam prese una tazza dalla scrivania e bevve un sorso di caffè freddo. «E Carmen?» chiese.

Istintivamente, Adam guardò l'orologio. «Fra tre ore vado a prenderla all'aeroporto di Memphis. Viene qui domani mattina.»

«È proprio questo che mi fa paura.»

«Stai tranquillo, Sam. È straordinaria. Intelligente, ambiziosa, bella, e le ho detto tutto di te.»

«Perché l'hai fatto?»

«Perché vuole sapere.»

«Povera bambina. Le hai spiegato che aspetto ho?»

«Non preoccuparti, Sam. Il tuo aspetto non le interessa.»

«Le hai detto che non sono un mostro feroce?»

«Le ho detto che sei un vero tesoro, un tipetto delicato con un orecchino, la coda di cavallo, le mani morbide e un bel paio di sandaletti di gomma e che cammini come se danzassi.»

«Un corno!»

«E che sei il cocco degli altri detenuti.»

«Bugiardo! Non puoi averle detto questo!» Sam sogghignava, ma era anche serio, e la sua preoccupazione era quasi comica. Adam rise, un po' troppo a lungo e un po' troppo forte, ma quello sfogo era benvenuto. Ridacchiarono entrambi e fecero il possibile per mostrarsi divertiti delle loro battute spiritose. Cercarono di protrarre quel momento, ma poi l'ilarità svanì e la gravità della situazione li riafferrò. Sedettero sul bordo del tavolo, fianco a fianco, con i piedi appoggiati su due sedie, e fissarono il pavimento mentre dense nubi di fumo turbinavano sopra di loro nell'aria immobile.

C'erano tante cose di cui parlare, ma ben poco da dire. Le teorie e le manovre legali erano state dibattute fino alla nausea. La famiglia era un argomento che avevano affrontato fin dove avevano osato. Le condizioni meteorologiche andavano bene al massimo per cinque minuti di congetture. E sapevano entrambi che avrebbero trascorso insieme gran parte dei prossimi due giorni e mezzo. Le questioni serie potevano aspettare un po'. Adam guardò due volte l'orologio e disse che doveva andare, ma entrambe le volte Sam insistette perché restasse. Quando Adam se ne fosse andato, sarebbero venuti a prenderlo per riportarlo nella cella, la gabbia dove c'erano più di trentotto gradi. Resta ancora, ti prego, lo supplicò.

Più tardi, dopo mezzanotte, dopo aver parlato a lungo con Carmen di Lee e dei suoi problemi, e di Phelps e Walt, di McAllister e Wyn Lettner e della teoria del complice, molte ore dopo che avevano finito una pizza e avevano discusso della loro madre, del padre, del nonno e di tutta la disgraziata famiglia, Adam disse che l'unico momento che non avrebbe mai dimenticato era quello in cui erano rimasti seduti sulla scrivania, a passare il tempo in silenzio mentre un orologio invisibile scandiva il passare dei minuti e Sam gli batteva la mano sul ginocchio. "Sembrava che dovesse toccarmi per esprimere il suo affetto" spiegò "come un buon nonno che coccola un nipotino amatissimo."

Carmen ne aveva sentite abbastanza per una notte. Era rimasta nel patio per quattro ore, a sopportare l'umidità e ad assorbire la desolata storia della famiglia di suo padre.

Ma Adam era stato prudente. Aveva parlato degli aspetti migliori e aveva omesso il peggio... non aveva accennato a Joe Lincoln, ai linciaggi e agli altri delitti. Aveva descritto Sam come un uomo violento che aveva commesso errori terribili e adesso era sopraffatto dal rimorso. Si era gingillato con l'idea di mostrarle la videocassetta dei processi, ma aveva deciso di non farlo. L'avrebbe fatto più tardi. Carmen non poteva sopportare più di tanto, per il momento. A volte neppure lui riusciva a credere alle cose che aveva sentito nelle ultime quattro settimane. Sarebbe stata una crudeltà scaricarle tutto addosso in una volta sola. Era affezionato alla sorella, e avevano a disposizione molti anni per parlare del resto.

45

Lunedì 6 agosto, sei del mattino. Mancavano quarantadue ore. Adam entrò nel suo ufficio e chiuse a chiave la porta.

Attese fino alle sette, poi chiamò la cancelleria della Corte Suprema del Mississippi. Una voce registrata lo consigliò di chiamare il numero d'emergenza di un vicecancelliere che si occupava del caso Cayhall durante il fine settimana. Il vicecancelliere lo conosceva di nome. Spiegò che la corte non aveva ancora deciso sul ricorso per incapacità mentale. Adam aveva dormito meno di tre ore. Il cuore gli batteva forte, l'adrenalina gli scorreva nel sangue. Al suo cliente restavano quarantadue ore e, maledizione!, la Corte Suprema del Mississippi doveva decidere in un senso o nell'altro. Non era giusto che dormissero sui maledetti ricorsi, quando lui avrebbe potuto presentarli ad altre corti. Alzò la voce e usò parole taglienti, sebbene si rendesse conto di prendersela con un vicecancelliere il quale non aveva nessun potere sui nove giudici.

Sbatté giù il ricevitore, inveì per qualche minuto contro i muri, poi sobbalzò al primo squillo e si buttò sul telefono.

Il Cancelliere della Morte del Quinto Distretto gli comunicò che la corte aveva respinto l'appello per inefficienza della difesa. La corte era dell'opinione che il ricorso era proceduralmente improponibile. Avrebbe dovuto essere presentato anni prima. La corte non entrava nel merito della questione.

«Allora perché la corte ci ha dormito sopra per una settimana?» chiese Adam. «Potevano arrivare a questa decisione anche dieci giorni fa.»

«Le mando subito una copia via fax» disse il cancelliere.

«Grazie. E mi scusi.»

«Si tenga in contatto, signor Hall. Siamo a sua disposizione.»

Adam riattaccò e andò in cerca di un caffè. Darlene, stanca e tirata, arrivò in anticipo, alle sette e mezzo. Portò il fax del Quinto Distretto e una focaccina all'uva passa. Adam la pregò di inviare via fax alla Corte Suprema degli Stati Uniti la richiesta di certiorari per inefficienza della difesa. Era pronta da tre giorni e il signor Olander, da Washington, aveva detto a Darlene che la corte la stava già esaminando.

Alle otto il telefono squillò di nuovo. Il vicecancelliere di Jackson comunicò ad Adam che la Corte Suprema del Mississippi aveva appena respinto l'ultimo ricorso, e che poteva rivolgersi alla corte federale. I fax stavano per arrivare.

Adam aveva perduto due battaglie prima delle nove del lunedì mattina.

Darlene gli portò due aspirine e un bicchier d'acqua. Adam revisionò le istanze per l'*habeas corpus* che dovevano essere inoltrate per l'ultimo ricorso, quello sull'incapacità mentale. Sembrava una tesi disperata.

Aveva la testa a pezzi mentre riponeva quasi tutto l'incartamento Cayhall in una capace cartella e in una scatola di cartone. Consegnò a Darlene un elenco di istruzioni.

Poi lasciò la sede di Memphis dello studio legale Kravitz e Bane, per non tornarvi più.

Il colonnello Nugent attese con impazienza che si aprisse la porta del raggio. Poi si precipitò nel corridoio seguito da otto componenti della squadra per l'esecuzione. Piombarono nel silenzio del Raggio A con la delicatezza di una pattuglia della Gestapo: otto uomini grandi e grossi, quattro in uniforme e quattro in borghese, al seguito di un galletto arrogante. Nugent si fermò davanti alla cella numero sei, dove Sam era sdraiato sul letto e pensava agli affari suoi. Gli altri detenuti osservavano e ascoltavano, con le braccia penzolanti fra le sbarre.

«Sam, è ora di andare nella Cella d'Osservazione» annunciò Nugent come se la cosa gli dispiacesse davvero. I suoi uomini si schierarono contro il muro dietro di lui, sotto le finestre.

Sam si alzò lentamente e si avvicinò alle sbarre. Lanciò un'occhiataccia a Nugent e chiese: «Perché?».

«Perché lo dico io.»

«Ma perché spostarmi otto porte più avanti? A cosa serve?»

«È la procedura, Sam. C'è nel manuale.»

«Quindi non hai una ragione valida, vero?»

«Non ne ho bisogno. Voltati.»

Sam andò al lavabo e si spazzolò a lungo i denti. Poi si accostò al gabinetto e urinò con le mani sui fianchi. Si lavò le mani mentre Nugent e i suoi assistevano fremendo. Finalmente accese una sigaretta, la strinse fra i denti, mise le mani dietro la schiena e le infilò attraverso l'apertura nella porta. Nugent lo ammanettò e fece un segnale perché la porta venisse aperta. Sam uscì. Rivolse un cenno con la testa a J.B. Gullitt, che osservava inorridito e stava per scoppiare in lacrime. Strizzò l'occhio a Hank Henshaw.

Nugent lo prese per il braccio e lo condusse in fondo al corridoio. Passarono davanti a Gullitt, a Lloyd Eaton, a Stick Turner, a Harry Ross Scott, a Buddy Lee Harris e, finalmente, davanti al Predicatore che in quel momento stava bocconi sul letto e piangeva. Il raggio terminava con una parete di sbarre di ferro identiche a quelle delle celle, e al centro c'era una porta massiccia. Dall'altra parte stava un secondo gruppo di uomini di Nugent che assistevano assaporando in silenzio quei momenti. Dietro di loro c'era un breve corridoio stretto che portava alla Cella d'Isolamento, e poi alla camera a gas.

Stavano portando Sam quattordici metri e mezzo più vicino alla morte. Si appoggiò al muro, fumando, e guardò la scena in un silenzio stoico. Non c'era niente di personale. Faceva parte della routine.

Nugent tornò alla cella numero sei e abbaiò qualche ordine. Quattro guardie entrarono e cominciarono a prendere la roba di Sam. Libri, macchina per scrivere, ventilatore, televisore, oggetti da toletta, indumenti che trattavano come se fossero contaminati. Li portarono nella Cella d'Osservazione. Il materasso e le lenzuola furono arrotolati e trasferiti da una guardia muscolosa che calpestò accidentalmente un lenzuolo e lo strappò.

I detenuti osservavano con tristezza quell'attività improvvisa. Le minuscole celle erano per loro come strati supplementari di pelle, ed era doloroso vederne una violata in modo tanto spietato. La realtà dell'esecuzione si imponeva; la sentivano nei passi pesanti lungo il raggio, nelle voci severe e smorzate degli uomini della squadra della morte. Una settimana prima nessuno avrebbe badato molto allo sbattere lontano di una porta. Adesso era un trauma che squassava i nervi.

Le guardie fecero la spola con la roba di Sam finché la cella numero sei non rimase spoglia. Si sbrigarono in fretta. Depositarono tutto nella nuova residenza senza la minima cura.

Nessuno degli otto lavorava nel Braccio. Nugent aveva letto, negli appunti disordinati di Naifeh, che i membri della squadra della morte non dovevano conoscere il detenuto. Dovevano essere scelti negli altri campi. Trentuno, fra agenti e guardie, si erano offerti volontari. Nugent aveva selezionato i migliori.

«C'è tutto?» chiese bruscamente a uno degli uomini.

«Sì, signore.»

«Benissimo. È tutta tua, Sam.»

«Oh, grazie, signore» rispose Sam in tono sarcastico entrando nella cella. Nugent fece un segnale verso l'estremità del corridoio, e la porta si chiuse, quindi afferrò le sbarre con entrambe le mani. «Ascoltami bene, Sam» disse in tono solenne. Sam si era appoggiato con la schiena al muro e non lo guardava. «Siamo qui se hai bisogno di qualcosa, d'accordo? Ti abbiamo trasferito per poterti sorvegliare meglio. Chiaro? C'è qualcosa che posso fare per te?»

Sam continuò a guardare altrove e lo ignorò.

«Sta bene.» Nugent indietreggiò e si rivolse ai suoi uomini. «Andiamo» ordinò. La porta del raggio si aprì a meno di tre metri da Sam, e la squadra della morte uscì. Sam attese. Nugent controllò con lo sguardo il corridoio, poi uscì a sua volta.

«Ehi, Nugent!» gridò Sam. «Non mi fai togliere le manette?»

Nugent restò di ghiaccio e i suoi si fermarono.

«Imbecille!» gridò Sam mentre Nugent tornava indietro, cercava a tentoni le chiavi e abbaiava ordini. Nel raggio ci fu uno scoppio d'ilarità, risate fragorose, sghignazzate e fischi. «Non puoi lasciarmi ammanettato» urlava Sam verso il corridoio.

Nugent arrivò alla sua porta, digrignò i denti, imprecò e finalmente trovò la chiave giusta. «Girati» intimò.

«Ignorante figlio di puttana!» gridò Sam attraverso le sbarre, guardando la faccia paonazza del colonnello a mezzo metro da lui. Le risate echeggiarono ancora più rumorose.

«E tu saresti il responsabile della mia esecuzione!» commentò rabbioso Sam, a voce molto alta perché gli altri lo sentissero. «È probabile che tu riesca a gassare te stesso!»

«Non ci contare» ribatté laconico Nugent. «Adesso girati.»

Qualcuno, forse Hank Henshaw o Harry Ross Scott, gridò: «Capobanda!». Subito l'insulto venne ripetuto lungo l'intero raggio.

«Capobanda! Capobanda! Capobanda!»

«Silenzio!» urlò Nugent.

«Capobanda! Capobanda!»

«Silenzio!»

Finalmente Sam si voltò e sporse le mani in modo che Nugent potesse raggiungerle. Il colonnello tolse le manette e si affrettò a uscire.

«Capobanda! Capobanda! Capobanda!» scandirono all'unisono i detenuti fino a quando la porta si chiuse con fragore e il corridoio rimase di nuovo vuoto. Le voci si spensero all'improvviso, le risate morirono. Lentamente, le braccia si ritirarono dalle sbarre.

Sam rimase in piedi a fissare con astio le due guardie che lo osservavano al di là della porta del raggio. Poi impiegò qualche minuto per organizzarsi, inserì le spine del ventilatore e della televisione e dispose con ordine i libri come se dovesse usarli, controllò se lo sciacquone funzionava e se l'acqua scorreva dal rubinetto. Sedette sul letto e ispezionò il lenzuolo strappato.

Era la quarta cella che occupava nel Braccio, e senza dubbio era quella che avrebbe abitato per il periodo più breve. Ripensò alle prime due, soprattutto la seconda nel Raggio D, accanto a quella del suo amico Buster Moac. Un giorno erano andati a prendere Buster e l'avevano portato lì, nella cella d'Osservazione, dove l'avevano sorvegliato giorno e notte perché non si suicidasse. Sam aveva pianto quando avevano condotto via Buster.

In pratica ogni detenuto che arrivava fin lì passava poi alla prossima tappa. E infine all'ultima.

Garner Goodman fu il primo ospite della giornata nello splendido vestibolo dell'ufficio del governatore. Firmò il registro dei visitatori, chiacchierò amabilmente con la bella receptionist, e fece avvertire il governatore che era a sua disposizione. La receptionist stava per dire qualcosa quando il telefono squillò. Premette un tasto, fece una smorfia, ascoltò, aggrottò la fronte, fissò Goodman che distolse lo sguardo, poi ringraziò l'interlocutore. «Che gente!» sospirò.

«Prego?» chiese Goodman con aria candida.

«Siamo inondati da telefonate per l'esecuzione del suo cliente.»

«Sì, è un caso che scatena molte emozioni. Sembra che da queste parti molta gente sia favorevole alla pena di morte.»

«Questo no» disse la receptionist mentre annotava la chiamata su un modulo rosa. «Quasi tutte le chiamate sono contrarie all'esecuzione.»

«Ma davvero? È una sorpresa.»

«Avverto la signora Stark che è arrivato.»

«Grazie.» Goodman andò a sedere al solito posto. Sfogliò di nuovo i giornali del mattino. Il sabato, il quotidiano di Tupelo aveva commesso l'errore di avviare un sondaggio telefonico per avere un quadro dell'opinione del pubblico sull'esecuzione di Cayhall. In prima pagina era stato indicato un numero verde con le relative istruzioni, e naturalmente Goodman e i suoi ricercatori avevano bombardato quel numero durante il fine settimana. L'edizione del lunedì pubblicava per la prima volta i risultati, che erano sbalorditivi. Su trecentoventi telefonate, trecentodue erano contrarie all'esecuzione. Goodman sorrise fra sé mentre leggeva il quotidiano.

Non molto lontano di lì il governatore, seduto al grande tavolo nel suo ufficio, esaminava gli stessi giornali. Aveva un'espressione turbata, gli occhi preoccupati e mesti.

Mona Stark si avvicinò con una tazza di caffè. «È arrivato Garner Goodman. Sta aspettando nel vestibolo.»

«Lo lasci aspettare.»

«La Linea Calda è intasata dalle chiamate.»

McAllister consultò con calma l'orologio. Mancavano undici minuti alle nove. Si grattò il mento con le nocche. Dalle tre del pomeriggio di sabato alle otto di sera della domenica, il suo addetto ai sondaggi aveva chiamato più di duecento cittadini del Mississippi. Il settantotto per cento era favorevole alla pena di morte, e questo non era sorprendente. Ma, nello stesso campione, il cinquantun per cento riteneva che Sam Cayhall non dovesse essere giustiziato. Le ragioni erano diverse. Molti pensavano che era troppo vecchio. Aveva commesso il reato ventitré anni prima, in un'altra generazione. Sarebbe morto comunque a Parchman abbastanza presto, quindi era meglio lasciarlo in pace. Era perseguitato per ragioni politiche. Inoltre era bianco, e McAllister e i suoi addetti ai sondaggi sapevano che era un fatto importante, anche se inespresso.

E quella era la bella notizia. La brutta era contenuta in un tabulato posato sul tavolo accanto ai giornali. La Linea Calda, con un solo operatore in servizio, aveva ricevuto duecentotrentun chiamate il sabato e centottanta la domenica. Quattrocentoundici in totale. Più del novanta per cento si opponeva all'esecuzione. Dal venerdì mattina, la Linea Calda aveva registrato ufficialmente ottocentonovantasette chiamate sul vecchio Sam, e più del novanta per cento erano contrarie all'esecuzione. Adesso la Linea Calda aveva ripreso a scottare.

C'era dell'altro. Gli uffici regionali segnalavano una valanga di chiamate, quasi tutte contrarie all'esecuzione. I membri dello staff che si presentavano al lavoro riferivano di aver ricevuto chiamate durante il fine settimana. Roxburgh aveva telefonato per dire che le sue linee erano intasate.

Il governatore era già stanco. «Ho un impegno per le dieci» disse a Mona senza guardarla.

«Sì, un incontro con un gruppo di boy scout.»

«Lo annulli. Presenti le mie scuse. Lo fissi per un'altra data. Non me la sento di posare per i fotografi, stamattina. È meglio che rimanga qui. Il pranzo?»

«Con il senatore Pressgrove, per discutere la causa contro le università.»

«Non sopporto il senatore Pressgrove. Annulli l'appuntamento e ordini un po' di pollo. E poi, pensandoci meglio, faccia entrare Goodman.»

Mona andò alla porta, sparì per pochi secondi e tornò con Garner Goodman. McAllister era in piedi accanto alla finestra e guardava il centro della città. Si voltò e sorrise stancamente. «Buongiorno, signor Goodman.»

Si strinsero la mano e sedettero. La domenica pomeriggio, verso sera, Goodman aveva consegnato a Larramore la richiesta scritta di disdire l'udienza per la grazia in seguito all'insistenza pressante del suo assistito.

«Non vuol saperne dell'udienza, eh?» chiese il governatore con un altro sorriso stanco.

«Il nostro cliente dice di no. Non ha altro da aggiungere. Abbiamo tentato di tutto.» Mona porse a Goodman una tazza di caffè nero.

«Ha la testa molto dura. L'ha sempre avuta, direi. Dove sono gli appelli in questo momento?» Il tono di McAllister era sincero.

«Procedono come previsto. Due sono stati respinti questa mattina. La corte distrettuale di qui ha due istanze, e una sta per arrivare alla Corte Suprema di Washington.»

«Lei c'è già passato, signor Goodman, io no. Qual è la sua previsione in questo momento?»

Goodman mescolò il caffè e rifletté sulla domanda. Non c'era niente di male a essere sincero con il governatore, almeno a quel punto. «Io sono uno dei difensori di Cayhall, quindi tendo all'ottimismo. Direi che ci sono settanta probabilità su cento che si vada fino in fondo.»

Il governatore rifletté per qualche istante. Riusciva quasi a sentire gli squilli dei telefoni nelle altre stanze. Perfino i suoi collaboratori stavano diventando nervosi. «Sa cosa vorrei, signor Goodman?» chiese in uno slancio di sincerità.

Certo che lo so: vorresti che quei maledetti telefoni smettessero di suonare, pensò Goodman. «Che cosa?»

«Vorrei parlare con Adam Hall. Dov'è?»

«A Parchman, probabilmente. Gli ho parlato un'ora fa.»

«Può venire qui oggi?»

«Sì. Anzi, contava di arrivare a Jackson nel pomeriggio.»

«Bene. Lo aspetterò.»

Goodman represse un sorriso. Forse una crepa minuscola aveva incrinato la diga.

Ma, stranamente, il primo sintomo di una svolta apparve su un fronte diverso e molto più inverosimile.

A sei isolati di distanza, nella sede della corte federale, Breck Jefferson entrò nell'ufficio del suo superiore, il giudice F. Flynn Slattery, che era al telefono e parlava in toni piuttosto agitati con un avvocato. Breck aveva portato una voluminosa istanza basata sull'*habeas corpus*, arrivata per fax un'ora prima. Il mercoledì della settimana precedente Adam Hall aveva inviato una copia dell'istanza a Breck, a titolo di cortesia, quando l'aveva presentata alla Corte Suprema del Mississippi. La corte l'aveva respinta, e adesso era passata al giudice Slattery.

«Sì?» urlò Slattery mentre sbatteva il ricevitore sul telefono.

«La Corte Suprema del Mississippi ha respinto l'ultima istanza di Cayhall. Adesso è di sua competenza.»

«Respingiamola anche noi e togliamocela dai piedi. In fretta. Lasciamo che Cayhall la presenti al Quinto Distretto. Non voglio vedermi intorno quella maledetta istanza.»

Breck sembrava allarmato, e quando rispose parlò più lentamente. «Ma c'è qualcosa cui deve assolutamente dare un'occhiata.»

«Oh, andiamo, Breck! Che cos'è?»

«Può darsi che abbiano una tesi fondata.»

Slattery si oscurò e curvò le spalle. «Ma andiamo! Vuol scherzare? Di cosa si tratta? Abbiamo una causa che comincia fra mezz'ora. E una giuria che sta aspettando.»

Breck Jefferson era stato il secondo della sua classe nel corso di legge a Emory. Slattery si fidava totalmente di lui. «Sostengono che Sam è privo della capacità mentale necessaria per affrontare l'esecuzione, secondo una norma piuttosto ampia in vigore nel Mississippi.»

«Lo sanno tutti che è pazzo.»

«Hanno un esperto pronto a testimoniare. Non possiamo ignorarlo.»

«Non ci credo.»

«Sarà meglio che dia un'occhiata.»

Slattery si massaggiò la fronte con la punta delle dita. «Si sieda. Mi faccia vedere.»

«Ancora tre chilometri o poco più» disse Adam mentre correvano verso il carcere. «Come va?»

Carmen aveva parlato poco da quando erano partiti da

Memphis. Era il suo primo viaggio nel Mississippi e aveva osservato l'immensità del Delta, aveva ammirato la rigogliosità degli sterminati campi di cotone e di soia e guardato con stupore gli aerei della disinfestazione che sorvolavano a bassa quota le coltivazioni. Aveva scosso la testa nel vedere i grappoli di casupole miserabili. «Sono nervosa» ammise, e non era la prima volta. Avevano parlato un po' di Berkeley e di Chicago e di progetti per il futuro. Non avevano detto nulla della madre e del padre, e avevano ignorato anche Sam e la sua famiglia.

«È nervoso anche lui.»

«È strano, Adam. Corro attraverso questo territorio ancora in parte selvatico per andare a conoscere un nonno che sta per essere giustiziato.»

Adam le batté la mano sul ginocchio. «Stai facendo la cosa più giusta.» Carmen indossava pantaloni abbondanti, stivali, una camicia sbiadita di denim rosso. La classica laureata in psicologia.

«Ci siamo» annunciò Adam. Sui due lati della highway c'erano file serrate di macchine ferme. Il traffico era lento, e la gente proseguiva a piedi verso Parchman.

«Cos'è?» chiese Carmen.

«Un circo.»

Superarono tre uomini del Klan che camminavano sul bordo dell'asfalto. Carmen li guardò e scosse la testa incredula. Avanzavano lentamente, appena un po' più svelti della gente che andava alle dimostrazioni. Al centro della highway, di fronte all'entrata, due agenti della polizia dello stato dirigevano il traffico. Segnalarono ad Adam di svoltare a destra, poi una guardia di Parchman indicò un'area lungo un fossatello.

Si presero per mano e arrivarono a piedi al cancello, soffermandosi un momento solo per guardare le dozzine di esponenti del Klan che giravano in tondo davanti all'ingresso. Qualcuno teneva un discorso dai toni violenti, gridando in un megafono che andava in avaria a intervalli di pochi secondi. Un gruppo di camicie brune stava spalla a spalla ed esibiva cartelli visibili per chi transitava sulla highway. C'erano almeno cinque pullman della televisione fermi sul lato opposto dell'highway, e dappertutto si vedevano telecamere, macchine fotografiche e cineprese. L'elicottero di un telegiornale volava in cerchio.

Al cancello, Adam presentò Carmen alla sua nuova amica Louise, la guardia che si occupava della parte burocratica. Aveva un'aria nervosa e tesa. C'erano stati diversi alterchi fra quelli del Klan, la stampa e le guardie. Al momento la situazione era imprevedibile, e secondo lei era difficile che migliorasse.

Un'altra guardia in uniforme li scortò a un pullmino del carcere. Si allontanarono in fretta dall'ingresso.

«Incredibile» commentò Carmen.

«E peggiora di giorno in giorno. Vedrai domani.»

Il pullmino rallentò sul viale principale, sotto i grandi alberi e fra le linde case bianche. Carmen osservava tutto.

«Non sembra una prigione» disse.

«È una fattoria. Seimilaottocento ettari. In quelle case abitano i dipendenti del carcere.»

«Con i figli» notò Carmen vedendo bici e motorini nei giardinetti. «È una scena così pacifica. Dove sono i detenuti?»

«Aspetta.»

Il pullmino svoltò a sinistra. L'asfalto finì e incominciò la strada sterrata. Più avanti c'era il braccio della morte.

«Vedi quelle torri?» Adam le indicò. «Le recinzioni e il filo tagliente?» Carmen annuì.

«È l'Unità di Massima Sicurezza. Sam ci ha vissuto gli ultimi nove anni.»

«Dov'è la camera a gas?»

«Là dentro.»

Due guardie diedero un'occhiata dentro il pullmino e lo fecero passare oltre i due cancelli. Il veicolo si fermò davanti alla porta principale dove era in attesa Packer. Adam lo presentò a Carmen, che adesso riusciva a parlare a stento. Entrarono e Packer li perquisì con delicatezza. Tre guardie assistevano. «Sam è già lì» disse Packer indicando con la testa l'ufficio all'ingresso. «Entrate.»

Adam prese la mano della sorella e la strinse. Carmen annuì. Si avviarono alla porta, e Adam l'aprì.

Sam era seduto come al solito sul bordo della scrivania. Dondolava i piedi e non fumava. L'aria era pulita e fresca.

Lanciò un'occhiata ad Adam, poi guardò Carmen. Packer chiuse la porta dietro di loro.

Carmen lasciò la mano di Adam e si avvicinò alla scrivania guardando Sam negli occhi. «Sono Carmen» disse a voce bassa. Sam scese dalla scrivania. «Io sono Sam, Carmen. Il tuo nonno traviato.» L'attirò a sé. Si abbracciarono.

Adam impiegò qualche secondo per accorgersi che Sam si era rasato con cura. I capelli erano più corti e più puliti. La lampo della tuta era chiusa fino al collo. Portava un paio di calzini candidi e sandali diversi.

Sam strinse le spalle di Carmen e le scrutò il viso. «Sei bella come tua madre» commentò con voce rauca. Aveva gli occhi umidi e Carmen lottava con le lacrime.

Si morse le labbra e cercò di sorridere.

«Grazie per essere venuta» le disse lui, tentando di sorridere a sua volta. «Mi dispiace che tu debba vedermi così.»

«Hai un ottimo aspetto.»

«Non dire bugie, Carmen» intervenne Adam per rompere il ghiaccio. «E facciamola finita con le lacrime.»

«Siedi» invitò Sam, indicando a Carmen una sedia. Prese posto accanto a lei, e la tenne per mano.

«Prima il lavoro, Sam» continuò Adam appoggiandosi alla scrivania. «Il Quinto Distretto ha respinto la nostra istanza stamattina presto, e altrettanto ha fatto l'illustre Corte Suprema del Mississippi. Quindi ci avviamo verso pascoli più verdi.»

«Tuo fratello è un vero avvocato» disse Sam a Carmen. «Mi porta tutti i giorni le stesse notizie.»

«È naturale. Non ho molto su cui basarmi» si giustificò Adam.

«Come sta tua madre?» chiese Sam a Carmen.

«Bene.»

«Dille che ho chiesto di lei. Ricordo che era davvero una cara ragazza.»

«Glielo dirò.»

«Hai saputo qualcosa di Lee?» chiese Sam ad Adam.

«No. Vuoi vederla?»

«Sì. Ma se non potrà venire, capirò.»

«Vedrò che cosa posso fare» dichiarò Adam in tono sicuro.

Phelps non lo aveva richiamato dopo le sue ultime due telefonate. E in quel momento non aveva tempo per cercare Lee.

Sam si tese verso la nipote. «Adam mi ha detto che studi psicologia.»

«È vero. Frequento un corso per laureati a Cal Berkeley. E...»

Fu interrotta da un secco bussare alla porta. Adam andò a socchiuderla e scorse la faccia ansiosa di Lucas Mann. «Scusate un attimo» disse a Sam e a Carmen, e uscì nel corridoio.

«Cosa c'è?» chiese.

«Garner Goodman la sta cercando» disse Mann a voce bassa. «Vuole che vada immediatamente a Jackson.»

«Perché? Cos'è successo?»

«Sembra che una delle sue istanze abbia colpito nel segno.»

Adam ebbe la sensazione che il suo cuore si fermasse. «Quale?»

«Il giudice Slattery vuol parlare dell'incapacità mentale, e ha fissato un'udienza per le cinque di questo pomeriggio. Non mi dica niente, perché potrei essere chiamato a testimoniare per lo stato.»

Adam chiuse gli occhi e appoggiò la testa al muro. Mille pensieri gli turbinavano nella mente. «Questo pomeriggio alle cinque? Slattery?»

«È difficile crederlo. Senta, deve muoversi in fretta.»

«Ho bisogno di un telefono.»

«Lì ce n'è uno» disse Mann indicando la porta alle spalle di Adam. «So che non mi riguarda, ma non lo direi a Sam. È una possibilità molto remota, e non ha senso ridargli una speranza. Se stesse a me decidere, aspetterei la fine dell'udienza.»

«Ha ragione. Grazie, Lucas.»

«Bene. Ci vediamo a Jackson.»

Adam rientrò nell'ufficio, dove Sam e Carmen parlavano della California. «Non era niente» disse Adam aggrottando la fronte, e andò al telefono. Non ascoltò la loro serena conversazione e compose il numero.

«Garner, sono Adam. Sono qui con Sam. Cosa c'è?»

«Venga immediatamente, vecchio mio» disse con calma Goodman. «Le cose sono in movimento.»

«Mi dica.» Sam, intanto, descriveva il suo primo e unico viaggio a San Francisco, avvenuto molti anni prima.

«Innanzi tutto, il governatore vuole parlarle in privato. Sembra sulle spine. Lo stiamo assediando con le telefonate e ne risente. Ma la cosa più importante è un'altra: Slattery è incerto a proposito dell'incapacità mentale. Gli ho parlato mezz'ora fa, ed è molto confuso. Io non l'ho certo aiutato a schiarirsi le idee. Vuol tenere un'udienza questo pomeriggio alle cinque. Ho già parlato con il dottor Swinn che si è tenuto a disposizione... per cento dollari l'ora, devo aggiungere. Atterrerà a Jackson alle tre e mezzo e sarà pronto a testimoniare.»

«Parto immediatamente» disse Adam, che voltava le spalle a Sam e Carmen.

«Ci vediamo nell'ufficio del governatore.»

Adam riattaccò. «Stanno presentando gli appelli» spiegò a Sam che in quel momento era del tutto indifferente. «Devo andare a Jackson.»

«Che fretta c'è?» chiese Sam, come se avesse anni da vivere e niente da fare.

«Fretta? Hai parlato di fretta? Sam, sono le dieci di lunedì. Abbiamo esattamente trentotto ore per trovare un miracolo.»

«Non ci saranno miracoli, Adam.» Sam si rivolse a Carmen e continuò a tenerle la mano. «Non sperare troppo, cara.»

«Forse...»

«No. È venuta la mia ora. E sono pronto. Non voglio che tu sia triste quando tutto sarà finito.»

«Dobbiamo andare, Sam» disse Adam, posandogli la mano sulla spalla. «Tornerò stasera tardi o domattina presto.»

Carmen si tese e baciò Sam sulla guancia. «Il mio cuore è con te, Sam» mormorò.

Sam l'abbracciò per un istante, poi si alzò e rimase accanto alla scrivania. «Stammi bene, figliola. Studia con impegno e tutto quanto. E non pensare troppo male di me, d'accordo? Sono qui per una ragione. La colpa è mia e di nessun altro. C'è una vita migliore che mi aspetta fuori di qui.»

Carmen si alzò a sua volta e lo abbracciò di nuovo. Quando uscirono dall'ufficio, piangeva.

46

A mezzogiorno il giudice Slattery aveva colto in pieno la gravità del momento e, sebbene si sforzasse di nasconderlo, si stava godendo immensamente quel breve intervallo nell'occhio del ciclone. Aveva rinviato la giuria e gli avvocati della causa civile pendente davanti a lui. Aveva parlato per due volte con il cancelliere del Quinto Distretto, a New Orleans, poi con il giudice McNeely in persona. Il grande momento era venuto qualche minuto dopo le undici, quando il giudice della Corte Suprema Edward F. Allbright aveva chiamato da Washington per chiedere d'essere aggiornato. Allbright seguiva il caso di ora in ora. Avevano discusso di diritto e di dottrina. Nessuno dei due era contrario alla pena di morte, ma entrambi avevano problemi con le norme relative vigenti nel Mississippi. Temevano che venissero sfruttate da tutti i condannati a morte che potevano fingersi pazzi e trovare un dottore disposto a stare al gioco.

I giornalisti vennero a sapere che era prevista un'udienza e non si accontentarono di sommergere di telefonate l'ufficio di Slattery, ma piantarono le tende nell'ufficio della sua receptionist. Fu necessario chiamare il comandante della polizia federale per disperderli. La segretaria portava messaggi di minuto in minuto. Breck Jefferson consultava innumerevoli testi giuridici e disponeva sul lungo tavolo per le riunioni i risultati delle sue ricerche. Slattery parlò con il governatore, con il procuratore generale, con Garner Goodman e dozzine di altre persone. Si era tolto le scarpe e le aveva abbandonate sotto l'imponente scrivania, e le girava intorno, trascinandosi dietro il lungo filo del telefono e godendosi quel manicomio.

Se nell'ufficio di Slattery regnava la frenesia, in quello del procuratore generale dominava il caos. Roxburgh aveva fatto i fuochi artificiali quando aveva saputo che uno dei tiri alla cieca di Cayhall aveva colpito il bersaglio. Ecco, li combatti per dieci anni, da un appello all'altro, da un tribunale all'altro, lotti contro le fantasiose menti legali di organizzazioni di ogni genere, presenti tante scartoffie da distruggere una foresta pluviale e proprio quando hai il condannato nel mirino, quello presenta una tonnellata di appelli dell'ultimo momento, e uno viene preso in considerazione da un giudice sentimentale.

Era piombato nell'ufficio di Morris Henry, il Dottor Morte in persona; avevano radunato in gran fretta una squadra dei loro migliori specialisti di diritto penale. Si erano riuniti in una grande biblioteca dove c'erano montagne di testi recentissimi. Avevano riesaminato l'istanza di Cayhall e la legge applicabile, e avevano preparato una strategia. Occorrevano testimoni. Chi aveva visto Cayhall durante l'ultimo mese? Chi poteva testimoniare su ciò che aveva detto e fatto? Non c'era il tempo di farlo esaminare da uno dei loro dottori. Cayhall aveva un dottore, loro no. Era un problema serio. Per metterlo nelle mani di un dottore dall'ottima reputazione, lo stato avrebbe dovuto chiedere tempo. E questo comportava la sospensione dell'esecuzione. Ma di sospensioni non si doveva neppure parlare.

Le guardie lo vedevano tutti i giorni. E poi chi altri? Roxburgh chiamò Lucas Mann, che gli consigliò di parlare con il colonnello Nugent. Nugent disse di aver visto Sam poche ore prima e sì, naturalmente sarebbe stato felice di testimoniare. Quel figlio di puttana non era pazzo. Era solo una carogna. E il sergente Packer lo vedeva tutti i giorni. E la psichiatra del carcere, la dottoressa N. Stegall, aveva parlato con Sam e poteva testimoniare. Nugent era ansioso di rendersi utile. Suggerì anche il cappellano. E gli sarebbero venuti in mente degli altri.

Morris Henry organizzò una squadra d'assalto formata da quattro avvocati con l'incarico di scoprire tutto ciò che poteva gettare fango sul dottor Anson Swinn. Trovate altri casi in cui sia stato coinvolto. Parlate con altri avvocati in tutto il paese. Scovate i verbali delle sue testimonianze. Quell'individuo non era altro che un portavoce prezzolato, un testimone di professione. Bisognava trovare il modo di screditarlo.

Quando Roxburgh ebbe pianificato l'attacco e messo al lavoro i suoi collaboratori, prese l'ascensore e scese nell'atrio per parlare con la stampa.

Adam parcheggiò in uno spazio vuoto accanto al Campidoglio. Goodman lo aspettava all'ombra di un albero, senza giacca, con le maniche rimboccate e la cravatta annodata in modo perfetto. Adam gli presentò Carmen.

«Il governatore vuole vederla alle due. Sono appena stato nel suo ufficio, per la terza volta questa mattina. Andiamo alla nostra sede» disse Goodman indicando il centro della città. «È a un paio di isolati da qui.»

«Ha incontrato Sam?» chiese poi a Carmen.

«Sì. Questa mattina.»

«Sono contento che l'abbia fatto.»

«Cos'ha in mente il governatore?» chiese Adam. Camminavano troppo adagio, secondo lui. Calmati, si disse. Devi calmarti.

«E chi lo sa? Vuole parlarle in privato. Forse la ricerca di mercato sta facendo effetto. Forse medita un colpo grosso con i media. Forse è sincero. Non riesco a capirlo. Comunque, ha l'aria stanca.»

«Le telefonate continuano?»

«Senza sosta.»

«Nessuno ha avuto sospetti?»

«Finora no. Li abbiamo assaliti così in fretta e in modo così massiccio che credo non avranno il tempo di controllare le chiamate.»

Carmen lanciò un'occhiata perplessa al fratello, che era troppo assorto per notarla.

«E le ultime novità da Slattery?» chiese Adam mentre attraversavano una strada e si soffermavano in silenzio per un minuto a osservare la manifestazione in corso sulla gradinata del Campidoglio.

«Non ho saputo più niente dopo le dieci di questa mattina. Il suo cancelliere l'ha cercata a Memphis, e la sua segretaria gli ha dato il mio numero. È così che mi hanno trovato. Mi ha parlato dell'udienza e ha detto che Slattery vuole gli avvocati nel suo studio alle tre, per pianificarla.»

«Cosa significa?» chiese Adam, e desiderò disperatamente sentirsi dire dal suo maestro che erano a un passo da una grande vittoria.

Goodman si accorse della sua ansia. «Per essere sincero, non lo so. È una buona notizia, ma è impossibile capire se è significativa. Le udienze in questa fase non sono eccezionali.»

Attraversarono un'altra strada ed entrarono nell'edificio. Di sopra, l'ufficio provvisorio era in piena animazione. Quattro studenti di legge parlavano in fretta con i telefoni cellulari. Due erano seduti con i piedi sul tavolo. Uno era accanto alla finestra e parlava concitatamente. La quarta camminava avanti e indietro lungo il muro, con il telefono accostato alla testa. Adam si fermò sulla soglia e cercò di assimilare la scena. Carmen non capiva niente.

Goodman spiegò, abbassando la voce: «Facciamo in media sessanta chiamate all'ora. Anzi, ne facciamo di più; ma le linee sono intasate, naturalmente. Siamo noi a intasarle, così impediamo che altri si mettano in contatto. Durante il fine settimana è stato tutto rallentato. Alla Linea Calda c'era un solo centralinista.» Fece il riepilogo come il direttore di una fabbrica che mostra con orgoglio i più moderni macchinari automatici.

«Chi stanno chiamando?» chiese Carmen.

Uno studente di legge si avvicinò e si presentò. Si divertiva un mondo, spiegò.

«Volete mangiare qualcosa?» chiese Goodman. «Abbiamo dei sandwich.» Adam rifiutò.

«Chi stanno chiamando?» ripeté Carmen.

«La Linea Calda del governatore» rispose Adam senza aggiungere spiegazioni. Rimasero in ascolto mentre lo studente più vicino a loro cambiava voce e leggeva un nome su un elenco. Adesso era Benny Chase di Hickory Flat, Mississippi. Aveva votato per il governatore e pensava che non fosse il caso di giustiziare Sam Cayhall. Il governatore doveva intervenire e risolvere la situazione.

Carmen guardò il fratello, ma lui non le badò.

«Sono quattro studenti di legge del Mississippi College» spiegò Goodman. «Ci siamo serviti di una dozzina di studenti a partire da venerdì: età diverse, bianchi e neri, maschi e femmine. Il professor Glass ci è stato molto utile: li ha trovati lui. E ha fatto anche parecchie telefonate, come Hez Kerry e i suoi ragazzi del Defense Group. Eravamo almeno venti a chiamare.»

Accostarono tre sedie all'estremità di un tavolo e sedettero. Goodman trovò alcune bottiglie di analcolici in una borsa frigo e le posò sul tavolo. Poi continuò a parlare a voce bassa. «In questo momento John Bryan Glass sta facendo qualche ricerca. Per le quattro sarà pronta una memoria. Hez Kerry è al lavoro: sta interpellando i suoi colleghi negli altri stati della Fascia della Morte per sapere se di recente sono state usate norme simili.»

«Kerry è il ragazzo nero?» chiese Adam.

«Sì, è il direttore del Southern Capital Defense Group. È molto bravo.»

«Un avvocato nero che si fa un mazzo così per salvare Sam.»

«Per Hez non fa nessuna differenza; è solo un caso di condanna a morte.»

«Mi piacerebbe conoscerlo.»

«Lo conoscerà. Andranno tutti all'udienza.»

«E lavorano gratis?» chiese Carmen.

«Più o meno. Kerry è stipendiato. Parte del suo lavoro consiste nel seguire tutti i casi di condanna a morte in questo stato, ma dato che Sam ha avvocati privati, Kerry non c'entra. Mette a disposizione il suo tempo, ma lo fa volentieri. Il professor Glass è stipendiato dalla facoltà di legge, ma questo non rientra nelle sue funzioni. E noi paghiamo cinque dollari l'ora a questi studenti.»

«Noi chi?» domandò Carmen.

«Il caro, vecchio studio legale Kravitz & Bane.»

Adam prese un elenco telefonico. «Carmen deve trovare un volo in partenza da qui nel pomeriggio» disse sfogliando le pagine gialle.

«Ci penso io» disse Goodman, e prese l'elenco. «Per dove?»

«San Francisco.»

«Vedo io cosa si può fare. Sentite, c'è un piccolo delicatessen girato l'angolo. Perché non andate a mangiare qualcosa? Alle due andremo all'ufficio del governatore.»

«Devo andare in una biblioteca» disse Adam guardando l'orologio. Era quasi l'una.

«Vada a mangiare, Adam. E cerchi di rilassarsi. Avremo

tempo più tardi per discutere la strategia con il pool di cervelli. In questo momento ha bisogno di rilassarsi e mangiare.»

«Ho fame» si intromise Carmen, che voleva restare sola con il fratello per qualche minuto. Uscirono dall'ufficio e chiusero la porta.

Carmen si fermò nel corridoio squallido prima che arrivassero alla scala. «Per favore, spiegami» insistette prendendo il braccio di Adam.

«Cosa?»

«Quell'ufficetto.»

«È evidente, no?»

«Ma è legale?»

«Non è illegale.»

«Ed è corretto?»

Adam respirò a fondo e fissò il muro. «Cosa intendono fare a Sam?»

«Giustiziarlo.»

«Giustiziarlo, gassarlo, eliminarlo, ucciderlo. Comunque lo chiami, è omicidio, Carmen. Un omicidio legale. È ingiusto, e sto cercando di impedirlo. È una faccenda sporca, e se devo piegare un po' l'etica e la correttezza, non me ne importa niente.»

«Fa schifo.»

«Fa schifo anche la camera a gas.»

Carmen scosse la testa e non disse nulla. Ventiquattr'ore prima aveva pranzato con il suo ragazzo in un ristorante all'aperto a San Francisco. Adesso non sapeva più neppure dove si trovava.

«Non rimproverarmi quel che faccio, Carmen. Sono ore disperate.»

«D'accordo» disse lei, e cominciò a scendere la scala.

Il governatore e il giovane avvocato erano soli nel grande ufficio, seduti nelle comode poltrone di pelle, con le gambe accavallate e i piedi che quasi si toccavano. Goodman stava accompagnando Carmen all'aeroporto a prendere il volo per Dallas. Mona Stark non era presente.

«È strano, sa? Lei è il nipote, e lo conosce da meno di un mese.» McAllister aveva un tono calmo, quasi stanco. «Ma io lo conosco da molti anni. Anzi, per parecchio tempo ha fatto parte della mia vita. E avevo sempre pensato che avrei atteso questo giorno con impazienza. Volevo che morisse, che fosse punito per l'uccisione di quei bambini.» Si massaggiò gli occhi. Le sue parole erano sincere, sembravano due vecchi amici che si scambiano opinioni. «Ma adesso sono meno sicuro. Devo ammettere, Adam, che risento della pressione.»

I casi erano due: o era di una sincerità brutale, o era un abile attore. Adam non riusciva a capirlo. «Cosa dimostrerà lo stato con la morte di Sam?» chiese. «Questo sarà un posto migliore quando il sole si alzerà mercoledì mattina e Sam sarà morto?»

«No. Ma del resto, lei non è un sostenitore della pena di morte e io sì.»

«Perché?»

«Perché dev'esserci una punizione suprema per l'omicidio. Si metta nei panni di Ruth Kramer, e cambierà idea. Il problema suo e di quelli come lei, Adam, è che dimenticate le vittime.»

«Potremmo discutere per ore sulla pena di morte.»

«Ha ragione. Lasciamo stare. Sam ha detto qualcosa di nuovo sull'attentato?»

«Non posso divulgare ciò che mi ha detto Sam. Ma la risposta è no.»

«Forse agì da solo. Non lo so.»

«Che differenza farebbe oggi, alla vigilia dell'esecuzione?»

«Per essere sincero, non sono sicuro. Ma se sapessi che Sam era soltanto un complice e che il responsabile di quelle morti fu un altro, non potrei permettere che venisse giustiziato. Potrei fermare tutto, vede. Potrei farlo. Mi attaccherebbero, e politicamente ne risentirei. Il danno potrebbe essere irreparabile, ma non m'importerebbe. Comincio a essere stanco della politica. E non mi va di essere colui che può dare o togliere la vita. Ma potrei graziare Sam, se conoscessi la verità.»

«Lei è convinto che avesse un complice. Me l'ha già detto. Ne è convinto anche l'agente dell'Fbi che diresse le indagini. Perché non agisce in base a questo e non si mostra clemente?»

«Perché non siamo certi.»

«Quindi una parola di Sam, un nome buttato là nelle ultime ore, basterebbe per indurla a prendere la penna e a salvargli la vita?»

«No. Ma potrei concedere un rinvio in modo che fosse possibile indagare su quel nome.»

«Niente da fare, governatore. Ho tentato. Gliel'ho chiesto spesso e lui ha sempre negato, tanto che non ne parliamo neppure più.»

«Chi sta cercando di proteggere?»

«Non ne ho la più pallida idea.»

«Forse abbiamo torto. Le ha mai fornito i particolari dell'attentato?»

«Anche in questo caso non posso riferire ciò che mi ha detto. Ma se ne assume la piena responsabilità.»

«Allora perché dovrei prendere in considerazione la grazia? Se il criminale afferma di aver commesso il reato e di aver agito da solo, come posso aiutarlo?»

«Lo aiuti perché è un vecchio che morirà comunque presto. Lo aiuti perché è giusto farlo, e perché in fondo è ciò che lei vuol fare. Ci vorrà molto coraggio.»

«Sam mi odia, vero?»

«Sì. Ma potrebbe cambiare idea. Gli conceda la grazia e diventerà il suo sostenitore più ardente.»

McAllister sorrise mentre toglieva l'incarto a una mentina. «È veramente pazzo?»

«Secondo il nostro esperto, sì. Faremo il possibile per convincere il giudice Slattery.»

«Lo so, ma è proprio vero? Ha passato molte ore con lui. Si rende conto di quello che sta succedendo?»

Adam decise che non era il caso di essere sincero. McAllister non era un amico: non poteva fidarsi. «È molto depresso» ammise. «Francamente, mi sorprende che qualcuno possa conservare la sanità mentale dopo qualche mese nel braccio della morte. Era già vecchio quando è arrivato lì e si è consumato lentamente. Questa è una delle ragioni per cui ha rifiutato tutte le interviste. È in uno stato pietoso.»

Non sapeva se il governatore ci credeva, ascoltava con attenzione.

«Cosa conta di fare domani?» chiese McAllister.

«Non ne ho idea. Dipende da quello che succederà nell'udienza con Slattery. Avevo deciso di passare quasi tutta la giornata con Sam, ma può darsi che invece debba correre a presentare appelli dell'ultimo momento.»

«Le ho dato il mio numero privato. Domani teniamoci in contatto.»

Sam mandò giù tre bocconi di fagioli e di pane di mais, poi posò il vassoio ai piedi del letto. La stessa guardia idiota dalla faccia inespressiva lo sorvegliava attraverso le sbarre della porta del raggio. Vivere in quelle celle piccolissime era già tremendo, ma essere tenuto continuamente d'occhio come un animale era insopportabile.

Erano le sei, l'ora del notiziario della sera. Era impaziente di scoprire cosa diceva di lui il mondo. La stazione di Jackson esordì con il servizio sull'udienza davanti al giudice federale Flynn Slattery. L'inquadratura mostrò l'esterno della corte federale, a Jackson, dove un giovane dall'aria affannata armato di microfono spiegava che l'udienza era stata posticipata mentre gli avvocati discutevano nell'ufficio di Slattery. Il giornalista faceva del suo meglio per spiegare concisamente il problema. Adesso la difesa sosteneva che il signor Cayhall era privo della necessaria capacità di intendere perché lo giustiziavano. Era senile e infermo di mente, affermava la difesa, che avrebbe chiamato a testimoniare un noto psichiatra nel tentativo di impedire l'esecuzione. L'udienza poteva iniziare da un momento all'altro, e nessuno sapeva quando il giudice Slattery avrebbe preso una decisione. Poi fu inquadrata di nuovo la giornalista in studio: disse che nel frattempo nel penitenziario statale di Parchman tutto era stato preparato per l'esecuzione. Un altro giovane con microfono apparve all'improvviso sullo schermo. Era vicino all'ingresso del carcere e descriveva l'intensificarsi delle misure di sicurezza. Indicò sulla destra, e l'obiettivo inquadrò la zona presso la highway dove sembrava che si fosse insediato un lunapark. La pattuglia della polizia dello stato dirigeva il traffico e teneva d'occhio svariate dozzine di esponenti del Ku Klux Klan. Altri contestatori includevano vari gruppi di sostenitori della supremazia bianca e i soliti abolizionisti della pena capitale, spiegò.

La telecamera inquadrò di nuovo l'inviato sul posto: adesso aveva a fianco il colonnello George Nugent, sovrintendente temporaneo di Parchman e direttore dell'esecuzione. Nugent rispose a qualche domanda, disse che la situazione era sotto controllo; se le corti avessero dato il via, l'esecuzione sarebbe avvenuta secondo la legge.

Sam spense il televisore. Adam aveva telefonato due ore prima per dirgli dell'udienza, e quindi era preparato a sentire che era rimbecillito e malato di mente e chissà che altro. Tuttavia non gli piaceva. Era già abbastanza orribile aspettare di essere giustiziato, ma sentir denigrare con tanta disinvoltura la propria sanità mentale sembrava una crudele invasione della sua intimità.

Nel raggio regnavano il caldo e il silenzio. I televisori e le radio erano al minimo. Nella cella accanto, il Predicatore cantava "The Old Rugged Cross" con voce non sgradevole.

Sul pavimento, contro il muro, erano ammucchiati i suoi indumenti nuovi: una camicia di cotone bianco, pantaloni, calzini bianchi, una lucida cintura di pelle e un paio di mocassini marrone. Donnie aveva passato un'ora con lui, quel pomeriggio.

Spense la luce e si assestò sul letto. Aveva ancora trenta ore di vita.

L'aula principale del palazzo federale era stipata quando Slattery fece finalmente uscire gli avvocati dal suo ufficio per la terza volta. Era l'ultima di una serie di riunioni surriscaldate che si erano protratte per gran parte del pomeriggio. Ormai erano quasi le sette.

Entrarono in aula e occuparono i rispettivi posti. Adam era a fianco di Garner Goodman. Dietro di loro erano seduti Hez Kerry e John Bryan Glass con tre dei suoi studenti di legge. Roxburgh, Morris Henry e mezza dozzina di assistenti erano affollati intorno al tavolo dello stato. Due file più indietro, oltre la transenna, c'era il governatore con Mona Stark da una parte e Larramore dall'altra.

Gli altri presenti erano quasi tutti giornalisti: le telecamere non erano state ammesse. E c'erano anche curiosi, studenti di legge, altri avvocati. L'udienza era aperta al pubblico. Nell'ultima fila, in giacca sportiva e cravatta, c'era Rollie Wedge.

Slattery entrò e tutti si alzarono per un momento. «Sedete» disse al microfono. «Metta a verbale» disse allo stenografo.

Fece un riassunto del ricorso e della legge applicabile e delineò i parametri dell'udienza. Non era dell'umore più adatto per ascoltare argomentazioni prolisse e domande inutili; quindi, disse agli avvocati, non perdiamo tempo.

«Il ricorrente è pronto?» chiese rivolgendosi ad Adam, che si alzò, innervosito, e rispose: «Sì, signore. Il ricorrente chiama il dottor Anson Swinn».

Swinn, che era seduto in prima fila, si alzò, andò al banco dei testimoni e prestò giuramento. Adam raggiunse il podio al centro dell'aula, portando con sé gli appunti e cercando di farsi forza. Gli appunti, battuti a macchina e molto meticolosi, erano il risultato di una superba ricerca di Hez Kerry e di John Bryan Glass. I due, assieme al gruppo di Kerry, avevano dedicato l'intera giornata a Sam Cayhall e all'udienza. Ed erano pronti a lavorare tutta la notte e il giorno successivo.

Adam esordì rivolgendo a Swinn alcune domande fondamentali sui suoi studi e la sua preparazione. Swinn rispose con l'accento asciutto dell'alto Midwest; e questo andava bene. Gli esperti dovevano parlare in modo diverso e spostarsi su lunghe distanze per essere tenuti nella massima stima. Con i capelli neri, la barba nera, gli occhiali neri, e l'abito nero, dava l'impressione di un vero maestro nel suo campo. Le domande preliminari furono brevi e pertinenti, ma solo perché Slattery aveva già esaminato le qualifiche di Swinn e deciso che poteva testimoniare quale esperto. Lo stato poteva attaccare le sue credenziali nel controinterrogatorio, ma la testimonianza sarebbe finita a verbale.

Pilotato da Adam, Swinn parlò delle due ore che aveva trascorso con Sam Cayhall il martedì precedente. Ne descrisse le condizioni fisiche, e lo fece con tanto impegno da dare l'impressione che Sam fosse un cadavere ambulante. Con ogni probabilità era pazzo, anche se pazzia era un termine legale ma non clinico. Cos'ha mangiato a colazione? Chi c'è nella cella accanto alla sua? Quando morì sua moglie? Chi fu il suo avvocato durante il primo processo? E così via.

Swinn si coprì prudentemente le spalle ripetendo alla corte che due ore non erano sufficienti per fare un'analisi approfondita del signor Cayhall. Sarebbe stato necessario più tempo.

Secondo la sua opinione, Sam Cayhall non si rendeva conto

del fatto che stava per morire, non capiva perché lo avrebbero giustiziato, e soprattutto non comprendeva che veniva punito per un crimine. A volte Adam dovette stringere i denti per non rabbrividire, ma Swinn era convincente. Il signor Cayhall era completamente calmo e sereno, non aveva un'idea del suo destino e consumava i suoi giorni in una cella di due metri per tre. Era molto doloroso. Uno dei casi peggiori che gli fossero capitati.

In circostanze diverse, Adam sarebbe inorridito all'idea di chiamare un testimone così inattendibile. Ma in quel momento era orgoglioso di quell'ometto bizzarro. Era in gioco la vita di un essere umano.

Slattery non aveva intenzione di tagliar corto la testimonianza del dottor Swinn. Il caso sarebbe stato riesaminato immediatamente dal Quinto Distretto e forse dalla Corte Suprema degli Stati Uniti; e non voleva che qualcuno più in alto di lui trovasse da ridire sul suo operato. Goodman l'aveva sospettato, e aveva raccomandato a Swinn di divagare. Perciò, con l'indulgenza della corte, lo psichiatra si avventurò a descrivere le probabili cause del problema di Sam. Descrisse gli orrori di una vita vissuta in una cella per ventitré ore su ventiquattro, della consapevolezza che la camera a gas era poche porte più avanti, del fatto di vedersi negare compagnia, vitto decente, sesso, esercizio fisico e aria pura. Aveva lavorato con molti detenuti nel braccio della morte in tutto il paese, e conosceva bene i loro problemi. Sam, naturalmente, era diverso a causa dell'età. In media un detenuto nel braccio della morte ha trentun anni e passa quattro anni nell'attesa di morire. Sam aveva sessant'anni quando era arrivato a Parchman. Fisicamente e mentalmente non si era adattato. Era inevitabile che peggiorasse.

Swinn rispose alle domande di Adam per tre quarti d'ora. Quando Adam ebbe finito di interrogarlo, sedette. Steve Roxburgh prese il suo posto sul podio e fissò Swinn.

Swinn sapeva cosa stava per accadere, e non era per nulla preoccupato. Roxburgh incominciò chiedendogli chi pagava la sua perizia, e quanto si faceva pagare. Swinn disse che lo studio Kravitz & Bane lo pagava duecento dollari l'ora. Non aveva importanza: non c'era giuria. Slattery sapeva che tutti gli esperti venivano pagati, altrimenti non potevano testimoniare. Roxburgh cercò di attaccare le qualifiche professionali di Swinn, ma non approdò a nulla. Era uno psichiatra colto, ben preparato ed esperto. Cosa contava se anni prima aveva deciso che avrebbe guadagnato di più svolgendo perizie? Le sue qualifiche non risultavano sminuite. E Roxburgh non poteva pretendere di discutere di medicina con un dottore.

Le domande diventarono ancora più discutibili quando Roxburgh cominciò a chiedere di altre cause in cui Swinn aveva testimoniato. C'era stato il caso di un ragazzo che era bruciato in un incidente stradale nell'Ohio, e Swinn aveva espresso l'opinione che fosse del tutto incapace mentalmente. Non era certo un'opinione estremista.

«Dove vuole arrivare?» intervenne Slattery a gran voce.

Roxburgh diede un'occhiata agli appunti, poi rispose: «Vostro onore, sto cercando di screditare il testimone».

«Lo so. Ma è inutile, signor Roxburgh. Questa corte sa che il dottor Swinn ha testimoniato in molti processi in varie parti del paese. Cosa intende dimostrare?»

«Cerco di dimostrare che è disposto a esprimere opinioni piuttosto assurde, se lo pagano bene.»

«Gli avvocati fanno la stessa cosa tutti i giorni, signor Roxburgh.»

Ci fu qualche risatina fra il pubblico, ma molto discreta.

«Silenzio in aula!» scattò Slattery. «Ora prosegua.»

A questo punto Roxburgh avrebbe dovuto sedersi, ma il momento era troppo allettante. Passò a un altro campo minato e cominciò a fare a Swinn domande sul suo incontro con Sam. Non approdò a nulla. Swinn oppose a ogni domanda una risposta tranquilla che serviva a rafforzare la sua testimonianza sull'esame diretto. Ripeté gran parte della dolorosa descrizione di Sam Cayhall. Roxburgh non mise a segno neppure un colpo e alla fine, deluso, tornò a sedersi. Swinn fu congedato.

Il secondo e ultimo testimone per il ricorrente fu una sorpresa, anche se Slattery aveva già approvato la sua ammissione. Adam chiamò E. Garner Goodman.

Goodman giurò e sedette. Adam gli chiese di parlare dell'assistenza data dal suo studio a Sam Cayhall, e Goodman ne fece un rapido riassunto perché venisse messo a verbale.

Slattery sapeva già quasi tutto. Goodman sorrise ripensando all'impegno con cui Sam aveva cercato di togliere la procura a Kravitz & Bane.

«Lo studio legale Kravitz & Bane rappresenta in questo momento il signor Cayhall?» chiese Adam.

«Sì.»

«E in questo momento lei è a Jackson per lavorare su questo caso?»

«Esatto.»

«Secondo la sua opinione, signor Goodman, Sam Cayhall ha detto tutto ai suoi avvocati a proposito dell'attentato contro Kramer?»

«No, non credo.»

Rollie Wedge si raddrizzò leggermente sulla sedia e ascoltò con la massima attenzione.

«Le dispiacerebbe spiegarsi?»

«Certamente. Ci sono sempre stati indizi consistenti che un'altra persona fosse con Sam Cayhall durante l'attentato contro lo studio di Kramer e durante gli attentati che l'avevano preceduto. Il signor Cayhall ha sempre rifiutato di parlarne con me, che sono il suo avvocato, e perfino ora non vuol collaborare con i suoi legali. Ovviamente, a questo punto è fondamentale che riveli tutto a noi. Ma non può farlo. Ci sono fatti che dovremmo conoscere, ma si rifiuta di comunicarceli.»

Wedge era innervosito e sollevato al tempo stesso. Sam resisteva, ma i suoi avvocati tentavano di tutto.

Adam fece qualche altra domanda e sedette. Roxburgh ne fece una sola: «Quando ha parlato per l'ultima volta con il signor Cayhall?».

Goodman esitò e rifletté sulla risposta. Non ricordava con precisione quando fosse avvenuto. «Non ne sono sicuro. Mi pare due o tre anni fa.»

«Due o tre anni fa? Ed è il suo avvocato?»

«Sono uno dei suoi avvocati. Ora l'avvocato principale in questa causa è il signor Hall, che ha passato innumerevoli ore in compagnia del cliente durante l'ultimo mese.»

Roxburgh sedette e Goodman tornò al suo tavolo.

«Non abbiamo altri testimoni, vostro onore» dichiarò Adam.

«Chiami il suo primo testimone, signor Roxburgh» ordinò Slattery.

«Lo stato chiama il colonnello George Nugent» annunciò Roxburgh. Nugent fu rintracciato nel corridoio e accompagnato al banco dei testimoni. La camicia e i pantaloni oliva non avevano grinze, gli stivali brillavano. Disse chi era e quali erano le sue funzioni. «Ero a Parchman un'ora fa» disse consultando l'orologio. «Sono appena arrivato con l'elicottero di servizio.»

«Quando ha visto l'ultima volta Sam Cayhall?» chiese Roxburgh.

«È stato trasferito nella Cella d'Osservazione stamattina alle nove, e in tale occasione ho parlato con lui.»

«Era mentalmente vigile, oppure sbavava in un angolo come un idiota?»

Adam stava per alzarsi e fare obiezione, ma Goodman gli trattenne il braccio.

«Era molto vigile» rispose Nugent. «Perfettamente lucido. Mi ha chiesto perché lo trasferivamo da una cella a un'altra. Capiva ciò che stava accadendo. Non gli piaceva, ma d'altra parte non c'è niente che piaccia a Sam, in questi giorni.»

«L'ha visto ieri?»

«Sì.»

«Era in grado di parlare, oppure era sprofondato in uno stato vegetativo?»

«Oh, era molto loquace.»

«Di cosa avete parlato?»

«Avevo un elenco delle cose che dovevo discutere con lui. Era molto ostile, e ha perfino minacciato di aggredirmi. È molto insultante e ha la lingua tagliente. Si è calmato un po' e abbiamo parlato dell'ultimo pasto, dei suoi testimoni, di quel che si dovrà fare dei suoi effetti personali. Cose del genere. Abbiamo parlato dell'esecuzione.»

«È consapevole che sta per essere giustiziato?»

Nugent scoppiò a ridere. «Che razza di domanda è?»

«Risponda» ingiunse Slattery senza sorridere.

«Certo che lo sa. Sa benissimo cosa succede. Non è pazzo. Mi ha detto che l'esecuzione non avverrà perché i suoi avvocati stanno per intervenire con l'artiglieria pesante. Ha detto proprio così. Hanno pianificato tutto.» Nugent agitò le mani per indicare l'intera aula.

Roxburgh gli chiese dei precedenti incontri con Sam, e Nugent non lesinò i dettagli. Sembrava ricordare ogni parola pronunciata da Sam nelle ultime settimane, soprattutto il sarcasmo pungente e i commenti sarcastici.

Adam sapeva che era tutto vero. Si consultò con Garner Goodman, e decisero di rinunciare al controinterrogatorio. Avrebbero avuto ben poco da guadagnare.

Nugent si avviò a passo di marcia lungo la corsia e uscì dall'aula. Aveva una missione da svolgere. A Parchman c'era bisogno di lui.

Il secondo testimone dell'accusa era la dottoressa N. Stegall, psichiatra del Dipartimento Istituti di Pena. Raggiunse il banco dei testimoni mentre Roxburgh conferiva con Morris Henry.

«Dica il suo nome» chiese Slattery.

«Dottoressa N. Stegall.»

«Ann?» chiese il giudice.

«No. N. È un'iniziale.»

Slattery la guardò, poi guardò Roxburgh che alzò le spalle come se non sapesse cosa dire.

Il giudice si spostò verso il bordo del banco e guardò in giù verso il banco dei testimoni. «Senta, dottoressa, non ho chiesto la sua iniziale. Ho chiesto il suo nome. Lo dica perché venga messo a verbale, e si sbrighi.»

La dottoressa Stegall distolse gli occhi, si schiarì la gola e disse controvoglia: «Neldeen».

Non mi meraviglia che cerchi di nasconderlo, ma perché non l'ha cambiato? si chiese Adam.

Roxburgh approfittò del momento e le rivolse una serie di domande sulle sue qualifiche e sulla sua preparazione. Slattery l'aveva già ammessa a testimoniare.

«Ora, dottoressa Stegall» disse Roxburgh, cercando di evitare ogni riferimento a Neldeen. «Quando ha conosciuto Sam Cayhall?»

La psichiatra consultò un foglio. «Giovedì 26 luglio.»

«Qual è stato lo scopo della visita?»

«Come parte del mio lavoro, visito abitualmente i detenuti

del braccio della morte, soprattutto quelli che stanno per essere giustiziati. Fornisco consigli e medicinali, se lo chiedono.»

«Descriva le condizioni mentali del signor Cayhall.»

«Era estremamente lucido, vivace, con la lingua tagliente al punto da essere scortese. Anzi, con me è stato molto maleducato e mi ha invitata a non tornare.»

«Ha parlato dell'esecuzione?»

«Sì. Sapeva che gli restavano tredici giorni e mi ha accusata di volergli somministrare droghe in modo che non facesse storie al momento opportuno. Inoltre ha espresso preoccupazioni per un altro detenuto nel braccio della morte, Randy Dupree, che secondo lui sta peggiorando dal punto di vista mentale. Era molto preoccupato per il signor Dupree e mi ha rimproverata per non averlo esaminato.»

«Secondo lei, soffre di una qualsiasi riduzione delle facoltà mentali?»

«No, affatto. Ha la mente molto lucida.»

«Non ho altre domande» disse Roxburgh, e sedette.

Adam si avvicinò al podio a passo deciso. «Ci dica, dottoressa Stegall, come sta Randy Dupree?» chiese a voce alta.

«Io... uhm... non ho avuto ancora occasione di vederlo.»

«Sam gliene ha parlato tredici giorni fa, ma non si è presa il disturbo di incontrarsi con lui.»

«Ho avuto molto da fare.»

«Da quanto tempo svolge il suo attuale lavoro?»

«Da quattro anni.»

«E in quattro anni, quante volte ha parlato con Sam Cayhall?»

«Una.»

«Non si prodiga molto per i detenuti nel braccio della morte, vero, dottoressa Stegall?»

«Certo che me ne occupo.»

«Quanti uomini ci sono nel braccio della morte in questo momento?»

«Ecco, uhm... non sono sicura. Una quarantina, mi pare.»

«Con quanti di loro ha parlato? Ci dica qualche nome.»

Era impossibile capire se fosse per la paura, la rabbia o l'ignoranza, ma Neldeen restò agghiacciata. Fece una smorfia e inclinò la testa da una parte, cercando di strappare un nome all'aria ma senza riuscirci. Adam la lasciò in sospeso per un momento, poi disse: «Grazie, dottoressa Stegall». Si voltò e tornò a sedersi.

«Chiami il suo prossimo testimone» ordinò Slattery.

«Lo stato chiama il sergente Clyde Packer.»

Packer fu rintracciato in corridoio e condotto davanti al giudice. Era in uniforme, ma senza la pistola. Giurò di dire la verità e sedette al banco dei testimoni.

Adam non fu sorpreso dalla testimonianza di Packer. Era un uomo onesto e raccontava ciò che sapeva. Conosceva Sam da nove anni, e non era cambiato dal giorno del suo arrivo. Batteva a macchina tutto il giorno lettere e documenti legali, leggeva molti libri, soprattutto testi giuridici. Batteva a macchina i ricorsi per i suoi compagni del Braccio, e lettere per le mogli e le amiche di alcuni che non sapevano esprimersi bene. Fumava con accanimento perché voleva uccidersi prima che lo uccidesse lo stato. Prestava denaro agli amici. Secondo l'umile opinione di Packer, Sam era sano di mente come nove anni prima. Ed era molto intelligente.

Slattery si sporse leggermente quando Packer descrisse le partite a dama quotidiane di Sam contro Henshaw e Gullitt.

«E vince?» chiese, interrompendolo.

«Quasi sempre.»

Forse la svolta dell'udienza giunse quando Packer riferì che Sam aveva chiesto di veder sorgere il sole prima di morire. Era successo verso la fine della settimana precedente mentre Packer faceva il giro di ronda, una mattina. Sam aveva espresso la sua richiesta. Sapeva che stava per morire, aveva detto che era pronto e che una mattina gli sarebbe piaciuto uscire presto nel recinto all'estremità est per veder sorgere il sole. Così Packer aveva provveduto e il sabato precedente Sam aveva passato un'ora a bere il caffè in attesa dell'aurora. Poi si era mostrato molto riconoscente.

Adam non aveva domande da rivolgere a Packer, che fu congedato e lasciò l'aula.

Roxburgh annunciò che il prossimo testimone era Ralph Griffin, il cappellano del carcere. Griffin fu condotto al banco e si guardò intorno, a disagio. Dichiarò il suo nome e la sua occupazione e lanciò a Roxburgh un'occhiata diffidente.

«Conosce Sam Cayhall?» gli chiese Roxburgh.

«Sì.»

«Ha parlato con lui di recente?»

«Sì.»

«Quando l'ha visto l'ultima volta?»

«Ieri. Domenica.»

«Come descriverebbe il suo stato mentale?»

«Non posso descriverlo.»

«Prego?»

«Ho detto che non posso descrivere le sue condizioni mentali.»

«Perché?»

«Perché sono il suo consigliere spirituale e qualunque cosa dica o faccia in mia presenza è rigorosamente confidenziale. Non posso testimoniare contro il signor Cayhall.»

Roxburgh esitò per un momento e cercò di decidere cosa fare. Era evidente che lui e i suoi dotti subordinati non avevano pensato a quell'eventualità. Forse avevano presunto che, siccome lavorava per lo stato, il cappellano avrebbe cooperato con loro. Griffin rimase ad attendere un attacco di Roxburgh.

Slattery risolse in fretta la questione. «È giusto, signor Roxburgh. Questo testimone non doveva essere chiamato. Chi c'è adesso?»

«Non ci sono altri testimoni» rispose il procuratore generale, impaziente di tornare al suo posto.

Il giudice prese appunti per qualche minuto, poi girò lo sguardo sull'aula affollata. «Prenderò in considerazione la cosa ed esprimerò un parere, probabilmente domattina presto. Non appena la mia decisione sarà pronta, la notificheremo agli avvocati. Non è necessario che restiate qui ad attendere. Vi chiameremo noi. La corte si aggiorna.»

Tutti si alzarono e si precipitarono verso l'uscita. Adam raggiunse il reverendo Ralph Griffin e lo ringraziò, poi tornò al tavolo dove attendevano Goodman, Hez Kerry, il professor Glass e gli studenti. Si consultarono bisbigliando finché la folla non si fu dispersa, poi uscirono. Qualcuno propose di andare a bere e a mangiare qualcosa. Erano quasi le nove.

I giornalisti stavano in agguato davanti alla porta dell'aula. Adam lanciò qualche educato «No comment» e continuò a camminare. Rollie Wedge si accodò ad Adam e Goodman mentre avanzavano lentamente nel corridoio affollato. E sparì quando lasciarono il palazzo.

Fuori c'erano due troupe televisive. Sulla scalinata, Roxburgh stava rilasciando una dichiarazione a una piccola folla di giornalisti, e poco lontano il governatore teneva corte. Mentre Adam gli passava accanto, sentì McAllister dichiarare che stava considerando la possibilità di concedere la grazia, e precisare che sarebbe stata una notte molto lunga. L'indomani sarebbe stato anche peggio. Avrebbe assistito all'esecuzione? chiese qualcuno. Adam non udì la risposta.

Si ritrovarono da Hal and Mal's, un ristorante-bar del centro, molto frequentato. Hez scovò un grande tavolo in un angolo vicino all'ingresso e ordinò birra per tutti. In fondo alla sala un'orchestrina suonava blues. I tavoli e il bar erano affollati.

Adam sedette accanto a Hez e si rilassò per la prima volta dopo molte ore. La birra andava giù facilmente e lo calmava. Ordinarono fagioli rossi con salsicce e riso e parlarono dell'udienza. Hez disse che Adam si era comportato benissimo, e gli studenti gli fecero molti complimenti. C'era un clima di ottimismo. Adam ringraziò tutti per l'aiuto. All'estremità opposta del tavolo, Goodman e Glass erano assorti in una discussione su un altro caso di pena capitale. Il tempo passava lentamente. Adam mangiò con appetito non appena la cena fu servita.

«Forse non è il momento più adatto per parlarne» disse Hez abbassando la voce. Voleva che lo sentisse solo Adam. L'orchestrina aveva alzato il volume.

«Immagino che torni a Chicago quando sarà finita» disse, e guardò Goodman per assicurarsi che fosse ancora impegnato con Glass.

«Credo di sì» rispose Adam, senza troppa convinzione. Non aveva avuto tempo di pensare a dopodomani.

«Ecco, tanto perché lo sappia, c'è un posto libero nel nostro ufficio. Uno dei miei collaboratori sta per passare all'esercizio privato della professione, e cerchiamo un avvocato nuovo. Ci occupiamo solo di condanne a morte, come sa.»

«Ha ragione» commentò sottovoce Adam. «È il momento meno opportuno per discuterne.»

«È un lavoro difficile, ma dà soddisfazioni. È anche angoscioso. E necessario.» Hez masticò un pezzetto di salsiccia e bevve un sorso di birra. «Si guadagna pochissimo, in confronto a quello che guadagna adesso da Kravitz & Bane. Il bilancio è limitato, gli orari sono impossibili, e abbiamo molti clienti.»

«Quanto?»

«Potrei assumerla per trentamila dollari.»

«Adesso ne guadagno sessantadue. Con un aumento in vista.»

«Lo so, ci sono passato. Guadagnavo settantamila dollari l'anno in un grosso studio legale di Washington quando ho mollato tutto per venire qui. Ero sulla strada giusta per diventare socio, ma non mi è dispiaciuto andarmene. Il denaro non è tutto.»

«Le piace questo lavoro?»

«Ci si affeziona. Bisogna avere forti convinzioni morali per combattere così il sistema. Ci pensi.»

Goodman, adesso, li stava guardando. «Stasera andrà a Parchman?» chiese a voce alta.

Adam stava finendo la seconda birra. Ne voleva una terza, ma non di più. Lo sfinimento lo stava rapidamente sopraffacendo. «No. Aspetterò di sapere qualcosa domattina.»

Mangiarono, bevvero e ascoltarono Goodman e Glass e Kerry che raccontavano altre esecuzioni. La birra scorreva e l'atmosfera andava dall'ottimismo alla certezza.

Sam era sdraiato al buio e attendeva la mezzanotte. Aveva visto l'ultimo telegiornale e saputo che l'udienza era terminata, e che l'orologio continuava ad avanzare. Non c'era stata una sospensione. La sua vita era nelle mani di un giudice federale.

Un minuto dopo mezzanotte chiuse gli occhi e recitò una preghiera. Chiese a Dio di aiutare Lee, proteggere Carmen, e dare a Sam la forza di sopportare l'inevitabile.

Gli restavano ventiquattr'ore di vita. Incrociò le mani sul petto e si addormentò.

47

Nugent attese fino alle sette e mezzo in punto per chiudere la porta e aprire la riunione. Passò in rassegna le sue truppe. «Sono appena stato all'Msu» disse cupo. «Il detenuto è sveglio e vigile, e non è affatto lo zombi bavoso di cui parla il giornale questa mattina.» Si interruppe, e sorrise in attesa che tutti ammirassero la sua battuta di spirito, ma passò inosservata.

«Ha già fatto colazione e protesta perché vuole la sua ora d'aria. Così c'è almeno qualcosa di normale. Non abbiamo ricevuto notizie dalla corte federale di Jackson, quindi si procede secondo il programma a meno di un contrordine. Giusto, signor Mann?»

Lucas era seduto al tavolo. Leggeva il giornale e cercava di ignorare il colonnello. «Giusto.»

«Ci sono due motivi di preoccupazione. Il primo è la stampa. Ho incaricato il sergente Moreland di occuparsi di quei bastardi. Li trasferiremo al Centro Visitatori accanto all'ingresso e cercheremo di tenerli bloccati. Li circonderemo di guardie e vedremo se avranno il coraggio di andare in giro. Nel pomeriggio alle quattro farò l'estrazione a sorte per vedere quali giornalisti assisteranno all'esecuzione. Ieri c'erano più di cento richieste. I posti disponibili sono cinque.

«Il secondo problema è quello che sta succedendo fuori dal cancello. Il governatore ha promesso di assegnarci tre dozzine di poliziotti dello stato per oggi e domani, e arriveranno fra poco. Dobbiamo tenere le distanze da quei pazzi, soprattutto gli skinhead, quei grandissimi figli di puttana; ma nello stesso tempo dobbiamo mantenere l'ordine. Ieri ci sono stati due scontri, e la situazione sarebbe precipitata in fretta se non fossimo stati attenti. Se l'esecuzione avverrà, potranno esserci momenti di tensione. Qualche domanda?»

Nessuna.

«Bene. Mi aspetto che tutti agiscano professionalmente, oggi, e si comportino in modo responsabile. Potete andare.» Nugent salutò militarmente e li guardò uscire.

Sam era seduto a cavalcioni sulla panca con la scacchiera davanti e mentre beveva quel che restava del caffè attendeva con pazienza che J.B. Gullitt entrasse nel recinto.

Gullitt varcò la porta e si fermò mentre gli toglievano le manette. Si massaggiò i polsi, si riparò gli occhi dal sole e guardò l'amico che sedeva tutto solo. Raggiunse la panca e sedette dall'altra parte della scacchiera.

Sam non alzò gli occhi.

«Buone notizie?» chiese nervosamente Gullitt. «Dimmi che non succederà.»

«Muovi» ordinò Sam guardando le pedine.

«Non può succedere, Sam» insistette Gullitt in tono implorante.

«Tocca a te iniziare. Muovi.»

Gullitt abbassò gli occhi sulla scacchiera.

L'ipotesi prevalente quel mattino era che più Slattery tardava a emettere un parere, più era probabile che accordasse una sospensione. Ma erano le convinzioni tradizionali di coloro che speravano in un rinvio. Slattery non fece sapere nulla alle nove, e neppure alle nove e mezzo.

Adam attendeva nell'ufficio di Hez Kerry, che era diventato il suo centro operativo nelle ultime ventiquattr'ore. Goodman era dall'altra parte della città e dirigeva l'implacabile assedio alla Linea Calda del governatore, un compito che sembrava dargli grande soddisfazione. John Bryan Glass si era insediato davanti all'ufficio di Slattery.

Se Slattery avesse negato la sospensione, si sarebbero appellati immediatamente al Quinto Distretto. L'appello fu completato alle nove, per ogni eventualità. Kerry aveva anche preparato un'istanza di certiorari per la Corte Suprema degli Stati

Uniti se il Quinto Distretto avesse respinto l'appello. Gli atti erano pronti e attendevano. Tutto era in attesa.

Per distrarsi, Adam telefonò a chi gli veniva in mente. Chiamò Carmen a Berkeley. Stava dormendo e andava tutto bene. Chiamò a casa di Lee, e naturalmente non ebbe risposta. Chiamò l'ufficio di Phelps e parlò con una segretaria. Chiamò Darlene e le disse che non sapeva quando sarebbe tornato. Chiamò il numero privato di McAllister, ma la linea era occupata. Forse Goodman aveva intasato anche quella.

Chiamò Sam e parlò dell'udienza della sera prima, soprattutto del reverendo Ralph Griffin. Anche Packer aveva testimoniato, spiegò, e non aveva detto altro che la verità. Nugent, secondo il solito, s'era comportato da stronzo. Disse a Sam che lo avrebbe raggiunto verso mezzogiorno. Sam gli chiese di affrettarsi.

Alle undici, Adam cominciò a maledire il nome di Slattery con virtuoso fervore. Ne aveva abbastanza. Chiamò Goodman e gli disse che stava per partire per Parchman. Salutò Hez Kerry e lo ringraziò di nuovo.

Poi corse via, lasciò Jackson e si diresse a nord sulla Highway 49. Gli occorrevano due ore per arrivare a Parchman, rispettando i limiti di velocità. Trovò una stazione radio che prometteva di dare le ultime notizie ogni mezz'ora e ascoltò un dibattito interminabile sul gioco d'azzardo nel Mississippi. Alle undici e mezzo non c'erano novità sull'esecuzione di Sam Cayhall.

Adam sfrecciava a centotrenta, centoquaranta all'ora, e superava le altre macchine sulle linee gialle, in curva e sui ponti. Attraversava a tavoletta cittadine e villaggi dove erano in vigore rigorosi limiti di velocità. Non sapeva cosa lo chiamasse a Parchman con tanta urgenza. Una volta arrivato, non avrebbe potuto far molto. Le manovre legali si svolgevano a Jackson. Avrebbe tenuto compagnia a Sam e contato le ore. O forse avrebbero festeggiato un dono meraviglioso della corte federale.

Si fermò davanti a un negozio di alimentari alla periferia di Flora, comprò qualche succo di frutta e fece benzina. Stava ripartendo dal distributore quando sentì la notizia. Il conduttore annoiato e indifferente del talk show si animò di colpo nel riferire l'ultima novità sul caso Cayhall. Il giudice Flynn Slattery della corte distrettuale degli Stati Uniti aveva appena respinto le ultime due istanze di Cayhall, inclusa quella per incapacità mentale. Entro un'ora sarebbe stato presentato appello al Quinto Distretto. Sam Cayhall aveva compiuto un passo da gigante verso la camera a gas del Mississippi, annunciò il conduttore in tono drammatico.

Anziché premere l'acceleratore, Adam rallentò a una velocità ragionevole e sorseggiò il succo di frutta. Spense la radio. Socchiuse il finestrino per far circolare l'aria. Imprecò contro Slattery per molti chilometri, indirizzando al parabrezza gli epiteti più insultanti. Mezzogiorno era passato da poco. Slattery poteva decidere cinque ore prima. Diavolo, se avesse avuto fegato avrebbe deciso la sera precedente. Così avrebbero già potuto essere davanti al Quinto Distretto. Per buona misura, imprecò anche contro Breck Jefferson.

Sam gli aveva detto subito che il Mississippi voleva un'esecuzione, perché era rimasto indietro rispetto alla Louisiana, al Texas e alla Florida, e perfino all'Alabama, la Georgia e la Virginia gassavano e arrostivano i condannati con un ritmo invidiabile. Bisognava fare qualcosa. Gli appelli non finivano mai. I criminali erano trattati troppo bene. La criminalità dilagava. Era il momento di giustiziare qualcuno per mostrare al resto del paese che lo stato prendeva sul serio la legge e l'ordine.

Adesso Adam gli credeva.

Dopo un po' smise di imprecare. Finì il succo di frutta e gettò la bottiglia in un fosso, infrangendo le leggi del Mississippi che vietavano di spargere in giro i rifiuti. Era difficile esprimere le sue opinioni attuali sul Mississippi e le sue leggi.

Gli sembrava di vedere Sam che, seduto nella sua cella, guardava la televisione e ascoltava la notizia.

Gli si stringeva il cuore al pensiero del vecchio. Come avvocato si era rivelato un fallimento. Il suo cliente stava per morire per mano del governo, e lui non poteva fare assolutamente nulla.

La notizia elettrizzò l'esercito dei giornalisti e dei cameramen sparsi intorno al piccolo Centro Visitatori presso l'entrata. Si raccolsero intorno ai televisori portatili e guardarono le trasmissioni delle loro stazioni di Jackson e Memphis. Almeno quattro mandavano in onda scene in diretta da Parchman mentre innumerevoli altre si aggiravano nella zona. Il loro piccolo territorio era cintato da cordoni e barriere e sorvegliato attentamente dalle truppe di Nugent.

Il chiasso aumentò notevolmente lungo l'highway quando la notizia si sparse. Gli uomini del Klan, ormai un centinaio, cominciarono a cantilenare a voce altissima in direzione degli uffici amministrativi. Gli skinhead, i nazisti e gli ariani gridavano oscenità a chiunque li ascoltasse. Le suore e gli altri contestatori silenziosi stavano seduti sotto gli ombrelli e si sforzavano di ignorare i turbolenti vicini.

Sam udì la notizia mentre teneva in mano una scodella di cime di rapa, la cena che precedeva l'ultimo pasto. Guardava la televisione e vedeva le inquadrature saltare da Jackson a Parchman e viceversa. Un giovane avvocato nero che non aveva mai sentito nominare parlava con un giornalista e spiegava cosa intendevano fare lui e gli altri membri del collegio di difesa di Cayhall.

Il suo amico Buster Moac si era lamentato perché del suo caso si occupavano tanti maledetti avvocati che negli ultimi giorni non riusciva più a capire chi stava dalla sua parte e chi cercava di farlo morire. Ma Sam era certo che Adam aveva in pugno la situazione.

Finì le cime di rapa e posò la scodella sul vassoio ai piedi del letto. Si accostò alle sbarre e indirizzò una smorfia alla guardia dalla faccia inespressiva che lo sorvegliava da dietro la porta del raggio. Nel corridoio c'era silenzio. I televisori erano accesi in ogni cella, tutti al minimo, e le trasmissioni erano seguite con interesse morboso. Non si sentiva una voce, e questo succedeva molto di rado.

Sam si tolse per l'ultima volta la tuta rossa, l'appallottolò e la scagliò in un angolo. Spinse sotto il letto i sandali di gomma che non avrebbe visto mai più. Mise sul materasso gli abiti nuovi, li dispose in ordine, sbottonò lentamente la camicia a maniche corte e la indossò. Gli andava bene. Indossò pantaloni kaki da lavoro, chiuse la lampo e li abbottonò in cintura. Erano troppo lunghi di cinque centimetri; Sam sedette sul letto e li rimboccò con cura. I calzini di cotone erano spessi e morbidi. Le scarpe erano un po' grandi, ma non troppo. La cintura nera un po' lunga e rigida, ma non aveva importanza.

La sensazione di essere completamente vestito con abiti veri gli riportò all'improvviso ricordi dolorosi del mondo libero. Quei pantaloni li aveva portati per quarant'anni, fino a che l'avevano incarcerato. Li comprava nel vecchio negozio di abbigliamento sulla piazza di Clanton, e ne aveva sempre quattro o cinque paia nell'ultimo cassetto del grande comò. Sua moglie li stirava senza inamidarli, e dopo una mezza dozzina di lavaggi Sam se li sentiva addosso come un vecchio pigiama. Li portava per lavorare e anche per andare in città. Li portava quando andava a pescare con Eddie, e quando faceva dondolare la piccola Lee sull'altalena. Li portava al bar e alle riunioni del Klan. Sì, li aveva portati persino durante il fatale viaggio a Greenville per mettere la bomba nell'ufficio dell'ebreo radicale.

Sedette sul letto e tirò le pieghe sotto le ginocchia. Erano passati nove anni e cinque mesi dall'ultima volta che aveva indossato pantaloni come quelli. Era giusto, pensò, che li portasse nella camera a gas.

Glieli avrebbero tagliati addosso, li avrebbero messi in un sacco e li avrebbero bruciati.

Per prima cosa, Adam si fermò nell'ufficio di Lucas Mann. Louise, al cancello, gli aveva consegnato un biglietto dicendogli che era importante. Mann chiuse la porta e lo invitò a sedere. Adam rifiutò. Era impaziente di vedere Sam.

«Il Quinto Distretto ha ricevuto l'appello mezz'ora fa» disse Mann. «Ho pensato che volesse servirsi del mio telefono per chiamare Jackson.»

«Grazie, ma chiamerò da quello del Braccio.»

«Come vuole. Ogni mezz'ora parlo con la procura generale, e se so qualcosa l'avverto.»

«Grazie.» Adam era irrequieto.

«Sam vuole l'ultimo pasto?»

«Glielo chiederò fra poco.»

«Bene. Mi telefoni, oppure lo dica a Packer. E i testimoni?»

«Sam non vuole testimoni.»

«Neppure lei?»

«No. Non lo permetterà. L'abbiamo deciso molto tempo fa.»

«D'accordo. Non mi viene in mente altro. Ho un fax e un telefono, e qui c'è un po' più di calma. Può servirsi del mio ufficio.»

«Grazie» disse Adam, e uscì. Raggiunse adagio il Braccio e parcheggiò per l'ultima volta nello spiazzo accanto alla recinzione. Si avviò lentamente verso la torre di guardia e mise le chiavi nel secchio.

Quattro settimane prima si era fermato in quel punto, aveva visto scendere per la prima volta il secchio rosso e aveva pensato che era un sistema rudimentale ma efficiente. Appena quattro settimane! Gli sembravano anni.

Attese davanti ai due cancelli, e incontrò Tiny sui gradini.

Sam era già nell'ufficio all'ingresso. Era seduto sul bordo della scrivania e si ammirava le scarpe. «Guarda che roba» disse con orgoglio quando Adam entrò.

Adam si avvicinò ed esaminò tutto, dalle scarpe alla camicia. Sam era raggiante. Aveva la faccia ben rasata. «Elegante. Davvero elegante.»

«Un figurino, no?»

«Stai benissimo, Sam, benissimo. Te li ha portati Donnie?»

«Già. Li ha comprati ai grandi magazzini. Volevo ordinare capi firmati da New York ma, diavolo, è solo un'esecuzione. Te l'avevo detto: non gli avrei permesso di uccidermi con una tuta del carcere. Me la sono tolta poco fa, e non la metterò più. Devo ammettere, Adam, che è una sensazione piacevole.»

«Hai sentito le ultime notizie?»

«Certo. Ne parlano tutti i telegiornali. Mi dispiace che l'udienza sia andata così.»

«Adesso siamo al Quinto Distretto, e sono tranquillo. Credo che abbiamo qualche possibilità.»

Sam sorrise e distolse gli occhi, come se il ragazzo avesse raccontato al nonno una bugia innocua. «A mezzogiorno è comparso alla televisione un avvocato nero, e ha detto che lavora per me. Cosa diavolo succede?»

«Probabilmente era Hez Kerry.» Adam posò la cartella sul tavolo e sedette.

«Pago anche lui?»

«Sì, Sam, gli paghi lo stesso onorario che paghi a me.»

«Era una semplice curiosità. E quel medico, come si chiama, Swinn? Deve aver fatto un bel numero su di me.»

«È stato molto commovente, Sam. Quando ha finito di testimoniare, tutti i presenti ti vedevano galleggiare nella tua cella a grattarti i denti e a pisciare sul pavimento.»

«Be', fra poco avrò finito di soffrire.» Sam parlava a voce alta e decisa, quasi di sfida. Non mostrava traccia di paura. «Senti, ho un piccolo favore da chiederti» disse, mentre prendeva un'altra busta.

«Questa per chi è?»

Sam gliela porse. «Voglio che la porti sulla highway, vicino all'entrata, che cerchi il capo del gruppo del Klan, e gliela legga. Vedi di fare in modo che le telecamere riprendano la scena perché voglio che la gente sappia cosa dice.»

Adam guardò la busta con diffidenza. «E cosa dice?»

«È breve e chiara. Gli chiedo di andarsene a casa. Di lasciarmi morire in pace. Non ho mai sentito parlare di certuni di quei gruppi, e si stanno facendo pubblicità con la mia morte.»

«Non puoi costringerli ad andarsene, lo sai.»

«Lo so. E non mi aspetto che lo facciano. Ma la televisione dà l'impressione che siano miei amici. Invece non ne conosco neppure uno.»

«Non sono sicuro che sia una buona idea» disse Adam riflettendo a voce alta.

«Perché?»

«Perché in questo momento stiamo raccontando al Quinto Distretto che sei ridotto allo stato di un vegetale e che non sei in grado di mettere insieme pensieri come questo.»

Sam si irritò. «Voi avvocati» esclamò sprezzante. «Non vi arrendete mai? È finita, Adam, smettila di giocare.»

«Non è finita.»

«Sì, per quel che mi riguarda. Adesso prendi quella maledetta lettera e fa' come ti ho detto.»

«Adesso?» chiese Adam, e guardò l'orologio. Era l'una e mezzo.

«Sì, adesso! Ti aspetto qui.»

Adam fermò la macchina accanto al posto di guardia all'ingresso e spiegò a Louise cosa doveva fare. Era nervoso. Louise lanciò un'occhiata alla busta bianca che teneva in mano e chiamò a gran voce due guardie in uniforme che accompagnarono Adam oltre il cancello, verso l'area delle dimostrazioni. Alcuni giornalisti che seguivano i manifestanti lo riconobbero e subito lo circondarono, ma lui si avviò a passo svelto lungo la recinzione senza rispondere alle domande. Aveva paura ma era deciso, e la presenza delle due guardie del corpo gli dava una certa tranquillità.

Si diresse subito alla pensilina bianca e blu che costituiva il quartier generale del Klan, e quando si fermò un gruppo di uomini in tunica bianca si era già radunato ad aspettarlo. I giornalisti circondarono lui, le due guardie, quelli del Klan. «Chi comanda qui?» chiese Adam trattenendo il respiro.

«Chi vuole saperlo?» chiese un giovane muscoloso con la barba nera e le guance scottate dal sole. Il sudore gli scorreva dalla fronte mentre si avvicinava.

«Ho portato una dichiarazione di Sam Cayhall» disse Adam a voce alta, e il cerchio si strinse ancora di più. Macchine fotografiche e telecamere entrarono in funzione. I giornalisti tesero verso Adam microfoni e registratori.

«Silenzio!» gridò qualcuno.

«State indietro!» intimò una delle guardie.

Gli uomini del Klan, tutti avvolti nelle tuniche ma in maggioranza senza cappuccio, si accalcarono davanti ad Adam. Non ne riconobbe nessuno dell'ultimo incontro della domenica. Non avevano un'aria molto cordiale.

Il baccano si smorzò lungo la fascia erbosa mentre la folla si avvicinava per ascoltare l'avvocato di Sam.

Adam tolse il foglio dalla busta e lo tenne con entrambe le mani. «Mi chiamo Adam Hall, e sono l'avvocato di Sam Cayhall. Questo è un comunicato di Sam» ripeté. «Porta la data di oggi ed è indirizzato a tutti i membri del Ku Klux Klan e agli altri gruppi che oggi sono qui a manifestare per lui. Vi leggo quel che ha scritto: "Andatevene, vi prego. La vostra presenza non è un conforto per me. Vi servite della mia esecuzione come di un mezzo per favorire i vostri interessi. Non conosco nessuno di voi e non ci tengo a conoscervi. Vi prego di andarvene immediatamente. Preferisco morire senza l'accompagnamento delle vostre scene teatrali".»

Adam girò lo sguardo sulle facce dure di membri del Klan, tutte accaldate e sudate. «L'ultimo capoverso dice: "Non faccio più parte del Ku Klux Klan. Ripudio l'organizzazione e tutto ciò che rappresenta. Oggi sarei un uomo libero se non avessi mai sentito parlare del Ku Klux Klan". È firmato Sam Cayhall.» Adam girò il foglio e lo mostrò ai manifestanti che erano ammutoliti per lo stupore.

Il giovane dalla barba nera e dalle guance bruciate dal sole cercò di afferrare la lettera. «Dammela!» gridò, ma Adam tirò indietro il braccio. La guardia che stava alla sua destra si mosse prontamente e fermò l'uomo, che le diede uno spintone. La guardia lo respinse a sua volta, e per qualche secondo terrificante i due accompagnatori di Adam si scontrarono con alcuni esponenti del KKK. Altre guardie, che osservavano la scena da poco lontano, si affrettarono a intervenire. L'ordine fu ristabilito e la folla indietreggiò.

Adam squadrò quelli del Klan. «Andate via!» gridò. «Avete sentito cos'ha detto Sam? Si vergogna di voi!»

«Va' al diavolo!» urlò di rimando il capo.

Le due guardie afferrarono Adam e lo condussero via prima che surriscaldasse di nuovo gli animi. Si avviarono a passo svelto verso l'ingresso, facendosi largo fra giornalisti e cameramen. Entrarono quasi correndo, superarono un'altra fila di guardie e un altro sciame di giornalisti, e finalmente arrivarono alla macchina di Adam.

«E non torni più qui, per favore» gli raccomandò una delle guardie.

Tutti sapevano che l'ufficio di McAllister era un posto dal quale filtravano soffiate e indiscrezioni. All'inizio del pomeriggio di martedì a Jackson circolava con grande insistenza la voce che il governatore stava prendendo in seria considerazione la concessione della grazia a Sam Cayhall. La voce si diffuse rapidamente dal Campidoglio ai giornalisti in attesa fuori, fu ripresa da altri giornalisti e dai curiosi e ripetuta non più come una diceria ma come una certezza. Un'ora dopo la prima indiscrezione, la voce era assurta a un livello molto prossimo al fatto concreto.

Mona Stark si incontrò con la stampa nella rotonda e promise che più tardi il governatore avrebbe rilasciato una dichiarazione. Le corti non avevano ancora finito di esaminare il caso, spiegò. E sì, il governatore era sottoposto a pressioni tremende.

48

Il Quinto Distretto impiegò meno di due ore per scaricare l'ultimo appello alla Corte Suprema degli Stati Uniti. Alle tre ci fu una breve riunione telefonica. Hez Kerry e Garner Goodman si precipitarono nell'ufficio di Roxburgh, di fronte all'edificio del congresso del Mississippi. Il procuratore generale disponeva di un sistema telefonico abbastanza sofisticato da mettere in comunicazione contemporaneamente Goodman, Kerry, Adam e Lucas Mann a Parchman, il giudice Robichaux sul lago Charles, il giudice Judy a New Orleans e il giudice McNeely ad Amarillo, Texas. Il collegio dei tre giudici lasciò che Adam e Roxburgh esponessero le loro argomentazioni, quindi la riunione si concluse. Alle quattro il cancelliere della corte chiamò tutti gli interessati per comunicare che l'appello era stato respinto, e subito dopo cominciò il movimento dei fax. Kerry e Goodman trasmisero immediatamente l'appello alla Corte Suprema degli Stati Uniti.

Sam stava per sottoporsi all'ultima visita medica quando Adam terminò la breve conversazione con il cancelliere. Riattaccò. Sam guardava accigliato il giovane medico spaventato che gli misurava la pressione. Packer e Tiny erano presenti, su richiesta del medico. Con cinque persone presenti, l'ufficio all'ingresso era affollato.

«Il Quinto Distretto ha respinto l'appello» annunciò Adam in tono solenne. «Ci stiamo rivolgendo alla Corte Suprema.»

«Non è esattamente la terra promessa» commentò Sam, che continuava a fissare il medico con ostilità.

«Io sono ottimista» disse svogliatamente Adam a beneficio di Packer.

Il medico si affrettò a riporre gli strumenti nella borsa. «Finito» annunciò, avviandosi alla porta.

«Allora sono abbastanza sano per morire?» chiese Sam.

Il medico aprì la porta e uscì, seguito da Packer e Tiny. Sam si alzò, si stirò la schiena, e cominciò a camminare a passi lenti. Le scarpe gli scivolavano dai calcagni e alteravano l'andatura. «Sei nervoso?» chiese con un sorriso maligno.

«È naturale. E immagino che lo sia anche tu.»

«La morte non può essere peggiore dell'attesa. Accidenti, sono pronto! Vorrei farla finita.»

Adam stava per pronunciare qualche banalità sulle discrete possibilità che il ricorso fosse accolto dalla Corte Suprema, ma non era nello stato d'animo adatto per sentirsi rimproverare. Sam camminava avanti e indietro, fumava e stava in silenzio. Come al solito, Adam si diede da fare con il telefono. Chiamò Goodman e Kerry, ma i colloqui furono brevi. Avevano poco da dire, e non c'era il minimo ottimismo.

Il colonnello Nugent si piazzò sotto il portico del Centro Visitatori e chiese silenzio. Sul prato davanti a lui era radunato un piccolo esercito di giornalisti, tutti in ansiosa attesa della lotteria. Accanto a Nugent, su un tavolo, c'era un secchiello di latta. Ogni rappresentante della stampa portava un contrassegno numerato di riconoscimento di colore arancione, distribuito dall'amministrazione. C'era un silenzio inconsueto.

«Secondo il regolamento del carcere, alla stampa sono concessi otto posti» spiegò adagio Nugent. Le sue parole arrivavano fin quasi al cancello d'ingresso. Si crogiolava nella luce dei riflettori. «Un posto è assegnato all'Associated Press, uno alla United Press, uno al Mississippi Network. Restano cinque posti da tirare a sorte. Estrarrò cinque numeri dal secchiello, e se uno corrisponde al vostro contrassegno, è il vostro giorno fortunato. Qualche domanda?»

C'erano decine di giornalisti, ma nessuno aveva domande da fare. Molti si guardavano i contrassegni arancione per controllare i numeri. Il gruppo fu scosso da un fremito di eccitazione. Nugent frugò con gesti teatrali nel secchiello e pescò un foglietto. «Numero quattro-otto-quattro-tre» dichiarò con la disinvoltura di un esperto conduttore di bingo.

«Mio!» gridò un giovane emozionato, strattonando il fortunato contrassegno.

«Il suo nome?» urlò Nugent.

«Edwin King dell'"Arkansas Gazette".»

Un vicedirettore che stava a fianco di Nugent annotò il nome e la testata del giornale. I colleghi lanciarono a Edwin King occhiate invidiose.

Nugent chiamò gli altri quattro numeri e completò il piccolo gruppo. Un'ondata di disperazione investì gli esclusi quando fu chiamato l'ultimo numero. I perdenti erano angosciati.

«Alle undici in punto due pullmini si fermeranno là» Nugent indicò il viale principale. «Gli otto testimoni dovranno essere presenti all'ora esatta. Verrete trasportati all'Unità di Massima Sicurezza per assistere all'esecuzione. Non sono ammessi registratori, macchine fotografiche, cineprese o telecamere di nessun tipo. All'arrivo sarete perquisiti. Verso le dodici e un quarto risalirete sui pullmini e tornerete qui. Ci sarà una conferenza stampa nella sala centrale dell'amministrazione, che verrà aperta alle nove per vostra comodità. Qualche domanda?»

«Quanti assisteranno all'esecuzione?» chiese qualcuno.

«Nella saletta dei testimoni ci saranno tredici o quattordici persone. E nel locale della Camera ci saremo io, un ministro del culto, un medico, il boia di stato, l'avvocato del carcere e due guardie.»

«I familiari delle vittime saranno presenti all'esecuzione?»

«Sì. Il nonno, il signor Elliot Kramer, sarà uno dei testimoni.»

«E il governatore?»

«Per legge, il governatore ha a disposizione due posti nella saletta dei testimoni. Uno è stato assegnato al signor Kramer. Non mi hanno comunicato se il governatore sarà presente.»

«E la famiglia del signor Cayhall?»

«No. Nessuno dei suoi parenti assisterà all'esecuzione.»

Nugent aveva suscitato un vespaio. Le domande piovevano da ogni parte, e lui aveva tante cose da fare. «Ora basta. Grazie» concluse, e lasciò il portico.

Donnie Cayhall arrivò pochi minuti prima delle sei per l'ultima visita. Fu condotto subito nell'ufficio all'ingresso, dove trovò il fratello che, vestito di tutto punto, stava ridendo con Adam. Sam li presentò.

Adam aveva evitato con cura il fratello di Sam fino a quel momento. Donnie era un tipo lindo e in ordine, azzimato e vestito con molta cura. Somigliava a Sam, ora che questi si era tagliato la barba e accorciato i capelli e aveva abbandonato la tuta rossa. Erano della stessa statura e, sebbene Donnie non fosse grasso, Sam era molto più smilzo.

Donnie non era affatto lo zotico che Adam aveva temuto. Era sinceramente felice di conoscerlo e orgoglioso di lui perché era avvocato. Era simpatico, con il sorriso pronto, una bella dentatura, ma anche gli occhi colmi di tristezza. «Come va?» chiese dopo pochi minuti di conversazione. Alludeva agli appelli.

«È tutto alla Corte Suprema.»

«Quindi c'è ancora speranza?»

Sam sbuffò.

«Qualcuna» rispose Adam, ormai rassegnato.

Ci fu un lungo silenzio, e Adam e Donnie cercarono qualche argomento meno delicato. Sam pareva assente. Stava seduto tranquillo su una sedia, con le gambe accavallate, e fumava. Pensava a cose che gli altri due non potevano neppure immaginare.

«Oggi sono passato a trovare Albert» disse Donnie.

Sam non staccò lo sguardo dal pavimento. «Come va la sua prostata?»

«Non lo so. Credeva che tu fossi già morto.»

«Mio fratello è fatto così.»

«Ho visto anche la zia Finnie.»

«Credevo che fosse già morta» commentò Sam sorridendo.

«Ci manca poco. Ha novantun anni. È disperata per quello che ti è successo. Ha detto che sei sempre stato il suo nipote preferito.»

«Non mi poteva soffrire, e io non potevo soffrire lei. Diavolo, non la vedevo da cinque anni quando sono finito qui.»

«Be', comunque è disperata.»

«Le passerà.»

La faccia di Sam si schiuse in un gran sorriso. Cominciò a ridacchiare. «Ti ricordi la volta che la vedemmo andare al gabinetto dietro la casa della nonna, e poi cominciammo a tirare i sassi? Lei scappò via urlando e piangendo.»

Donnie ricordò l'episodio e cominciò a ridere fragorosamente. «Sì, il gabinetto aveva il tetto di lamiera» disse interrompendosi per gli accessi di risate. «E ogni sassata sembrava lo scoppio di una bomba.»

«Oh, sì! C'eravamo io, tu e Albert. Tu avevi sì e no quattro anni.»

«Però me lo ricordo.»

Continuarono a parlarne e la loro ilarità diventò contagiosa. Adam si sorprese a ridacchiare nel vedere i due vecchi sghignazzare come ragazzini. La storia della zia Finnie al gabinetto portò a un'altra che aveva come protagonista suo marito, lo zio Garland, storpio e carogna, e le risate continuarono.

L'ultimo pasto di Sam fu un insulto premeditato per i cuochi incapaci del braccio della morte e i cibi mediocri con cui lo avevano tormentato per nove anni. Chiese qualcosa di leggero, già pronto e reperibile con facilità. Spesso si era meravigliato dei suoi predecessori che avevano ordinato pranzi di sette portate: bistecche e aragosta e cheesecake. Buster Moac aveva voluto due dozzine di ostriche crude, poi un'insalata alla greca, quindi una grossa costata e qualche altro piatto. Non aveva mai capito come potessero avere tanto appetito poche ore prima di morire.

Non aveva fame quando Nugent bussò alla porta alle sette e mezzo. Dietro di lui c'era Packer, e dietro Packer uno spesino con un vassoio. Al centro del vassoio c'era una capace scodella con tre Eskimo Pie, e accanto un piccolo thermos di caffè French Market, il preferito di Sam. Il vassoio fu posato sulla scrivania.

«Non è un gran pranzo, Sam» osservò Nugent.

«Posso godermelo in pace o hai intenzione di stare lì a tormentarmi con i tuoi discorsi cretini?»

Nugent si irrigidì e lanciò un'occhiataccia ad Adam. «Torneremo fra un'ora. Il tuo ospite dovrà andarsene e ti riporteremo nella Cella d'Osservazione. Chiaro?»

«Vattene» ordinò Sam, e sedette alla scrivania.

Non appena i tre furono usciti, Donnie chiese: «Accidenti, Sam, perché non hai ordinato qualcosa che piacesse a tutti noi? Che razza di ultimo pasto è?»

«È il mio ultimo pasto. Quando verrà il tuo momento, ordina quello che vuoi.» Prese una forchetta e incominciò a staccare con attenzione dal bastoncino il gelato alla vaniglia e il rivestimento di cioccolata. Inghiottì un grosso boccone, poi versò lentamente il caffè nella tazza. Era forte, scuro, ed emanava un aroma intenso.

Donnie e Adam sedettero sulle sedie allineate lungo il muro e rimasero a guardare la schiena di Sam mentre consumava lentamente l'ultimo pasto.

Avevano cominciato ad arrivare alle cinque. Venivano da tutto lo stato, erano soli, e viaggiavano su grosse macchine a quattro portiere dai colori più svariati, con guarnizioni elaborate, emblemi e simboli sulle fiancate e sui parafanghi. Alcune macchine avevano le luci di emergenza sul tetto, altre i fucili montati sulle reti divisorie sopra i sedili anteriori. Tutti avevano antenne altissime che oscillavano al vento.

Erano gli sceriffi, eletti ognuno nella propria contea per proteggere i cittadini dai delinquenti. Molti di loro erano in servizio da anni, e molti avevano partecipato al rituale non documentato della cena per l'esecuzione.

Il banchetto era preparato da una cuoca, una certa signorina Mazola, e il menu non cambiava mai. Comprendeva grossi polli fritti nello strutto, fagioli stufati con piedini di maiale e panini al burro grandi come piattini. La sua cucina era nel retro di una piccola mensa vicino all'amministrazione. La cena veniva servita sempre alle sette, indipendentemente dal numero degli sceriffi presenti.

La folla di quella sera sarebbe stata la più numerosa da quando era stato giustiziato Teddy Doyle Meeks nel 1983. La signorina Mazola l'aveva previsto perché leggeva i giornali e tutti sapevano di Sam Cayhall. Si aspettava che arrivassero almeno cinquanta sceriffi.

Venivano fatti passare oltre il cancello d'ingresso come dignitari e parcheggiavano a caso intorno alla mensa. Erano quasi tutti grandi e grossi con lo stomaco ben disposto e un appetito vorace. Avevano fame dopo il lungo viaggio.

Durante la cena non parlarono molto. Si rimpinzarono come maiali, poi uscirono e andarono a sedersi sui cofani delle macchine mentre si faceva buio. Si pulivano i denti dei residui di pollo e lodavano la cucina della signorina Mazola. Ascoltavano il gracchiare delle loro radio, come se da un momento all'altro dovesse giungere l'annuncio della morte di Cayhall. Parlavano di altre esecuzioni, di delitti atroci avvenuti dalle loro parti, e dei loro concittadini rinchiusi nel Braccio. Quella maledetta camera a gas veniva usata troppo poco.

Guardavano meravigliati le centinaia di dimostranti lungo la highway. Continuarono a stuzzicarsi i denti per un po', quindi rientrarono per mangiare la torta al cioccolato.

Per i tutori della legge era una notte meravigliosa.

49

L'oscurità portò un silenzio innaturale sulla highway di fronte a Parchman. Gli uomini del Klan, nessuno dei quali aveva preso in considerazione la richiesta di Sam, erano seduti sulle sedie pieghevoli o sull'erba, e aspettavano. Gli skinhead e i loro confratelli che erano rimasti ad arrostire sotto il sole d'agosto sedevano in piccoli gruppi e bevevano acqua ghiacciata. Alle suore e agli altri attivisti si era aggiunto un contingente di Amnesty International. Accendevano ceri, recitavano preghiere, canticchiavano inni a bocca chiusa e cercavano di mantenere le distanze dai gruppi dell'odio. Se si fosse trattato di un altro giorno, di un'altra esecuzione, di un altro condannato, gli stessi individui gonfi di odio avrebbero urlato per chiedere morte.

Il silenzio fu rotto da un camioncino scoperto carico di adolescenti che rallentò davanti all'entrata. Cominciarono a gridare all'unisono: «Gassatelo! Gassatelo! Gassatelo!». Il camioncino ripartì con grande stridore di gomme. Alcuni del Klan balzarono in piedi, pronti a dare battaglia, ma i ragazzi si erano già allontanati e non intendevano ritornare.

L'imponente spiegamento di agenti della stradale teneva la situazione sotto controllo. Gli agenti erano in gruppi, osservavano il traffico e non perdevano d'occhio quelli del Klan e gli skinhead. Un elicottero volteggiava nel cielo.

Goodman diede finalmente l'ordine di por fine alla ricerca di mercato. In quattro lunghissimi giorni avevano fatto più di duemila telefonate. Pagò gli studenti, si fece riconsegnare i cellulari e li ringraziò calorosamente. Nessuno sembrava disposto a gettare la spugna; perciò lo accompagnarono fino al Campidoglio dove, sulla gradinata, si svolgeva un'altra veglia a lume di candela. Il governatore era ancora nel suo ufficio al primo piano.

Uno studente si offrì di portare un telefono a John Bryan Glass, che era dall'altra parte della strada, alla Corte Suprema del Mississippi. Goodman lo chiamò, poi chiamò Kerry e anche Joshua Caldwell, un vecchio amico che si era impegnato ad attendere nella Cancelleria della Morte, a Washington. Goodman aveva piazzato tutti i suoi. Tutti i telefoni erano in attività. Chiamò Adam. Sam stava terminando l'ultimo pasto, disse Adam, e non desiderava parlargli, ma voleva ringraziarlo di tutto.

Finito il caffè e il gelato, Sam si alzò e si sgranchì le gambe. Donnie era rimasto a lungo in silenzio. Soffriva e non vedeva l'ora di andarsene. Fra poco sarebbe arrivato Nugent, e voleva dire addio a Sam subito.

Sam aveva una macchia rossa di gelato sulla camicia nuova, e Donnie cercò di toglierla con un tovagliolo. «Non importa» disse Sam guardando il fratello.

Donnie continuò a strofinare. «Sì, hai ragione. Sarà meglio che vada, Sam. Verranno da un momento all'altro.»

Si abbracciarono a lungo e si scambiarono pacche sulla schiena. «Mi dispiace, Sam» disse Donnie con voce tremante. «Mi dispiace tanto.»

Si staccarono continuando a tenersi per le spalle. Tutti e due avevano gli occhi umidi ma non piangevano. Nessuno dei due osava farsi vedere piangere dall'altro. «Stammi bene» disse Sam.

«Anche tu. Di' una preghiera, Sam.»

«Sì. Grazie di tutto. Sei l'unico che si è curato di me.»

Donnie si morse le labbra e distolse lo sguardo. Strinse la mano ad Adam ma non riuscì a pronunciare una parola. Seguì Sam alla porta, e uscì.

«Non si sa niente dalla Corte Suprema?» chiese all'improvviso Sam come se adesso fosse disposto a credere che esisteva una speranza.

«No» rispose Adam con voce triste.

Sam sedette sulla scrivania, con i piedi penzoloni. «Davvero, non vedo l'ora di finirla, Adam» disse misurando ogni parola. «È una crudeltà.»

Adam non trovò nulla da dire.

«In Cina ti vengono alle spalle di nascosto e ti piantano un proiettile nella testa. Niente ultima scodella di riso. Niente addii. Niente attese. Non è una cattiva idea.»

Adam guardò l'orologio per la milionesima volta durante l'ultima ora. Dopo mezzogiorno c'erano stati intervalli nei quali le ore sembravano svanire, e poi il tempo si fermava all'improvviso. Volava, poi procedeva a passo di formica. Qualcuno bussò alla porta. «Avanti» disse Sam a voce bassa.

Il reverendo Ralph Griffin entrò e chiuse la porta. Si era incontrato due volte con Sam durante il giorno, e appariva sconvolto. Era la sua prima esecuzione, e aveva deciso che sarebbe stata l'ultima. Suo cugino, che era al Senato dello stato, avrebbe dovuto trovargli un altro posto. Salutò Adam con un cenno e sedette sulla scrivania a fianco di Sam. Erano quasi le nove.

«Qui fuori c'è il colonnello Nugent, Sam. Dice che la sta aspettando.»

«Bene, allora non usciamo. Restiamo qui.»

«Per me va bene.»

«Sa, reverendo, in questi ultimi giorni il mio cuore è stato toccato in un modo che non credevo possibile. Ma le giuro che odio quello stronzo. E non riesco a vincermi.»

«L'odio è una cosa terribile, Sam.»

«Lo so. Ma non posso farci niente.»

«Per essere sincero, non è simpatico neppure a me.»

Sam sorrise al cappellano e gli passò un braccio intorno alle spalle. All'esterno le voci si alzarono e Nugent fece irruzione nell'ufficio. «Sam, è ora di tornare nella Cella d'Osservazione» disse.

Adam si alzò. Gli mancavano le ginocchia, un nodo gli stringeva lo stomaco, il cuore batteva all'impazzata. Sam invece era imperturbabile. Scese dalla scrivania. «Andiamo» rispose.

Seguirono Nugent dall'ufficio allo stretto corridoio dove alcune delle guardie più robuste di Parchman attendevano allineate contro il muro. Sam prese la mano di Adam, e procedettero lentamente, seguiti dal reverendo.

Adam stringeva la mano del nonno e ignorava le facce che li guardavano. Attraversarono il centro del Braccio, fra due file di porte, poi varcarono le sbarre in fondo al Raggio A. La porta del raggio si chiuse dietro di loro; seguirono Nugent lungo le celle.

Sam guardava i volti degli uomini che conosceva così bene. Strizzò l'occhio a Hank Henshaw, rivolse un cenno spavaldo a J.B. Gullitt che aveva le lacrime agli occhi, sorrise a Stock Turner. Tutti stavano appoggiati alle sbarre, a testa bassa, con la paura stampata in faccia. Sam li guardava con aria coraggiosa.

Nugent si fermò davanti all'ultima cella e attese che la porta venisse azionata dall'estremità del raggio. Ci fu uno scatto rumoroso, e si aprì. Sam, Adam e il reverendo entrarono, e Nugent segnalò di chiudere.

La cella era buia. L'unica lampada e il televisore erano spenti. Sam sedette sul letto fra Adam e il reverendo. Si appoggiò sui gomiti e chinò la testa.

Nugent indugiò a osservarli per un momento ma non trovò nulla da dire. Sarebbe tornato fra un paio d'ore, alle undici, per condurre Sam nella Cella d'Isolamento. Tutti sapevano che sarebbe tornato. Gli sembrò troppo crudele dire a Sam in quel momento che se ne andava ma sarebbe tornato. Perciò uscì passando dalla porta del raggio dove le sue guardie attendevano e sorvegliavano nella semioscurità. Andò nella Cella d'Isolamento, dove era stata installata una branda pieghevole per l'ultima ora del detenuto. Attraversò la stanza minuscola ed entrò nel locale della Camera, dove erano in corso gli ultimi preparativi.

Il boia di stato era indaffaratissimo e sicuro di sé. Era un uomo basso, magro e solido che si chiamava Bill Monday. Aveva soltanto nove dita e avrebbe guadagnato cinquecento dollari per i suoi servizi se ci fosse stata l'esecuzione. Per legge, era nominato dal governatore. Stava in uno stanzino noto come "la stanza chimica", a meno di un metro e mezzo dalla camera a gas. Stava studiando un elenco fissato al blocco a molla. Davanti a lui, sul banco, c'era un barattolo da 450 grammi di compresse di cianuro di sodio, una bottiglia da quattro chili di acido solforico, un recipiente da 450 grammi di soda caustica, una bombola d'acciaio da ventidue chili di ammoniaca anidra, e un recipiente da venti litri di acqua distillata. Al suo fianco, su un banco più piccolo, c'erano tre maschere antigas, tre paia di guanti di gomma, un imbuto, sapone, asciugamani e uno strofinaccio. Fra i due banchi c'era un recipiente per mescolare gli acidi, montato su un tubo da cinque centimetri che scendeva nel pavimento, passava sotto il muro e riemergeva vicino alla camera a gas, accanto alle leve.

Per l'esattezza, Monday aveva tre elenchi. Uno conteneva le istruzioni per miscelare le sostanze chimiche; l'acido solforico e l'acqua distillata dovevano essere miscelati in modo da ottenere una concentrazione del quarantun per cento circa; la soluzione di soda caustica si preparava sciogliendo quattrocentocinquanta grammi di soda in poco più di nove litri d'acqua; e c'era un paio di altre miscele da preparare per ripulire la camera dopo l'esecuzione. Un elenco includeva tutte le necessarie sostanze chimiche. La terza lista era la procedura da seguire durante l'esecuzione.

Nugent parlò con Monday. Tutto procedeva come programmato. Uno degli assistenti di Monday spalmava vaselina lungo le commessure delle vetrate della camera a gas. Un membro della squadra dell'esecuzione, in abiti borghesi, controllava le cinghie fissate al sedile di legno. Il medico giocherellava con il monitor dell'elettrocardiografo. La porta era aperta sull'esterno, dove si trovava già parcheggiata un'ambulanza.

Nugent controllò ancora una volta gli elenchi, anche se li aveva imparati a memoria da tempo. Aveva addirittura riscritto un altro elenco, una specie di diagramma per registrare l'esecuzione. Il diagramma sarebbe stato usato da Nugent, Monday e l'assistente di Monday. Riportava la sequenza delle operazioni numerate in ordine cronologico: acqua e acido miscelati, il condannato entra nella Camera, la porta della Camera viene chiusa, il cianuro di sodio cade nell'acido, il gas investe il viso del condannato, il condannato è apparentemente svenuto, il condannato è sicuramente svenuto, movimenti del corpo del condannato, ultimo movimento visibile, arresto del cuore, arresto della respirazione, apertura della valvola di scarico, apertura delle valvole di drenaggio, apertura della valvola dell'aria, apertura della porta della Camera, il condannato viene portato fuori dalla Camera, il condannato viene dichiarato morto. Accanto a ogni voce c'era una linea punteggiata per annotare il tempo trascorso dall'evento precedente.

E c'era anche un elenco per l'esecuzione, un diagramma delle ventinove fasi da seguire per iniziare e completare l'operazione. Naturalmente c'era anche un'appendice, un elenco delle quindici cose da fare alla conclusione; l'ultima consisteva nel caricare il cadavere sull'ambulanza.

Nugent conosceva ogni passo di ogni elenco. Sapeva come miscelare le sostanze chimiche, come aprire le valvole, per quanto tempo lasciarle aperte, come chiuderle. Sapeva tutto.

Uscì a parlare con l'autista dell'ambulanza e a prendere una boccata d'aria, poi riattraversò la Cella d'Isolamento e passò nel Raggio A. Come tutti, aspettava che la stramaledetta Corte Suprema decidesse in un senso o nell'altro.

Mandò le due guardie più alte a chiudere le finestre del raggio che si aprivano nel muro esterno. Le finestre erano vecchie di venticinque anni e non si chiusero con scioltezza. Le guardie le spinsero fino a sbatterle, e i colpi echeggiarono nel raggio. Le finestre erano trentacinque; tutti i detenuti ne conoscevano il numero esatto, e via via che se ne chiudeva una il raggio diventava più buio e silenzioso.

Le guardie finirono e se ne andarono. Adesso il braccio della morte era ermeticamente isolato: ogni detenuto nella sua cella, tutte le porte bloccate, tutte le finestre chiuse.

Sam aveva cominciato a tremare quando avevano chiuso le finestre. Abbassò ancora di più la testa. Adam gli passò un braccio intorno alle fragili spalle.

«Mi sono sempre piaciute, quelle finestre» disse Sam con voce bassa e rauca. Una squadra di guardie era a meno di cinque metri. Sbirciavano dalla porta del raggio come ragazzini allo zoo, e Sam non voleva che lo sentissero. Era difficile immaginare che a Sam piacesse qualcosa di quel luogo. «Mi piacevano: quando pioveva forte, l'acqua batteva sulle finestre, e un poco entrava e gocciolava sul pavimento. La pioggia mi è sempre piaciuta. E la luna. Certe volte, quando le nubi se ne andavano, potevo mettermi al centro della cella e scorgere la luna attraverso le finestre. Mi sono sempre chiesto perché non ci sono più finestre, qui. Voglio dire, maledizione!, mi scusi reverendo, ma se sono decisi a tenerti tutto il giorno in una cella, perché non ti permettono di guardar fuori? Non l'ho mai capito. Non ho mai capito tante cose. Oh, be'.» La sua voce si spense. Rimase a lungo in silenzio.

Dall'oscurità giunse la dolce voce tenorile del Predicatore che cantava "Non temo alcun male perché sei con me". Era un salmo molto bello.

«Il Signore è il mio pastore:
non manco di nulla;
su pascoli erbosi mi fa riposare,
ad acque tranquille mi conduce...»

«Sta' zitto!» urlò una guardia.

«Lascialo in pace!» gridò Sam di rimando, facendo trasalire Adam e Ralph. «Canta, Randy» esortò poi, con voce alta quanto bastava perché l'altro lo sentisse nella cella accanto. Il Predicatore attese un po', offeso, e infine ricominciò a cantare.

Una porta sbatté e Sam sussultò. Adam gli strinse la spalla e Sam tornò a sedere. Il suo sguardo era smarrito nel buio del pavimento.

«Immagino che Lee non verrà» disse, angosciato.

Adam rifletté per un attimo e decise di dirgli la verità. «Non so dove sia. Sono dieci giorni che non la sento.»

«Credevo che fosse in clinica a disintossicarsi.»

«Lo credo anch'io, ma non so dove. Mi dispiace. Ho fatto di tutto per trovarla.»

«Ho pensato molto a lei, in questi ultimi giorni. Diglielo, per favore.»

«Glielo dirò.» Se Adam l'avesse rivista, avrebbe dovuto fare uno sforzo per non strozzarla.

«E ho pensato molto anche a Eddie.»

«Ascolta, Sam, non ci resta molto tempo. Parliamo di cose piacevoli, d'accordo?»

«Voglio che tu mi perdoni per quello che ho fatto a Eddie.»

«Ti ho già perdonato, Sam. È tutto passato. Io e Carmen ti perdoniamo.»

Ralph abbassò la testa accostandola a quella di Sam e disse: «Forse ci sono altri cui dovrebbe pensare, Sam».

«Più tardi» rispose Sam.

La porta in fondo al corridoio del raggio si aprì e un rumore di passi frettolosi si avvicinò. Lucas Mann, seguito da una guardia, si fermò davanti all'ultima cella e guardò le tre figure indistinte sedute sul letto. «Adam, c'è una telefonata per lei» disse nervosamente. «Nell'ufficio all'ingresso.»

Le tre figure indistinte si irrigidirono. Adam si alzò di scatto e uscì dalla cella senza una parola. Un nodo gli stringeva le viscere mentre si avviava quasi correndo. «Dagli del filo da torcere, Adam!» incitò J.B. Gullitt nel vederlo passare.

«Chi è?» chiese Adam a Lucas Mann che gli camminava al fianco.

«Garner Goodman.»

Attraversarono il centro dell'Msu e si precipitarono nell'ufficio all'ingresso. Il ricevitore era sulla scrivania. Adam lo afferrò e sedette. «Garner, sono Adam.»

«Sono in Campidoglio, Adam, nella rotonda davanti all'ufficio del governatore. La Corte Suprema ha respinto tutte le nostre istanze di certiorari. Credo che ce ne fossero quattro pendenti. Le hanno liquidate tutte: una, due, tre, quattro. Là non è rimasto niente.»

Adam chiuse gli occhi e tacque per qualche secondo. «Be', credo proprio che sia la fine» disse, e guardò Lucas Mann. Lucas aggrottò la fronte e abbassò la testa.

«Aspetti. Il governatore sta per dare un annuncio. La richiamo fra cinque minuti.» Goodman tolse la comunicazione.

Adam riattaccò e fissò il telefono. «La Corte Suprema ha respinto tutto» riferì a Mann. «Il governatore sta per fare una dichiarazione. Goodman richiamerà fra poco.»

Mann sedette. «Mi dispiace, Adam. Mi dispiace moltissimo. Sam come va?»

«Sam la sta prendendo molto meglio di me, credo.»

«È strano, no? Per me è il quinto, e mi sono sempre meravigliato nel vedere che se ne vanno con tanta calma. Si arrendono quando fa buio. Consumano l'ultimo pasto, dicono addio alle famiglie e diventano inspiegabilmente tranquilli. Io, al loro posto, tirerei calci e urlerei e piangerei. Ci vorrebbero venti uomini per trascinarmi fuori dalla Cella d'Isolamento.»

Adam riuscì ad accennare un sorriso. Poi notò una scatola da scarpe aperta sulla scrivania. Era foderata di carta d'alluminio e sul fondo c'erano alcuni biscotti spezzati. Non era lì quando erano usciti un'ora prima. «Cos'è?» chiese, senza curiosità.

«Sono i biscotti per l'esecuzione.»

«I biscotti per l'esecuzione?»

«Già. La gentile vecchietta che abita più avanti sulla strada li prepara tutte le volte che viene giustiziato qualcuno.»

«Perché?»

«Non lo so. Non ne ho la minima idea.»

«E chi li mangia?» chiese Adam guardando i biscotti avanzati e le briciole come se fossero avvelenati.

«Le guardie e gli spesini.»

Adam scosse la testa. Aveva troppe cose per la mente e non si sentiva di analizzare lo scopo di un'infornata di biscotti per l'esecuzione.

Data la circostanza, David McAllister indossò un abito blu, una camicia bianca inamidata e una cravatta bordeaux scuro. Si pettinò e si laccò i capelli, si lavò i denti, poi entrò nel suo ufficio da una porta laterale. Mona Stark stava esaminando i numeri.

«Finalmente hanno smesso di telefonare» gli disse in tono di sollievo.

«Non voglio saper niente» rispose McAllister, e si controllò allo specchio la cravatta e i denti. «Andiamo.»

Aprì la porta e uscì nel vestibolo dove lo attendevano due guardie del corpo che gli si affiancarono mentre avanzava nella rotonda sotto le luci sfolgoranti. Una folla di giornalisti e cameramen lo circondò per ascoltare l'annuncio. Il governatore salì su una pedana improvvisata irta di una dozzina di microfoni. Ammiccò alle luci, fece una smorfia, attese che si facesse silenzio e cominciò a parlare.

«La Corte Suprema degli Stati Uniti ha appena respinto gli ultimi appelli di Sam Cayhall» disse in tono drammatico, come se i giornalisti non lo sapessero già. Un altro breve silenzio mentre le telecamere ronzavano e i microfoni attendevano. «Quindi, dopo tre processi, nove anni di appelli presentati a tutte le corti esistenti ai sensi della nostra costituzione, dopo che il caso è stato esaminato da ben quarantasette giudici, per

Sam Cayhall è finalmente arrivato il momento della giustizia. Il suo reato fu commesso ventitré anni fa. La giustizia a volte è lenta, ma funziona ancora. Molti mi hanno chiesto di graziare il signor Cayhall, ma non posso. Non posso annullare la saggia decisione della giuria che lo ha condannato, né posso far prevalere la mia opinione su quella dei nostri eminenti tribunali. Non sono neppure disposto a contrastare i desideri dei miei amici Kramer.» Un altro silenzio. Il governatore parlava senza consultare appunti, ed era evidente che aveva lavorato a lungo sul discorso. «Mi auguro con tutto il cuore che l'esecuzione di Sam Cayhall contribuisca a chiudere un capitolo doloroso della storia tormentata del nostro stato. Invito tutti i cittadini del Mississippi a unirsi, dopo questa notte triste, e a collaborare per l'eguaglianza. Dio abbia pietà dell'anima di Sam Cayhall.»

Indietreggiò mentre cominciavano a volare le domande. Le guardie del corpo aprirono una porta laterale e lo fecero uscire. Scesero in fretta le scale e passarono dall'ingresso nord, dove una macchina era in attesa. A un chilometro e mezzo di distanza, un elicottero era pronto a partire.

Goodman uscì e si fermò accanto a un vecchio cannone puntato, chissà perché, sui grandi palazzi del centro. Ai piedi della gradinata, numerosi contestatori reggevano candele. Chiamò Adam per dargli la notizia, poi passò fra la gente e le candele e si allontanò. Qualcuno incominciò a cantare un inno quando attraversò la strada. Camminò per due isolati mentre le voci svanirono lentamente. Si aggirò per un po' senza meta, poi si avviò verso l'ufficio di Hez Kerry.

50

Il ritorno alla Cella d'Osservazione fu molto più lungo dell'andata. Adam lo compì da solo. Ormai era un territorio che conosceva. Lucas Mann era sparito nel labirinto del Braccio.

Mentre attendeva davanti a una grande porta sbarrata al centro della costruzione, Adam si rese conto di due cose. Innanzi tutto adesso c'era più gente: più guardie, più sconosciuti con distintivi di plastica e pistole al fianco, più uomini dalla faccia dura con camicie a maniche corte e cravatte di poliestere. Era un avvenimento, un fenomeno singolare troppo eccitante per farselo sfuggire. Adam calcolò che tutti i dipendenti del carcere con un minimo di influenza si sentivano in dovere di trovarsi nel braccio della morte quando fosse stata eseguita la condanna di Sam.

La seconda cosa di cui si accorse fu di avere la camicia intrisa di sudore e il colletto appiccicato al collo. Allentò la cravatta mentre la porta scattava rumorosamente e si apriva con il ronzio di un motore nascosto. Una guardia, nei meandri dei muri di cemento, delle finestre e delle sbarre, lo osservava e premeva i pulsanti giusti. Passò, continuò ad allentare il nodo della cravatta e slacciò il primo bottone della camicia. Arrivò a un'altra barriera, una muraglia di sbarre che portava al Raggio A. Si premette una mano sulla fronte, ma non era sudata. Si riempì i polmoni di aria umida e afosa.

Con le finestre chiuse, nel raggio si soffocava. Un altro scatto rumoroso, un altro ronzio elettrico, e Adam entrò nel piccolo corridoio che, come gli aveva detto Sam, era largo due metri e venti. Tre lampade fluorescenti gettavano ombre indistinte sul soffitto e sul pavimento. Si sentiva le gambe pesanti mentre passava davanti alle celle buie, tutte occupate da assassini spietati che in quel momento pregavano, meditavano o addirittura piangevano.

«Buone notizie, Adam?» chiese dall'oscurità J.B. Gullitt in tono supplichevole.

Adam non rispose. Continuò a camminare e alzò lo sguardo verso le finestre con le varie sfumature di tintura che chiazzavano i vetri vecchissimi, e si domandò quanti avvocati avevano fatto prima di lui quell'ultimo percorso dall'ufficio all'ingresso fino alla Cella d'Osservazione per informare un uomo sul punto di morire che l'ultimo barlume di speranza si era spento. Quel luogo aveva molti precedenti di esecuzioni, e molti altri avevano sofferto lungo quel tratto. Garner Goodman aveva portato l'annuncio finale a Maynard Tole, e questo dava ad Adam una certa forza d'animo.

Ignorò gli sguardi curiosi della piccola folla in fondo al raggio. Si fermò davanti all'ultima cella. Attese, e la porta si aprì, obbediente.

Sam e il reverendo erano ancora seduti sul letto, e bisbigliavano, con le teste che quasi si toccavano nell'oscurità. Alzarono gli occhi verso Adam che sedette accanto a Sam e gli cinse con un braccio le spalle che sembravano perfino più fragili. «La Corte Suprema ha appena respinto tutto» disse con una voce bassa che stava per spezzarsi. Il reverendo emise un gemito doloroso. Sam annuì come se se l'aspettasse. «E il governatore ha rifiutato la grazia.»

Sam si sforzò di raddrizzare coraggiosamente le spalle, ma gli mancarono le forze. Si accasciò ancora di più.

«Dio abbia misericordia» pregò Ralph Griffin.

«Allora è tutto finito» disse Sam.

«Non resta più niente» bisbigliò Adam.

Dalla squadra della morte, accalcata in fondo al raggio, giungevano mormorii eccitati. Si andava fino in fondo, dunque. Una porta sbatté dietro di loro, dalla parte della camera a gas, e le ginocchia di Sam sussultarono.

Tacque per qualche tempo... un minuto o quindici, Adam non poteva dirlo. L'orologio procedeva a sobbalzi e si fermava.

«Credo che ora dovremmo pregare, reverendo» disse Sam.

«Lo credo anch'io. Abbiamo atteso abbastanza.»

«Come vuole che facciamo?»

«Ecco, Sam, per che cosa vuole pregare?»

Sam rifletté un momento, poi disse: «Vorrei fare in modo che Dio non sia in collera con me quando morirò».

«Buona idea. E perché pensa che Dio potrebbe essere in collera con lei?»

«È evidente, no?»

Ralph si fregò le mani. «La cosa migliore è confessare i peccati e chiedere perdono a Dio.»

«Tutti?»

«Non è necessario che li elenchi tutti quanti. Basta che chieda a Dio di perdonare ogni cosa.»

«Una specie di pentimento generale.»

«Proprio così. E otterrà il risultato voluto, se fa sul serio.»

«Faccio maledettamente sul serio.»

«Crede nell'inferno, Sam?»

«Sì.»

«Crede nel paradiso?»

«Sì.»

«Crede che tutti i cristiani vadano in paradiso?»

Sam rifletté a lungo, poi annuì prima di domandare: «Lei lo crede?».

«Sì, Sam.»

«Allora la prendo in parola.»

«Bene. Per questo si fidi di me, d'accordo?»

«Mi sembra troppo facile, sa? Basta che io dica in fretta una preghiera, e tutto mi viene perdonato.»

«Perché questo la preoccupa?»

«Perché ho fatto delle cose orribili, reverendo.»

«Tutti abbiamo fatto qualcosa di male. Il nostro è un Dio d'amore infinito.»

«Ma lei non ha fatto quello che ho fatto io.»

«Si sentirebbe meglio a parlarne?»

«Sì. Non mi sentirò la coscienza a posto se non ne parlo.»

«Sono qui, Sam.»

«Volete che me ne vada per un minuto?» chiese Adam. Sam si strinse le ginocchia. «No.»

«Non abbiamo molto tempo, Sam» disse il reverendo, lanciando un'occhiata attraverso le sbarre.

Sam respirò a fondo e parlò a voce bassa perché potessero sentirlo soltanto Adam e Ralph. «Uccisi Joe Lincoln a sangue freddo. Ho già detto che sono pentito.»

Ralph ascoltava e mormorava qualcosa fra sé. Stava già pregando.

«E aiutai i miei fratelli a uccidere i due uomini che avevano assassinato nostro padre. Per essere sincero, non mi è mai dispiaciuto fino ad ora. La vita umana mi sembra molto più preziosa, adesso. Avevo torto. E presi parte a un linciaggio quando avevo quindici o sedici anni. Facevo parte di una folla inferocita e con ogni probabilità non avrei potuto impedirlo anche se avessi tentato. Ma non tentai neppure, e mi sento in colpa.»

Sam si interruppe. Adam trattenne il respiro e si augurò che la confessione fosse terminata. Ralph attese, e finalmente domandò: «È tutto, Sam?».

«No. Ce n'è un altro.»

Adam chiuse gli occhi e si fece forza. Aveva le vertigini e avrebbe voluto vomitare.

«Ci fu un altro linciaggio. Un ragazzo, si chiamava Cletus. Non ricordo il cognome. Un linciaggio del Klan. Aveva diciotto anni. È tutto quel che posso dire.»

L'incubo non finirà mai, pensò Adam.

Sam respirò a fondo e tacque per qualche istante. Ralph pregava. Adam attendeva.

«E non fui io a uccidere i gemelli Kramer» proseguì Sam con voce tremante. «Non avevo nessun motivo per trovarmi sul posto, e avevo sbagliato nel farmi coinvolgere. L'ho rimpianto per tutti questi anni. Avevo sbagliato a entrare nel Klan, a odiare tutti e a mettere le bombe. Ma non ho ucciso quei bambini. Non avevo intenzione di far male a nessuno. La bomba doveva scoppiare in piena notte, quando non c'era nessuno nelle vicinanze. Lo credevo sinceramente. Ma era stata preparata da un altro, non da me. Io ero soltanto il palo e l'autista. Fu l'altro a regolare la bomba in modo che scoppiasse molto più tardi di quanto pensavo. Non ho mai saputo con certezza se aveva intenzione di ammazzare qualcuno, ma credo di sì.»

Adam udì le parole, le recepì, le assimilò. Ma era troppo sbalordito per muoversi.

«Avrei potuto evitarlo, però. E questo mi rende colpevole. Oggi quei bambini sarebbero vivi se mi fossi comportato in un altro modo dopo che era stata messa la bomba. Ho le mani macchiate del loro sangue, e questo mi fa soffrire da molti anni.»

Ralph posò gentilmente una mano sulla nuca di Sam. «Preghi con me.» Sam si coprì gli occhi con le mani e appoggiò i gomiti sulle ginocchia.

«Crede che Gesù Cristo era il figlio di Dio, che venne su questa terra nascendo da una vergine, visse una vita senza peccato, fu perseguitato e morì sulla croce perché tutti noi potessimo avere l'eterna salvezza? Lo crede, Sam?»

«Sì» mormorò Sam.

«Crede che sia risorto dalla tomba e asceso al cielo?»

«Sì.»

«E crede che per questo tutti i peccati le sono perdonati? Tutte le cose terribili che le opprimono il cuore sono ora perdonate. Lo crede, Sam?»

«Sì, sì.»

Ralph tolse la mano dalla testa di Sam e si asciugò gli occhi pieni di lacrime. Sam non si mosse, ma gli tremavano le spalle. Adam lo strinse più forte.

Randy Dupree cominciò a fischiettare un'altra strofa di "Non temo alcun male perché sei con me". Le note erano limpide, precise, ed echeggiavano nel Raggio A.

«Reverendo» chiese Sam irrigidendosi un po'. «I bambini Kramer sono in paradiso?»

«Sì.»

«Ma erano ebrei.»

«Tutti i bambini vanno in paradiso, Sam.»

«E li vedrò lassù?»

«Non lo so. Ci sono tante cose che non sappiamo del paradiso. Ma la Bibbia promette che quando vi giungeremo non vi saranno sofferenze.»

«Bene. Allora spero di vederli.»

La voce inconfondibile del colonnello Nugent spezzò il silenzio. La porta del raggio sferragliò, cigolò e si aprì. Nugent percorse un metro e mezzo e si fermò davanti alla Cella d'Osservazione. Dietro di lui c'erano sei guardie. «Sam, è ora di andare nella Cella d'Isolamento» annunciò. «Sono le undici.»

I tre si alzarono, fianco a fianco. La porta della cella si aprì e Sam uscì. Sorrise a Nugent, poi si voltò e abbracciò il reverendo. «Grazie» disse.

«Ti amo, fratello!» gridò Randy Dupree dalla sua cella, a meno di tre metri.

Sam guardò Nugent e chiese: «Posso dire addio ai miei amici?».

Una deviazione. Il manuale stabiliva in modo inequivocabile che il detenuto doveva essere condotto direttamente dalla Cella d'Osservazione a quella d'Isolamento, e non parlava di un'ultima passeggiata lungo il raggio. Nugent rimase senza parole, ma dopo qualche secondo si riprese. «Certo, ma sbrigati.»

Sam mosse qualche passo e strinse le mani di Randy attraverso le sbarre. Poi si accostò alla cella successiva e strinse la mano a Harry Ross Scott.

Ralph Griffin passò fra le guardie e uscì dal raggio. Trovò un angolo buio e pianse come un bambino. Non avrebbe più visto Sam. Adam rimase sulla soglia della cella accanto a Nugent; insieme guardarono Sam avanzare nel corridoio, fermarsi davanti a ogni cella e sussurrare qualcosa a ogni detenuto. Passò la maggior parte del tempo con J.B. Gullitt, che singhiozzava rumorosamente.

Poi si voltò e tornò coraggiosamente verso di loro, contando i passi e sorridendo ai compagni. Prese la mano di Adam. «Andiamo» disse a Nugent.

C'erano tante guardie in fondo al raggio che dovettero quasi aprirsi un varco. Nugent era in testa, seguito da Sam e Adam. La massa umana aggiungeva diversi gradi alla temperatura e rendeva più viziata l'aria. Quella manifestazione di forza era necessaria, naturalmente, per domare un condannato recalcitrante o almeno per impressionarlo e indurlo a sottomettersi. Ma sembrava un'idea molto sciocca con un vecchietto come Sam Cayhall.

Il passaggio da una cella all'altra richiese pochi secondi perché la distanza era di sei metri, ma Adam rabbrividì a ogni passo nella galleria umana formata dalle guardie armate, oltre la pesante porta d'acciaio e nella piccola cella. La porta nella parete opposta era chiusa. Conduceva alla camera a gas.

Per l'occasione era stata portata una brandina. Adam e Sam vi sedettero. Nugent chiuse la porta e s'inginocchiò davanti a loro. Adam passò di nuovo il braccio intorno alle spalle di Sam.

Nugent mostrava un'espressione di profonda sofferenza. Posò una mano sul ginocchio di Sam e disse: «Sam, dovremo andare insieme fino in fondo. Ora...».

«Stupido imbecille!» esplose Adam, sorpreso da quelle parole incredibili.

«Non può farne a meno» gli spiegò Sam. «È stupido, ecco tutto, e non si rende nemmeno conto.»

Nugent si sentì brutalmente respinto e cercò di trovare qualcosa da dire, qualcosa di appropriato. «Cerco solo di sopravvivere a tutto questo, chiaro?» disse ad Adam.

«Perché non se ne va?» ribatté Adam.

«Sai una cosa, Nugent?» intervenne Sam. «Ho letto tonnellate di testi giuridici e pagine su pagine di regolamenti carcerari. E non ho visto da nessuna parte niente che mi obblighi a passare in tua compagnia la mia ultima ora. Né una legge, né uno statuto, né un regolamento, niente di niente.»

«Si tolga dai piedi» ingiunse Adam, pronto ad aggredire il colonnello se necessario.

Nugent si alzò di scatto. «Il medico entrerà da quella porta alle undici e quaranta. Ti fisserà uno stetoscopio al petto e uscirà. Alle undici e cinquantacinque io entrerò, sempre da quella porta. E andremo nel locale della Camera. Qualche domanda?»

«No. Fuori» concluse Adam indicando la porta. Nugent si affrettò a uscire.

Restarono soli. Mancava un'ora.

Due pullmini del carcere si fermarono davanti al Centro Visitatori e presero a bordo gli otto giornalisti fortunati e uno sceriffo. La legge permetteva, ma non imponeva, che lo sceriffo della contea in cui era stato commesso il crimine fosse presente all'esecuzione.

L'uomo che nel 1967 era sceriffo della contea di Washington era morto da quindici anni, ma il suo successore attuale non intendeva perdersi l'avvenimento. Quel giorno aveva comunicato a Lucas Mann che intendeva approfittare della legge. Era convinto di doverlo ai cittadini di Greenville e della contea di Washington.

Elliot Kramer non era a Parchman. Per anni aveva atteso quel viaggio, ma all'ultimo momento era intervenuto il suo medico: aveva il cuore debole, e il rischio sarebbe stato troppo grande. Ruth Kramer non aveva mai avuto veramente l'intenzione di assistere. Era nella sua casa, a Memphis, in compagnia di amici, e attendeva che tutto fosse finito.

Nessun componente della famiglia delle vittime sarebbe stato presente all'uccisione di Sam Cayhall.

I pullmini furono abbondantemente fotografati e filmati mentre partivano e sparivano lungo il viale principale. Cinque minuti più tardi si fermarono ai cancelli dell'Msu. Tutti furono invitati a scendere e vennero perquisiti per assicurarsi che non avessero portato macchine fotografiche e registratori. Risalirono sui pullmini e furono autorizzati a varcare i cancelli. I pullmini avanzarono sull'erba lungo la facciata dell'Msu, girarono intorno ai recinti per l'aria all'estremità ovest e andarono a fermarsi vicinissimi all'ambulanza.

Nugent in persona li aspettava. I giornalisti scesero e, d'istinto, cominciarono a guardarsi intorno per cercare di imprimersi tutto nella memoria. Erano davanti a una costruzione squadrata di mattoni rossi, collegata alla struttura bassa e piatta dell'Msu. La piccola costruzione aveva due porte: una chiusa, l'altra aperta per loro.

Nugent non era dell'umore più adatto per trattare con i giornalisti ficcanaso. Si affrettò a guidarli oltre la porta aperta. Entrarono in una stanzetta dove c'erano due file di sedie pieghevoli di fronte a un lugubre pannello di tende nere.

«Sedete, prego» disse sgarbatamente. Contò otto giornalisti e uno sceriffo. Tre posti erano vuoti. «Sono le undici e dieci» annunciò in tono drammatico. «Il detenuto è nella Cella d'Isolamento. Qui, di fronte a voi, al di là delle tende, c'è il locale della Camera. Il detenuto sarà fatto entrare alle dodici meno cinque. Quando lo avranno legato, la porta verrà chiusa. Le tende si apriranno a mezzanotte in punto, e quando vedrete la Camera il detenuto sarà già all'interno, a meno di sessanta centimetri dalle vetrate. Vedrete solo la parte posteriore della testa. Non sono stato io a progettare la Camera, chiaro? Dovrebbero passare circa dieci minuti prima che sia dichiarato morto. Allora le tende verranno chiuse e voi tornerete ai pullmini. L'attesa sarà lunga, e mi dispiace che qui non ci sia l'aria condizionata. Quando le tende si apriranno, tutto succederà in fretta. Qualche domanda?»

«Ha parlato con il detenuto?»

«Sì.»

«Come la sta prendendo?»

«Non ho intenzione di discuterne. Ci sarà una conferenza stampa all'una, e allora risponderò a queste domande. Adesso sono molto occupato.» Nugent uscì dalla saletta dei testimoni e sbatté la porta. Girò l'angolo ed entrò nel locale della Camera.

«Abbiamo meno di un'ora. Di cosa vorresti parlare?» chiese Sam.

«Oh, di tante cose. Ma sono quasi tutte spiacevoli.»

«È difficile sostenere una conversazione gradevole in un momento come questo, sai.»

«Cosa pensi in questo momento, Sam? Cosa ti passa per la mente?»

«Tutto.»

«Cosa ti fa paura?»

«L'odore del gas. Se è doloroso. Non voglio soffrire, Adam. Spero che finisca in fretta. Jumbo Parris trattenne il respiro per due minuti. Io non voglio fare così. Voglio aspirare in fretta, e forse me ne andrò subito. Non ho paura della morte, Adam, ma in questo momento ho paura di morire. Vorrei che fosse già finita. L'attesa è crudele.»

«Sei pronto?»

«Il mio cuore è in pace. Ho fatto molte cose orribili, figliolo, ma ho l'impressione che Dio potrebbe darmi una possibilità. Anche se non la merito.»

«Perché non mi hai parlato dell'uomo che era con te?»

«È una storia lunga. Non abbiamo molto tempo.»

«Avrebbe potuto salvarti la vita.»

«No, non l'avrebbe creduto nessuno. Pensaci. Dopo ventitré

anni cambio versione all'improvviso e addosso tutta la colpa a un uomo misterioso. Sarebbe stato ridicolo.»

«Perché mi hai mentito?»

«Avevo le mie ragioni.»

«L'hai fatto per proteggermi?»

«Sì, una delle ragioni è questa.»

«Lui è ancora libero, no?»

«Sì. È vicino. Anzi, probabilmente è là fuori con tutti gli altri pazzi, in questo momento. E osserva. Ma non lo vedrai mai.»

«Fu lui a uccidere Dogan e la moglie?»

«Sì.»

«E il figlio di Dogan?»

«Sì.»

«E Louis Brazelton?»

«È probabile. È un assassino molto abile, Adam. È letale. Minacciò me e Dogan durante il primo processo.»

«Ha un nome?»

«Non proprio. E comunque non te lo direi. Non potrai mai parlarne con nessuno.»

«Stai per morire per il crimine di un altro.»

«No. Avrei potuto salvare quei due bambini. E Dio sa che ho ucciso parecchia gente. Merito questa fine, Adam.»

«Nessuno la merita.»

«È meglio che vivere. Se mi riportassero in cella, adesso, e mi dicessero che dovrei restarci fino alla morte, sai cosa farei?»

«Cosa?»

«Mi ucciderei.»

Dopo aver trascorso l'ultima ora in una cella, Adam non poteva dargli torto. Non riusciva ancora a comprendere gli orrori di un'esistenza vissuta per ventitré ore al giorno in una specie di gabbia.

«Ho dimenticato le sigarette» disse Sam, passandosi la mano sul taschino della camicia. «Credo che sia venuto il momento di smettere di fumare.»

«Cerchi di fare lo spiritoso?»

«Già.»

«Non funziona.»

«Lee ti ha mai mostrato il libro con la foto della mia partecipazione al linciaggio?»

«No, non me l'ha mostrato. Mi ha detto dov'era e io l'ho trovato.»

«Hai visto la foto.»

«Sì.»

«Una vera festa, no?»

«Una scena molto dolorosa.»

«Hai visto la fotografia dell'altro linciaggio, nella pagina seguente?»

«Sì. Due del Klan.»

«Con tunica, cappuccio e maschera.»

«Sì, l'ho vista.»

«Eravamo io e Albert. Dietro una delle maschere c'ero io.»

Adam, ormai, era diventato incapace di inorridire. La fotografia macabra gli balenò nella mente; cercò di cancellarla. «Perché me lo dici, Sam?»

«Perché sento di doverlo fare. Non l'avevo mai ammesso, e affrontare la verità dà un certo sollievo. Mi sento già meglio.»

«Non voglio ascoltare altro.»

«Eddie non l'ha mai saputo. Trovò il libro in soffitta, e si accorse che ero nell'altra foto. Ma non sapeva che ero del Klan.»

«Non parliamo di Eddie, d'accordo?»

«Buona idea. E Lee?»

«Sono furibondo con Lee. Ci ha abbandonati.»

«Mi sarebbe piaciuto rivederla, sai. È triste che non sia venuta. Ma sono contento che sia venuta Carmen.»

Finalmente un argomento gradevole. «È una brava ragazza» disse Adam.

«Una ragazza straordinaria. Sono molto orgoglioso di te, Adam, e di Carmen. Avete preso le qualità positive di vostra madre. Sono fortunato perché ho due nipoti meravigliosi.»

Adam lo ascoltava, senza cercare di rispondere. Qualcosa sbatté nel locale accanto ed entrambi sobbalzarono.

«Nugent starà giocando con i suoi aggeggi» commentò Sam. Le sue spalle tremavano di nuovo. «E sai cosa mi addolora?»

«Cosa?»

«Ci ho pensato molto, e mi sono tormentato in questi ultimi due giorni. Guardo te e Carmen, e vedo due giovani intelligenti, con la mentalità aperta. Non odiate nessuno. Siete tolleranti, istruiti, ambiziosi, e vi state facendo strada senza il bagaglio che mi ha oppresso fin dalla nascita. Guardo te che sei mio nipote, carne della mia carne, e mi chiedo: Perché non sono diventato diverso? Come te e Carmen? È difficile credere che siamo davvero parenti.»

«Su, Sam. Non fare così.»

«Non posso evitarlo.»

«Ti prego.»

«D'accordo, d'accordo. Qualcosa di piacevole.» Sam smise di parlare e si piegò in avanti, con la testa bassa che quasi pendeva fra le ginocchia.

Adam avrebbe voluto discutere in modo approfondito del complice misterioso. Voleva sapere tutto: i particolari dell'attentato, la sua sparizione, come e perché Sam era stato preso. E voleva sapere cos'era diventato quell'individuo, soprattutto perché adesso era là fuori e spiava e attendeva. Ma erano interrogativi che non avrebbero trovato risposta, quindi lasciò stare. Sam avrebbe portato nella tomba molti segreti.

L'arrivo dell'elicottero del governatore causò agitazione intorno all'ingresso principale di Parchman. Atterrò dall'altra parte dell'autostrada, dove era in attesa un altro pullmino del carcere. Affiancato da due guardie del corpo e seguito da Mona Stark, McAllister salì in fretta sul veicolo. «Il governatore!» gridò qualcuno. Gli inni e le preghiere si interruppero. I cameramen corsero a riprendere il pullmino che sfrecciò oltre il cancello e scomparve.

Dopo pochi minuti si fermò accanto all'ambulanza dietro l'Msu. Le guardie del corpo e la signora Stark restarono sul pullmino. Nugent andò incontro al governatore, lo condusse nella saletta dei testimoni e lo fece sedere in prima fila. McAllister rivolse un cenno di saluto agli altri che ormai sudavano in abbondanza. La stanza era un forno. Sulle pareti svolazzavano grosse zanzare nere. Nugent chiese al governatore se poteva portargli qualcosa.

«Popcorn» rispose scherzando McAllister, ma nessuno rise. Nugent aggrottò la fronte e uscì.

«Perché è venuto?» chiese subito un giornalista.

«No comment» rispose baldanzoso McAllister.

I dieci rimasero in silenzio a guardare le tende nere e a consultare con ansia gli orologi. Il chiacchiericcio nervoso era cessato. Evitavano di guardarsi negli occhi, come se si vergognassero di assistere a un avvenimento tanto macabro.

Nugent si fermò sulla soglia della camera a gas e consultò un elenco. Erano le undici e quaranta. Disse al dottore di entrare nella Cella d'Isolamento, quindi uscì e ordinò alle guardie di lasciare le quattro torri intorno all'Msu. Il rischio di una fuga di gas che avrebbe potuto danneggiare qualcuno di loro dopo l'esecuzione era minimo, ma Nugent ci teneva molto ai particolari.

Il colpo battuto alla porta era leggero, ma in quel momento risuonò come un colpo di maglio. Echeggiò nel silenzio e fece sussultare Adam e Sam. La porta si aprì. Il giovane medico entrò, si sforzò di sorridere, piegò un ginocchio a terra, chiese a Sam di sbottonarsi la camicia, e gli fissò al petto uno stetoscopio rotondo, da cui pendeva un cavetto che arrivava alla cintura.

Al medico tremavano le mani. Non disse una parola.

51

Alle undici e mezzo Hez Kerry, Garner Goodman, John Bryan Glass e due dei suoi studenti smisero di parlare e si presero per mano intorno al tavolo dell'ufficio di Kerry. Ognuno di loro formulò una preghiera silenziosa per Sam Cayhall, poi Hez ne recitò una a nome di tutti. Rimasero seduti, assorti nei loro pensieri, muti, e pregarono anche per Adam.

La fine arrivò in fretta. L'orologio che aveva frenato e rallentato durante le ultime ventiquattr'ore prese d'un tratto la rincorsa.

Per qualche minuto, dopo l'uscita del medico, parlarono nervosamente. Sam percorse per due volte la cella, misurandola, poi si appoggiò al muro di fronte al letto. Parlarono di Chicago e dello studio Kravitz & Bane, e Sam non riusciva a immaginare come in un solo edificio potessero esistere più di trecento avvocati. Risero forzatamente un paio di volte e si scambiarono qualche sorriso carico di tensione mentre attendevano spaventati di sentir bussare di nuovo alla porta.

Avvenne alle undici e cinquantacinque in punto. Tre colpi secchi, poi una lunga pausa. Nugent attese prima di entrare.

Adam balzò subito in piedi. Sam respirò a fondo e strinse i denti. Puntò l'indice verso Adam. «Ascoltami bene» disse con fermezza. «Puoi entrare con me, ma non puoi restare.»

«Lo so. Non voglio restare, Sam.»

«Bene.» Sam riabbassò l'indice, decontrasse le mascelle e si incupì. Tese le braccia e afferrò Adam per le spalle. Adam lo attirò a sé e lo abbracciò.

«Di' a Lee che le voglio bene» mormorò Sam con voce spezzata. Si scostò un poco e lo guardò negli occhi. «Dille che ho pensato a lei fino alla fine. E non sono arrabbiato perché non è venuta. Anch'io non avrei voluto venire qui se avessi potuto farne a meno.»

Adam annuì e si sforzò di non piangere. Come vuoi, Sam, come vuoi.

«Salutami la tua mamma. Mi è sempre stata simpatica. E Carmen. È una ragazza straordinaria. Mi dispiace per tutto, Adam. È un'eredità terribile, quella che dovete portare sulle spalle.»

«Ce la caveremo, Sam.»

«Lo so. Morirò orgoglioso, figliolo, per merito vostro.»

«Mi mancherai» disse Adam. Ormai le lacrime gli scorrevano sulle guance.

La porta si aprì e il colonnello entrò. «È ora, Sam» annunciò con aria triste.

Sam lo affrontò con un sorriso coraggioso. «Andiamo!» disse con energia. Nugent uscì per primo; poi Sam, quindi Adam. Entrarono nel locale della Camera che era pieno di gente. Tutti fissarono Sam e subito distolsero lo sguardo. Si vergognavano, pensò Adam. Si vergognavano di essere lì e di prendere parte a quella sporca azione. E non guardavano Adam.

Monday, il boia, e il suo assistente erano appoggiati alla parete accanto alla "stanza chimica". Vicino a loro c'erano due guardie in uniforme. Presso la porta c'erano Lucas Mann e un vicedirettore. Il medico si dava da fare sulla destra: regolava l'elettrocardiografo e si sforzava di mostrarsi calmo.

E al centro del locale, circondata dai presenti, c'era la Camera, una specie di enorme tubo ottagonale da poco riverniciato d'argento. La porta aperta mostrava la fatale sedia di legno in attesa. Dietro alla sedia, una fila di vetrate coperte da tende.

La porta che dava sull'esterno era aperta, ma non c'erano correnti. Il locale era una specie di sauna e tutti erano madidi di sudore. Le due guardie presero Sam e lo condussero nella camera a gas. Sam contò i passi... appena cinque dalla porta alla camera... e all'improvviso si ritrovò seduto e si guardò intorno per cercare Adam. Le mani delle guardie si muovevano rapide.

Adam si era fermato appena oltre la soglia. Si appoggiò al muro per sostenersi. Gli mancavano le ginocchia. Guardava i presenti, la Camera, il pavimento, l'elettrocardiografo. Era tutto così asettico! Le pareti ridipinte da poco. Il pavimento lucido. Il medico con i suoi apparecchi. La Camera, piccola e sterile, scintillava. L'odore di antisettico che giungeva dalla "stanza chimica". Tutto era igienico e immacolato. Sembrava un ambulatorio dove la gente andava a farsi curare.

E se vomitassi sul pavimento, ai piedi del medico, cosa succederebbe alla sua stanzetta ben disinfettata, Nugent? Cosa direbbe il manuale, Nugent, se rigettassi proprio qui, di fronte alla camera a gas? Adam si premette le mani sullo stomaco.

Le cinghie intorno alle braccia di Sam, due cinghie per braccio, altre due per le gambe, sopra i pantaloni nuovi, e poi l'orrido sostegno per bloccare la testa, in modo che non si facesse male quando il gas l'avrebbe investito. Ecco, era bloccato, pronto per i vapori del cianuro. Tutto pulito e ordinato, immacolato e sterilizzato, senza spargimenti di sangue. Non c'era niente che potesse inquinare quell'uccisione impeccabile e ispirata alla morale.

Le guardie uscirono a ritroso dalla stretta porta. Erano fiere della loro opera.

Adam guardò Sam là seduto. I loro occhi si incontrarono e per un istante Sam chiuse le palpebre.

Poi toccò al medico. Nugent gli disse qualcosa che Adam non capì. Il medico entrò e collegò il cavetto dello stetoscopio. Fu molto veloce.

Lucas Mann si avvicinò con un foglio in mano e si fermò sulla soglia della camera a gas. «Sam, questo è l'ordine di esecuzione. Sono tenuto a leggerlo.»

«Si sbrighi» borbottò Sam senza aprire le labbra.

Lucas sollevò il foglio e lesse: «In seguito al verdetto di colpevolezza e alla sentenza pronunciata contro di lei dalla Corte del Distretto della contea di Lakehead il 14 febbraio 1981, è condannato a morire nella camera a gas nel penitenziario di Parchman dello stato del Mississippi. Che Dio abbia pietà dell'anima sua.» Lucas indietreggiò e tese la mano verso il primo dei due telefoni fissati al muro. Chiamò il suo ufficio per sapere se c'era qualche rinvio miracoloso all'ultimo momento.

Nulla. Il secondo telefono era una linea diretta con la procura generale, a Jackson. Anche questa volta la linea era libera. Mezzanotte era passata da trenta secondi, ed era mercoledì 8 agosto. «Nessun rinvio» disse a Nugent.

Le parole echeggiarono nell'atmosfera umida della stanza e rimbalzarono da tutte le direzioni. Adam guardò il nonno per l'ultima volta. Aveva i pugni stretti, gli occhi chiusi come se non volesse più vedere Adam. Le labbra si muovevano in un'ultima preghiera.

«C'è qualche ragione perché non si debba procedere all'esecuzione?» chiese formalmente Nugent, ansioso di ottenere un solido parere legale.

«Nessuna» rispose Lucas con sincero rammarico.

Nugent si accostò alla soglia della camera a gas. «Le tue ultime parole, Sam?» chiese.

«Non sono per te. Adam deve andarsene.»

«Sta bene.» Nugent chiuse la porta lentamente. Le pesanti guarnizioni di gomma impedirono che facesse rumore. Sam era legato e chiuso nella camera a gas. Strinse le palpebre e si augurò che tutto finisse presto.

Adam passò alle spalle di Nugent, che era ancora rivolto verso la Camera. Lucas Mann aprì la porta che dava all'esterno, e tutti e due uscirono in fretta. Adam si voltò per l'ultima volta. Il boia stava allungando la mano verso una leva e il suo assistente si accostava per osservare. Le due guardie si stavano spostando per vedere morire il vecchio bastardo. Nugent e il vicedirettore e il medico erano allineati lungo l'altra parete, e tutti si sporgevano e allungavano il collo, per paura di lasciarsi sfuggire qualcosa.

Fuori, la temperatura di trentadue gradi sembrava molto più fresca. Adam si avviò verso la parte posteriore dell'ambulanza e vi si appoggiò per un istante.

«Si sente bene?» chiese Lucas.

«No.»

«Cerchi di calmarsi.»

«Non va ad assistere?»

«No. Ho già visto quattro esecuzioni. Mi bastano. E questa è particolarmente difficile.»

Adam fissò la porta bianca al centro del muro. Vicino erano

fermi tre pullmini, e intorno ai pullmini alcune guardie fumavano e parlottavano. «Vorrei andarmene» disse. Temeva di vomitare.

«Sì, andiamo.» Lucas lo prese per il gomito e lo condusse al primo pullmino. Disse qualcosa a una guardia che si mise al volante. Salirono nella parte centrale.

Adam sapeva che in quel preciso momento suo nonno era nella camera a gas e ansimava, con i polmoni invasi dal veleno bruciante. Là, in quella piccola costruzione di mattoni rossi, lo aspirava, cercava di assorbirne il più possibile nella speranza di involarsi verso un mondo migliore.

Adam cominciò a piangere. Il pullmino girò intorno ai recinti per l'aria, passò sull'erba davanti al Braccio. Si coprì gli occhi e pianse per Sam, per ciò che soffriva in quel momento, per il modo orribile in cui era costretto a morire. Era così patetico, vestito degli unici indumenti che possedeva, mentre lo legavano come un animale. Adam pianse per Sam e per gli ultimi nove anni che aveva trascorso a guardare attraverso le sbarre per cercare di scorgere la luna e a chiedersi se qualcuno, là fuori, si preoccupava per lui. Pianse per tutti gli sciagurati Cayhall e per le loro storie di infelicità. E pianse per se stesso, per l'angoscia che provava in quel momento, per la perdita di una persona amata, pianse perché non era riuscito a impedire quella follia.

Lucas Mann gli batté la mano sulla spalla. Il pullmino rallentò, si fermò, ripartì e si fermò di nuovo. «Mi dispiace» disse Mann più di una volta.

«È la sua macchina?» chiese poi quando si fermarono fuori dal cancello. Il parcheggio di terra battuta era strapieno. Adam strattonò la maniglia della portiera e scese senza dire una parola. Avrebbe ringraziato più tardi.

Guidò in fretta lungo il sentiero ghiaiato fra i filari del cotone, fino a quando arrivò al viale. Proseguì verso l'entrata, rallentò solo per aggirare due barriere, poi si fermò al cancello perché una guardia potesse controllare il portabagagli. Sulla sinistra c'era uno sciame di giornalisti. Erano tutti in piedi e attendevano con impazienza qualche notizia dal Braccio. Le telecamere erano pronte.

Non c'era nessuno nel baule di Adam, che poté aggirare

un'altra barriera, rischiando di investire una guardia che non si era spostata abbastanza in fretta. Si fermò all'ingresso nell'highway per guardare la veglia a lume di candela che si svolgeva alla sua destra. C'erano centinaia di ceri. E più avanti un coro cantava un inno.

Ripartì, passò accanto agli agenti della polizia statale che oziavano e si godevano quei momenti di tranquillità. Passò accanto alle macchine parcheggiate per tre chilometri e più lungo le banchine, e si lasciò alle spalle Parchman. Spinse a fondo l'acceleratore e il turbo raggiunse in fretta i centoquaranta orari.

Si diresse verso nord, anche se non aveva intenzione di andare a Memphis. Attraversò cittadine come Tutwiler, Lambert, Marks, Sledge e Crenshaw. Abbassò i vetri e l'aria calda turbinò intorno ai sedili. Il parabrezza era costellato di grossi insetti che, come aveva scoperto, erano la piaga del Delta.

Continuò a guidare senza meta. Non era un viaggio pianificato. Non aveva pensato dove sarebbe andato immediatamente dopo la morte di Sam, perché non aveva creduto che ci sarebbe stata. In quel momento poteva essere a Jackson, a bere e a festeggiare con Garner Goodman e Hez Kerry, e a sbronzarsi perché erano riusciti a tirar fuori un coniglio dal cappello. Poteva anche essere nel Braccio, attaccato al telefono, nel tentativo disperato di ottenere i dettagli di un rinvio dell'ultimo momento che più tardi sarebbe diventato definitivo. Poteva essere... chissà dove.

Non osava andare a casa di Lee perché temeva di trovarla. Il loro prossimo incontro sarebbe stato feroce, e preferiva rimandarlo. Decise di cercare un motel decente, passarvi la notte e tentare di dormire. E riprendere a pensare domani, alla luce del sole. Attraversò a velocità sostenuta cittadine e villaggi dove non c'erano stanze da affittare. Poi rallentò. Un'highway portò a un'altra. Si era sperso, ma non gliene importava nulla. Com'è possibile perdersi quando non si sa dove si sta andando? Riconosceva i nomi delle cittadine sui cartelli stradali, e svoltava un po' a destra e un po' a sinistra. Un emporio aperto tutta la notte attirò la sua attenzione alla periferia di Hernando, non lontano da Memphis. Non c'erano macchine ferme. Dietro il banco stava una donna di mezza età dai capelli nerissimi che fumava, masticava una gomma e parlava al telefono. Adam andò al frigo delle birre e prese una confezione da sei.

«Mi dispiace, bello, ma non si può comprare birra dopo mezzanotte.»

«Come?» chiese Adam mentre si frugava nella tasca.

La donna si allarmò nel vedere la sua smorfia selvaggia. Posò il ricevitore accanto al registratore di cassa. «Dopo mezzanotte non possiamo vendere birra. È la legge.»

«La legge?»

«Sì. La legge.»

«Dello stato del Mississippi?»

«Esatto» rispose la donna.

«Sa cosa penso in questo momento delle leggi di questo stato?»

«No, bello. E per essere sincera non me ne frega niente.»

Adam sbatté sul banco un biglietto da dieci dollari e portò in macchina le birre. La donna lo guardò uscire, si mise in tasca i dieci dollari e tornò al telefono. Perché disturbare la polizia per una confezione di sei lattine di birra?

Adam ripartì e si diresse verso sud su una highway a due corsie, rispettando i limiti di velocità. Si scolò la prima birra e ripartì alla ricerca di una stanza pulita con colazione continentale compresa nel prezzo, piscina, tv via cavo e bambini ospitati gratis.

Quindici minuti per morire, quindici minuti per ventilare la camera a gas, dieci minuti per lavarla con l'ammoniaca. Poi avrebbero irrorato il corpo, privo di vita secondo il giovane medico e il suo elettrocardiografo. Nugent che gesticolava: mettete le maschere antigas, mettete i guanti, fate risalire sui pullmini quei maledetti giornalisti e mandateli via.

Gli sembrava di vedere Sam con la testa reclinata da un lato, ancora legato con le enormi cinghie di cuoio. Di che colore era la sua pelle, adesso? Di sicuro non aveva più il pallore malsano degli ultimi nove anni. Di sicuro il gas gli aveva reso violacee le labbra e rosea la carnagione. Adesso la Camera è stata ripulita, non c'è pericolo. Entrate, dice Nugent, e sganciate le cinghie. Prendete i coltelli. Tagliate gli indumenti. Se l'è fatta addosso? Succede sempre così. State attenti. Ecco il sacco di plastica. Metteteci i vestiti. E irrorate il corpo nudo.

Adam vedeva gli indumenti nuovi: i pantaloni kaki un po'
rigidi, le scarpe troppo grandi, gli immacolati calzini bianchi.
Sam era stato così fiero di indossare dei veri abiti nuovi. Adesso erano diventati stracci in un sacco verde per l'immondizia,
trattati come veleno e destinati a venire bruciati da uno degli
spesini.

Dove sono gli indumenti, i pantaloni blu e la maglietta
bianca dell'uniforme carceraria? Andate a prenderli. Entrate
nella camera a gas. Vestite il cadavere. Le scarpe non sono necessarie. Niente calze. Accidenti, deve andare soltanto all'impresa di pompe funebri. Lasciate che sia la famiglia a vestirlo
per la sepoltura. E adesso la barella. Portatelo fuori. Caricatelo
nell'ambulanza.

Adam era arrivato vicino a un lago, aveva superato un ponte, aveva attraversato un tratto di golena. L'aria era diventata
di colpo umida e fresca. Si era perso di nuovo.

52

Il primo bagliore dell'aurora fu un alone rosato su una collina sopra Clanton. Filtrò fra gli alberi, cominciò a sfumare nel giallo, poi nell'arancio. Non c'erano nubi, non c'era nulla tranne i colori brillanti contro lo sfondo del cielo scuro.

Sull'erba stavano due birre ancora intatte. Tre lattine vuote erano state buttate contro una lapide. La prima che Adam aveva vuotato era ancora in macchina.

Stava sorgendo il giorno. Le ombre scendevano verso di lui dalle file delle altre pietre tombali. Il sole stava spuntando da dietro gli alberi.

Era lì da un paio d'ore, anche se aveva perso la cognizione del tempo. Jackson, il giudice Slattery e l'udienza di lunedì sembravano appartenere a un passato remoto. Sam era morto qualche minuto prima. Era morto davvero? Avevano già compiuto quell'atto spietato? Il tempo continuava a giocare strani scherzi.

Non aveva trovato un motel, e per la verità non l'aveva cercato con molto impegno. Era capitato per caso nei pressi di Clanton e si era spinto fin lì, dove aveva identificato la tomba di Anna Gates Cayhall. Adesso vi stava appoggiato. Aveva bevuto la birra tiepida e lanciato le lattine vuote contro il monumento più grande che fosse a tiro. Se i poliziotti l'avessero trovato e portato in prigione, non gliene sarebbe importato. Era già stato in una cella. «Ehi, vengo da Parchman» avrebbe detto ai compagni di detenzione. «Sono appena uscito dal braccio della morte.» E l'avrebbero lasciato in pace.

Evidentemente i poliziotti avevano da fare altrove. Nel cimitero non c'era pericolo. Quattro bandierine rosse erano state piantate accanto alla tomba di sua nonna. Le notò quando il sole sorse a oriente. Un'altra tomba da scavare.

Dietro di lui sbatté la portiera di un'auto, ma Adam non la udì. Qualcuno avanzava verso di lui, ma non distingueva chi fosse. La figura si muoveva lentamente, cercava qualcosa nel cimitero, cautamente.

Il rumore di un ramoscello spezzato fece trasalire Adam. Lee era in piedi accanto a lui, con la mano sulla lapide della madre. La guardò e distolse gli occhi.

«Cosa sei venuta a fare?» chiese, troppo intontito per sorprendersi.

Lee s'inginocchiò e poi sedette vicinissima a lui, appoggiando le spalle contro il nome della madre scolpito nella pietra. Gli passò il braccio intorno al gomito.

«Dove diavolo sei stata, Lee?»

«In cura.»

«Potevi almeno telefonare, accidenti!»

«Non arrabbiarti, Adam, ti prego. Ho bisogno di un amico.» Gli posò la testa sulla spalla.

«Non sono sicuro di essere tuo amico, Lee. È terribile quello che hai fatto.»

«Lui avrebbe voluto vedermi, vero?»

«Sì. E tu, naturalmente, eri perduta nel tuo piccolo mondo, come al solito assorta nei tuoi problemi. Non hai pensato agli altri.»

«Ti prego, Adam. Sono stata a curarmi. Sai quanto sono debole. Ho bisogno di aiuto.»

«Allora cercalo.»

Lee notò le due lattine di birra, e Adam si affrettò a gettarle via. «Non bevo» disse lei, penosamente, con voce triste e vuota. Il volto grazioso era stanco e segnato da rughe.

«Ho cercato di vederlo» disse.

«Quando?»

«Ieri sera. Sono andata a Parchman. Non mi hanno lasciata entrare. Hanno detto che era troppo tardi.»

Adam abbassò la testa e si calmò. Non serviva a nulla prendersela con lei. Era un'alcolizzata e si sforzava di vincere i demoni che Adam si augurava di non dover mai incontrare. E poi era sua zia, la cara zia Lee. «Alla fine ha chiesto di te. Mi ha incaricato di dirti che ti voleva bene e non era arrabbiato perché non sei andata a trovarlo.»

Lee cominciò a piangere in silenzio. Si asciugò le guance con il dorso delle mani e continuò a piangere, a lungo.

«Se n'è andato con fermezza e dignità» raccontò Adam. «È stato molto coraggioso. Ha detto che il suo cuore era in pace con Dio e che non odiava nessuno. Era assalito da rimorsi terribili per ciò che aveva fatto. Era un vecchio combattente, pronto ad andare avanti.»

«Sai dove sono stata?» chiese Lee con voce rotta dal pianto, come se non lo avesse sentito.

«No. Dove?»

«Sono andata alla vecchia casa. Ci sono andata stanotte, dopo essere stata a Parchman.»

«Perché?»

«Volevo bruciarla. Ed è bruciata splendidamente. La casa e le erbacce tutte intorno. Un falò enorme. È andato tutto in fumo.»

«Oh, Lee, smettila.»

«È vero. Per poco non mi hanno sorpresa, credo. Mi pare di aver superato una macchina mentre venivo via. Ma non sono preoccupata. Avevo comprato la proprietà la settimana scorsa. Ho pagato tredicimila dollari alla banca. Se è tua, puoi bruciarla, non è così. Sei tu l'avvocato.»

«Dici sul serio?»

«Va' a vedere con i tuoi occhi. Mi sono fermata davanti a una chiesa a un chilometro e mezzo di distanza ad aspettare i vigili del fuoco. Non sono venuti. La casa più vicina è a tre chilometri. Nessuno ha visto l'incendio. Va' a dare un'occhiata. Non è rimasto più niente, tranne il camino di pietra e un mucchio di cenere.»

«E come...»

«Ho usato la benzina. Ecco, annusa le mie mani.» Le tese. Avevano l'odore acre e inconfondibile della benzina.

«Ma perché?»

«Avrei dovuto farlo già da molti anni.»

«Non è una risposta alla mia domanda. Perché?»

«Aveva visto cose orribile. Era popolata di demoni e spiriti. Adesso se ne sono andati.»

«Sono morti con Sam?»

«No, non sono morti. Sono andati a perseguitare qualcun altro.»

Continuare la discussione sarebbe stato inutile, pensò Adam. Dovevano andarsene, e magari tornare a Memphis dove avrebbe potuto aiutarla a riprendersi, forse a mettersi in terapia. Sarebbe rimasto con lei per controllare che si facesse curare.

Un furgoncino impolverato entrò nel cimitero passando dal cancello di ferro del settore vecchio e proseguì lentamente lungo il vialetto di cemento che si snodava fra gli antichi monumenti. Si fermò davanti a un capanno all'angolo. Tre neri scesero e si stiracchiarono la schiena.

«Quello è Herman» disse Lee.

«Chi?»

«Herman. Non so il cognome. Scava le tombe qui da quarant'anni.»

Seguirono con gli occhi Herman e gli altri due al di là della valle di lapidi. Udivano appena le voci mentre gli uomini provvedevano con calma ai preparativi.

Lee smise di piangere. Il sole aveva superato le chiome degli alberi e i suoi raggi battevano loro in faccia. Era già caldo. «Sono contenta che tu sia venuto» disse. «So che per lui è stato molto importante.»

«Ho perso, Lee. Ho fatto fiasco e il mio cliente è morto.»

«Hai fatto del tuo meglio. Nessuno avrebbe potuto salvarlo.»

«Chi lo sa?»

«Non tormentarti. La prima sera, quando venisti a Memphis, mi dicesti che non c'erano molte probabilità. Sei arrivato vicino al successo. Ti sei battuto bene. Adesso devi tornare a Chicago e riprendere la tua vita.»

«Non tornerò a Chicago.»

«Cosa?»

«Cambio lavoro.»

«Ma fai l'avvocato da appena un anno.»

«Continuerò a fare l'avvocato. Ma eserciterò un'attività diversa.»

«Quale?»

«Mi occuperò di cause che prevedono la pena di morte.»

«Mi sembra una prospettiva spaventosa.»

«E lo è. Soprattutto in questo momento della mia vita. Ma

mi abituerò. Non sono tagliato per lavorare in un grande studio legale.»

«Dove eserciterai?»

«A Jackson. Passerò altro tempo a Parchman.»

Lee si passò le mani sul viso e gettò indietro i capelli. «Immagino che tu sappia quello che fai» concluse. Non riusciva a nascondere il dubbio.

«Questo non è detto.»

Herman stava girando intorno a una vecchia scavatrice gialla, ferma sotto un albero accanto alla baracca. La osservò pensieroso, mentre un altro sistemava due pale nella cucchiaia rovescia. Poi si raddrizzarono, si scambiarono ridendo qualche parola e presero a calci i pneumatici anteriori.

«Ho un'idea» propose Lee. «C'è un piccolo bar, a nord della cittadina. Si chiama Ralph's. Sam mi accompagnava...»

«Ralph's?»

«Sì.»

«Il nome del consigliere spirituale di Sam. È stato con noi questa notte.»

«Sam aveva un consigliere spirituale?»

«Sì. Un brav'uomo.»

«Comunque, Sam portava là Eddie e me quando compivamo gli anni. È un locale vecchissimo, esiste da un secolo. Mangiavamo biscotti enormi e bevevano cioccolata calda. Andiamo a vedere se è aperto.»

«Adesso?»

«Sì.» Lee si alzò, di slancio, improvvisamente animata. «Vieni. Ho fame.»

Adam si aggrappò alla lapide e si rimise in piedi. Non dormiva dalla notte di lunedì, aveva le gambe pesanti e irrigidite e la birra gli faceva girare la testa.

In lontananza, il motore si accese e il rombo echeggiò nel cimitero. Adam rimase immobile. Lee si voltò a guardare. Herman guidava la scavatrice e il fumo azzurrognolo usciva ribollendo dalla marmitta. I due compagni di lavoro stavano nella cucchiaia rovescia con i piedi penzoloni. La scavatrice si mosse in prima, e si avviò lungo il viale passando adagio tra le file di tombe. Si fermò e si girò.

Cominciò ad avanzare verso di loro.

OSCAR BESTSELLERS

De Crescenzo, Il dubbio

Milsted, Il Guinness delle gaffe

Cornwell, La fabbrica dei corpi

Bevilacqua, I sensi incantati

Augias, I segreti di Parigi

Bocca, Il viaggiatore spaesato

Olivieri, Il Dio danaro

Dolto, Solitudine felice

Evangelisti, Il mistero dell'inquisitore Eymerich

Dujovne Ortiz, Evita

Harris, Enigma

Brooks, Il primo re di Shannara

Vespa, La svolta

Forattini, Il forattone

Allegri, Il catechismo di Padre Pio

Rota, Padania fai da te

Schelotto, Perché diciamo le bugie

Follett, Il terzo gemello

Pasini, I tempi del cuore

Rendell, Il tarlo del sospetto

Bevilacqua, Lettera alla madre sulla felicità

Costanzo, Dietro l'angolo

Simmons, La caduta di Hyperion

Di Stefano, Mal cognome mezzo gaudio

Weis - Hickman, La settima porta

Baldacci Ford, Il potere assoluto

Laurentin, Lourdes

Cruz Smith, La rosa nera

Gates, La strada che porta a domani

Spaak, Oltre il cielo

Fruttero & Lucentini, Il nuovo libro dei nomi di battesimo

Forattini, Giovanni Paolo secondo Forattini

McCarthy, Il falconiere

McFarlan - Bishop, Il Guinness dei perché

Forsyth, Icona

Pilcher, Ritorno a casa

García Márquez, Scritti costieri 1948-1952

Volcic, Est

De Crescenzo, Ordine e Disordine

Sgorlon, La malga di Sîr

Maurensig, Canone inverso

De Mello, Chiamati all'amore

Bonelli - Letteri, Tex. El Morisco

Gibson, Aidoru

Angela P. e A., La straordinaria avventura di una vita che nasce

Dalai Lama, Incontro con Gesù

Høeg, La donna e la scimmia

Cardini, L'avventura di un povero crociato

Dolto - Hamad, Quando i bambini hanno bisogno di noi

Sclavi, Tutti gli orrori di Dylan Dog

Simmons, Il canto di Kali

Krantz, Collezione di primavera

Bocca, Italiani strana gente

AA.VV., Tutti i denti del mostro sono perfetti

Giussani, Diabolik. Le grandi evasioni

Citati, La colomba pugnalata

Guccini- Machiavelli, Macaronì

Grisham, La giuria

De Filippi, Amici di sera

Bevilacqua, Anima amante

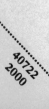